{ ANDRÉ MATHIEU }

La Saga Grégoire

Tome I

La forêt verte

Les Éditions
Coup d'œil

Du même auteur, aux Éditions Coup d'œil :
La Tourterelle triste, 2012
L'été d'Hélène, 2012

La saga des Grégoire
1- La forêt verte, 2012
2- La maison rouge, 2012
3- La moisson d'or, 2012
4- Les années grises, 2012
5- Les nuits blanches, 2012
6- La misère noire, 2012
7- Le cheval roux, 2012

Aux Éditions Nathalie :
Plus de 60 titres offerts, dont *Aurore*,
la trilogie du Docteur Campagne et les Paula

Couverture : Camille Ponton
Conception : Geneviève Nadeau et Chantal Morisset
Correction : Amélie Cusson

Première édition : © Éditions Nathalie, 2004
Pour la présente édition : © Les Éditions Coup d'œil, 2012

Dépôt légal : 3e trimestre 2012
Bibliothèque et Archives nationales du Québec
Bibliothèque nationale du Canada
Imprimé au Canada

ISBN : 978-2-89690-374-0

Bon sang ne peut mentir.

Un clocher dans la forêt

La forêt verte s'inspire de l'ouvrage intitulé *Un clocher dans la forêt*, par Hélène Jolicœur, petite-fille d'Émélie Allaire et Honoré Grégoire, figures centrales de cette saga familiale, et Canadiens français de bonne souche.

Hélène a elle-même basé ses écrits sur divers témoignages et fait preuve d'une grande authenticité dans sa recherche sur la famille Grégoire.

Mon regard sur ma paroisse natale où vécurent les Grégoire, s'ajoutant à celui d'Hélène sur cette grande famille beauceronne, donnent une œuvre qui tient autant du roman biographique que de la fiction. Mais ce qui compte d'abord, c'est l'esprit qui animait ces gens d'autres époques, mentalités qui furent si bien comprises par Hélène, et que j'ai tâché de rendre avec mes yeux d'enfant de 1950 et ma plume de maintenant.

J'ai dédié *La forêt verte*, premier tome de la série, à la mémoire de Berthe Grégoire, mère d'Hélène Jolicœur.

Le second, *La maison rouge*, est à la mémoire d'Alfred Grégoire, un grand personnage de mon enfance.

Le troisième, *La moisson d'or*, à celle de Bernadette Grégoire, un être exceptionnel qui a eu l'une des plus belles places dans mes ouvrages et dans mon cœur à ce jour.

Les suivants seront dédiés à la descendance.

André Mathieu

Chapitre 1

Juin 1854, Saint-Henri-de-Lauzon, Québec

Deux jeunes gens fagotés en paysans, le dos courbé, chargé d'un sac pesant, le front humide, s'arrêtèrent au cœur du village, à la boutique de forge située en face de la chapelle, au coin du pont traversant la rivière Etchemin. Ils avaient marché depuis Lévis et voulaient trouver à Saint-Henri un charretier qui les conduira à Sainte-Marie, de l'autre côté de la forêt de Saint-Igan. Certes, ils auraient pu poursuivre à pied, mais le bois était marécageux sur une bonne distance et il leur faudrait bien moins de temps grâce à un bon attelage. Surtout beaucoup moins d'efforts en voiture à cheval. Et, superstitieux tous deux, ils n'avaient pas envie de s'attarder en ce bois sombre et hanté qu'on décrivait comme le royaume des fantômes, des lutins et des âmes en peine, et que plusieurs allaient jusqu'à définir comme l'antre du diable en personne, diable qui avait tourmenté bien plus d'un voyageur allant de Québec à la Beauce ou aux États-Unis, et n'ayant d'autre choix que celui de passer par là, ce lieu connu aussi comme la plée de Saint-Henri.

Ils entrèrent silencieusement dans la sombre boutique. Le temps que leurs yeux s'adaptent, une forte odeur chevaline les accueillit en même temps que l'apostrophe bougonne et spontanée du noir forgeron Larue au regard rouge et aux yeux chassieux:

– Salut ben! Y a-t-il quelque chose que j'peux faire pour vous autres?

— Ben... on cherche quelqu'un qui nous reconduirait à Sainte-Marie.

Larue délaissa le soufflet qu'il actionnait à leur entrée pour s'approcher d'eux jusque tout près, face à face et pour leur parler sans fafiner :

— Pourquoi c'est faire que vous attendez pas le postillon de Sainte-Marie qui va repasser par icitte après-midi ?

Les deux jeunes gens se regardèrent, bougèrent les épaules, s'interrogèrent sans rien dire. Larue sut lire dans leurs réactions.

— Bon, vous y avez pas pensé, on dirait ben.

— Faut être à Sainte-Marie avant le coup du midi, fit le blondin des deux.

Larue, personnage fortement ridé d'au moins la mi-quarantaine, chauve comme un genou, les yeux rougis par la fumée du charbon, parut réfléchir quelques secondes, et les compagnons attendaient qu'il les aide de ses lumières.

— Y a des occasions qui vont passer devant, comme à tous les jours. Tenez-vous à la barrière du pont, vous allez frapper quelqu'un qui va vous emmener, pis ça vous coûtera pas cher, peut-être rien pantoute.

Le noiraud s'opposa, la tête en biais :

— Notre gars, là-bas, il nous attendra pas. Si on est pas là sur le coup de midi, il va s'en retourner chez eux, à Sainte-Hénédine. Il niaisera pas à nous attendre ben longtemps.

— Comment c'est que vous vous appelez, vous autres, pis d'où c'est que vous venez ?

— Moé, c'est Pierre Boutin. J'viens de Rivière-du-Sud.

— Moé, c'est Thomas Morin. J'viens de Saint-Vallier.

— Où c'est que vous allez donc de même, chargés comme des vrais ânes ?

— Quelque part dans la Haute-Beauce, de l'autre bord de Saint-Georges. On va ouvrir des lots de colonisation, nous autres pis un Français de Sainte-Hénédine qui nous attend à Sainte-Marie à matin.

Le forgeron essuya de la sueur sur son front avec sa main noire et il étendit la souillure charbonneuse qui s'y trouvait déjà:

– Des futurs colons, hein? Ben il en faut. Parce que ça manque de place en vieux maudit dans les paroisses du long du fleuve pis les autres itou. Faut en ouvrir des neuves dans le fond des terres. C'est vrai que de la place à l'autre boutte de la Beauce, sur le haut des terres, y en a encore un peu. J'en connais même qui pensent à s'établir par là-bas.

Ce discours n'était pas inventé par Larue, et plutôt colporté par lui et bien d'autres. C'est dans les officines du gouvernement qu'il naissait de ce temps-là. Et particulièrement au ministère de l'Agriculture créé deux ans auparavant par le gouvernement d'Union.

– Vous aurez rien qu'à le rattraper à Saint-Joseph, à Saint-François ou ben à Saint-Georges, votre Français de Sainte-Hénédine.

– Non, il va s'en retourner chez eux: il s'en ira pas tu seul dans le bois là-bas. Si on vient pas, il va y aller avec d'autres plus tard, pis on pourrait perdre nos lots, nous autres. Pis ça, on voudrait pas, vous comprenez.

– C'est lui qui a le plan des lots du ministère de l'Agriculture, pis nous autres, ben on sait pas lire un plan de même.

Illettré tout comme eux, le forgeron comprit leur problème et voulut les aider davantage. Il trouva une ébauche de solution:

– Écoutez, y a un gars qui va venir dans quelques minutes chercher son cheval pis sa voiture qui est là: on va lui demander. Pour une livre, j'pense ben qu'il va vouloir vous reconduire à Sainte-Marie. Il crache pas su' l'argent vu qu'il vient de s'établir su' une terre. En tout cas, ça coûte pas un maudit «token» d'y demander.

– On va le payer ben comme il faut.

– Il a un bon cheval ferré en neu'… c'est celui-là de ce bord-là, là…

Dans des stalles voisines, deux chevaux attendaient qu'on les récupère : un noir et un gris. Tranquilles. Forts. Prêts à tout travail à leur être demandé.

— Bon, ben si vous voulez parler encore, approchez-vous du feu de forge, là... j'ai de quoi à faire, moé.

Mais plutôt que de s'y rendre lui-même, le forgeron contourna ses visiteurs pour aller voir dans l'embrasure de la porte grande ouverte et qui laissait entrer la lumière fulgurante dans l'intérieur obscur. Il reprit :

— Ben le v'là justement, notre homme, qui s'en revient. Je m'en vas vous faire connaître tous ensemble.

Ce qui fut fait à son arrivée. Larue nomma les deux jeunes étrangers, et l'autre se présenta lui-même :

— Ben moé, c'est Édouard.

Personnage de taille un peu au-dessus de la moyenne à la chevelure épaisse et noire, le jeune homme portait de sourcils épais qui occupaient l'attention du premier moment devant quelqu'un.

— Édouard Allaire, précisa Larue. Ces deux-là, ils voudraient que tu les reconduises à Sainte-Marie, au magasin. Parce qu'ils s'en vont dans le haut de la Beauce défricher de la terre neuve. Faut qu'ils partent à trois avec un Français de Sainte-Hénédine... Pis faudrait pas que ça prenne goût de tinette avant qu'ils soient rendus là...

Puis, le forgeron s'éloigna, laissant les visiteurs s'expliquer et annoncer leur offre monétaire à Édouard, qui accepta pourvu qu'on le paye comptant dès avant le départ. Ils ne rechignèrent pas. Peu de temps après, on se mit en chemin après avoir remercié et salué Larue, qui leur souhaita bonne chance, et surtout bon courage, s'imaginant tout le labeur, les grandes difficultés et les risques certains qui les attendaient, si loin dans la sauvagerie de la Haute-Beauce, pas loin de la frontière américaine.

La feuillaison inondait à ce point le village de ses verts et de ses ombres qu'on ne pouvait distinguer de la chapelle que des parties grisâtres, couleur de pierre et d'autres brunes, couleur de portes et châssis. Dans la cour de la maison voisine, résidence du forgeron Larue, des enfants poussiéreux, deux garçonnets et trois fillettes, regardaient passer la charrette à poche où avaient pris place les deux colons, des hommes du même âge environ que leur conducteur, ce nouveau cultivateur de Saint-Henri. Édouard salua les petits de la main, du sourire et de ses mots joyeux:

– Les enfants, bonjour! Amusez-vous ben comme il faut, là, vous autres!

Ses deux passagers ne réagirent que par l'apparente indifférence. Ils concevaient mal qu'un homme de leur âge puisse ainsi s'adresser aussi légèrement à de si petits enfants guère plus gros que des poux. Ce n'était ni dans la coutume ni dans l'ordre. On ne parlait aux enfants que pour les redresser ou parce qu'on était femme. Les petits, vêtus de hardes grises et usées, trouées, se regroupèrent d'instinct et gardèrent leur visage sérieux, incrédules devant pareille interpellation bienveillante. On les perdit vite de vue...

Il fallut d'abord verser une petite somme à la barrière de l'autre côté du pont. Car cette route, dite «route de trente sous» en raison du montant payé à la barrière pour qui désirait l'emprunter, relevait du Syndic des Chemins à Barrières du district de Québec, et l'on réclamait des droits de péage à quelques endroits passants pour en payer l'entretien.

Édouard occupait la banquette au-dessus de ses passagers installés à l'arrière en train de charger leur pipe. On ne se parla guère pour un temps, puis il brisa la glace:

– Ils parlent de macadamiser[1] le chemin d'icitte jusqu'à Sainte-Marie.

– Ça prend ça, de nos jours! argua Thomas. On est en 1854, on est pas en 1760.

– Le long du fleuve, là-bas, c'est fait, ça fait longtemps! dit l'autre.

---

1. Faire un pavage en pierres concassées et compactées.

– Tu veux charger, Allaire ? demanda Thomas, s'adressant au cocher.

– C'est pas de refus !

– C'est du bon : ni vert ni trop sec. Du canayen fort. Passe-moé ta pipe, je vas le faire pour toé vu que t'as les cordeaux dans les mains.

Cela fut fait. Un peu plus loin, alors qu'on arrivait à l'orée du grand bois, Édouard fit s'arrêter le cheval afin que l'on puisse allumer les pipes sans difficulté. Et, ce faisant, on économiserait deux allumettes de sûreté. Les trois têtes se rapprochèrent, pipes devant. Thomas obtint la flamme par frottement de l'objet contre la ridelle et la colla aussitôt sur son tabac et l'embrasa, puis sur celui du cocher et enfin, au risque de se brûler les doigts, sur celui de Pierre Boutin. La manœuvre réussit parfaitement, et la fumée bleue, par petits nuages, le démontra en se dispersant dans l'air doux du jour en progression. Édouard goûta et dit, semblant réfléchir :

– Ouè, ben c'est du bon tabac ! Asteur, on est bon pour traverser le bois : y a pas un démon qui va nous approcher, pis les mouches encore moins.

Boutin fronça les sourcils :

– Pourquoi c'est faire que tu dis ça ?

Édouard prit un air et un ton sentencieux :

– Parce qu'il paraît que le yable se promène dans le bois par icitte. C'est ce qu'on dit. Faut-il le crère ? Fait-il pas le crère ?

Édouard s'amusait à l'aide de ces dires, ce qui lui permettait de les exorciser tout à fait, car lui-même n'était pas rassuré au grand complet. Il se rendit compte que son passager avait la peur facile, et il en remit :

– D'aucuns disent que des fois, le yable s'accroche aux roues de leur voiture, pis les retient dans les rayages du chemin. Pis qu'ils finissent par sortir de là, pas à force de bras, mais à force de prières. D'autres disent...

– Ah, laisse faire, tu nous conteras ça de l'autre bord du bois plus tard.

– Ben correct de même! On repart pis prochain arrêt : le village de Sainte-Marie.

En chemin, Édouard en apprit un peu plus sur eux. Bien qu'ils fussent originaires de deux endroits différents, ils se connaissaient depuis un an alors que le même jour à Québec, ils avaient fait la demande d'un lot comme il s'en concédait depuis longtemps à même les terres seigneuriales qui, toutes, étaient maintenant les terres de la Couronne depuis le grand changement survenu au régime du partage territorial. Là, ils avaient connu le troisième homme, celui qu'ils allaient rencontrer et auquel ils se joindraient pour voyager jusqu'aux lots à défricher que le gouvernement du Canada uni, et plus précisément de Canada-Est, leur avait attribué, moyennant certaines conditions, notamment celle de tracer et d'entretenir un chemin de front suivant les directives du plan des arpenteurs officiels. Ces chemins de ligne ou de trait-carré permettraient à d'autres de pénétrer plus facilement la forêt et de s'installer à leur tour sur un lot des environs sur le territoire de cette future paroisse aux dimensions prévues et arrêtées de sept milles de largeur par sept milles de longueur.

On traversa la forêt sans trop y penser ni trop la ressentir dans ses peurs superstitieuses. Il y faisait frais. Les arbres majestueux obombraient l'attelage et les hommes. La joie des pipes fumantes et des voix incessantes accompagna les trois voyageurs. Le printemps tirant à sa fin, les fondrières s'étaient en partie dégorgées de leur humidité et le «yable ne s'accrocha pas une seule fois aux roues de la voiture». Quant aux moustiques, ils furent d'une étonnante discrétion.

Une heure avant midi, on entra dans le village. Bientôt le cheval fut immobilisé. On était rendu à destination. Édouard n'était pas satisfait du paiement reçu, mais ce n'est pas de l'argent qu'il désirait encore et bien plutôt des connaissances. Ce pays de la Beauce l'interpellait, et il voulait en connaître plus à son sujet. Il en savait déjà que l'or coulait dans les ruisseaux, ce qui avait provoqué une grande ruée dans les années 30. En fait, la première pépite de la grosseur d'un œuf de pigeon et pesant 1066 grains avait été trouvée en 1834 par une dame: Olivier Morin. La fièvre s'était vite emparée des riverains de la rivière Gilbert où l'événement heureux s'était produit, et avait gagné tout le pays, amenant dans la vallée et le long des rives du moindre ruisseau des prospecteurs croyant en leur bonne étoile. Les brasseurs de batée avaient peu à peu abandonné leur quête sauf le dimanche par amusement, car les pépites d'importance s'étaient raréfiées et il ne restait plus du précieux métal que celui contenu dans les sables aurifères, et qu'il fallait extraire à l'aide de machinerie compliquée et coûteuse. C'est ainsi que la Canada Mining Co s'était installée à Saint-Georges trois ans auparavant et travaillait sur le gravier de la rivière Du Loup.

Une part de rêve demeurait néanmoins en chacun qui allait s'installer en cet Eldorado de l'or et de la fête, en cette Beauce joyeuse et laborieuse. Et ces deux pionniers reconduits par Allaire n'y échappaient pas, eux non plus…

Édouard avait beau ne pas savoir lire, pas besoin de la tête à Papineau pour comprendre qu'on arrivait devant le lieu de rendez-vous fixé un mois plus tôt pour ce jour-là et à cet endroit.

— Ben, j'pense que c'est icitte, le magasin que vous dites.

Les trois descendirent. Morin et Boutin se dirigèrent vers l'entrée. Édouard attacha son cheval au montant d'une auge, parallèlement à un autre attelage déjà là. La porte s'ouvrit brusquement et surgit un jeune homme exubérant, qui s'exclama aussitôt:

— Salut, mes amis! Suis au rendez-vous comme vous le voyez.

— Ben nous autres itou! clama Pierre Boutin.

— Vous n'deviez pas être seulement deux?

— Lui est venu nous reconduire icitte, dit Morin. Il s'en retourne par chez eux ensuite.

– C'est vrai, on m'a appris que la diligence passait pas aujourd'hui. On aurait dû se donner rendez-vous une des trois journées de la semaine qu'elle passe. On aurait pu faire un boutte dedans jusqu'à Saint-Georges. Mais c'est pas grave, on va attendre des occasions. Le chemin de Kennebec est pas mal passant. On va marcher, pis il va se trouver des bons Samaritains pour nous faire embarquer. Comme ça, on va se rendre après-midi sur la rivière Chaudière vis-à-vis d'où c'est qu'on s'en va… pis à la brunante, on sera là où c'est qu'on s'en va.

Ce jeune homme souriant, fort optimiste et quelque peu hâbleur était né en France. Il avait pour nom Clément Larochelle. Frisé brun, mince et pourtant costaud, vêtu d'une chemise en lin de couleur beige ouverte sur la poitrine, il était celui qui le premier avait demandé un lot dans ce nouveau territoire ouvert aux colons au fin fond de la Beauce. Il deviendrait ainsi le «père fondateur» en quelque sorte de la nouvelle paroisse.

– Ben rentrez, j'achève de faire mes achats. J'en ai pas mal pesant. Venez, les amis… Toi itou, si ça te le dit… Ton nom, c'est?

– Édouard Allaire.

Larochelle tendit la main, et les deux hommes se la serrèrent. Édouard était content de cet accueil, lui qui voulait en savoir plus sur cette région à défricher.

– Ça te le dirait pas, toé, de t'installer là-bas avec nous autres?

– J'ai ma terre à Saint-Henri.

– Chanceux d'avoir une terre déjà faite! C'est certain que recommencer à zéro su' une terre en bois deboutte, ça pourrait pas t'intéresser plus qu'il faut.

Larochelle parlait comme un habitant canadien puisqu'il était arrivé fort jeune au pays avec son père, mais il n'était pas un illettré comme les trois autres, et il possédait des connaissances qui faisaient de lui un meneur naturel que servaient une indomptable énergie et une farouche détermination.

Édouard ne s'attendait pas à voir tant de choses dans le magasin, une bâtisse à larmiers[2] incurvés, basse sur terre, et dont tout le premier étage était d'une seule pièce. Il y avait de la marchandise dans le moindre recoin. Harnais suspendus, sacs de sel, socs de charrue, haches, pelles, divers outils, contenants, assiettes, munitions, pièces de lin, couteaux, bougies…

– C'est ce qu'on appelle un beau grand magasin, mes amis, lança Larochelle tout en surveillant la réaction du marchand, un personnage dans la cinquantaine, barbu, moustachu et chevelu.

– On manque d'espace, on veut régrandir.

L'homme se tenait derrière un comptoir. À l'aide d'un crayon au graphite, il faisait le décompte de la marchandise livrée à Larochelle et déjà mise dans son sac à dos laissé devant lui à cette fin.

– Finalement, dit-il de sa voix rauque, tu prends pas une batée avec tout ça ?

– J'aime ben mieux pêcher de la truite que perdre mon temps à chercher de l'or. Dans la Beauce, à ce qu'on dit, il en reste rien que pour les compagnies anglaises, de l'or. Notre or à nous autres, ça sera la belle terre brune des hauteurs. On va faire pousser de l'or là-dedans, vous allez voir, mon cher monsieur Couture.

Aucun mot n'échappait à Édouard. C'était comme s'il entendait parler d'une nouvelle terre promise. Les phrases entraient dans sa tête en bourdonnant pour le griser et l'éblouir. Le marchand le ramena à la dure réalité :

– Ben moé, je vous trouve pas mal vaillants pis courageux, les jeunes : partir dans le fond du bois à dix milles quasiment de la civilisation avec une hache pis une tasse de fer-blanc. Les mouches. Le frette. L'ouvrage dure…

– Si nos ancêtres l'ont fait, on va le faire itou. Hein, les compagnons ?

Boutin et Morin acquiescèrent par des signes de tête.

---

2. Rebords de la toiture.

– Pourquoi c'est faire que vous vous emmenez pas des chevaux avec vous autres ?

– La première affaire, faut baliser la grande ligne là-bas comme c'est demandé sur le plan des arpenteurs. Ensuite, faut plaquer nos lots. Pis après, on va abattre du bois pour se bâtir chacun un camp de bois rond. À trois pour chacun : ça prendra pas l'éternité. Pis un abri pour les chevaux : en piquets pis en branchages. Pis là, on va revenir chercher des chevaux. Ou des bœufs, ça va dépendre. On va commencer l'abatis pis on va labourer entre les souches. À l'automne, on retourne chacun chez nous. Pis on retourne là-bas au printemps prochain…

Demeuré en retrait pas loin de la porte d'entrée, Édouard, qui ne perdait pas un mot de l'échange de propos, décida de prendre une direction autre que celle du comptoir. Il s'engagea entre ces empilades de sacs et objets suspendus, tassés les uns contre les autres, et faillit heurter une personne qui venait lentement dans un espace-allée permettant malaisément à deux clients de se croiser sans se toucher.

C'était une magnifique jeune femme de son âge. Plus grande de taille que lui. Le nez fin, un de ces nez qui se plaisent à se frotter sur le front et les joues d'un tout-petit. Les lèvres : douces d'apparence, et légèrement brillantes. Et des yeux d'un bleu de fleur animés d'une tendresse et d'une chaleur de velours. Un peu plus et le jeune homme en aurait eu le cœur chaviré, lui qui ne trouvait jamais une jeune fille à son goût. Elle portait une robe aux chevilles à tissu beige pâle parsemé de motifs floraux en divers tons approchant le céleste azur de son regard. Sûrement un vêtement d'importation. Mais que faisait donc cette perle rare dans un tel magasin, sans rien entre les mains qui justifie sa présence en ces lieux et qui ne semblait pas s'intéresser vraiment à la marchandise ? La réponse et d'autres réponses à ses possibles questions furent soudain données par la voix de Clément, qui lança à travers les marchandises :

– Marie-Rose, Marie-Rose, viens, tu veux?

La jeune femme adressa un tendre sourire à Édouard, qui se crut en train de fondre comme un morceau de glace dans l'eau chaude. Elle tourna les talons pour aller au comptoir.

– Mes amis, je vous présente mon épouse, Marie-Rose. Voici Pierre Morin pis Thomas Boutin…

– Non, intervint l'un d'eux, c'est le contraire : Pierre Boutin pis Thomas Morin.

Ce fut un éclat de rire. Clément rajouta :

– C'est ben plus facile de s'appeler Larochelle ou ben… coudon, votre charretier est-il parti? Allaire? Allaire? Allaire parti… A l'air parti…

L'on rit encore. Édouard suivit le chemin pris par Marie-Rose pour parvenir au groupe de l'autre côté du mur de marchandise. Il fut tout à côté de la jeune femme par la force des choses. Elle exhalait une odeur enivrante, mais il ne respirait pas assez souvent les fleurs pour savoir laquelle sentait pareillement. Toutefois, son cœur tremblait derrière le masque impassible de son visage.

– On te pensait parti.

– Je regardais le stock à vendre.

– Du beau pis du bon, dit Larochelle. Pis toé, Allaire, t'as pas le goût de venir coloniser le haut de la Beauce avec nous autres?

– J'ai ma terre à moé à Saint-Henri.

– Tu vends pis tu viens.

– Tentez-le pas, fit le marchand, il le regretterait que ça serait pas long.

– As-tu une femme pis des enfants?

– Non.

Larochelle se mit à discourir :

– Les terres anciennement ouvertes commencent à s'épuiser, à s'essouffler, à donner moins de rendement. C'est pas moi qui le dis, c'est étudié, ça, le terrain, par l'Université Laval. C'est pas rien. Des gens savants. Ça s'appelle l'étude des sols. Une terre, c'est comme du monde, c'est pas éternel. Pis ça s'use.

Décidément, Larochelle avait la parole en bouche. Et tel qui se faisait éloquent et bon conteur emportait souvent l'adhésion et suscitait le respect et l'admiration. Est-ce pour cela, songeait Édouard, que le Français avait pour compagne une si jolie et fascinante créature?

– T'en sais, des affaires, toé! constata Couture.

– C'est pas le savoir qui compte, c'est l'avoir... pis le vouloir.

– Le savoir, ça aide à vouloir pis à avoir.

Clément commenta:

– Ça doit pas nuire, c'est ben certain. Mais moi, j'aime mieux me tenir avec des hommes de cœur comme ceux-là qu'avec des hommes de tête comme les savants de l'université... Une femme comme Marie-Rose, ben elle a les deux: du cœur pis de la tête. Elle sait lire, écrire, compter, faire le train, faire le ménage... tout faire...

La jeune femme rougit et baissa les yeux. Tous ces hommes autour d'elle la rendaient fort mal à l'aise.

Propos et images resteraient gravés à jamais dans l'esprit du jeune Allaire. Le hasard avait ouvert devant lui tout un monde en quelques heures seulement. Reverrait-il un jour cette Marie-Rose exquise à la beauté rare et aux yeux incomparables?

– Quand c'est que la terre va être ouverte pis un peu défrichée dans une couple d'années, on va s'installer là-bas pour de bon, ma femme, pis les enfants qu'on aura, pis moé...

Clément Larochelle une fois encore venait de donner sa réponse à Édouard: non, il ne reverrait sans doute jamais cette Marie-Rose de rêve au-delà de cette journée aventureuse et fort agréable.

Peu de temps après, pressés par le progrès du jour, les défricheurs prirent la route à pied en se disant comme plus tôt que la Kennebec Road foisonnerait d'occasions et qu'ils ne tarderaient pas à en trouver une. On se cria des salutations de loin. Marie-Rose, qui était venue reconduire son époux au lieu du rendez-vous de

Sainte-Marie, partit seule dans la voiture des Larochelle vers Sainte-Hénédine et leur maison. Édouard dut la suivre, lui qui prenait le chemin de Saint-Henri. Leurs routes bifurqueraient à deux ou trois milles de là, et chacun irait de son côté, disparaîtrait sans doute à jamais de l'univers de l'autre à part celui des souvenirs...

∞∞∞∞∞∞

Chapitre 2

Et ils se suivirent.

Marie-Rose, cette jeune personne au charme profond et mysté-rieux, qui avait exercé une si forte impression sur Édouard, allait devant, bellement endimanchée dans sa voiture fine sans capote qui la laissait voir de dos quand le jeune homme se laissait un peu distancer par son attelage et qu'il pouvait alors projeter son regard au-delà de la tête altière de son propre cheval. Souvent, il prenait plus à gauche du chemin afin qu'il lui soit permis de lorgner vers elle de plus près et avec plus d'intensité. La fascination frôlait l'obsession en lui et décuplait à l'idée du peu de temps qu'il lui restait à la voir.

La grande jeune dame se savait suivie par ce personnage agréable, mais elle n'aurait jamais osé se retourner pour lui sourire ou lui faire savoir qu'il la troublait bien quelque peu. Réaction vénielle dont elle n'aurait même pas à se confesser. Et chaque fois qu'elle se faisait bousculer par les soubresauts transmis à sa per-sonne depuis les pierres ou ornières séchées du chemin, elle souriait pour elle-même. Et songeait que ce beau garçon de Saint-Henri devait se faire drôlement taper le derrière par la banquette de sa voiture dépourvue de tout ressort.

Sachant que leurs routes se sépareraient bientôt, elle eut l'idée de s'arrêter pour vérifier quelque chose au harnais, n'importe quoi: attelles, traits... Les hommes le faisaient souvent pour rajuster les rallonges afin que le bacul reste droit et tire plus juste sans risque de heurt pour les canons et sabots des chevaux au trot.

— Huhau! Huhau! lança Édouard quand il fut à sa hauteur. Y a-t-il quelque chose qui va de travers, madame Larochelle?

— Non... non... je pensais, mais...

— J'peux aller voir?

Elle répondit sans conviction:

— Pas nécessaire...

Mais il en jugea autrement et descendit de la voiture pour se précipiter vers elle et son attelage. Il lui fallait absolument laisser paraître que seul le souci de rendre service l'animait tout entier. Aussi sonda-t-il chacune des pièces du harnais, allant jusqu'à faire le tour du cheval et là, s'y pencher et en profiter pour poser son regard sur les gracieux plis de sa robe et surtout les superbes souliers français bien vernis qu'il avait entrevus quand elle était montée dans la voiture au départ du magasin général, et dont il pouvait voir la seule partie sous la cheville elle-même camouflée par le rebord de la robe.

À chaque élément d'elle qu'il découvrait, son cœur faisait un bond de plus. Mais elle appartenait à un autre homme, et il devait en faire son deuil en même temps qu'il en faisait son ciel.

Il la vit tourner les talons, s'éloigner, disparaître de sa vue. Puis, il contourna de nouveau l'attelage par le devant pour l'apercevoir qui flattait avec affection le chanfrein de son propre cheval gris. Sa main disait toute sa jeunesse ardente par sa forme et par les doigts qui pianotaient dans leur glissade et leur remontée. La bête gardait les yeux fixes, comme envoûtée. Et le regard de Marie-Rose luisait d'eau, arrosé par l'émoi et l'agrément.

Pour montrer son bonheur, l'animal renâcla faiblement, dans un bruit contraire au mécontentement qu'il aurait exprimé s'il s'était produit à pleine force.

— Il est doux... pis docile, on dirait, ton cheval.

Elle le tutoyait, et ça donna au jeune homme un nouveau coup au cœur, en pleine poitrine. Et qui fit naître un palpitant vol de papillons :

– Comme son maître… je veux dire…

Le pauvre trop ému venait de s'enfarger. Il voulut se rattraper :

– Je veux dire que… ben moé, me faire flatter le nez de même…

Le pauvre Édouard s'enlisait. Elle eut un petit rire moqueur. Il se désespéra :

– Des fois, je rêve que je suis un cheval…

Ce qui était vrai, mais si mal placé dans les circonstances. Le jeune homme ne savait plus où donner de la parole. Elle rit davantage et retourna vers sa voiture en remerciant de deux mots simples qui contenaient aussi un adieu que le ton et le geste de la main rendaient évident :

– Ben merci, là !

Le fit-elle exprès ou non, peut-être qu'elle-même ne le savait pas, toujours est-il qu'en voulant remonter dans la voiture, quand elle posa le bout de son soulier sur la marche, son pied glissa, échappa. Et voici qu'elle s'érafla la jambe contre la marche de bois.

Elle compressa un juron dans une simple plainte :

– Aïe, mon Dieu, suis donc gauche à midi ! Hé que ça fait pas de bien…

Elle tourna en rond sur elle-même pour mieux absorber la première douleur. Puis, souleva la jambe et appuya le pied à la marche afin d'examiner sa blessure. Elle ne songeait qu'à elle-même et plus du tout à la présence de ce jeune homme étranger. Se conduisant en fait comme s'il était Clément, son époux, elle releva sa robe jusqu'à mi-jambe et fit rouler son bas noir au genou vers la cheville, découvrant son mollet tout blanc et si bien galbé.

Il ne s'y trouvait guère de sang, mais la peau était pelée sur une longueur de trois bons pouces. Son visage grimaça, qui n'en fut point enlaidi. Édouard regarda tout autour et aperçut en bordure du chemin, sur un rocher de faible hauteur, de l'herbe à dinde, une plante médicinale dont il connaissait bien les vertus. Il s'y rendit vivement, s'étira et en saisit plusieurs plants qu'il arracha et ramena à la femme, qui s'apprêtait à remonter son bas.

– Quen, applique ça dessus… ta blessure… C'est pour guérir ben plus vite.

– C'est quoi, ça?

– De l'herbe à dinde.

Elle éclata de rire:

– Tu me prends donc pour une dinde?

– Ben… ben c'est pas de ma faute si ça s'appelle de même… Prends pis frotte le bobo, comme dirait ma mère.

– Je veux ben, dit-elle, l'air espiègle.

Elle prit le bouquet et fit ce qu'il disait tout en parlant:

– De l'herbe à dinde… c'est drôle comme nom.

– C'est bon pour la santé: ça cicatrise ben plus vite avec ça. Même que ma mère en fait bouillir pour soigner la grippe. Y en a partout sur le bord des chemins… mais ça doit être sec, la terre autour.

Elle frotta sa blessure à une dizaine de reprises, le corps penché en avant, la tête hochant comme le ferait une petite fille et parlant par phrases entrecoupées de pauses. Et en blaguant:

– Ça fait saigner un petit peu… Mais ça fait moins mal… De l'herbe à dinde… pour Marie-Rose la grande dinde… Ton nom de famille, c'est Allaire, mais ton nom, c'est…

– Édouard.

– Ben en partant, je te dis merci encore, Édouard.

– Attends, je m'en vas t'aider à remonter…

Elle laissa retomber sa robe, laissa tomber à terre le bouquet blanc d'herbe à dinde et se mit en biais, ses mains accrochées à la banquette et au montant de l'appui-pieds. Il hésita une seconde avant de la toucher, se demandant quoi faire au juste. Trouva que le mieux était d'envelopper sa taille de ses mains et de l'aider à se hisser, de la même façon que Clément l'avait fait tout à l'heure au départ.

– Merci encore! dit-elle quand elle fut enfin bien assise et prête à s'en aller.

Il marmonna:

– De rien!

Mais il aurait voulu crier: quand est-ce qu'on va se revoir? Puis, il songea que de toute façon, ce serait inutile. Et resta pantois au beau milieu du chemin à la regarder aller puis emprunter la fourche de chemin vers sa paroisse de Sainte-Hénédine.

Elle ne se retourna pas une seule fois, et pourtant les yeux de son cœur le firent à plusieurs reprises. Quelle bonne rencontre! songeait-elle en s'éteignant doucement sur l'horizon.

Quand elle disparut, il se pencha pour ramasser le bouquet d'herbe à dinde. Et aperçut des traces de sang sur les fleurs blanches. Il le garda et le posa en respect et en délicatesse dans sa voiture à l'arrière: attitude plutôt étrange pour un jeune homme de cette virilité.

Durant toute sa traversée de la forêt hantée, ému, il se retournait à chaque arpent pour regarder son trésor. Et au milieu de la forêt, là où le chemin était le plus bourbeux et où les roues calaient dans la terre noire jusqu'aux essieux, un plan germa dans son esprit, qu'il réaliserait une fois rendu dans sa maison à Saint-Henri.

Parvenu à destination, il recula la voiture sous la rallonge de la grange, détela le cheval et le libéra afin qu'il paisse à satiété dans la jachère. Ensuite, il rentra chez lui, dans cette maison qu'il habitait depuis peu, emportant son bouquet précieux qu'il posa sur la table. Et malgré la chaleur du jour, il alluma le poêle et fit bouillir de l'eau et en versa dans une tasse de fer-blanc. Puis, il détacha du bouquet les quatre fleurs tachées de sang et les plongea dans le liquide fumant. Et laissa infuser le tout durant une demi-heure qui lui parut l'éternité. Puis, retira les fleurs maintenant ramollies et toutes blanches et les remit sur la table avec les autres délaissées auparavant.

Il entoura la tasse de ses deux mains, tira une chaise avec son pied gauche et prit place à la table. Promenant un long regard dans les dédales de sa mémoire, il revit cet ange de femme en train de caresser le remoulin de son cheval. Alors, il but le contenu de sa tasse à petites gorgées successives comme une tisane d'or, comme un divin fluide. Désormais et pour toujours, Marie-Rose serait en lui, faute d'être à lui.

∞∞∞∞

La première occasion à se présenter aux trois voyageurs à pied, chargés comme des bourriques et suant sous ce soleil excessif, fut le notaire Arcand de Saint-Joseph, un homme de progrès et de grande curiosité intellectuelle. Parti peu après les défricheurs de Sainte-Marie où ses affaires l'avaient amené le matin même, il roulait allégrement sur le grand chemin rendu solide et carrossable par de bons travaux d'entretien, sur toute sa longueur jusqu'au Maine, ce qui ne laissait que la voie dans la plée de Saint-Henri (bois de Saint-Igan) avec sa réputation de plus mauvais chemin de la Beauce et pire portion du chemin de Kennebec.

Il les vit aller et s'arrêta à leur hauteur, lançant:

— Trois jeunes prospecteurs, on dirait. Allez, montez!

Larochelle monta devant. Il prit place sur la banquette avec le conducteur tandis que ses compagnons s'asseyaient à l'arrière, sur la fonçure, où les trois sacs furent aussi déposés.

— On est pas des prospecteurs, nous autres, on est des défricheurs.

Présentations furent faites. Le nom du notaire éveillait quelque chose en l'esprit de Larochelle, mais il n'arrivait pas très bien à mettre le doigt dessus.

— Mes respects, mes bons amis. Vous allez ouvrir les hautes terres du fond de la Beauce. Le gouvernement a fait des appels à ce sujet l'année passée, et j'ai l'honneur de transporter les premiers pionniers sans doute. J'ai du respect également pour les prospecteurs, laveurs de batée, rats des ruisseaux qui passent par ici depuis vingt ans chaque printemps et qui retournent la falle basse à l'automne, plus pauvres qu'à leur arrivée, Gros-Jean comme devant, mais heureux quand même un peu.

– L'or, pour nous autres, c'est la terre brune des hauts.

Le notaire, personnage maigrichon portant moustache épaisse et besicles sur le nez, tendit la main :

– Félicitations, mon ami !

Puis, il devint curieux :

– Et dis-moi, est-ce que tu sais lire et écrire ?

– Moi, oui, ben entendu !

– Ça ne va pas de soi encore de nos jours : c'est plutôt rare chez les hommes de la Beauce à cause de la guerre des éteignoirs. Par chance que ce… recul du progrès est maintenant chose du passé !

Larochelle fit un coq-à-l'âne :

– Vous avez une drôle de voiture, monsieur. Jamais vu une pareille.

– C'est une voiture transformée… une tilbury que j'ai fait allonger pour avoir plus d'espace… Sans ça, vous auriez continué votre route à pied, messieurs. Ou bien avec quelqu'un d'autre.

– C'est pratique. Je vas m'en faire une un jour ou l'autre.

Le notaire renoua avec son sujet de prédilection :

– Sais-tu ce que c'est que la guerre des éteignoirs ?

– Entendu parler un peu, ouè… Les éteignoirs, ils voulaient pas payer de taxes scolaires.

– Ce qui voulait dire : pas d'écoles, pas d'instruction publique. T'as fréquenté l'école, toi, l'ami Clément ?

Le notaire possédait un langage semi-sophistiqué, se situant quelque part entre celui d'un universitaire et celui d'un habitant, empruntant souvent aux deux dans la même phrase, frisant parfois l'obséquiosité, parfois la trivialité. Et cela le rendait sympathique d'un côté comme de l'autre. Recette idéale s'il avait brigué les suffrages à une élection.

– Non. C'est ma mère qui m'a montré à lire, à écrire pis compter. Elle vient de France. Mon père, lui itou.

– Ah oui? Content de voir que le fondateur d'une nouvelle paroisse de la Beauce ne sera pas un illettré comme trop d'autres. Une école, c'est aussi important qu'une église: ne l'oublie jamais, mon ami! Dès que ça se pourra, vous bâtirez une chapelle plus une école. Je dis bien *plus* une école. En même temps... Ça facilitera les choses, et les nouveaux éteignoirs auront moins de pouvoir pour mettre des bâtons dans les roues du progrès et de l'avenir.

Et l'homme en verve se lança dans un discours en faveur de l'instruction publique mélangé à une diatribe contre les éteignoirs, tandis que son passager retraçait petit à petit les éléments qui avaient fabriqué au notaire Beauceron une notoriété qui s'était répandue bien en dehors de sa région et qui avait certes atteint Sainte-Hénédine.

Patriote agitateur durant les troubles de 1937-1938, on l'avait emprisonné en hiver 1939 par le fait qu'il avait fait signer des requêtes en faveur de l'indépendance du Bas-Canada et avait été dénoncé par son concurrent, le notaire Dostie, un noceur et un « brosseur ».

Puis, Arcand avait été de plusieurs associations et s'était ferme- ment engagé pour les écoles et contre les éteignoirs dans une lutte de près de dix ans, ayant commencé avec la fermeture des écoles fin des années 1830. Et qui venait de se terminer pour de bon grâce à un système cœrcitif – taxes scolaires obligatoires – tout juste établi quelques semaines plus tôt en cette année 1854.

Le cheval allait au petit trot sur le chemin gravoiteux. Parfois, le notaire, pour mieux appuyer son dire, agitait les rênes sur la croupe de la bête, qui comprenait le message et poursuivait sa course vers Saint-Joseph sans se mettre au simple pas.

– Vous allez de l'avant, mes amis, et ne vous arrêtez pas en chemin. Et si vos idées vont dans le sens du progrès, battez-vous pour elles: vous constaterez que le jeu en vaut la chandelle. Surtout vous aurez le respect de vous-même. Et vous rendrez l'âme dans la fierté de votre existence quand votre règne sur cette terre prendra fin au bout de vos labeurs, de vos sueurs et de vos rêves.

Telle fut la grande leçon reçue ce jour-là par ces trois jeunes pionniers remplis d'avenir, d'espérance et de joie bâtisseuse. À Saint-Joseph, le notaire leur trouva une occasion qui les prit jusqu'à Saint-Georges. Puis, ils marchèrent le long de la Chaudière et sept milles plus loin, après consultation de la carte topographique, entrèrent dans la sauvagerie pour ne s'arrêter enfin, après l'incessant harcèlement par les hordes de moustiques de ces soirs de juin, que sept nouveaux milles plus loin, le souffle encore long mais le visage empourpré.

Larochelle fut le premier à se défaire de son sac. Il en tira aussitôt une hache qu'il planta avec vigueur dans l'écorce d'un arbre en un bruit d'oscillation que fit le manche :

– C'est icitte que ça commence, mes bons amis.

Morin, un jeune homme très pieux, se signa et récita un *Ave* en le marmonnant.

– Tu peux prier plus fort, lui dit Boutin. La prière, on est pas gêné de ça, hein, Larochelle ?

Et les trois jeunes gens, bien loin des superstitions du bois de Saint-Igan, récitèrent une dizaine de chapelets afin que Dieu et sa sainte Mère bénissent leur petite entreprise au contenu formidable. Leurs prières néanmoins n'empêchèrent pas les maringouins de continuer à ponctionner dans leurs vaisseaux sanguins un lourd tribut écarlate. Leur misère ne faisait que commencer, mais ils la bûcheraient tout comme ils bûcheraient cette forêt et la remplaceraient par de la belle terre neuve et fertile.

∞∞∞∞∞∞∞∞

Chapitre 3

Et les arbres se mirent à tomber comme des mouches dès le jour suivant. Et à chacun qui s'écroulait au sol, les autres frissonnaient de tout leur feuillage. Ce n'était point la peur qui leur parlait de mort, c'était la vie qui leur parlait de métamorphose. On les ébrancha. On les tronçonna. On empila les billes. Et un premier camp ne tarda pas à émerger de cette terre promise. Comme prévu, on monta une rallonge à l'arrière pour servir d'abri aux deux chevaux qu'on irait chercher plus tard au milieu de l'été.

Mais avant de retourner à la civilisation, l'on explora les environs à l'aide des cartes établies à partir des registres cadastraux et d'une boussole. On plaqua les lots de chacun. Et on se mit en quête de clairières où il poussait du foin qui servirait à faire paître les bêtes.

Quand les chevaux furent là, en août, les travaux allèrent bien meilleur train car plus besoin de se colletailler avec les troncs coupés. Et au départ des jeunes gens en octobre, chacun possédait sa cabane à lui, pas loin des autres, chacun possédait déjà un acre de terre déblayée, chacun travaillait maintenant pour soi, bien que certains jours, pour des travaux requérant plusieurs bras, l'on s'échangeât du temps et de l'encouragement.

Et chacun retourna passer l'hiver dans son patelin au loin. Clément Larochelle retrouva sa douce et angélique Marie-Rose à Sainte-Hénédine. Pierre Boutin fréquenta Marie Buteau à Rivière-du-Sud. Et Thomas Morin veilla plusieurs soirs avec Euphrosine, la solide veuve Béty de Saint-Vallier.

Pendant ce temps-là, Édouard Allaire travaillait sa terre à Saint-Henri, piochant d'une étoile à l'autre. Et souventes fois par mois, il songeait à cette journée mémorable où il avait reconduit ces jeunes gens à Sainte-Marie. Il repensait à leur enthousiasme, à leur foi, à leur détermination voire à leur esprit d'aventure. «On va faire pousser de l'or au lieu que de le chercher dans les ruisseaux,» avait dit Larochelle. Alors, le jeune homme tout en regardant ses champs, jaunes, verts ou blancs suivant la saison, imaginait une **moisson d'or** croissant de la terre brune des hauteurs de là-bas.

Mais l'image qui restait vive en lui n'était pas une construction de son imagination, et bien plutôt un souvenir impérissable: celle de Marie-Rose en face à face avec lui entre les effets accrochés dans le magasin Couture. Puis, celle encore plus belle de la jeune femme qui flattait le nez de son cheval. Quant à une troisième, tout aussi indélébile que les deux autres, celle de Marie-Rose en train de relever sa robe pour examiner sa blessure sur le devant de la jambe puis la frottant avec les fleurs blanches de l'herbe à dinde sur son conseil. Il ne se permettait pas de la trop garder derrière ses yeux clos de crainte d'avoir à l'avouer à la confesse.

Il lui arriva à quelques reprises de prendre le chemin de Kennebec, de traverser la forêt hantée, de se rendre au magasin Couture de Sainte-Marie y acheter des marchandises qu'il aurait fort bien pu se procurer à Saint-Henri. Ce n'était que prétexte, et son chemin était pavé de prières afin que le ciel remît parmi les hasards de sa route la voiture de cette femme aux regards de velours. Au retour, il s'arrêtait près de l'embranchement du chemin allant à Sainte-Hénédine. Quelque chose d'irrésistible l'y poussait: peut-être le diable de Saint-Igan. Quelque chose de plus fort encore le retenait de se rendre à sa recherche: les commandements de Dieu et de la sainte Église. Tu ne convoiteras pas la femme de ton prochain.

Mais il hésitait. Son intention était pure: voir son visage. Rien d'autre. Seulement l'apercevoir par une fenêtre de sa maison. Quel péché avait-il commis à la regarder avec tant de bonheur?

Quel péché commettrait-il à rassasier, une fois, une seule fois, son désir de la revoir, de s'abreuver au bleu de ses yeux, de ressentir rien qu'une autre petite fois ce formidable remous au milieu de sa poitrine ?

Le désir alimenterait le désir ; le besoin nourrirait le besoin. Il ne fallait donc pas. Marie-Rose était et demeurerait l'épouse de ce Clément Larochelle, Français de naissance, beau parleur et brave homme.

Oui, mais la vie est si brève : si un accident malencontreux ou une maladie inopinée faisait d'elle une veuve ? On le saurait au magasin Couture et on le lui dirait... Il continuerait de s'y rendre au moins deux fois l'an...

∞∞∞∞

Le temps passa. Les saisons succédèrent aux saisons. Tandis qu'avait cours la révolution industrielle en Europe et que les produits manufacturés entraient de plus en plus au pays, et que le pays aussi s'industrialisait dans les centres importants, la hache du bûcheron-défricheur ne dérougissait pas. Mais certains soirs, c'est le ciel au-dessus de la forêt qui rougissait, car on y faisait un feu d'abattis sur un autre lot.

Quand les premières terres furent prêtes à recevoir une famille, les premiers colons « convièrent » femme et enfants à venir avec eux s'installer pour de vrai, pour de bon. Tout d'abord, les trois pionniers du départ. Clément Larochelle emmena son épouse et leurs deux enfants pour y vivre à demeure et à l'année longue. Thomas Morin, qui avait épousé entre-temps la veuve Béty, la conduisit aussi là-bas. De même fit Pierre Boutin avec son épouse, Marie Buteau.

Ils ne seraient pas seuls du voyage. D'autres qu'eux, entre 1854 et 1857, avaient préparé des lots pour recevoir femmes, enfants, bêtes et biens. Grâce à des ententes préalables et aux services postaux, neuf familles s'étaient donné rendez-vous le 15 juillet 1857 au magasin de Sainte-Marie. De là, le convoi de voitures se dirigerait vers le haut de la Beauce en longeant la Chaudière. Et on avait choisi si tard dans l'année afin que la rivière soit le plus près possible de son étiage et qu'on puisse la traverser sans le moindre risque. S'il s'était produit un coup d'eau dans les dix ou quinze jours précédents, on aurait remis à plus tard le grand voyage. Mais on était en période de canicule, et à Sainte-Marie même, on pouvait se rendre compte du faible débit du cours d'eau malcommode. Aussi, le milieu de l'été débarrassait le paysage de la plus grande partie de ces hordes d'insectes piqueurs.

Toutes les voitures utilisées étaient des charrettes à foin constituées d'une plate-forme sur quatre roues avec échelettes à l'avant et à l'arrière, et des ridelles de chaque côté que les propriétaires avaient foncées pour que les choses mises dans la voiture ne finissent pas par tomber au sol en raison de ces innombrables soubresauts à être subis au cours du voyage, tout particulièrement à la traversée de la Chaudière et dans la forêt ensuite jusqu'à destination finale.

Plusieurs étaient attelées simple, mais Larochelle, Morin et Boutin possédaient deux bœufs et leurs voitures étaient par conséquent attelées en double. Et chacun de ce trio avait son cheval attaché à l'arrière. Ils avaient en tout un peu d'avance sur les autres.

Couture de Sainte-Marie et d'autres marchands le long de la route firent des affaires d'or ce matin-là. Les colons avaient tous en poche de l'argent qui venait de leur être versé par le ministère de l'Agriculture à titre de soutien aux défricheurs. Et ils s'approvisionnèrent en marchandises diverses.

Marie-Rose et deux autres femmes entrèrent dans le magasin alors que le convoi attendait sur une bonne longueur devant la porte. Elle voulait voir les nouvelles pièces de tissu importé, en admirer la beauté, en apprécier la qualité par le toucher, les désirer sans oser en acheter vu les énormes déboursés de départ qu'il fallait effectuer pour envisager l'établissement définitif dans les cabanes de la forêt.

Camps devenus pour certains des «maisons convenables» à force d'aménagements par les hommes ces trois dernières années, mais qui seraient pour la plupart remplacés par des habitations pièce sur pièce, semblables à celles des paroisses des vieilles régions d'où l'on venait. Et alors, on attribuait aux animaux les cabanes d'origine.

Les pièces étaient rangées les unes contre les autres sur un petit comptoir du fond. Les trois jeunes personnes s'en approchèrent tandis que la femme Couture les y accueillait, l'espoir de vendre quelque chose dans son œil brillant et son sourire affable et joufflu.

– Bonjour, mesdames! Quelle belle journée pour ouvrir un pays!

Euphrosine, une petite blonde à capeline dont les mèches s'échappaient de sa coiffure et se baladaient sur son front, fit un sourire juvénile, fossettes aux joues, et regarda Marie-Rose, la meneuse des trois. Mais la marchande en remit avant de les entendre:

– Un convoi de même, ça sera pas long qu'on va entendre parler d'une grosse paroisse dans les hauts.

– Vous parlez comme quelqu'un qui fréquente l'Université Laval, vous, s'émerveilla Marie-Rose.

– Pas tant que ça! Tu me fais étriver, là… Je voulais te dire… sais pas si tu te rappelles la première fois que t'es venue reconduire ton mari icitte… ça doit faire trois ans… les deux autres qui partaient avec lui…

Marie-Rose désigna celles qui l'accompagnaient:

– Leurs maris. Elle, c'est Euphrosine, la femme à Thomas Morin. Et voici Marie Buteau, épouse de Pierre Boutin. Pierre pis Thomas, c'étaient eux autres, cette fois-là.

– Ben le grand jeune homme de Saint-Henri qui les avait emmenés icitte, je te dirais qu'il vient deux, trois fois par année, pis qu'il s'informe de vous autres. On dirait que ça le tente d'aller s'établir par là-bas, lui itou.

– Comment il s'appelait donc? fit hypocritement Marie-Rose, qui se pencha pour tâter un tissu et le frotter de ses doigts longs et fins, pas encore trop rudes malgré les travaux durs qui leur incombaient chaque jour.

– Allaire…

– Édouard Allaire ? Ah oui, je m'en souviens…

Elle avait gardé de lui un souvenir clair et net, et aurait pu dire son nom au complet sans aucune hésitation. Mais sa réserve naturelle l'en empêchait. Et trop d'intérêt exprimé envers ce jeune homme si vite passé dans sa vie aurait pu faire voler près des oreilles de petites puces indésirables. On aurait déjà bien assez de moustiques à combattre…

– Ça me surprendrait pas qu'un jour, il vende sa terre à Saint-Henri… Un célibataire comme lui, ça peut changer de pays comme ça…

Adipeuse, le regard menaçant, grande parleuse, la marchande avait pour son dire qu'il ne faut jamais délaisser un client et toujours l'intéresser par la parole, que ce soit la sienne ou celle de l'autre.

– Pis comme ça, vous, c'est Marie. Ben moé itou, je m'appelle Marie… Bellavance de mon nom de famille. Les gens savants comme le notaire Arcand, ils disent patronyme, eux autres, au lieu que nom de famille. Ils ont le bec pincé…

Dans la jeune vingtaine, Marie Buteau-Boutin était un être malingre au visage pâle et cireux, et qui faisait plus vieux que son âge. Mais elle était de bonne santé et des trois femmes pionnières présentes elle avait le moins de regrets de quitter son coin natal et d'appréhension devant la dure vie de femme de colon qui l'attendait. Elle se mit à parler à son tour ; la marchande sut se taire.

Marie-Rose n'écoutait pas. Toute sa pensée allait à cette rencontre d'il y avait trois ans déjà avec Édouard Allaire. Elle aussi était revenue au magasin avec le secret espoir de le croiser de nouveau sur sa route. Mais sa conscience l'aurait empêchée de traverser la forêt hantée pour se rendre en balade à la découverte de Saint-Henri, cette grande paroisse à bonne réputation…

– Dans quelques années, paraît que l'or poussera plein nos clôtures, disait Marie. On va revenir s'en chercher, des beaux tissus de même, pis on va se faire des belles robes. Hein, Marie-Rose?

– Quoi?

– J'ai remarqué, commenta la femme Couture, que votre compagne a souvent l'esprit parti ben loin. On appellerait ça une rêveuse. Mais c'est pas méchant… Rêver, dans la vie, des fois, c'est tout ce qui nous reste pour pas mourir de peine. Ça fait que… ben rêvons…

Et la marchande éclata de rire, entraînant dans le sourire Euphrosine et Marie, mais sans ramener la Marie-Rose absente à la réalité du moment…

∞∞∞∞

Le convoi s'ébranla, Clément Larochelle devant, lui, le meneur naturel.

Lui et Marie-Rose avaient deux enfants maintenant: une fillette de deux ans et demi et un fils d'un an à peine, tous les deux bien installés à l'abri du gros soleil dans un petit réduit qui leur avait été aménagé par leur père à travers tous ces objets et meubles que la charrette transportait.

On sortait des maisons pour les regarder passer, parfois pour les saluer et leur souhaiter bonne chance. Les voitures furent même indulgenciées par un curé.

Et à Saint-Joseph, le notaire Arcand, qui reconnut Clément Larochelle au premier regard par sa fenêtre, sortit de chez lui et vint lui parler, ce qui bloqua un moment l'entière caravane…

∞∞∞∞

Au milieu de l'avant-midi, Édouard Allaire apprit par le forgeron Larue que ces deux jeunes gens de la Côte-du-Sud qu'il avait déjà reconduits à Sainte-Marie étaient passés par là la veille au soir et lui avaient dit qu'ils formeraient convoi avec d'autres, neuf voitures à bœufs en tout, pour aller s'établir avec leurs familles sur les nouvelles terres des hauteurs. Édouard ne se retint pas et se mit aussitôt en route pour les rattraper et s'informer du défrichement...

Mais il s'enlisa dans la plée de Saint-Henri et dut attendre des passants pour l'aider à s'en sortir. Rendu à Sainte-Marie, le marchand Couture lui dit qu'il aurait beau faire, il ne parviendrait sûrement pas à les rattraper, à moins de se rendre jusqu'au canton de Shenley, leur destination finale.

Si on lui avait seulement appris que la vitesse du convoi était celle des bœufs, nul doute qu'il aurait lancé son cheval sur le chemin de Kennebec vers Saint-Joseph, d'autant qu'au moment même où il reprenait avec regret le chemin de chez lui, Larochelle était en grande conversation avec le joyeux et progressiste notaire Arcand à pas douze milles de là.

— Tout est prêt pour vous là-bas, mon ami ?

— Tout est prêt. Et c'est pour ça qu'on y emmène femmes et enfants. On va passer l'hiver dans le fin fond du grand bois des concessions. L'hiver pis le restant de notre règne en ce bas monde. Pas tout à fait dans le bois... disons qu'on a fait pas mal d'abatis.

— Et cette jolie madame, c'est la tienne, je présume ?

Le couple était debout derrière l'échelette, et l'on parlait à l'homme de loi à travers les barreaux. Baignés par la chaleur du jour, bercés depuis le départ de Sainte-Marie par le roulement lent de la voiture, les deux enfants dormaient sur une grande paillasse, protégés par leurs anges gardiens mais bien plus encore par leurs parents.

— Et c'est eux, la future génération : comme ils sont beaux et comme ils semblent intelligents ! N'oubliez pas : il faut leur montrer à lire, à écrire, à compter... Plus ils en sauront, mieux ils vivront. Savez-vous combien on a d'écoles, maintenant, ici, à Saint-Joseph ? Onze en tout. Et on compte trois cent trente-deux élèves. Il y a beaucoup de progrès à faire encore. Il faut les équiper mieux, ces écoles, mais l'important, c'était de rallier les dissidents. Et tu verras que dans la nouvelle paroisse qui va naître grâce à votre courage et à votre labeur, il y aura malgré tout des dissidents aussi. Ils sont comme du chiendent, ils poussent partout, ceux-là, pour enténébrer la vie de leurs concitoyens.

– On va y voir, monsieur le notaire, on va y voir.

– Quand l'instruction sera répandue partout, on va prendre notre place, nous autres, les Canadiens français conquis. Avant que ça arrive, c'est les Anglais qui vont continuer à prendre trop de place… de notre place, à nous autres. Là-dessus, mon ami, madame Larochelle, je vous souhaite bon courage. Mes prières et mes vœux vous accompagnent.

– Merci ben! Pis quand on aura besoin d'un homme de loi, on va savoir où vous trouver.

– Je ne fais pas de recrutement de clientèle, tu sais, en m'adressant à vous autres, je parle au nom d'un meilleur avenir, et c'est tout. Et par respect pour des pionniers que j'admire au plus haut point. Bon voyage donc!

Marie-Rose lui sourit pour la première fois. Et avec obligeance. Il trouva son visage fort agréable à regarder.

∞∞∞

Ce canton dit de Shenley avait été divisé par les arpenteurs officiels du gouvernement en un rang principal appelé Grand-Ligne et quatre rangs secondaires coupés en leur milieu par elle. Il leur avait été donné un simple numéro: le quatre, le plus à l'est, le six ensuite, puis le neuf et le dix. Si les deux portions du quatre et du six se trouvaient en ligne droite, il n'en était pas de même pour les neuvième et dixième rangs. Et les gens, pour bien les différencier dans les conversations et les actes notariés, prendraient coutume de désigner la portion sud du neuvième par le nom de Grand-Shenley et d'appeler Petit-Shenley la portion nord du dixième.

Les trois fondateurs, Clément Larochelle, Thomas Morin et Pierre Boutin, parce qu'ils étaient venus les premiers et pour mieux s'aider mutuellement avaient choisi de s'établir sur des lots voisins. Et pour se trouver le plus près possible d'un lieu où ils pouvaient remplir assidûment leurs devoirs religieux, ils avaient ouvert le dixième rang. De là, le dimanche, ils marchaient à travers bois, sur des pistes d'animaux, pour se rendre à Saint-Évariste, où il y avait chapelle et pour curé, l'abbé Bérubé. Ceux du convoi qui se trouvaient avec eux avaient préparé, eux, l'année précédente et au printemps des terres dans le Grand-Shenley, pas beaucoup plus loin.

Et les neuf familles se suivaient, les bras forts et la foi solide. Outre les fondateurs, il y avait Jean Martin de Saint-Anselme, Joseph Labrecque de Saint-Bernard, Magloire Ferland de Sainte-Marguerite, Thomas Champagne de Sainte-Marie, Alfred Roy de Saint-Étienne-de-Lauzon et Firmin Beaulieu de Lévis. Jeunes hommes, jeunes femmes, jeunes enfants : le convoi comptait trente-neuf personnes, treize bœufs, huit vaches et six chevaux.

L'on avait établi une piste du côté est de la rivière Chaudière, que l'on franchissait maintenant à la hauteur de Saint-Georges. Ainsi, l'on pouvait voyager en terrain bien moins accidenté et où aucune rivière aux rives escarpées comme certaines – au moins deux au-delà de Saint-Georges – ne forçait à de longs et fastidieux détours ayant pour effet de prolonger indûment le voyage quand on utilisait voitures et bêtes de somme. De plus, la ligne droite étant le plus court chemin entre un point et un autre, que de pas d'hommes ou de bêtes de trait l'on sauvait en bifurquant dès Saint-Georges en direction du canton de Shenley par une portion de forêt pas plus difficile à franchir que celle du long de la Grand-Ligne vers la Chaudière.

Cette piste débouchait sur la Grand-Ligne du canton par ce rang six, toujours inhabité en cette année 1857, tout comme la

Grand-Ligne elle-même, qui ne comptait encore qu'un seul occupant, mais dont plusieurs lots en sa partie centrale où s'élèverait le futur village avaient été concédés à de nouveaux colons.

– Venez voir, venez voir : les colons de Shenley qui passent, cria un enfant aux autres enfants de chez lui quand le convoi s'apprêta à fourcher vers la Chaudière à franchir.

En fait, le gamin voulait par là prévenir ses parents, mais il n'aurait pas osé le faire directement de peur de se faire rabrouer pour leur crier par la tête ou leur dire des choses inutiles et sans le moindre intérêt.

Les enfants se précipitèrent aux fenêtres, et leurs parents, à l'extérieur. On finirait de manger plus tard. Il était midi, et le soleil de juillet frappait durement. Le conducteur de tête avait fait arrêter le convoi, non pour évaluer le courant d'eau, mais bien pour provoquer un moment de répit dont on se servirait pour manger sans se faire secouer les mains et les aliments, et pour que les enfants se beurrent moins la face en portant la nourriture à leur bouche, et qu'on les traite ensuite de petits *colons crottés*.

Ces jeunes femmes à l'âme noble, qui allaient ouvrir un nouveau pays avec autant de bonne volonté et de mérite que leurs compagnons, étaient fières et fortes. Elles aimaient le beau, le propre et l'ordonné tout autant que leurs mères d'en bas, dans ce coin de Dorchester d'où la plupart venaient quand ce n'était pas aux environs de Lévis ou de Lauzon.

La façade de la maison longeant presque le chemin de Kennebec, le père de famille pouvait converser sans crier avec le chef de convoi dont la voiture s'était arrêtée à leur hauteur. Ce ne serait pas la première fois, et c'est la raison pour laquelle l'enfant avait reconnu en lui, donc en sa suite, les « colons de Shenley », s'apprêtant à franchir la rivière juste là, devant leur porte à quelques centaines de pas seulement par une piste empruntée par bien d'autres qui habitaient Saint-Georges, mais sur la rive ouest de la Chaudière.

– Tout un convoi à midi, mon gars !

– Là, c'est ben vrai, on s'en va rester à demeure à Shenley. Pis dans pas grand temps, on aura notre paroisse à nous autres.

– Ton nom, c'est Larochelle, hein, toé, si j'me rappelle?

– C'est ben ça!

– Affile-toé les griffes parce que ton «pas grand temps» comme tu dis, ça pourrait ben vouloir dire une quinzaine d'années. L'évêché, eux autres, ils demandent pas mal plus de familles que vous êtes là pour ouvrir une mission.

– Il va en venir d'autres à chaque année.

– Ben, je vous souhaite une paroisse le plus vite possible. Le bon Dieu dans sa chapelle à soi, pis un prêtre à portée de la main, c'est… j'ai pas le mot là, mais on peut pas passer à côté de ça tout le temps.

– On va avoir notre église, notre curé pis notre école.

L'épaule de l'autre fut soulevée par le doute:

– Une école, ça peut attendre. C'est qui presse, là, c'est la chapelle, pis quand c'est qu'il y aura assez de familles, une belle grande église en l'honneur du bon Dieu. Les sacrements, ça vient une bonne «escousse» avant de savoir lire pis écrire.

– Non, faut que ça vienne ensemble! lança la voix sèche et déterminée de Marie-Rose.

L'homme, un personnage d'environ 45 ans, avait pour nom Louis Bernard. Il était cultivateur. Pour la première fois de sa vie, il entendait une femme, surtout de cette jeunesse, garrocher son dire avec autant de toupet. Il le prit avec un grain de sel:

– Ta femme, elle en a des idées, mon Larochelle!

La femme Bernard, un être abîmé par trop de grossesses et de misère, et peut-être aussi par une évidente ascendance abénaquise inscrite dans la peau parcheminée de son visage, se mit en biais afin de pouvoir se sourire à elle-même, heureuse d'entendre une autre femme parler avec aplomb, mais surtout parler simplement, et ne pas laisser aux hommes le monopole du discours.

– Marie-Rose pis moi, on a parlé avec le notaire Arcand, pis on s'est laissé convaincre par lui. Mais on a toujours été du bord de l'instruction, pas du côté de l'ignorance.

Bernard mit sa pipe blanche dans sa bouche et accrocha son pied au rebord d'un banc de bois sur la galerie. Il se racla la gorge, regarda au loin vers le nord :

– Le notaire Arcand, c'est pas un prêtre…

Marie-Rose tint tête avec dignité :

– Il a travaillé main dans la main avec les prêtres en faveur des écoles pis de l'instruction.

– Un rebelle de 1937… pis qui a fait des années de prison.

– Quelques semaines pas plus !

Bernard commençait à en avoir assez de se faire ainsi contredire par cette jeune effrontée, écervelée, qui disait n'importe quoi pourvu que ce soit le contraire de lui.

– La vérité, reprit Bernard, c'est que pas un prêtre vous dira que l'instruction passe avant les sacrements.

Clément intervint sur le ton du holà :

– C'est pas ça que ma femme vous a dit, là, vous. Elle a dit que les deux doivent aller ensemble… comme un *team* de bœufs ou ben de chevaux.

– Non ! fit Bernard de sa voix la plus aiguë tout en cherchant à poursuivre la métaphore. Le « beu » des sacrements doit venir avant le « beu » de l'instruction pour tirer une paroisse d'avant comme le bon Dieu veut.

Et comme pour lui répondre, mais de manière énigmatique, le bœuf le plus proche, une bête rouge brun, meugla comme pour se plaindre et réclamer à manger. D'autres l'imitèrent, et tout en parlant, l'on put assister à un bref concert bovin que des hennissements de chevaux parfois venaient orchestrer à leur manière légère et volage.

Clément prit la parole pour en finir sans se faire discourtois :

– Coudon, comme dirait l'autre, on fera pas une élection là-dessus. Mais… ben ça sera au peuple de décider si on bâtit une chapelle d'abord ou ben si on fait les deux du même coup comme nous le conseille le bon notaire Arcand.

– En tout cas, le notaire de Saint-Joseph, c'est pas un saint sorti du paradis, celui-là.

Clément prit une autre voie de conversation, y anticipant plus d'agrément:

– Vous devriez une bonne fois venir nous voir dans le fond du bois de Shenley. La piste est bonne par les Quarante-Arpents.

Bernard se montra ironique:

– D'aucuns disent que c'est une vraie «gornouillére», votre canton, surtout dans son milieu.

– Ah, des «gornouilles», ça manque pas, mais ça fait qu'on a moins de mouches de même. Avez-vous de quoi contre les «gornouilles»?

– Ben non! Je dis ça de même. Ça se pourrait ben, un beau dimanche qu'on monte par chez vous.

– Trois heures pour venir, trois heures pour revenir, pis vous allez connaître un pays lointain qui est en même temps juste à côté de chez vous.

– Ben j'aime assez ça, comment que tu parles. On voit que t'as de l'instruction, mon gars. C'est pas comme moé.

– S'instruire, c'est voyager. Et vous, madame, vous manquerez pas de venir avec votre mari!

– On va vous attendre, enchérit Marie-Rose.

La femme Bernard sourit et mit sa tête en biais, un geste de soumission voulant dire «si lui veut».

– Ben on va y penser, fit l'homme qui se mit sur ses jambes puis déchargea sa pipe en la frappant contre le banc.

Sa femme écrasa le tabac à l'aide de son soulier de «beu» pour être sûre que le feu ne se déclare pas à cause des braises. De vagues salutations suivirent, et le couple rentra.

– La Beauce, c'est plein de bon monde, hein Marie? commenta Larochelle.

– Ils ont la chicane aisée, on dirait.

– C'est normal… chacun fait son idée ben à lui. Autrement dit, c'est pas des suiveux. Pis ça, ben c'est sûr que ça peut mener à la chicane un peu plus souvent.

– Ben c'est pas moi qui vas se chicaner avec le monde quand on sera su' notre lot du canton.

Elle formula une autre phrase qu'elle retint derrière ses lèvres :

«On va avoir assez de misère de même sans se dire des bêtises entre voisins en plus.»

– Bon, assisons-nous avec les enfants, là, pis mangeons pour pas trop faire attendre les autres en arrière…

∞∞∞∞∞∞∞∞

Chapitre 4

Et l'on franchit la Chaudière sans plus lanterner. Les puissants bœufs s'engagèrent dans l'eau sans hésiter, dans leur lenteur franche et usant d'une force plus grande que celle d'un cheval pour tirer les voitures remplies. En fait, ça leur était d'une évidente légèreté, et pour eux, les travaux futurs ne seraient en rien plus exigeants que les travaux passés.

L'on s'engagea ensuite dans la longue pente dite des Quarante-Arpents. Plusieurs habitants de Saint-Georges virent la colonne de loin et comprirent qu'il s'agissait de colons allant s'établir sur leurs terres des hauteurs au défrichement commencé depuis quelques années. Une nouvelle qui se transporta par le bouche à oreille dans les jours suivants.

Deux femmes du convoi enceintes de plusieurs mois étaient sur le point d'accoucher, et cela inquiétait les autres. Car il n'y avait aucune sage-femme parmi les neuf. Il faudrait que l'une d'entre elles s'improvise matrone quand l'heure de chacune viendrait.

Clément Larochelle répéta des choses qu'il avait souvent dites à son épouse parmi ses arguments pour la persuader de son bonheur futur, même en tant que femme de colon.

– Quand la forêt est un beau mélange de bois mous pis de bois durs, ça veut dire que la terre est de première qualité. Les deux dernières années, ça poussait entre les souches en pas pour rire : sarrasin, patates pis même de l'orge.

Mais ces promesses de lendemains qui chantent ne parvenaient pas, maintenant que la réalité du dépaysement était bien présente, à alléger le cœur de Marie-Rose. Peut-être bien, comme le disaient les hommes, que les terres libres qui restaient encore dans les vieilles paroisses ne s'avéraient pas très fertiles donc peu nourricières, mais vivre désormais en plein bois sans même encore un clocher dans la forêt, sans grand monde à part de rares voisins essaimés çà et là, voilà une aventure qui ne recelait pas grand attrait pour elle. Comme toute femme mariée, elle devait obéissance à son mari et n'avait d'autre choix que de le suivre et d'adhérer corps, cœur et esprit à ses décisions de chef de famille.

Elle marcha un temps à côté de la voiture pour se délier les jambes. L'épouse de Thomas Morin, qui la vit, courut à elle pour jaser et se faire rassurer. Toutes deux vêtues de robes sombres, couleur feuille-morte, longues à la cheville, et de capelines, ressentaient moins la chaleur du jour maintenant à cause de la fraîcheur du bois et de l'ombre des arbres. Elles allaient côte à côte entre la première voiture et la deuxième.

— Tu trouves que c'est loin?

— Pas trop, non!

Marie-Rose ne révélait pas le fond de sa pensée. Elle se disait qu'en rassurant sa compagne, elle s'apaiserait elle-même et ferait naître un élan de courage voire d'enthousiasme devant l'ampleur des efforts requis par l'avenir à construire dans cette presque sauvagerie.

— Tu sais, tout à l'heure, à moitié endormie dans la voiture, en venant le long de la Chaudière, je me demandais à quoi ça va ressembler tout ça dans cent cinquante ans.

— Cent cinquante ans, ça veut dire 2007, tu y penses pas, Euphrosine.

— Ben quoi, les gens cent cinquante ans passés ont dû se demander la même chose.

— Oui, mais c'est virer en rond. Si tu te mets à virer en rond dans le bois, tu vas t'écarter ben net.

– Tu veux dire que je m'écarterais dans ma tête à force de virer en rond à me demander comment que ça sera en 2007?

– C'est pas loin de ce que je pense. Parce que ça peut pas s'imaginer.

– Mais penses-tu que les hommes pis les femmes entre eux autres, ça va être pareil comme asteur?

– Je pensais que tu parlais des choses comme... les voitures, les arbres, les maisons, les chevaux pis tout ça.

– Non... entre les hommes pis les femmes?

– D'après moi, ça changera pas trop.

Euphrosine soupira sans rien dire. Un pique-bois se fit entendre comme s'il approuvait. On avançait à pas lents au rythme du convoi lui-même donné par les deux bœufs de Clément Larochelle. Marie-Rose reprit:

– D'un autre côté oui... Pense... à ce chemin de bois... C'était de même autrefois par chez nous pis le long de la rivière Chaudière. Asteur, c'est des beaux chemins modernes. Plusieurs ont du macadam dessus. Ça pourrait être de même, le changement dans nos... rapports avec les hommes. Les chemins sont tracés par le saint Évangile pis la sainte Église. L'homme est le chef; la femme le seconde. Le chemin sera juste plus facile pour les deux pis mieux entretenu en 2007 qu'asteur. C'est comme ça que j'imagine le futur, moi.

– En attendant, faut marcher.

– Oui, pis des fois, ça cale jusqu'aux chevilles pis même jusqu'aux genoux.

– Comme dans le bois de Saint-Henri, sourit Euphrosine.

– C'est ça: comme dans le bois de Saint-Henri.

Il se fit une pause puis Marie-Rose reprit la parole:

– Thomas est bon pour toi, toujours?

– J'me plains pas de lui pantoute. J'fais juste parler pour parler.

– Pas d'enfants à l'horizon?

Euphrosine s'étonna de cette question. Une femme la posait rarement à une autre. Pas besoin de se le dire, la forme du corps s'en chargeait bien assez.

– Non. Pis comme tu sais, j'en ai pas eu de mon premier mariage non plus.

– Des fois, ça prend du temps.

– C'est le bon Dieu qui décide…

Tout finissait toujours par le bon Dieu. La foi donnait réponse à toutes les questions, soulageant même le mal du pays. Et les prêtres possédaient la connaissance de Dieu mieux que quiconque. C'est la raison pour laquelle le désir d'en avoir un à soi dans sa propre paroisse ne rencontrait aucune dissidence. Et l'on en parla comme on en parlerait bien des années encore…

Après quelques heures, l'on débouchait enfin sur le tracé de la Grand-Ligne que balisaient des marques sur les arbres. Là, on quitta la direction droit sud pour emprunter celle de l'ouest en droite ligne tout autant et en terrain planche. Encore quelque temps et le convoi entra dans une portion de piste où les bêtes et les roues des voitures calaient dans de la terre noire, heureusement pas trop humide en ce milieu de saison estivale. Puis, au plus bas niveau d'une pente à peine perceptible et que ne pouvaient déceler que les regards les plus exercés, le convoi s'arrêta enfin dans une éclaircie devant une cabane de bois rond à façade carrée.

Il se forma vite un attroupement devant l'habitation de fortune appartenant à Firmin Beaulieu. On attendait un mot de quelqu'un, une sorte de mot de fondation, et tous les yeux se portaient naturellement sur la personne de Clément Larochelle, le premier des tout premiers. Il le comprit et sauta par-dessus la ridelle de sa charrette. Et il se mit sur un coffre qui s'y trouvait et lui servit de tribune. Il prit la parole pour insuffler un esprit, une âme à ces lieux qu'ils se partageraient tous désormais:

– Mes amis, ici, c'est chez nous…

Il parsema son dire de grosses vérités et de bondieuseries à la mode. Le soleil commençait à baisser, mais ses rayons parvenaient dans la clairière et la rendaient moins humide quoique plus chaude que les alentours boisés. Personne ne songeait à la chaleur en un moment pareil, et tous n'avaient d'intérêt que pour leur fondateur et cette lumière qui l'éclaboussait de dos pour leur donner de sa personne une image mythique.

– Ici, c'est l'avenir…

Larochelle portait une chemise beige ouverte sur une toison noire et un cœur jeune et fort. Il avait les cheveux attachés sur la nuque. Première devant lui en bas, Marie-Rose souriait de fierté et d'admiration. Elle aimait cet homme et elle en était aimée. Il le fallait pour le suivre en ces lieux perdus et hostiles. C'est avec lui et leurs enfants qu'elle transformerait le pire en meilleur. N'était-ce pas le bon Dieu qui avait tracé les grandes lignes de leur destin ? Et ces lignes passaient par cette forêt épaisse et menaçante qu'il lui faudrait apprivoiser.

– Ici, notre sueur va nous faire bouillir, mais elle va arroser nos labours itou… et faire pousser nos semences…

Pierre Boutin et Thomas Morin se tenaient côte à côte, premiers sur un vague rang en avant, avec l'épouse de Clément Larochelle. Ils sentaient rejaillir sur eux la gloire de fondateur qui auréolait de lumière la tête de l'orateur improvisé. Parfois, ils se regardaient et leurs yeux, en une fraction de seconde, se rappelaient toutes les sueurs qu'il leur avait fallu verser pour préparer leurs terres deux milles plus loin dans le rang 10, et qu'ils habiteraient pour de vrai et pour de bon à compter du soir même.

– Ici, c'est le pays que le bon Dieu nous a donné, un pays de bonne terre qui va nous donner la chance de nourrir nos familles pis de vivre jusqu'à la fin de nos jours…

Marie-Rose n'essaya pas d'imaginer ce que serait ce canton dans cent cinquante ans, comme l'avait fait son amie plus tôt, mais ce qu'il serait à la fin de leur règne, ainsi que chacun désignait sa propre vie. Ce règne durerait-il jusqu'au prochain siècle, dans quarante-trois ans ? Ou bien le bon Dieu avait-il sur elle et son mari d'autres visées ? Il lui vint alors à l'esprit le souvenir impérissable de ce jeune homme de Saint-Henri qu'elle ne reverrait sûrement jamais. Et la distance lui parut bien grande entre son pays natal de l'autre bout de la Beauce et ces terres-ci qui, entre les phrases de son mari, commençaient de livrer le chant narquois des grenouilles...

– Pour d'aucuns comme Thomas, Pierre pis moi, ça fait trois ans qu'on trime d'une étoile à l'autre su' notre lot pour éclaircir le bois et bâtir des camps. Pis là, on est prêt à se bâtir des maisons comme dans les bas. Pis dans pas grand temps, ça sera le tour de tout un chacun de vous autres. Je vous dirai que d'après la carte du territoire du canton de Shenley, on est ici en plein milieu. Ça veut dire qu'on a probablement en dessous des pieds la terre qui portera notre église un jour ou l'autre quand on aura les moyens de se la bâtir.

Le visage de l'orateur devint profondément sérieux ; il poursuivit, l'œil grave :

– Pis... faut ben en parler itou...

Toutes les pensées précédèrent sa parole alors. Il s'apprêtait à dire un mot à propos du cimetière qu'il faudrait sûrement ouvrir avant de construire une chapelle à moins que le bon Dieu dans sa bonté n'en décide autrement et garde en santé ces trente-neuf personnes jeunes et autres à s'ajouter d'une année à l'autre avant l'érection d'un lieu saint et donc l'ouverture officielle d'un cimetière.

Et il leur parla de cette dernière demeure dans les mots qu'ils attendaient : aussi simples que grands. Puis, il enterra son affligeant propos sous la meilleure des nouvelles :

– Je voulais attendre de me trouver ici, au cœur du canton, pour vous le faire savoir, mes amis. Dans un an ou deux au plus tard, j'en ai eu la promesse de l'évêché de Québec : on aura un prêtre desservant. Aussitôt qu'on aura une maison convenable pour le recevoir pis permettre à tous nous autres d'assister aux saints offices. Une cabane, c'est pas assez, comme chacun sait. Ça fait que probablement que ce sera monsieur le curé de Saint-Évariste qui viendra nous porter les sacrements en même temps que dire la sainte messe parmi nous autres le dimanche. Pas le dimanche matin parce qu'il a son ministère à Saint-Évariste, mais le dimanche après-midi. C'est ce que l'évêché m'a fait savoir dans une lettre qu'est arrivée chez nous à Sainte-Hénédine, ça fait deux semaines.

Il fit une pause, interrogea du regard. Thomas Morin déclencha les applaudissements. Des femmes se signèrent. Des fillettes et des garçonnets qui les virent faire joignirent leurs mains pour se mettre dans une attitude de prière.

– Pis pour finir… je devrais dire pour commencer, on va chanter ensemble le *Te Deum*… Pis ceux qui savent pas les mots en latin, vous avez rien qu'à chanter des la la la… C'est aussi bon, le français que le latin… ou ben l'anglais… aux yeux du bon Dieu…

Te Deum laudamus:
Te Dominum confitemur…

Puis, le convoi se remit en marche. Marie-Rose voulut rester à pied. Euphrosine et Marie l'accompagnèrent. À fort peu de distance, cinq attelages se détachèrent et empruntèrent la piste du Grand-Shenley. Il restait un autre mille à parcourir aux trois fondateurs et leurs familles pour croiser enfin le rang 10 et l'emprunter. Et là-bas se disperser au fil des lots.

On se salua.

Marie-Rose et les siens furent les derniers rendus chez eux. Elle n'avait jamais vu sa future demeure et n'y jeta aucun regard avant d'y arriver, marchant de l'autre côté de la voiture et refusant de monter malgré les invitations répétées de Clément, qui lui disait de ménager ses jambes pour autre chose…

– Je m'en vas dételer les bœufs. Tu peux rentrer dedans si tu veux. On pourra laisser nos affaires dans la voiture pis les rentrer rien que demain parce qu'il va faire beau à soir pis la nuit qui vient.

Comme il y avait loin entre une maison des vieilles paroisses du bord du fleuve et cette cabane de colon! Marie-Rose en avait les bras morts. Elle qui savait pourtant à quoi s'attendre n'avait pas imaginé un tel choc, un tel coup de découragement une fois devant la réalité des choses. Et avant même que d'entrer, il lui parut que des rides d'usure déjà s'inscrivaient dans son front d'un seul coup à penser aux misères promises. Elle n'avait d'autre choix que celui de puiser du courage dans les replis les plus secrets de son cœur.

Petite, basse et d'un seul compartiment, la cabane était construite de pièces de bois rond écorcé et recouvertes d'un toit plat garni de terre. La porte du même bois fendu par le milieu à la hache avait pour serrure une planchette que l'on pouvait mouvoir à volonté. Et les pentures étaient faites de lanières de vieux cuir.

Les enfants s'étaient rendormis dans la voiture. La jeune femme reviendrait les chercher après une visite à l'intérieur. Elle entra donc tandis que son mari reconduisait les bœufs dans leur abri.

Le plancher était fait du même bois que la porte, soit des billes fendues par leur milieu. Et les cavités entre les pièces des murs étaient remplies de glaise. Au moins y avait-il au milieu de la place un poêle français à un seul pont, surmonté d'un tuyau. Et tout était impeccable. Clément avait pris soin de présenter à son épouse un intérieur en ordre afin que pour elle, le choc anticipé soit moins brutal. Il y avait deux lits, l'un d'un côté du poêle pour le couple et l'autre à la gauche, que partageraient les enfants. Des chaudrons accrochés au mur. Et un banc ouvrant près de la porte pour y mettre du petit bois d'allumage ou de chauffage l'hiver. Aussi, deux fenêtres aux vitres propres par lesquelles entrait de la lumière: pas beaucoup, mais assez pour y voir bien clair le jour. Et une table au centre, entre le poêle et la porte. Et de la vaisselle empilée dessus.

Deux falots sur une crédence de fortune. Des outils divers rangés sur une table en planchettes placée dans un coin avant.

Toutes ces choses avaient été apportées par Clément à chacune de ses venues ces trois dernières années. D'autres qui ne risquaient pas de souffrir de l'humidité de la forêt et des environs se trouvaient dehors, à l'arrière, sous un large appentis.

La jeune femme entendit un bruit discret à l'arrière. C'était lui qui entrait. Elle ne voulut pas se retourner pour éviter de lui montrer des larmes coulant sur ses joues. Il comprit qu'elle devait souffrir, frappée de plein fouet par un grand coup d'ennui, de nostalgie, et subir un poids énorme comme ceux qu'il avait lui-même ressentis sur ses épaules de manière si accentuée la première année du défrichement mais, grâce au bon Dieu, de moins en moins à mesure que son ouvrage avançait, progressait.

– On est petitement, mais on va passer rien qu'un hiver icitte-dans, pas un de plus. Le printemps prochain, on va se bâtir une maison. On a assez de terre faite pour partir sur un bon pied; là, c'est la maison qui presse. Et crains pas pour l'hiver qui vient, on a en masse de bois qui est en train de sécher dehors en cordes. Les châssis sont ben calfeutrés. Y a de l'eau pas loin: un bon ruisseau sans compter une grosse source à travers quelques cèdres de ce bord-là. Pis on a une dispense qui fait qu'on aura pas besoin d'aller la messe tous les dimanches à Saint-Évariste. Quand il fera beau, ben on va y aller en traîneau: pas besoin de marcher, c'est le cheval qui va nous haler jusqu'à l'église pis nous en ramener…

Comme ceux à qui la mort tend largement les bras voient défiler en cascades à la vitesse de l'éclair devant les yeux de toutes leurs mémoires les images de leur vie, Marie-Rose put à ce moment contempler les heures de bonheur qui ne reviendraient jamais plus. Jours de la petite enfance à folâtrer dans les champs avec ses sœurs aînées. Années passées à la petite école avant la guerre des éteignoirs puis après. Sa grande et sincère amitié avec Marie-Joséphine Labrecque, une personne de son âge à qui elle resta liée malgré le mariage de chacune et la distance les séparant, l'une vivant à Sainte-Hénédine et l'autre à Saint-Isidore.

– C'est le temps d'aller chercher les petits…

Elle le contourna, tête baissée. Il vit qu'elle pleurait. Et resta là, planté dans son propre désarroi mais rivé à son choix de vivre en ces lieux, surtout à son choix d'y bâtir du neuf pour lui et sa famille.

Ce n'était pas à geindre qu'on s'en tirerait, mais à trimer, songeait-il. Puis, il se dit à mi-voix :

– Des pionniers, ma pauvre femme, en faut ben !

∞∞∞∞∞∞∞

Chapitre 5

Saint-Henri-de-Lauzon, printemps 1860

Trois jeunes gens étaient attablés dans la pièce centrale de l'auberge des voyageurs. Sans être des amis d'enfance, car la vie, les travaux et l'absence de fréquentation scolaire avaient gardé entre eux une distance constante, ils se connaissaient depuis leur prime jeunesse. De vue. Et par bavardage occasionnel à la porte de la chapelle le dimanche ou au hasard de rencontres ailleurs dans le village. Ils s'entendaient particulièrement bien pour se parler de blondes et d'avenir, ce qui du reste meublait l'essentiel du discours des jeunes gens en général. Mais voici que les appels de la vie leur parlaient maintenant de directions différentes. Et opposées. Et chacun exprimait ses rêves sans retenue et sans les travestir.

– Depuis le temps que t'en parles, Édouard, j'ai décidé d'aller en ouvrir un, un lot, moé itou, dans le canton de Shenley.

Celui qui parlait avait pour nom Elzéar Beaudoin. Quand il ouvrait la bouche, il se faisait persuasif grâce à une voix douce et calme, et un sourire engageant.

La fumée des pipes du trio et celle de la bonne douzaine d'autres hommes venus prendre un verre de whisky pouvait être pourfendue au couteau tant elle était dense. Et elle puait au point où elle tuait toutes les odeurs humaines plutôt généreuses qui rôdaient dans tous les coins.

– Ben moé, j'pense que j'm'en vas aller faire une *run* aux États pour me partir avec une palette dans mes poches.

Celui-là avait pour nom Jean Genest, un petit homme blondinet à la mèche de cheveux folâtre, au visage blanc comme de la farine et à l'œil vert chou.

Devant eux, au milieu de la table trônait une cruche de whisky. Servie pleine, on transviderait le restant quand les jeunes hommes auraient fini, afin de savoir combien ils en avaient pris et ce qu'ils devraient débourser en paiement. Il était rare qu'elle se vidât pas au complet. Mais celle-ci, grisâtre et à l'anse cassée, portait encore la moitié de sa capacité en son abdomen renflé.

— Moé, mon avenir a l'air tout tracé : j'ai ma terre à moé pis…

Édouard Allaire fut interrompu par Beaudoin :

— Il te manque une belle petite femme, mon ami. Les années passent, pis t'es quasiment rendu vieux garçon. Quel âge que t'as, là ?

— Sais-tu… je le sais pas trop… Suis venu au monde en 32, ça me donne… On est en 1860, ça fait…

Édouard avait l'air de calculer dans sa tête. En fait, s'il ne savait ni lire ni écrire, il connaissait son âge que sa mère lui rappelait au fil des années, mais voulait tester les capacités de ses amis.

— Ça fait… autour de 25, suggéra Beaudoin.

— Moé, j'dis autour de 30, contredit Genest.

— Ben non, ça me fait 27. 1860 moins 1832, ça donne 28.

— T'as 27 ou ben t'as 28 ? demanda Elzéar.

— 27… étant donné que j'sus venu au monde le 23 de novembre… je vas avoir 28 ans au mois de novembre…

— Vieux garçon à la traîne, là ! s'exclama Beaudoin.

— Pis vous autres itou ! Vous êtes pas loin en arrière de moé.

— Oui, mais nous autres, on est pas établi, ni un ni l'autre, objecta Genest.

— Mais là, quant à moé, ça va se faire. J'ai demandé un lot au gouvernement. J'attends une réponse.

— Comme ça, t'es décidé de t'installer dans le canton de Shenley. Tu fais ben : c'est de la ben bonne terre par là.

– Tu me l'as dit ben des fois… pis t'es pas tu seul à le dire. On va partir à cinq aussitôt qu'on aura nos papiers du gouvernement.

– C'est qui, les quatre autres ? demanda Édouard, qui eut alors une pensée pour la lointaine et délicieuse Marie-Rose.

– Ben, j'vas te les nommer ; c'est pas un secret. Y a Louis Carrier, Magloire Bellavance, Éphrem Gagné pis Ferdinand Labrecque. Pis nous autres ensemble, on va aller ouvrir un rang où c'est que y a personne encore.

– Genest, dit Édouard, pourquoi que tu y vas pas tu suite avant que tous les lots soient pris ?

– Je te l'ai dit : je m'en vas aux États avant ça. Y a des manufactures à Boston pis un peu partout… je vas me faire des bonnes gages, pis dans deux, trois ans, je m'en vas revenir par icitte. Là, ça va être le temps pour moé de demander un lot au gouvernement.

Elzéar mit sa tête en biais :

– Moé, j'pense que si tu t'en vas par là-bas, tu vas jamais vouloir revenir. Tu vas te trouver une petite femme qui parle l'anglais pis tu vas couler ton règne par là.

– C'est pas mon intention pantoute… Pis toé, Édouard, c'est que t'attends pour te marier ?

Le jeune homme regarda dans le vague, derrière le mur de fumée bleue et déclara spontanément sans même se l'être jamais dit à lui-même :

– Celle-là que j'aurais voulue, elle est à un autre pis elle est rendue par là, dans le canton de Shenley.

– Hein ? s'exclama Elzéar. Tu nous as jamais parlé d'elle. Qui c'est donc ? C'est-il quelqu'un de par icitte ?

– Ben non, c'est juste pour rire que j'ai dit ça. Aimer une femme déjà mariée, ça se peut pas, voyons donc !

Mais ni Genest ni Beaudoin ne croyaient qu'il avait voulu plaisanter, et tous deux y décelèrent un insondable fond de vérité. Ils s'y prirent autrement pour en savoir plus malgré tout.

– Tu nous as dit qu'ils sont neuf familles là-bas… mais qu'au commencement, v'là quatre, cinq, six ans, sont partis trois. C'était qui déjà? demanda Beaudoin.

– Trois colons ont commencé à défricher d'abord, mais les neuf premières familles sont arrivées en même temps là-bas.

Quelques questions encore sur les épouses des pionniers et il apparut que le regard du jeune homme brillait bien davantage au nom de Marie-Rose Larochelle.

C'était le genre de propos qui se perd dans le vent sitôt échangé, mais qui parfois, des années plus tard, revient à la surface des mémoires…

– Ben moé, j'en ai une pour toé, une blonde, dit plus tard Elzéar Beaudoin. S'appelle Pétronille… Elle vient du fond de mon rang.

– Pétronille Tardif? s'enquit Édouard. Ben sûr que je la connais. Jeune pas mal pour moé…

– Pantoute! Est proche 20 ans. 28 pour un homme pis 20 pour une femme, c'est l'idéal. Vu que les femmes meurent plus jeune, elles ont le temps d'élever la famille avant de…

Il se fit alors un long moment de silence. Et chacun, sans avoir l'air de réfléchir, feignant accorder son attention à quelqu'un d'une autre table, songeait à son futur.

Édouard se dit qu'à la première occasion, il tâcherait de parler à Pétronille quand il la verrait au sortir de la chapelle le dimanche. Il devrait se dépêcher avant qu'un autre ne se propose à elle, qui avait déjà pleinement l'âge de se marier.

Jean Genest imaginait son retour des États, les poches bourrées d'argent, prêt pour ouvrir son lot à lui dans le canton de Shenley, et capable alors de bâtir sa maison aussi bien que sa grange la même année. Et ça lui écarquillait les yeux…

Quant à Elzéar, il se remémorait son voyage à pied au canton de Shenley l'été d'avant avec ses quatre amis nommés plus tôt, et le choix d'un lot qu'ils avaient fait et pour lequel chacun avait logé une demande de concession au ministère de l'Agriculture. Il n'avait alors rencontré personne qui vive là-bas à l'exception de Firmin Beaulieu et de son épouse, dont la demeure se trouvait en plein centre du canton où il avait fallu passer pour aller visiter les lots du neuvième rang. Mais il lui tardait maintenant, juste pour le plaisir de la chose, de connaître cette Marie-Rose Larochelle qui avait fait si forte impression, lui semblait-il, sur Édouard Allaire.

∞∞∞∞

Un mois plus tard, les cinq jeunes colons se mirent en chemin pour se rendre défricher les lots concédés enfin. Ils partirent avec leur hache et un peu de gréement dans leur sac à dos, se fiant sur des occasions peut-être pour moins marcher, mais aucunement inquiets des capacités de leurs jambes à parcourir des milles et des milles pour ensuite les porter d'une étoile à l'autre dans leurs travaux d'abattage de bois, d'abatis, de construction de cabane, bref de préparation des lots pour recevoir la famille de chacun. Car des cinq, seul Elzéar Beaudoin était encore célibataire, et il n'avait aucunement l'intention de le demeurer bien longtemps. S'il manquerait de jeunes personnes à marier à Shenley, il s'en trouverait certes à Saint-Évariste ou à Saint-François, peut-être même à Saint-Georges…

Jean Genest, quant à lui, avait vendu tous les maigres biens qu'il possédait pour se procurer le nécessaire à voyager et un billet de bateau de Québec à Boston. Quand il franchit le seuil de la porte de la demeure familiale pour s'en aller, il jeta simplement:

– Ben moé, je m'en vas aux États.

Son père qui fumait sa pipe dans un coin sombre ne lui répondit pas. Et sa mère se contenta de hocher la tête en soupirant, elle qui avait beaucoup à faire et plusieurs autres enfants à voir.

∞∞∞∞

Édouard Allaire adressa un premier sourire à la mince Pétronille Tardif à la Fête-Dieu, au cours de la procession. À son grand étonnement, elle lui répondit par un sourire plus large que le sien. Il le mesura au creux de lui-même cette semaine-là et se dit que le premier pas était bel et bien franchi, et songea que désormais, elle ne sourirait sans doute à personne d'autre qu'à lui... En tout cas de cette façon...

∞∞∞∞∞∞

Chapitre 6

Été 1861, près du canton de Shenley

Cinq nouvelles familles venaient s'installer sur les lots que les hommes avaient commencé de défricher l'année précédente. Toutes seraient voisines dans le neuvième rang. Et elles arrivaient toutes ensemble sur deux longues charrettes remplies d'objets et de personnes humaines, grandes et petites. Elzéar Beaudoin conduisait la première, et Ferdinand Labrecque, la seconde.

Le temps était lourd et humide, l'horizon noir, et on craignait l'orage. Au moins avait-on franchi aisément la Chaudière et allait-on entrer bientôt dans la grande forêt. Il flottait une menace au-dessus d'eux, surtout de la seconde voiture, et chez ses occupants, les plis de l'inquiétude barraient les fronts des adultes tandis que les enfants restaient groupés à l'avant à se regarder sans rien se dire, dans une sorte de froid respect, sentant qu'il se passait bien plus qu'un déracinement au cours de cet interminable voyage depuis Saint-Henri. C'est qu'à l'arrière de la voiture, la femme Bellavance tenait dans ses bras un petit garçon de 2 ans dont elle épongeait sans cesse le front livide et le corps avec un linge mouillé pour faire baisser sa fièvre, qui avait commencé la veille même et n'avait cessé de toute la nuit.

– Comment c'est qu'il va? s'inquiéta une voix de femme par-dessus son épaule.

— Toujours pareil. Des fois, il ouvre les yeux ben grands, il me regarde pis il les referme… Comme si ça lui donnerait de l'apaisement.

— J'en ai encore parlé aux hommes. Ils disent que ça ferait pas de différence d'arrêter, pis que le mieux, c'est de se rendre le plus vite qu'on pourra là-bas.

— Je le sais… je le sais ben… Pourvu qu'il fasse pas un abcès…

Le pauvre enfant avait le bas du corps dénudé et les fesses toutes souillées de ses excréments liquides. Souventes fois depuis le départ et durant la nuit précédente, il avait souffert de diarrhée importante. La substance de son corps s'écoulait hors de lui comme d'un tuyau d'égout, et tombait par terre au bout de la fonçure derrière la voiture. L'on savait qu'il ne pouvait pas s'agir du terrible choléra comme en 1832 ou 1854 puisqu'il n'était pas question d'épidémie en cette année 1861, mais on disait, comme Elzéar Beaudoin qui avait été le premier à poser un tel diagnostic, qu'il devait s'agir des fièvres typhoïdes. Auquel cas il fallait isoler le malade des autres enfants et même des adultes pour éviter la contagion.

— Ça s'attrape dans l'eau, avait dit Elzéar, le plus renseigné du groupe à propos des maladies tous azimuts qui tuaient tant d'enfants. Pis même dans le lait de vache qui est un peu trop vieux, mais ça, c'est pas certain, certain. C'est ça que disent les docteurs.

On savait que la maladie devait faire son temps. On savait aussi que l'intervention d'un médecin n'était d'aucune efficacité et que ses conseils se résumaient à faire baisser la température ainsi que le faisait avec grand soin la femme Bellavance, une personne de 25 ans au visage rond comme le reste de son corps, et aux cheveux noirs qui luisaient de sueur.

Il n'y aurait pas de surprise advenant la mort du petit. Il mourait plus d'enfants en bas âge que d'adultes, et le triste bilan de la mortalité infantile faisait apparaître la disparition d'un petit de moins de 7 ans comme un fait familier, presque dans l'ordre naturel des choses. Et plus l'enfant était jeune, moins on en portait le deuil.

La famille de Magloire comptait déjà trois fillettes et un garçonnet, tous plus âgés que le malade. D'autres viendraient dans le futur, plusieurs sans doute. Il n'y paraîtrait guère que celui-ci au prénom de Célestin ait été fauché dans sa première enfance.

Très affaibli et semi-comateux, le petit ne paraissait plus ressentir les douleurs au ventre qui l'avaient tant fait pleurer et gémir au début de sa maladie foudroyante. On lui voyait sporadiquement un semblant de grimace, on lui entendait des sons amortis, geignements de l'agonie qui n'atteignaient même pas les feuilles des aulnes, les aiguilles des conifères, les écorces des érables.

La voiture étant tirée par un cheval, les soubresauts se faisaient nombreux, et on regrettait de n'avoir pas un bœuf comme bête de trait. C'est que les premiers pionniers conseillaient un cheval qui, soutenaient-ils, s'avérait plus utile à un nouveau colon, surtout en raison de sa vitesse et de l'économie de temps lors des travaux et des fréquents voyages, notamment pour se rendre à la messe le dimanche, à Saint-Évariste.

Et les milles pénibles s'ajoutèrent aux milles douloureux. Parfois, Elzéar arrêtait sa voiture, se levait de son siège et criait des questions à propos de l'état de l'enfant fiévreux. La réponse demeura la même tant que l'on ne fut pas sur la Grand-Ligne, à quinze minutes du cœur du canton, secteur du futur village où il ne se trouvait qu'une seule maison toujours et encore, celle de Firmin Beaulieu.

Alors, la femme Bellavance dit simplement à la femme Labrecque :

– Il est mort, on dirait. Son cœur s'est arrêté.

Magloire qui se trouvait alors avec Beaudoin dans la voiture de tête descendit et vint voir avec Elzéar. Chacun put se rendre compte qu'effectivement la mort avait passé par le bout de la voiture. C'est alors seulement que l'orage qui avait menacé tout le long de leur progression depuis la Chaudière éclata. Il fallut s'abriter sous les tentes de fortune construites dans les deux voitures. La femme

Bellavance dut abandonner le corps de l'enfant à l'arrière et, à la demande expresse de son époux, trouver refuge elle aussi sous les toiles.

Après le pire, on se remit en route, le petit corps étendu, mouillé, ballotté et qui risquait de tomber au sol à tout moment. Mais il resta sur la fonçure. Des yeux d'enfants le regardaient furtivement parfois. Le tonnerre obtenait plus d'attention voire de respect.

On fut enfin devant la maison Beaulieu, une petite habitation aux murs extérieurs en planches grossièrement blanchies à la chaux. La pluie cessa. Elzéar jeta un œil sur le toit fortement en pente et enduit de coaltar en se disant qu'il procéderait ainsi en bâtissant la sienne. Cette substance coûtait peu d'argent et s'avérait bien étanche pourvu qu'on y saupoudre du sable de sorte qu'elle prenne plus de temps à commencer à fendiller en raison des intempéries, fendillement qui provoquait l'entrée d'eau dans la maison.

Les enfants descendirent de voiture. Les plus jeunes continuèrent de dormir. Firmin Beaulieu et son épouse sortirent souhaiter la bienvenue aux arrivants. On connaissait déjà les hommes.

– On a un mort avec nous autres, leur dit simplement Magloire Bellavance dans une phrase laconique dépassant les murmures et le grondement du tonnerre s'éloignant et faiblissant.

– C'est pas un bon commencement pour vous autres ! commenta Beaulieu, un homme châtain au menton pointu et au sourire qui appuyait chacune de ses phrases.

– Il vient de mourir… quand on a pris la Grand-Ligne.

– C'est qui ? Un enfant ?

– Ouè… un enfant de 2 ans. Ça fait que… ben on va l'enterrer dans le cimetière.

– Ben vous pouvez pas.

– Comment ça ?

– Parce qu'on a pas de cimetière par icitte encore.

– Comment ça, pas de cimetière ?

– Ben parce qu'on a pas eu de morts encore.

– Ben là, y en a un. On peut pas enterrer le corps dans une terre pas bénite.

– C'est ce que je dis : on a pas de terre bénite pour recevoir les corps morts.

– Personne a pensé qu'un jour ou l'autre, ben y en aurait un, un mort ? s'impatienta Bellavance.

La femme de Beaulieu intervint :

– Monsieur Larochelle en a parlé en arrivant en 57... Il a dit que le curé de Saint-Évariste viendrait ouvrir un cimetière icitte pas loin. Même que ça serait en face d'icitte, de l'autre bord du chemin.

– Si on peut appeler ça un chemin, glissa Elzéar Beaudoin, le regard caustique.

– C'est quoi qu'on va faire avec le corps ? interrogea le père de l'enfant.

– D'après moé ? demanda Beaulieu.

– Ouè, d'après toé ?

– D'abord, je vas te fournir des bouts de planches que j'ai eues de trop pour la maison, pour lui faire une petite tombe. Pis tu pourrais aller l'enterrer au cimetière de Saint-Évariste. Demande à Clément Larochelle d'y aller avec toé vu que tu vas passer devant sa maison dans le 10. Ça va faire plus pesant pour que le curé vienne bénir un morceau de terrain pour enterrer nos morts par icitte. C'est comme tu dis : c'est le temps que ça se fasse. Les premiers colons sont arrivés v'là sept ans. Nous autres, ça fait quatre ans. On peut pas continuer pas de cimetière...

Bellavance se rendit chercher le corps. Il le déposa sur le sol à une certaine distance de la maison. Le chien, un bâtard brun, se rendit aussitôt le renifler. La femme Beaulieu le rappela et ordonna à ses enfants de ne pas s'approcher du petit défunt qui, leur dit-elle, pourrait les entraîner dans la tombe avec lui en raison de sa maladie mortelle.

Les deux voitures reprirent le chemin vers le rang 9. La femme Bellavance prit place à l'arrière. Avec un chiffon, elle essuyait tant bien que mal les souillures laissées là par le petit malade de son vivant. Il y avait de la tristesse dans son cœur, mais ce sentiment inutile fut vite submergé, noyé par les nombreuses préoccupations du jour.

Une heure plus tard, Magloire déposait le corps du petit dans le cercueil de fortune qu'avec l'aide de Firmin, il venait de bricoler. Il mit un semblant de couvercle gris sur la boîte grise et l'attacha avec de la corde passée dans des trous perforés dans la structure. Puis, il se mit le fardeau à l'épaule et emprunta la piste en direction du rang 10, se fiant sur Elzéar Beaudoin et Ferdinand Labrecque pour indiquer à sa femme sa nouvelle demeure du neuvième rang et l'y déposer.

Il lui fallut une bonne heure pour se rendre chez Clément Larochelle. Marie-Rose entendit son pas venir. Elle sortit dans la chaleur humide pour savoir qui c'était. Son visage s'assombrit en apercevant le cercueil. Bellavance l'interpella :

— Votre mari est-il pas loin ? J'aurais affaire à lui.

Magloire déposa son fardeau pour se soulager l'épaule durant la halte.

— C'est un petit mort ? s'enquit-elle en retenant ses enfants contre elle.

— C'est ça. Pis faut aller l'enterrer à Saint-Évariste.

La femme lança un cri perçant vers la maison en utilisant ses mains autour de sa bouche pour porte-voix. Clément était au travail plus loin, en train d'abattre d'autres arbres afin d'ajouter de la surface à la terre neuve et pour fabriquer de la perlasse avec les cendres du bois brûlé. L'homme s'amena bientôt. Il y eut un bref échange sans chaleur. Clément accepta d'accompagner l'autre. Il argua, comme l'avait fait Firmin Beaulieu, que le curé de Saint-Évariste n'aurait plus aucune raison désormais de remettre à plus tard la bénédiction d'une terre au cœur du canton pour l'enterrement des défunts.

– Va falloir s'emporter un fanal parce qu'on va revenir de nuit, c'est sûr!

– Il est mort de quoi? demanda Marie-Rose.

– De la diarrhée… il s'est trop vidé… Pis des fièvres…

Elle dit à son époux:

– Ça fait que… Clément, faudrait pas que tu t'approches trop du petit corps… Ça s'attrape vite, ces affaires-là…

– Craignez pas, dit Magloire, suis capable de porter le corps jusqu'au cimetière.

– C'est pas à la porte: on a proche trois bons milles à faire.

– On va faire ce qu'il faut ben faire, dit laconiquement le père du petit défunt qui reprit le cercueil, se le remit à l'épaule et emprunta la piste, précédé par Larochelle.

∞∞∞

L'enterrement se passa à la brunante. La fosse ne fut creusée qu'à deux pieds de profondeur pour faire plus vite. Et quand les prières furent dites, le curé Bérubé conduisit les deux jeunes gens à sa maison presbytérale, à son bureau modeste, et leur annonça qu'il était temps pour lui d'aller à Shenley au moins une fois par mois pour y célébrer les offices religieux. Dès son premier jour de ministère, il verrait à bénir un terrain que l'on utiliserait comme cimetière, en fait une sorte d'extension à celui de Saint-Évariste, tant et aussi longtemps que la nouvelle paroisse ne serait pas née officiellement et que son érection canonique n'aurait pas eu lieu.

Le prêtre cachait qu'il avait reçu bien des mois auparavant une lettre de l'évêché lui enjoignant de voir au plus tôt à l'établissement de cette desserte.

– Mais il faudra une maison pour servir de chapelle! posa-t-il comme condition incontournable.

— La plus grande, c'est celle-là à mon ami Fred Roy. Je sais d'avance qu'il sera d'accord pour que son toit abrite le bon Dieu. Ça lui nuira toujours pas dans ses affaires…

— C'est loin ? s'enquit le prêtre, un homme qui fronçait souvent des sourcils noirs et embroussaillés.

— Ben… c'est dans le Grand-Shenley… à peu près un mille de plus que pour aller où c'est que je reste. Vous êtes venu déjà, vous savez où ça se trouve…

— Combien de familles en tout ?

— Avec ceuses-là qui sont arrivées aujourd'hui, ça va faire treize ou quatorze, autour de ça.

— Parce que s'il y a trop de monde, ça va prendre une vraie chapelle.

Le prêtre parlait pour ne rien dire. Il savait à quelques-unes près le nombre de personnes vivant à Shenley. Il savait aussi qu'il faut assez d'ouailles pour construire une chapelle, mais qu'on ne saurait en ériger une sans la promesse par l'évêque d'un prêtre-curé.

Larochelle répondit sans hésiter :

— On va bâtir une chapelle quand c'est que l'évêché va nous promettre un curé. Même si faut compter dix ans. C'est un cimetière qu'il nous faut, pour que nos morts restent avec nous autres…

— Vous l'aurez, votre cimetière. Mais le registre des sépultures restera ici, à Saint-Évariste, tant qu'une paroisse ne sera pas fondée à Shenley.

— Ça, on comprend ça…

Quand les visiteurs repartirent vers Shenley, l'homme venu creuser la fosse achevait de la remplir par-dessus le petit cadavre de Célestin Bellavance, mort dans l'indifférence de ce temps contraignant. Son éphémère existence même fut oubliée à tout jamais avec la dernière pelletée de terre jetée sur son front.

∞∞∞

Mille cinq cents milles plus au sud, un jeune homme vêtu de l'uniforme bleu foncé de l'armée de l'Union participait à la première bataille de Bull Run alors que les États-Unis venaient de se lancer dans la guerre la plus coûteuse en vies humaines de leur histoire. Ce jour-là et le suivant, des milliers de soldats périrent en se tirant les uns sur les autres presque à bout portant. Un survivant blessé à la tête et laissé pour mort reprit conscience à la brunante sur le champ de bataille. Il se mit sur ses jambes et vit l'ampleur du massacre autour de lui, et se demanda s'il se trouvait autre chose en ce monde que du sang, des membres arrachés, des lambeaux de chair et des cadavres… Ce jeune homme avait pour nom Jean Genest de Saint-Henri, l'ami d'Elzéar Beaudoin et d'Édouard Allaire… Il avait émigré un an plus tôt aux États-Unis, pays maintenant déchiré par la guerre civile. Et n'avait trouvé pour travail que celui de tuer des rebelles sudistes. Son rêve américain consistant à gagner beaucoup d'argent pour s'établir plus tard dans le canton de Shenley comme colon était loin, bien loin d'un commencement de réalisation…

∞∞∞∞

Les pionniers Larochelle, Boutin et Morin ainsi que tous les autres chefs de famille se réunirent, et l'on fit signer à tous par leur propre nom ou par un X en regard de celui-ci une lettre demandant au gouvernement une incorporation municipale pour le canton de Shenley. Et une aussi en municipalité scolaire. Le 13 septembre suivant eut lieu l'érection du canton en municipalité scolaire que lut devant tous à la sortie de la messe du dimanche suivant Clément Larochelle. «*Il a plu à son Excellence le Gouverneur Général, par minute en Conseil en date du 13 septembre 1861, d'ériger en municipalité scolaire le canton de Shenley, comté de Beauce, lui donnant les mêmes limites qu'il a comme canton susdit.*»

Quant à l'incorporation municipale, elle serait officialisée le 1er janvier de l'an de grâce 1863…

Un premier maire fut élu par acclamation, et ce poste revint tout naturellement à Clément Larochelle.

Ainsi, Shenley, grâce au labeur et à la foi de ses colons, prenait son grand élan vers l'érection canonique.

∞∞∞∞∞∞∞∞

Chapitre 7

Saint-Henri-de-Lauzon, le 3 novembre 1863

C'était un mardi pluvieux et venteux. La cérémonie nuptiale allait bon train. Agenouillés à un prie-Dieu devant la table de communion, les nouveaux époux qui venaient de donner leur consentement mutuel devant le prêtre s'échangeaient parfois un regard ému et timide. Édouard ressentait de la fierté à voir Pétronille si jolie dans sa robe de mariée qui lui affinait la taille, et toute en frisons devant et autour de son cou à l'arrière. Une robe d'un bleu moyen et qui rebondissait sous sa taille : voilà une mode intéressante qui lui avait toujours plus, laissant libre cours à son imagination qu'il finissait par devoir museler toutefois. Et ce chapeau couleur de ciel dont l'arrière semblait à étages qui se fondaient en un seul à l'avant pour ceindre le front, bien retenu en place par une broche passée dans sa chevelure auburn enrobée d'un filet.

Quand elle était descendue dans l'escalier à la maison de son père alors qu'il l'y rejoignait une heure plus tôt, l'image qu'elle lui avait alors donnée éblouissait, comme si en plus de leur beauté et de leur ordre, ses vêtements s'étaient mis au diapason de son large sourire aimable. Pétronille possédait un regard d'une douceur incomparable coulant par des yeux bruns légèrement bridés où la tendresse veillait nuit et jour. Les soins prodigués à ses sœurs et frères orphelins avaient grandement puisé dans ce réservoir de tristesse creusé dans son cœur par la mort de sa mère. Et en ce jour de son mariage, il lui arrivait d'imaginer ses deux parents près d'elle. Et le vide profond que l'absence de l'un ouvrait en elle ne serait qu'en partie comblé par son bonheur et les hommages qu'on lui rendrait ainsi qu'à son époux durant ce jour de noce. C'est qu'il y avait de l'amour partagé à la base de cette union. Contrairement à ce qui se produisait dans bien des familles, car le célibat prolongé d'une fille s'avérait une charge pour les parents, il ne s'était fait aucune pression sur elle pour qu'elle trouve mari au plus vite. Aucune nécessité morale n'avait donc refroidi l'ardeur de ses exigences. Édouard était un bon parti. Plutôt beau garçon, joyeux, sérieux, déjà bien installé depuis dix ans sur sa terre à lui et, rare chez un homme de son temps, il parlait avec entrain et bienveillance aux enfants et leur exprimait des sentiments favorables. Leur mariage était donc la réunion de deux réservoirs de tendresse et d'une certaine délicatesse envers les petits, ce que Pétronille aimait, elle qui n'avait jamais eu à parler rudement à ceux dont elle avait la garde avec son père pour bien les élever.

Édouard avait trouvé la bonne manière pour faire tenir sa chevelure de chaque côté de la raie qui la séparait par le milieu. Du côté gauche, un agglomérat de cheveux agglutinés par un mélange à base de cire de bougie que sa mère, Marie-Josephte, avait concocté et utilisé pour figer. De l'autre, un renflement dans la chevelure qu'elle avait obtenu en la gonflant au fer à friser puis en l'enduisant du même mélange de son invention. Et c'est Pétronille elle-même qui avait mis la touche finale à l'accoutrement de son futur en ajustant bien droit le nœud papillon sous son col dur en celluloïd. Un petit geste maternel qui avait touché et troublé Édouard, déjà appâté de mille façons par les charmes si féminins de sa future…

La messe prit fin. Le prêtre retourna à la table de communion devant les mariés à qui il dit de le suivre à la maison presbytérale avec leurs parents présents et témoins pour la signature du registre. On le suivit. Les gens concernés, soit la mère de l'époux et le père de l'épouse ainsi qu'une amie de Pétronille qui servait de fille d'honneur, n'avaient pas besoin de se le faire signifier explicitement et ils accompagnèrent les nouveaux époux au presbytère situé voisin de la chapelle. Là, le curé Grenier, après avoir fait son entrée à l'encre de Chine, fit la lecture à haute voix du texte inscrit à la ponctuation quasi absente :

« Le 3 novembre 1863, après la publication de trois bans de mariage faite aux prônes de nos messes paroissiales entre Pierre Édouard Allaire, cultivateur fils majeur de feu Pierre Allaire et de Marie Gosselin de cette paroisse d'une part et Pétronille Tardif fille majeure de Joseph Tardif et de défunte Marie Provost de cette paroisse d'autre part ne s'étant découvert aucun empêchement de mariage nous curé soussigné avons reçu leur mutuel consentement de mariage et leur avons donné la bénédiction nuptiale en présence de Xavier Beaudoin ami de l'époux et de Joseph Tardif père de l'épouse. L'épouse seule signera avec nous et un autre témoin les autres et l'époux ayant déclaré ne savoir signer.

Pétronille Tardif
Esther Émond
M. B. Grenier [ptre]*»*

Édouard Allaire avait commencé de fréquenter la jeune fille trois ans plus tôt et l'avait alors rapidement demandée en mariage, mais la mère de Pétronille étant décédée, il fallait que son aînée s'occupe des autres enfants tant que nécessaire. C'était l'usage respecté. La décision de se marier dépendait du bon vouloir de Joseph Tardif, qui n'en avait point abusé du reste et avait libéré la jeune femme aussitôt que sa sœur cadette, Sophie, avait été en mesure de prendre la relève auprès des autres enfants.

Édouard s'était montré patient. Lui qui n'avait commencé à songer à se marier qu'en la seconde partie de sa vingtaine avait l'habitude du célibat.

Pétronille avait donc eu le temps requis pour se préparer un magnifique trousseau de mariée, incluant sa jolie robe de noce.

Aussi, une robe de baptême fabriquée de ses propres mains dans de la soie et du taffetas luisant. Couvertures tissées au métier. Draps en lin. Draps de laine. Tout était déjà rendu à la maison de l'époux, qu'elle avait visitée à quelques reprises sans s'y attarder afin de sauvegarder la morale.

— Eh bien, je vous bénis tous une dernière fois et je vous souhaite, Édouard, Pétronille, le plus heureux des mariages. J'ai remarqué qu'il y a dans vos yeux à tous les deux une flamme qu'on voit rarement. Vous êtes attachés l'un à l'autre, et cela se voit, cela se sent. Vous aimez le bon Dieu, et le bon Dieu vous aime. Édouard aurait pu épouser quelqu'un d'autre il y a un certain nombre d'années, mais il faut croire qu'aucune des gentilles demoiselles qu'il a rencontrées alors n'était la sienne, n'était celle que le bon Dieu lui destinait de toute éternité…

Malgré lui, le marié eut une pensée pour cette belle fugitive qui avait traversé sa vie comme un éclair neuf ans plus tôt et qu'il n'avait jamais revue, mais dont il avait eu de vagues nouvelles ayant circulé d'une bouche à l'autre pour lui parvenir déformées et nébuleuses. Non, songea-t-il, Marie-Rose n'était pas la sienne, ne lui avait pas été destinée par le bon Dieu.

— Ben, on vous remercie, monsieur le curé, dit l'époux avec déférence.

D'autres remerciements balbutiés, mélangés lui parvinrent de la bouche d'Esther, de Pétronille et de son père. Et on quitta les lieux. Il se forma un convoi de voitures en avant desquelles allait celle des nouveaux mariés. L'on fit d'abord parade dans le village, profitant d'une accalmie au cours de cette tempête de vent et de pluie qui avait commencé le matin, ce qui inquiétait la mariée, qui le prenait pour un mauvais présage.

« Ça veut rien dire en toute ! » leur fut-il servi par tout un chacun.

« Que voulez-vous ? Il fait toujours plus beau temps le samedi, mais l'Église demande que les mariages se fassent plutôt le mardi. »

« C'est pas ça qui nous empêche de nocer. »

«Pourvu qu'il se prenne pas trop de boisson, là, vous autres, les hommes!»

«Un beau couple de même, faut leur faire la fête!»

L'on se rendit chez Joseph Tardif dans le rang Trécarré. À temps car les intempéries se remirent de plus belle à bafouer toute âme qui vive osant s'aventurer dehors.

Les voisines et les cousines avaient préparé assez de fricot, de tartes et de confiseries pour empiffrer tout le monde et enchanter les enfants pour qui ce jour resterait gravé à jamais dans la mémoire tout autant qu'en celle de ceux qui venaient de s'unir devant Dieu et devant les hommes.

Quand tous furent entrés dans la maison blanche, il fut demandé aux mariés par la tradition et par les invités de s'embrasser et de le faire «ben comme il faut». Ce qu'ils firent. Ils penchèrent la tête du même côté, puis de l'autre, pour le plus grand plaisir de l'assistance qui les entourait, et finalement chacun d'un côté contraire à l'autre afin que les bouches puissent enfin se trouver et se rejoindre.

C'est la mère de l'époux qui, scrupuleuse devant les enfants, mit un terme à l'étreinte:

– Bon, ben laissez-en pour nous autres itou un peu.

Elle embrassa son fils, mais à peine et sur le bout des lèvres, puis sa nouvelle bru qu'elle aimait bien sans trop le montrer par les gestes ni surtout par les démonstrations publiques. Joseph embrassa sa fille qui lui dit avant:

– C'est de valeur que maman soit pas avec nous autres?

– C'est ben de valeur, ma fille, mais tu vas être heureuse pareil. Elle est dans le ciel, pis elle va t'aider.

Tous entendirent ces paroles émouvantes que pas même le jour du deuil n'avait provoquées, mais que ces heures de joie et d'espérance commandaient.

Puis, ce furent les félicitations d'usage par les invités qui défilèrent devant les époux; enfin, l'on se mit à table. Déjà d'aucuns avaient pris un verre de rhum de trop, et leur exubérance prenait de plus en plus d'espace. Le repas fut animé, bruyant. Il dura une bonne et belle heure. Chacun mangea à satiété.

Les tables furent ensuite dégreyées et rangées. Et les chaises disposées tout autour de la pièce tandis que Joseph mettait une petite attisée dans le poêle à deux ponts qui occupait l'un des coins de la grande cuisine. On n'était quand même pas l'hiver, et il ne fallait pas faire mourir les invités de chaleur, surtout qu'ils voudraient tous, en tout cas les adultes, embarquer dans un set canadien, et que certains iraient sûrement de la danse du petit bonhomme ou d'une gigue simple.

Il y avait en tout trente-six personnes dont neuf enfants: des Beaudoin, des Carrier, des cousins, des voisins des frères et sœurs de chacun des époux. Et parmi eux, noce oblige, des musiciens: un violoneux et un joueur de ruine-babines.

Tout d'abord, suivant une autre tradition, l'on fit asseoir Pétronille dans la meilleure berçante de la maison et son époux sur une chaise droite à son côté. Avant même que de commencer la danse, l'oncle Victorien, pas mal pompette, exigea de la mariée qu'elle chante sa chanson. Pétronille eut beau protester, crier qu'elle n'avait qu'une voix de coq disgracieuse, rien n'y fit. On la demanda par les paroles et par les mains. Dans sa résistance, elle voulut de l'aide de son mari, qui la lui refusa joyeusement. Elle dut se résigner finalement.

– Ben d'abord, vous allez m'aider, là, vous autres, d'abord que y a pas moyen de moyenner.

On l'applaudit copieusement.

– Je vas vous chanter… *Marie Madeleine*…

– Bravo… Oui… C'est un beau chant…

Les approbations vinrent des quatre coins de la cuisine, et la mariée se lança, le cœur battant dès que le violoneux lui eut donné la joyeuse note:

Mon père n'avait fille que moi,
Mon père n'avait fille que moi,
Encore sur la mer…

— Fais-nous ça deboutte qu'on soit capable de te voir d'un boutte à l'autre! cria à pleins poumons l'oncle Victorien.

La mariée n'eut d'autre choix que d'obéir non pas qu'à cette voix d'homme mais aussi aux approbations qu'il reçut de tous y compris de son époux. Elle se leva. Le musicien se rajusta. Et le joueur de ruine-babines se promit d'ajouter son grain de sel pour assaisonner à sa manière la chanson légère.

Pétronille reprit le couplet, puis quand vint le refrain, elle pinça sa robe des côtés et la tira légèrement jusqu'à montrer ses chevilles avec pourtant comme intention première de danser en chantant, ce qu'elle fit pour le plus grand bonheur de tous, grands et petits.

Marie Madelein',
Son p'tit jupon de lain',
Sa p'tit' robe carreautée,
Son p'tit jupon piqué!

— Et tout le monde ensemble, de lancer Victorien.

Tous voulurent bisser tant l'ambiance prenait chacun dans sa moindre aptitude à ressentir la joie. Le chœur improvisé parut égrianché, sonnant faux des quatre coins, mais cela ne comptait pour rien à côté de l'agrément du «tous pour un».

Il y avait dans un des couplets suivants des mots que les époques futures rendraient inacceptables:

Ma mignonnette, embrassez-moi.
Nenni, monsieur, je n'oserais.
Car si mon papa le savait,
Fille battue, ce serait moi.

Seul Édouard Allaire creusa les mots pendant une fragile seconde. S'il avait fallu que Joseph Tardif punisse Pétronille pour les petits baisers qu'il lui avait donnés tout au cours de leurs longues fréquentations, la pauvre n'aurait pas survécu. Et s'il devait se trouver une fille ou plusieurs parmi ses enfants, jamais il ne lèverait jamais la main sur elles... en tout cas pour une raison pareille : une peccadille.

Mais l'élan général le reprit, et avec tous, aux accents du violon et de la ruine-babines, il tapait des mains tandis que sa belle épouse tournoyait parfois sur elle-même entre ses autres pas de danse sur place.

L'oncle Victorien ne se retint plus et sauta sur la place. Il prit la mariée par les bras et l'entraîna dans une ronde folle qui fit rire tout le monde, mais contraria bien un peu le marié. Édouard se savait le seul désormais à pouvoir toucher à Pétronille, bien qu'une danse ne fût qu'un emprunt éphémère loin de la prise de possession totale qui donne sur les accouchements, la famille, la descendance.

La chanson prit fin, mais la fête prit de l'ampleur. Du rhum, du rhum, du rhum, des sets « callés », des gigues, des rires, des histoires pas toujours très propres et même, à un moment donné, quelque chose de sérieux qui permit à tous de reprendre leur souffle.

Il s'était formé des cercles d'hommes et de femmes tout autour de la cuisine ; entre les notes des musiciens, on se faisait une conversation animée. L'un de ces groupes incluait l'époux du jour, l'oncle Victorien, Xavier Beaudoin et Louis Genest, tous deux amis d'Édouard. Il fut question du frère de Louis, parti aux États-Unis trois ans auparavant et dont on n'avait reçu de nouvelles que récemment par lettre.

– A travaillé un boutte de temps dans une usine, pis ensuite, s'est engagé dans l'armée du Nord. D'après ce qu'il dit dans sa lettre, il a passé proche de la mort plusieurs fois.

– Quoi, s'étonna Édouard, il a appris à écrire par là ?

– Ben non, il sait pas écrire… il a fait écrire sa lettre par un autre… en anglais…

Victorien haussa une épaule :

– Tu sais pas lire, pis en plus, c'est en anglais… dis-moé donc, mon Louis Genest, comment c'est que t'as fait ?

– C'est ma mère qui l'a fait traduire par un curé à Lévis. Elle me l'a lue plusieurs fois, pis je l'ai mis là, dans ma tête… pis je la sais par cœur comme mon catéchisme.

Victorien ricana :

– Ben moé, j'te crois pas pantoute ! Tu nous contes de la belle menterie.

– Ah ben maudit, j'peux te le montrer….

– Si t'es capable, tu vas te lever deboutte… Je vas te présenter à tout le monde, pis tu vas dire c'est que tu sais par cœur comme tu dis.

Piqué au cœur du vif, Louis, un personnage qui ressemblait à son frère en exil, pas grand, blondin, fragile, se mit debout, le corps droit comme un soldat au garde à vous. Son arme serait sa parole, et il la tenait prête.

Victorien, grand personnage amaigri qui se cachait parfois pour toussoter, ce qui faisait naître des plis inquiets dans le front de sa mère, se leva et demanda l'attention.

– Les amis, qui c'est de par icitte connaîtrait pas Jean Genest, un petit gars de notre paroisse qui est parti se faire une *run* aux États. Ben vous savez ce qui lui est arrivé ?

Les mines tombèrent. On songeait au pire.

– Craignez rien, on n'a pas eu la nouvelle de sa mort. Mais… il a écrit à sa famille à la fin de l'été. Avez-vous entendu parler de la guerre de Sécession, vous autres ?

Des gens se regardèrent en hésitant. Les enfants haussaient les épaules. Des visages de femmes faisaient la moue. Ce fut Édouard Allaire qui sauva la face de plusieurs et enterra leur ignorance avec ses mots lapidaires :

– Ben oué, ben oué, on sait que c'est la guerre civile aux États. Le Nord contre le Sud.

– En plein ça! Ben notre Jean, il se bat avec les Nordistes contre les rebelles. C'est ce qu'il a dit dans sa lettre. Ça fait deux ans qu'il se bat. C'est le plus que je sais, moé, mais son frère Louis, que vous connaissez tous, il va vous lire la lettre, en anglais s'il vous plaît, qu'ils ont reçue. Ils l'ont fait traduire, pis notre Louis la saurait par cœur. On va ben voir… Envoye, mon Louis, lis-nous ta lettre si t'es capable…

L'autre se racla la gorge, regarda quelques personnes dans les yeux puis plongea son regard dans sa mémoire tout autant que dans l'inconnu des lieux évoqués par le récit.

« *Gettysburg, Pennsylvanie, 4 juillet 1863…*

C'est moé, Jean. J'ai jamais pu vous écrire vu que j'sais pas écrire. Mais là, j'ai un ami américain qui le fait à ma place. Vous irez voir un curé pour vous faire traduire en français. En arrivant aux États, j'ai travaillé pas longtemps dans une usine, pis quand ils ont fait du recrutement pour l'armée, j'ai signé. Depuis ce temps-là que je me bats. Depuis ce temps-là que je vois rien que du sang, des cadavres, des bouts de membres arrachés, que j'entends des fusils, des canons, des lamentations de soldats qui se meurent ou ben qui sont blessés. Mais j'ai vu encore plus d'hommes mourir de maladie que par les balles et les boulets de canon. J'étais à Bull Run, à Antietam, à Chancellorsville, et surtout j'étais ici, à Gettysburg, pour me battre. C'est la première fois qu'on gagne une bataille durant cette guerre civile. Partout avant, les hommes du général Lee nous ont servi la défaite et obligés à la retraite. Chaque fois que je me suis trouvé près de la bataille, j'ai prié le bon Dieu de protéger ma vie. Il m'a écouté faut croire. Pas beaucoup d'hommes que j'ai connus ont fait la guerre depuis le début. Ils meurent avant. Si ça m'arrive, ça m'arrivera. Vu que j'ai signé pour tout le temps de la guerre, je ne peux pas m'en aller, ça serait déserter et je serais condamné à mort. Au commencement, on pensait que ça durerait quatre-vingt-dix jours et ça fait deux grosses années que ça dure. Les trois derniers jours, il est mort au bas mot cind mille hommes à Gettysburg. On dit que vingt-cinq mille autres ont été blessés et que dix mille sont disparus ou ont été faits prisonniers. La peur, on s'accoutume. La faim, on s'accoutume. Le froid, on s'accoutume. La maladie, on s'accoutume. Mais on s'accoutume pas à voir mourir du monde. Et on se demande des fois pourquoi que le bon Dieu laisse faire tout ça.

J'espère que ma lettre va se rendre. Je sais que vous avez votre vie et vos autres enfants que moi, et que c'est pas pire, mourir d'une balle dans la tête à Gettysburg que des poumons dans le fond d'un rang de la Beauce, mais je vais vous dire que j'aimerais mieux que mes os tournent en poussière quelque part dans mon pays. Ça fait que quand je pourrai, je vas retourner.

C'est tout. Si je suis pas mort, je vas vous écrire encore dans l'espérance que ma lettre va se rendre parce que c'est pas à la porte.

Priez pour moi.

Votre garçon, Jean Genest »

Ç'avait été un silence de mort tout le long de cette déclamation par Louis Genest. Pour remettre de l'atmosphère, le grand Victorien leva son bras et son doigt toucha la poutre du plafond. Il déclara, le ton grave :

– On va faire une minute de silence pour Jean Genest. Chacun va prier le bon Dieu à sa manière pour lui, pour qu'il revienne dans son pays comme il en a le souhait.

Plusieurs de ceux qui se recueillirent prirent conscience de la vastitude de ce monde. On avait tendance à l'oublier dans les campagnes canadiennes depuis un siècle, depuis la Conquête par l'Anglais qui avait emmitouflé les habitants dans une sorte de robe de carriole toute de bienveillance dominatrice et de condescendance calculée.

La fête se poursuivit. Tout aussi joyeuse et endiablée, mais la lettre parlée de Jean Genest reviendrait rôder dans les esprits. Non seulement elle rappelait à l'immensité de la Terre, mais à la mort qui, elle, n'oubliait jamais personne…

∞∞∞

Le jour déclina. Xavier Beaudoin se rendit atteler la voiture des mariés et vint la mettre devant la porte d'en avant, cette porte que l'on ne franchissait que dans les occasions spéciales ou bien si on était un étranger. Les hommes imaginaient ce que serait la soirée d'Édouard et Pétronille, qui la passeraient, ainsi que la nuit prochaine et toutes les autres, dans leur maison de l'autre rang. Victorien, fort éméché maintenant, alla jusqu'à les voir au lit dans sa tête, et ça lui donna l'envie de retourner au plus vite à la maison avec son épouse, un petit bout de femme au regard tendre qui ne faisait pas grand bruit et ne se faisait guère valoir en de pareilles circonstances.

Quand plus tard, il fut prêt à partir, elle le fut.

Les mariés arrivaient en ce moment en vue de leur demeure. Il faisait presque noir maintenant. Mais Édouard avait pris soin de laisser brûler une grosse bougie à l'intérieur, et la petite flamme diffusait un faible éclairage qui allumait les fenêtres d'un jaune sombre imprécis, et qui bougeait un peu si on la regardait trop intensément.

– C'est icitte qu'on va faire notre règne, toé pis moé, fit-il sur le ton de celui qui veut rassurer.

– J'en suis ben heureuse, Édouard, j'en suis ben heureuse.

– Moé pareillement!

Ils restèrent un court moment au bord de la porte, à regarder cet intérieur à la froide pénombre qu'il suffirait de chauffer, d'éclairer, de peupler de petits joyeux pour y vivre le bonheur et la sécurité au fil des jours.

Le bon Dieu avait été le tout premier à faire son entrée en ces lieux quand Édouard, aidé de son père, y avait déménagé ses maigres possessions depuis la maison paternelle dix ans et plus auparavant. Certes, il n'avait pas construit de ses mains cette petite bâtisse revêtue de bardeaux de cèdre que les grands soleils avaient peinte en gris, mais il y avait introduit le Seigneur Dieu par un grand crucifix à croix de bois et personnage de plâtre aux pieds sanglants. Amené aussi par une branche de rameau tressé insérée dans les fioritures d'une horloge endormie qu'il faudrait remettre à l'heure et remonter. Installé à demeure par une croix noire entourée d'un grand chapelet à grains bruns.

– C'est cru en dedans ; je m'en vas faire une bonne attisée. On va se réchauffer que ça sera pas long.

Le trousseau de mariée était venu une semaine avant elle, et Pétronille avait dispersé ses affaires dans les quelques meubles de la seule chambre de l'étage dont la porte d'entrée se trouvait au bout de la cuisine, de l'autre côté du poêle, en biais avec lui. La chaleur se répandrait dans la grande pièce puis dans la chambre par la porte.

– Tu peux… aller te coucher, je vas te rejoindre dans pas grand temps.

Elle émit un oui timide et, à pas légers et silencieux, se rendit à la chambre.

– Attends un peu, je vas aller allumer la lampe, autrement, tu vas te cogner les orteils.

Elle avait disparu dans le noir. Il entra. Familier avec chaque chose de la pièce, il se rendit à une petite table invisible sur laquelle se trouvait la lampe dont il venait de parler. Il frotta une allumette qui aspergea la noirceur d'éclats de lumière jaune et silhouetta sa personne sur le mur. La jeune femme frissonnait, se sentait si minuscule dans un monde si nouveau dont elle n'aurait même pas pu imaginer la froide simplicité auparavant.

Posée sur la mèche, la flamme grandit et la clarté se stabilisa. Pétronille aperçut le lit : son frisson grandit. Car si c'est là qu'elle donnerait la vie, c'est là aussi qu'elle finirait la sienne. Et une sorte de vision fugitive lui montra les tout derniers instants de son agonie. Il lui parut que cette moribonde était observée par les yeux désespérés de deux petites filles et que son front n'était même pas creusé encore par les rides du temps, et que ne s'y trouvait que le seul grand sillon du chagrin et de la souffrance morale.

Édouard s'approcha et la fit sortir de sa torpeur :

– C'est quoi que t'as, les yeux ras d'eau de même ?

– Ah… ben c'est le frette, le vent dehors tantôt.

– Ah oui, le vent !

– C'est de la chaleur que ça prend.

– Je vas faire du feu dans le poêle… couche-toé, pis je vas t'en ramener… de la chaleur…

Elle sourit pour lui plaire et non à sa promesse.

∞∞∞∞∞∞∞

Chapitre 8

1864

Déjà vingt-cinq familles vivaient sur le territoire du canton de Shenley. Les nouveaux venus provenaient tous des paroisses d'en bas : Saint-Anselme, Sainte-Marie, Saint-Henri, Sainte-Croix, Saint-Bernard, Saint-Isidore, Sainte-Hénédine et autres. La réputation de la terre en ce coin du haut de la Beauce devenait pour bien des jeunes une tentation à laquelle d'aucuns finissaient par céder malgré tout le labeur qui les attendait là-bas. Le Grand-Shenley et le neuvième rang étaient les secteurs les plus prisés quoique le dixième rang ait été, pour des raisons pratiques dont surtout la moindre distance séparant de la chapelle de Saint-Évariste, le premier habité. Le secteur du futur village toutefois était plus lent dans son développement, par le fait qu'il se trouvait sur un plateau non drainé, mal égoutté par les ruisseaux naturels, et par conséquent marécageux en plusieurs endroits. Et foisonnant d'insectes piqueurs prolifiques et féroces qui émettaient des sons à plus haute fréquence pour exprimer leur contentement à la vue d'humains à la peau blanche dénudée.

Mais la terre n'y était pas moins fertile qu'ailleurs, et cinq colons en avaient pris possession, parmi lesquels Prudent Mercier à qui le gouvernement avait concédé deux lots, l'un face à l'autre, de chaque côté de la Grand-Ligne, à la condition que le moment venu, il cède l'espace requis pour un cimetière et une chapelle, et plus tard s'il était encore de ce monde, pour une église. L'Église et l'État faisaient bon ménage et n'hésitaient jamais à se rendre des services mutuels, d'autant qu'en ce cas, on ne lésait personne alors qu'au contraire, on servait l'avenir du canton et de la future paroisse qu'il deviendrait.

Après le décès de l'enfant Bellavance, le curé de Saint-Évariste avait consenti à bénir un espace restreint de la terre du futur village où l'on pourrait enterrer les morts, mais fort heureusement, il ne s'était produit aucun autre décès, pas même d'avortons que par ailleurs les parents auraient probablement enfouis quelque part sur leur lot, sachant que la chose n'avait pas d'âme et qu'ainsi, on n'avait pas à lui paver la voie du paradis par quelque rituel emprunté à la sainte Église ou autre.

C'était juin, et des hordes infernales de mouches tous azimuts formaient de véritables nuages qui fondaient sur les bêtes et les hommes pour leur arracher des morceaux de chair et siphonner leur sang. Et seule leur taille insignifiante les empêchait de causer autant de mortalités que la guerre civile américaine qui, après trois années de massacres, continuait de faire rage dans le pays du sud dont la frontière ne se trouvait qu'à ving milles du canton de Shenley.

Les colons et leurs familles s'étaient réunis comme tous les dimanches après-midi chez Alfred Roy du Grand-Shenley afin d'y assister à la sainte messe et de se faire administrer les sacrements de la Pénitence et de l'Eucharistie. L'abbé Honoré Desruisseaux avait remplacé l'abbé Bérubé à la cure de Saint-Évariste, et c'est lui qui agissait maintenant comme desservant au canton. Des baptêmes, des mariages avaient eu lieu dans cette chapelle improvisée qui parvenait malaisément à contenir tous les fidèles à la fois et qu'on fréquentait assidûment.

Cette maison était la seule capable de servir de lieu du culte. On l'avait construite sur le modèle de bien d'autres des vieilles paroisses avec la bâtisse principale jouxtée par une plus petite utilisée comme cuisine d'été que l'on condamnait en la froide et morte saison. C'est là que des bancs rudimentaires permettaient aux gens de s'asseoir devant un gros buffet massif d'esprit victorien en noyer, servant d'autel. Des guirlandes de roses ornaient son fronton et les cartouches sous le plateau. Les colons s'étaient cotisés pour payer ce meuble fabriqué dans la région des Bois-Francs. Deux fenêtres dispensaient de la lumière dans la pièce. Tous les habitants du canton ne se trouvaient pas là, car des enfants grandissants s'occupaient des plus jeunes chez certaines familles ; ou bien les mères qui en avaient trop sur les bras ne venaient à la messe que tous les quinze jours avec l'assentiment et la bénédiction du prêtre.

Vint le moment du sermon. L'abbé Desruisseaux revêtu de ses habits sacerdotaux se tourna vers ses ouailles et fit un geste de recueillement en joignant ses mains sous son menton, la tête humiliée devant la grandeur du bon Dieu.

Il regarda chacun ensuite sans rien dire, appuyant son regard injecté de bonté sur les femmes enceintes et plus particulièrement sur cette madame Larochelle, si grande pour une personne du beau sexe parmi d'autres qui pour la plupart faisaient figure de bougons. Chacune sentit une sorte de culpabilité pour avoir commis l'acte conjugal pourtant licite. De quoi leur parlerait-il en ce jour humide qui excitait au plus haut point les maringouins dont bon nombre poussaient l'audace jusqu'à défier leur Créateur en s'immisçant dans sa demeure pour harceler et torturer les gens, et les empêcher de prier, comme si le maître des moustiques avait été le diable en personne ?

Le prêtre frappa soudain le dessus de sa main gauche avec sa droite, et une petite éclaboussure de sang apparut, qui fit sourire les fidèles, heureux de voir que leur curé desservant se montrait à leur hauteur en écrasant ainsi sans pitié aucune un cousin affamé.

– Un million de piastres, pouvez-vous imaginer ce que c'est, mes bien chers frères ? demanda-t-il, l'œil agrandi et le ton péremptoire.

Les yeux s'étonnèrent, ceux des hommes surtout. Des gorges furent raclées. Le curé fit une pause et promena son regard amusé sur ses chères ouailles de Shenley qu'il aimait éblouir, elles si loin dans la sombre forêt verte des hauteurs, elles si peu au fait de ce qui arrivait en dehors des limites du petit canton. Ignorantes, quoi!

— Eh bien, c'est le montant que va coûter la ligne de chemin de fer qui partira de Lévis depuis la ligne du Grand Tronc dont vous avez tous entendu parler ou même que vous avez vue de vos propres yeux avant votre installation par ici, pour aller – ladite voie ferrée – à travers les paroisses de Saint-Henri, Saint-Isidore, Sainte-Marie, Saint-Joseph, Saint-François, Saint-Georges jusque dans les cantons de Marlow ou de Metgermette…

L'abbé Desruisseaux avait le crâne dégarni. Une simple couronne de cheveux bruns ceinturait sa tête d'une oreille à l'autre. Des oreilles décollées et toujours rosies par l'afflux de sang qu'y amenaient ses émotions vives. Cette nouvelle qu'il annonçait aux gens leur parut réjouissante de prime abord, mais elle perdit de sa qualité agréable quand l'homme prit soudainement le ton de l'insurgé:

— Jusqu'à Saint-François, bien d'accord, et vous aussi, j'en suis certain, mais pas ensuite vers le petit village de Saint-Georges… Et pourquoi pas le bourg de Linière tant qu'à faire tout de travers? Ce n'est pas la bonne ligne à suivre. Non, ce n'est pas du tout la bonne ligne, et nous allons prier pour cela aujourd'hui, avec tout notre cœur, pour la ligne qui devra passer par Saint-Évariste et se diriger ensuite vers Mégantic puis traverser la frontière là-bas et y entrer aux États-Unis…

Le destin qu'on appelait volontiers le bon Dieu à cette époque amena devant la maison-chapelle une voiture fine de style boghei tirée par un cheval noir que menait un drôle de personnage. Aux enfants et aux superstitieux, il aurait pu paraître le diable lui-même tant il faisait étrange dans son uniforme foncé, dans sa barbe claire et longue et dans ses yeux chassieux et rougis par la fatigue ou la maladie, peut-être les deux. D'autant plus bizarre qu'il fit s'arrêter son cheval et ne descendit pas de voiture, gardant son corps tordu à moitié affalé sur le siège de bois. À l'évidence, le voyageur blondin avait suivi la piste depuis Saint-Georges à travers la forêt et il arrivait sans crier gare en plein dimanche alors même que la plupart des habitants assistaient à la sainte messe.

La voix du curé Desruisseaux lui parvint par la moustiquaire de la porte.

– Songez-y, mes frères, à ce train qui pourrait passer à quelques milles seulement de chez vous, d'ici...

Dehors, le visiteur grimaça en songeant que les trains transportaient aussi la mort et la guerre dans leurs flancs, et bien plus vite et sûrement que les chevaux.

Parmi les femmes en état dit «intéressant», il y avait Marie-Rose Larochelle, et sa grossesse n'était guère facile, bien plus malaisée que les précédentes avec ces fréquentes nausées et douleurs abdominales qui lui faisaient redouter la fausse couche, et aussi ces migraines interminables. Voici qu'en ce début de sermon, elle fut prise d'un haut-le-cœur et sortit de la maison pour aller prendre de l'air tout en se soustrayant à la lourdeur humide de l'intérieur. Et elle se rendrait voir sa fillette de 2 ans, qui dormait dans la voiture, et ce, malgré toute la confiance qu'elle avait envers Sophia Carrier, jeune personne de 10 ans qui avait pour tâche de surveiller les très jeunes enfants restés dans les voitures. Car à chaque semaine, c'était le tour de l'une ou l'autre des fillettes de 10 ans ou plus, âge que l'on qualifiait de responsable, d'agir comme surveillante des voitures et des tout-petits qu'on y laissait quand le permettait le temps, et pour éviter cris et pleurs durant l'office religieux, ce qui visiblement exaspérait le prêtre et sans doute aussi le bon Dieu... Et quelques chiens rôdaient aux alentours. Fidèles compagnons de leurs maîtres, ils attendaient la fin de leurs dévotions et le retour à la maison.

À l'intérieur, on les avait entendus aboyer et siler fort plus tôt, et chacun avait cru au passage de quelque renard dans les parages ou même d'un ours noir, d'un loup gris, d'un lièvre ou quoi encore.

L'on n'avait pas à s'inquiéter car si une bête maligne devait s'approcher de trop près, on entendrait les échos de la guerre que les chiens livreraient aussitôt à l'intruse.

Mais les chiens s'apprivoisent vite, et quand l'odeur du visiteur mélangée à celle de son cheval eut fini de les intriguer, ils avaient cessé de japper et sans doute cru que ce personnage et son attelage faisaient partie de la communauté du canton. Et que l'homme ne représentait aucune menace pour elle et ses gens. Peut-être les chiens se trompent-ils parfois, eux aussi, tout comme les humains! Leur flair n'est pas toujours infaillible.

Dehors, sur la plus haute marche des quatre de l'étroit escalier donnant accès à la chapelle improvisée, la jeune femme s'appuya à la rampe garde-corps et pencha la tête en avant pour se laisser aller au vomissement, mais rien ne sortit de son estomac et de sa bouche sinon un peu de salive qu'elle cracha lentement et sans bruit, se croyant seule dans le décor extérieur à part la jeune Sophia, qu'elle n'avait pas aperçue en sortant. Un brin de vent l'atteignit, ce qui la rendit moins nauséeuse et chassa les moustiques qui l'avaient repérée sitôt son nez dehors.

C'est à ce moment qu'elle sentit une présence, un regard posé sur elle, et crut qu'il pouvait s'agir d'une bête sauvage. Car ce n'était pas la petite Sophia en train de l'observer qui l'aurait rendue aussi inconfortable.

Elle se tourna et aperçut cette voiture, dernière de celles qui se trouvaient alignées en rang d'oignon, et fort différente en ce qu'elle semblait du dernier cri quoique ses rayons de roues fussent crottés de terre noire humide. Mais c'est l'homme s'y trouvant qui l'interpella par sa forte mais parfaitement silencieuse présence. Il posait sur elle son œil vert et figé, et cet accoutrement qu'elle n'avait jamais vu sur un homme, qu'était-ce donc? Elle pensa à un soldat. Cette casquette aux airs d'un petit accordéon à moitié écrasé sur le devant, cette veste d'un bleu foncé, ces pantalons qu'elle pouvait à peine apercevoir et qui semblaient présenter un galon d'or sur le côté de la jambe… Que sortirait-il de cette bouche, quelles paroles, quel son, si jamais elle daignait s'ouvrir pour parler?

– Y a-t-il un dénommé Clément Larochelle icitte? demanda-t-il enfin, le ton blasé et malsonnant.

– Ben… oui…

– Elle m'a dit que c'est la messe là-dedans?

Il désignait Sophia, qui se tenait timidement à l'autre extrémité de la rangée des voitures.

– C'est la messe, oui, c'est le temps du sermon.

– J'ai entendu parler du chemin de fer.

– C'est de ça que parle monsieur le curé aujourd'hui.

– Il en parle mal… c'est pas si beau, les gros chars.

Marie-Rose agrandit les yeux. Elle ne songeait plus aucunement à ses maux et se demandait qui était ce personnage qui réclamait son époux et critiquait aussi inutilement et gratuitement l'abbé Desruisseaux. Mais elle ne dit mot, et ce furent ceux du prêtre qui les atteignirent le temps d'une pause brève:

– Mes bien chers frères, nous allons signer une requête que nous adresserons au gouvernement pour que la voie ferrée passe par chez nous, ce qui se trouve être le plus court chemin entre Lévis et Boston…

Pour éviter que sa voix n'entre à l'intérieur tout en lui permettant de s'adresser à cet étranger qui n'en était pas un par la voix, la langue et l'accent, Marie-Rose descendit l'escalier et marcha jusqu'à sa voiture. Lui ne broncha pas, gardant son pied droit nonchalamment accroché au montant devant lui.

– Je vas lui dire, à mon mari, que vous l'attendez icitte dehors.

– Parce que cet homme, Clément Larochelle, c'est votre mari?

– C'est ben ça.

– Laissez-le finir sa messe.

– C'est sûr, mais…

Elle avait devant les yeux un jeune homme dont le regard semblait pourtant chargé d'années. Sous la barbe claire se voyaient des traits juvéniles et sur le coin du front une balafre, cicatrice indiquant que l'os du crâne y avait été creusé par la chose ayant causé la blessure.

Le personnage se fit autoritaire :

– Laissez-le finir sa messe. Pis... ben retournez-y donc, vous itou.

– Suis sortie par maladie ; je vas rentrer quand je vas être mieux.

Il haussa une épaule et tourna la tête dans une sorte de détachement hautain :

– Si vous voulez.

– On peut savoir votre nom ?

– Mon nom ? Ça intéresse personne. Encore moins dans une forêt verte pis profonde comme icitte.

Marie-Rose ne se laissa pas intimider : elle passa à la contre-attaque :

– Vous avez le poil drette, vous, on dirait ben ?

L'autre ne répondit pas. Il détourna de nouveau le regard et la tête. Et resta dans cette position signifiant son indifférence peut-être même son dédain. Marie-Rose attaqua encore une fois :

– Je vas dire à mon mari que l'attend un homme sans nom pis plus bête encore que les bêtes.

L'autre ricana :

– Dites c'est que vous voulez, je m'en sacre.

Et il continua de regarder vers la forêt sombre et profonde, y trouvant peut-être des images lointaines et désagréables qu'il était seul à pouvoir voir.

Marie-Rose lui tourna le dos. Elle souleva légèrement sa robe pour éviter d'y mettre le pied et trébucher sur une des nombreuses racines courant entre les souches. Et retourna à l'intérieur.

Le prêtre trouva moyen de faire un autre rapprochement entre le chemin de fer et le bon Dieu, mais il ne dit pas qu'il avait gros-sièrement déformé la vérité par ses paroles. Ce qui était vrai et rien que ça, c'est que la législature du Canada venait d'accorder (sanctionner) une troisième charte à un groupe de huit citoyens, dont deux ministres du Parlement, document qui s'intitulait *Acte pour incorporer la Compagnie du Chemin de Fer de la Vallée de la Chaudière*. Et le million de piastres dont il avait parlé n'était en fait qu'un capital autorisé, réparti en vingt mille actions. Ladite compagnie se proposait de construire une voie ferrée comme l'avait décrite le curé. Pour le reste, le bon abbé avait pensé qu'il valait mieux le dire autrement à des colons qui de toute manière n'y comprendraient rien à ces histoires d'incorporation, d'actions et de sanction...

La messe arriva à son *Ite missa est*.

Les fidèles sortirent. Les chiens montrèrent leur contentement. Sophia poussa un soupir de soulagement, elle qui avait passé son temps à recouvrir les jeunes enfants endormis pour les soustraire aux ponctions des moustiques cruels. Clément Larochelle connaissant l'arrivée d'un étranger qui le demandait eut tôt fait de le repérer et de se diriger vers lui. Mais il fut rejoint et même dépassé par Elzéar Beaudoin, qui marchait au pas de course en se brimbalant et en s'étonnant de manière un peu puérile :

– Ah ben, batêche de batêche, si c'est pas lui qui a tenu sa promesse ! J'en reviens pas de te voir...

Le visiteur appuya son regard sur Elzéar, posa les yeux sur Clément, revint au premier :

– Beaudoin, dit-il simplement.

– Genest, dit Elzéar sur le même ton en tendant la main.

– C'est moé.

– On a su que t'étais soldat, mais on s'est dit que tu devais être mort vu que les soldats de c'te guerre-là meurent pour la plupart. La guerre est donc finie de l'autre bord comme ça ?

– Finie pour moé, pas pour eux autres.

– Comment ça donc ?

Flegmatique et laconique, Genest jeta :

– J'ai sacré mon camp... Déserteur... Condamné... à mort.

Il resta indifférent à la main tendue et s'adressa aussitôt à Larochelle :

— À Québec, ils m'ont dit de te parler pour que tu me reconduises su' mon lot.

Larochelle mit sa tête en biais :

— Si tu me dis ton nom pis si tu me dis le numéro de ton lot.

Genest mit sa main à l'intérieur de sa veste et sortit un document qu'il tendit à son interlocuteur :

— C'est écrit là-dessus par le ministère de l'Agriculture.

Larochelle en prit connaissance puis jeta un œil sur le contenu de la voiture :

— T'as pas grand-chose, on dirait, pour commencer à défricher.

— Pour faire de l'abattis, ça prend une hache pis du feu, c'est tout.

— Huhau ! Huhau ! dit Elzéar. Tu sais ben que c'est pas de même que ça marche. Tu le sais, comment ça se fait, de la terre neuve. Mettre le feu n'importe comment, tu peux nous faire brûler au grand complet, tous nous autres du canton de Shenley.

— Prends-moé pas pour un fou, là : j'ai ma hache. Pis ma hache, c'est tout ce qu'il me faut.

— On peut te donner de l'aide pour commencer, fit Larochelle sous les signes approbateurs de Beaudoin.

Visiblement agacé, l'homme aux cheveux hirsutes et à la barbe filamenteuse jeta :

— De l'aide, j'en veux de personne.

Marie-Rose arrivait derrière son mari. Elle le trouvait bien désagréable, ce personnage, fantasque, colérique, brutal dans son ton et ses mots. Qui donc avait fait d'un Canadien pareil énergumène ?

— C'est ton choix, mon gars, dit Larochelle. Nous autres, par icitte, on s'entraide pis on laisse personne de côté.

— Quand tu voudras un coup de main, une corvée de maison ou ben de grange, on sera là, d'enchérir aussitôt Elzéar Beaudoin.

– Ça me surprendrait. Je veux pas devoir rien à personne, je viens de le dire.

– Tu nous devrais rien pour ça, objecta Larochelle.

L'autre regarda dans le vague au-dessus des arbres :

– Personne donne rien à personne pour rien en retour.

– Nous autres, par icitte, oui, ça nous arrive.

– Dans le temps comme dans le temps.

∞∞∞∞

C'est ainsi que Jean Genest, le frêle et respectueux jeune homme de Saint-Henri, devenu soldat de l'Union, revenait en son pays, l'esprit troublé, le cœur ulcéré, la mémoire bourrée de souvenirs affreux qu'il ne voulait partager avec personne et tâcherait de faire brûler avec les arbres coupés quand il ferait de l'abatis… Il se pouvait aussi que ses seules blessures physiques dont cette fêlure à la tête aient dérangé quelque chose dans son cerveau… En tout cas, son air calamiteux répandait le questionnement.

∞∞∞∞

Enceinte de six mois, Pétronille recevait la visite de son père et de sa sœur Sophie. À table, elle leur dit qu'elle avait demandé aux Émond, Jean et Esther, pour être de cérémonie à la naissance de l'enfant quelque part au début du mois de septembre. Et leur dit qu'elle les voudrait, eux, Joseph et Sophie, pour parrain et marraine à la prochaine naissance…

∞∞∞∞∞∞∞

Chapitre 9

Janvier 1865, Saint-Isidore

Le vent pleurait comme une âme en peine, l'intention douteuse, incertaine, en quête de chaleur pour apaiser sa soif, sa force. Ses gémissements tordus n'avaient pour but que l'errance, l'incohérence, et ce fantôme de géant devenu fou cherchait en vain où donner du souffle. C'est que rien dans la plaine ne lui imposait de s'arrêter pour reprendre haleine et réfléchir à ses blanches rages : pas de forêt aux pieds solides avant loin là-bas, aucun régiment d'arbres qui lui coupe le sifflet, nulle part de collines qui lui absorbe le tourbillon, et pas même le plus dérisoire monticule pour ralentir ses élans et voltiges.

Et toutes ces absences, autant d'insultes à sa majesté le nordet, irritaient souverainement le glacial danseur qui n'en avait jamais fini avec ses rondes erratiques depuis le repas du midi : deux pas en avant, trois en arrière, trois pas d'un côté et trois de l'autre. Cela ressemblait à une sarabande aux allures d'autre chose : peut-être de menuet, de valse ou bien de set canadien avec pour partenaires la neige folle et le froid vif. Souvent, les trois complices ne faisaient plus qu'un dans une espèce de colonne tournoyante rappelant les lointaines tornades du cœur de l'été : on assistait alors au spectacle grandiose d'une formidable gigue simple.

Un mot résumait à lui seul toutes ces bizarreries gigantesques en ses lettres espiègles, sournoises et enveloppantes : poudrerie. C'était en effet le grand bal de la poudrerie hivernale sur toute la campagne canadienne.

Étonnant que la langue française du Canada ait décidé de baptiser au féminin ce personnage acariâtre aux menaces incessantes, aux attaques époustouflantes, aux morsures dangereuses à souhait. Et pourtant, çà et là, des arbres isolés lui résistaient en se servant de leurs branches comme d'autant de scies pourfendeuses, et l'enragée avait beau leur hurler après, ils se tordaient dans tous les sens mais lui tenaient tête. Sachant depuis des millénaires qu'elle parvenait rarement à en déraciner plus d'un par saison, de ces feuillus têtus et conifères obstinés, elle ne s'attardait guère à eux et concentrait toutes ses énergies à encercler ces indésirables, plutôt mal enracinés ceux-là, et tout tenter pour les emporter à diable vauvert d'où ils venaient sûrement puisqu'ils ne s'étaient arrêtés là que depuis un siècle ou deux ou le plus souvent quelques décennies seulement. Et c'étaient les bâtiments de ferme mal ancrés, tout juste assis sur le sol gelé et pas même agrippés à lui. Granges basses, maisons accroupies, hangars cachés entre les deux : tout ce que la main de l'homme avait posé sur cette terre de Caïn subissait les assauts impudiques de la grande croque-mitaine aux voiles déchaînées.

Un homme inquiet mit sa lampe devant la fenêtre dans un geste vain pour y voir quelque chose en ce grand désert fouetté par un chat à mille queues blanches. C'est que le jour commençait à pencher, semblant avoir hâte de s'emmitoufler dans la noirceur épaisse qu'il finirait de tricoter à même les minutes avant le repas du soir.

La nuit serait profonde.

La nuit serait longue.

Le vent coulis sauta sur sa main qu'il approchait trop près du châssis. Il se dit à lui-même :

« Le temps a pas fini de finir pour tout le monde la nuitte qui vient. »

Visage mature voire vieillissant prématurément, Thomas Grégoire avait le front dégarni, la chevelure aplatie poivre et sel, les yeux enfoncés et la moustache abondante. Son nez important complétait le portrait de ce visage aux lignes rugueuses endurcies par le travail et par le temps.

Une voix de femme l'aurait fait sursauter sans sa douceur et sa chaleur, soufflant dans son dos :

– Tout' va ben aller, Thomas. Le travail se poursuit. L'accouchement pourrait se passer de bon matin.

– J'aurais ben voulu faire venir le docteur, mais avec une tempête de même…

– C'est pas nécessaire. C'est rare, les femmes qui se font assister par le docteur.

L'homme troublé soupira :

– Ben moé, depuis que ma première est morte…

– Je le sais, Thomas, t'es inquiet pour Nastasie, mais c'est loin d'être son premier bébé. C'est pas pareil quand une femme a déjà… accouché. Surtout autant de fois qu'elle, là. C'est son neuvième.

– Le docteur est tout le temps venu.

– Aujourd'hui, il viendra pas. Pis ça, Nastasie le sait. Elle est pas inquiète une miette. Tu te fais du mauvais sang pour rien. Elle a des contractions de loin en loin, mais se repose entre chacune comme il faut. Et pis moé, suis là. Suis quasiment une matrone : tu le sais…

Thomas soupira encore :

– Je sais tout ça, Césarie, je sais tout ça.

– Retourne donc t'assire avec Prudent pis fumez en attendant. C'est le mieux que deux hommes peuvent faire quand leur femme est sur le bord d'acheter[3].

Bien que nerveux, Thomas Grégoire n'était pas né de la dernière pluie pourtant, et il faisait tinter le gond de la mi-cinquantaine en

3. Accoucher

ce jour où s'apprêtait à se battre pour sa vie ce neuvième enfant dont il espérait intimement qu'il s'agisse d'un garçon, car alors, septième fils d'affilée, celui-là posséderait la « fleur de lys », c'est-à-dire le pouvoir de guérir. Quand l'enfant commencerait à grandir, lui entamerait sa soixantaine, et à ce moment, les maux de la vieillesse ne tarderaient pas à se faire sentir. Il connaissait déjà des problèmes de rhumatisme avec son genou gauche, d'audition avec son oreille droite à moitié sourde et de vision s'affaiblissant des deux « bords ». Autant avoir sous son toit, pour un temps, du moins, la main qui soigne, la main qui soulage, faute de pouvoir compter sur celle qui absout et bénit advenant qu'aucun de ses fils ne se fasse prêtre.

– Bon, ben je m'en vas finir le fricot du souper.

– Ouè…

Césarie comprit que ce « ouè » incluait de la gratitude pour son soutien. Elle se dit que son beau-frère n'avait pas à l'exprimer, d'autant que leur aide, à elle et à son mari, constituait un prêté pour un rendu. Les sœurs Fillion, Anastasie, l'aînée, et Césarie s'assistaient mutuellement à chaque naissance, et chacune voyait aux relevailles de l'autre avec dévouement.

Le dernier enfant des Grégoire, Jean, naissait voilà cinq ans déjà, et pour les parents, la nouvelle grossesse d'Anastasie, femme ayant franchi depuis trois ans le cap de la quarantaine, avait inopinément frappé à la porte de leur vie comme un visiteur imprévu. Un « bébé de retour d'âge ». Pour cette raison aussi, l'on s'inquiétait : avoir un enfant en ce temps de la vie d'une femme s'avérait souvent plus risqué.

Au-dessus des têtes, le plafond teinté de vert était plutôt bas et un homme de haute taille l'aurait balayé, rasé avec sa chevelure. La maison à deux étages avait été construite sous la direction de Thomas, qui, suivant les normes usuelles, avait fait s'adapter les dimensions à la sienne propre. Comme la plupart des hommes de son temps, il ne dépassait guère les cinq pieds. Toutefois, il s'était donné l'espace d'une belle famille, et voici que s'en dessinait la conclusion par cette naissance ultime, du moins l'espérait-on.

– Bon, ben moé, je vas me greyer pour aller faire le train, annonça Thomas, qui se rendit remettre la lampe sur sa tablette juchée haut près de la porte d'entrée.

Césarie alla s'affairer au poêle tandis que Prudent quittait sa chaise pour accompagner son beau-frère à la grange.

– On voit ni ciel ni terre, déclara Thomas. Par chance qu'on aura le câble entre la maison pis l'étable : on pourrait aussi ben se perdre dans la tempête en revenant de noirceur.

– Dire que des habitants ont pas encore le câble de nos jours! s'étonna Prudent, le regard élargi par la réprobation. D'aucuns meurent gelés dans le grand frette pis la grosse poudrerie à pas cent pieds de leur maison, à force de pas voir clair pis de tourner en rond. Y en a d'aucuns qui manquent de jugeote.

Prudent Dubreuil avait 40 ans et une dent en moins sur le devant, une brèche qui lui donnait un air joyeux et bon enfant. L'œil brun, le cheveu roux, la moustache encerclant la bouche et le menton, il penchait souvent la tête sur son épaule en parlant pour exprimer l'évidence de son dire. Il se rendit auprès de Thomas devant le placard sous l'escalier et reçut son vêtement pour sortir, un manteau aux genoux en étoffe gris foncé qui sentait l'étable.

– En tout cas, ça s'annonce pour en être une bonne.

– On le saura rien qu'après.

Les deux hommes s'habillèrent chaudement, mitaines, capot et tuque, et sortirent en même temps qu'entrait à l'intérieur une rafale vicieuse aussitôt anéantie dans une chaleur qui la transforma en vapeur.

– Vous emportez pas de fanal? Va faire noir comme su' le loup quand vous allez revenir, leur cria Césarie.

Trop tard, les deux parents s'engouffraient déjà dans la poudrerie, et le sifflement du temps leur remplissait les oreilles, les rendant sourds à tout autre bruit. La femme pensa que Thomas avait sûrement un fanal à l'étable tout comme eux en avaient un dans la leur. Et ne se préoccupa plus de leur sort, elle qui avait sur les bras tout un souper à préparer.

— Césarie, Césarie, réclama la voix de sa sœur depuis la seule chambre de cet étage et dont la porte était restée entrebâillée.

L'appelée se rendit voir. Elle entra à moitié dans la pièce assombrie par la tempête. Sa sœur lui demanda :

— Les hommes sont-ils partis soigner les animaux ? J'ai cru les entendre sortir.

— Ils viennent juste.

Puis, le regard contristé, elle livra un état d'âme sans en parler directement :

— Entends-tu le vent qui gémit comme une âme en peine ? C'est l'enfer dehors.

— L'enfer blanc du Canada : faut vivre avec. C'est le pays qui nous a vues naître…

— C'est pas de bon augure.

— Ben voyons, Nastasie, c'est pas le mauvais temps qui décide du sort d'un enfant.

— J'pensais plutôt à moé. Suis inquiète… Me semble que…

— Si tu te dis que ça va être dur, ça va être dur. Si tu te dis que ça va ben aller, ça va ben aller.

Anastasie eut un petit rire :

— C'est vrai, je t'ai toujours dit ça à tes accouchements, tu te rappelles.

— Vis comme tu prêches. Pis prie !

— Oh… je pense que j'en ai une autre…

Césarie sut qu'elle parlait d'une nouvelle contraction. En son aptitude à mesurer le temps sans consulter un instrument à cet effet, elle évalua qu'une demi-heure avait passé depuis la dernière. À ce rythme, l'enfant ne viendrait pas au monde avant le jour suivant, 29 janvier. Cette distance entre les douleurs s'ajoutant à l'état d'âme de sa sœur lui faisait craindre des complications, mais elle ne montrerait aucun signe d'inquiétude.

On entendit un grincement qui venait de l'intérieur, et un gamin de 7 ans parut dans l'embrasure de la porte aux gonds rarement savonnés:

– Quand est-ce qu'on mange, ma tante Zarie?

– Godefroy, lui dit sa mère en douleur, retourne avec les autres en haut. Ma tante va vous crier de venir quand ça va être le temps de souper. Va en haut.

Le petit acquiesça d'un signe de tête et rebroussa chemin, tandis que sa mère geignait. Ce n'était pas la faim qui l'avait amené là mais plutôt l'inquiétude à propos de sa mère. Il ignorait tout des choses de la vie et de la naissance et n'avait pas la moindre souvenance de la venue au monde de son frère cadet. Ce ventre rebondissant de sa mère ces derniers temps, cette présence de ses oncle et tante dans la maison depuis le matin, l'alitement de la femme, les mots couverts et l'obligation pour les enfants de rester au deuxième étage dans les chambres sous le comble, tout cela piquait sa curiosité au plus haut point, et il était le seul à oser parfois questionner un adulte. Les autres se renfrognaient dans l'attente et dans leur confiance en un monde qui leur dictait chaque chose à faire, à dire, à penser. On ne parlait surtout pas de ce que les grands ne parlaient pas eux-mêmes.

Penchés en avant, se butant à la bise en colère, les deux hommes parvinrent enfin à l'étable, qui les reçut dans un nuage de vapeur odorante. Une vache affamée salua leur arrivée. Un cheval blond secoua la tête pour l'approuver. Des poules cacassèrent dans la pénombre de leur espace. Un mouton bêla plus fort que le vent qui faisait craquer la bâtisse; d'autres l'imitèrent.

– Un dur métier, le nôtre, hein, Prudent?

– D'aucuns sont pires, d'autres mieux.

– En tout cas, mes plus jeunes, Godefroy pis Jean, ils vont passer par le collège de Sainte-Marie. Si c'est un garçon qui vient au monde durant la nuitte, lui itou, il va y aller. Vont faire leur cours commercial. De l'instruction, vont en avoir, eux autres. Savoir lire, écrire, compter, ça aide à savoir penser pis se conduire dans la vie. C'est ça qui m'a manqué le plus. J'aurais ben voulu que Grégoire, mon plus vieux, pis Esdras, pis Alfred, pis Thomas se fassent un peu instruire, mais c'était pas aisé à faire quand on n'avait pas de loi sur l'instruction publique. Y en avait pas assez qu'auraient envoyé leurs enfants à l'école pour en avoir une, ça fait que…

Prudent hocha la tête :

– Ça t'a pas empêché de te débrouiller comme il faut pis moé non plus.

Thomas était un cultivateur originaire de Sainte-Marie-de-Beauce, paroisse qui jouxtait Saint-Isidore vers le sud, le long de la rivière Chaudière. De son premier mariage avec Anastasie Rousseau, il n'avait eu qu'un enfant : Grégoire, né en 1836, et qui vivait à Québec mais nourrissait le rêve de s'établir un jour sur un lot de colonisation dans la Haute-Beauce quelque part afin d'y bâtir de ses mains la suite de sa vie et d'y défricher une terre qu'il aimerait, qu'il épouserait avec son corps, arroserait de sa sueur et dans le ventre de laquelle il entrerait pour l'éternité à la fin de ses jours.

Puis, Anastasie avait agonisé et rendu l'âme l'année suivante en même temps qu'elle faisait une fausse couche et par ses suites. Peu après, une seconde Anastasie plus jeune que lui de onze ans avait croisé le destin de Thomas et partagé son labeur tout en donnant la vie à neuf descendants. Femme solide, elle n'avait jamais connu la maladie, mais son dernier accouchement avait été long et difficile. Et à propos du prochain quand elle s'était sue enceinte, l'on s'inquiétait par le silence éloquent ou les regards voilés.

Thomas avait bien mené ses affaires, travaillé sans relâche, trimé d'une étoile à l'autre tous les jours de la semaine, cinquante-deux semaines par année, et parfois le dimanche quand le curé le permettait, qu'une corvée de paroisse ou une récolte en perdition le requéraient. Il était fort, vigoureux, vif et abattait une grosse besogne du matin au soir. Sa terre le lui rendait généreusement. Ses efforts constants lui permettraient de paver la voie afin que ses enfants aient la vie un peu plus aisée s'ils le voulaient, s'ils y investissaient leurs propres travaux incessants, leur détermination et leur talent.

Ce que lui comme tous les autres pères inculquait à ses fils, c'était le goût du travail ardu autant que bien fait. Il leur donnait en exemple le bœuf, sa lenteur, sa force et sa lourde efficacité. Il leur donnait en exemple le cheval, sa vitesse, son élégance et sa docilité. Et il leur donnait en exemple le bon saint Joseph, sa patience, sa foi en Dieu et son autorité paternelle.

Quant à ses filles, Delvina, née en 1844, et Joséphine, en 1847, il revenait à Anastasie de les éduquer à sa manière. Ce qu'elle avait bien réussi puisque les deux jeunes femmes étaient maintenant mariées et bien établies dans une autre paroisse de la région.

Il commenta la réflexion de son beau-frère :

– Un homme qui travaille comme nous autres, ça donne toujours du réussi dans ses entreprises.

– Bon... de quoi c'est que tu veux que je m'occupe ?

– Va débouler du foin ; moé, je vas faire la bouette pour les cochons.

Il faisait si sombre à l'intérieur à cause de la poudrerie et de la rareté des fenêtres aux vitres noircies par la crasse qu'il fallut se donner de l'éclairage additionnel. Une seule lanterne n'aurait pas suffi les soirs d'hiver pour permettre d'accomplir les travaux du train. Il s'en trouvait deux accrochées à de gros clous noirs plantés dans le mur extérieur à quelque distance de la porte d'entrée. Thomas se rendit à l'une, tandis qu'on s'échangeait des propos sans profondeur sur la tempête.

– Si la neige prend fort avec le vent qu'il fait, ça sera pire que l'enfer.

– Quand on s'établit sur une plaine, faut s'attendre à ça plusieurs fois par hiver, mon Tom.

– C'est sûr que dans la vallée, on est moins exposé. Mais les terres sont meilleures par icitte.

Thomas sortit une allumette suédoise de sa poche, la frotta contre son pantalon à deux vives reprises après avoir soulevé le globe de la lanterne et mit le feu à la mèche. L'huile de charbon s'enflamma aussitôt, et de la lumière se répandit tout autour. Il décrocha ensuite la lanterne qu'il tendit à son beau-frère :

– Quen… pis mets surtout pas le feu dans la tasserie, là, toé !

– Je m'appelle pas Prudent pour rien, tu sauras.

– Ç'était juste pour t'étriver.

Dubreuil se rendit à l'étroit couloir menant à une échelle. Il monta à la trappe donnant sur les tasseries de la grange et ne tarda pas à disparaître en chantonnant. Thomas prit la seconde lanterne et se rendit dans un réduit à l'autre extrémité de l'étable où se trouvait un puits. On appelait cette pièce exiguë la crémerie vu que s'y trouvait une petite centrifugeuse permettant de séparer la crème du petit lait, lequel était donné aux veaux ou bien servait à la fabrication de la buvée nourrissant les porcs à l'engrais. Mais ce soir-là, il utiliserait de l'eau pour son mélange de son, de balle de foin et de liquide. Trop de vaches étaient anneuillères, et on avait besoin de lait complet à la maison.

Le chien sila, souleva une paupière, la tête, le devant du corps et s'appuya sur ses pattes comme pour écouter au loin. Que sentait-il ? Que savait-il que les humains ignoraient ? Que percevait-il ? Godefroy le regarda d'un œil inquisiteur. Étendu sur son lit, les mains derrière la tête, le garçonnet continuait de chercher des réponses à l'inhabituel qui se produisait dans la maison. Et voici que Poilard ajoutait des questions à sa recherche.

– C'est quoi qui se passe donc là? lui dit celui des habitants de cette maison que la bête semblait avoir choisi pour maître.

L'animal flairait-il la naissance du bébé en bas ou bien craignait-il la venue d'un blizzard bien plus terrible que le tempête de vent qui sévissait dehors? Ou quoi encore? Peut-être qu'un être humain prisonnier de la tourmente appelait à l'aide?

– Viens icitte, viens!

Et Godefroy, soulevé sur un coude, frappait la couverture de patchwork avec la paume de sa main. Le chien lui jeta un regard, gémit de nouveau, parut hésiter.

– C'est quoi qu'il y a?

Poilard se mit sur ses pattes, courut au lit et y sauta en agitant la queue. Son ami humain lui frotta le dos.

– Tu sens quoi donc?

Il s'agissait d'une bête blanche à la robe mouchetée de noir, un animal dalmate de taille moyenne mais qui ne possédait pas de sang pur. Il reprit son attitude normale, et le garçon ignorerait toujours que son chien avait flairé un loup à peu de distance des bâtiments. Comment en avait-il saisi l'odeur par un temps pareil? Ou bien avait-il plutôt entendu les faibles sons émis par son cousin sauvage? On savait que les loups rôdaient car on entendait parfois leurs hurlements le soir à la brunante, mais ils venaient rarement si près des habitations; leur présence étant toujours décelée par les chiens et révélée par leurs aboiements.

Les deux amis se couchèrent côte à côte. Fermèrent les yeux. Demeurèrent interdits, dans l'attente d'ils ne savaient quoi…

Les autres enfants dont Anastasie avait parlé n'étaient en réalité que deux seulement, soit Antoine, âgé de 10 ans, et Jean, 5 ans. Et en ce moment, ils s'adonnaient à des jeux dans une autre chambre. Les trois autres garçons de la famille, Esdras, 16 ans, Alfred, 13 ans, et Thomas, 11 ans, se trouvaient tous autre part, l'aîné, travaillant comme engagé chez un forgeron de Sainte-Marie tandis que ses deux frères faisaient des études au collège de ce village, où ils demeuraient en pension durant toute l'année scolaire.

Tout devint silence à l'étage supérieur.

En bas, Césarie butinait autour du poêle à trois ponts, un appareil moderne portant la signature de la fonderie de l'Islet et dont peu de maisons encore étaient dotées. Les poêles à deux ponts n'étaient pas rares dans les chaumières, mais celui des Grégoire apparaissait comme un luxe. La femme songeait à ses enfants, mais ne s'en inquiétait pas : ils avaient été laissés sous la garde de sa fille aînée et leur père retournerait à la maison le lendemain ou sitôt la tempête apaisée. Quant à elle, après les relevailles de sa sœur, donc dans une semaine environ, elle reprendrait son rôle de maîtresse de maison auprès de sa propre famille.

Petite bonne femme rondelette, joyeuse comme un matin de printemps en tout temps de l'année, elle fredonnait un air familier à tous et à sa sœur qui, en période de répit entre deux douleurs, fut envahie par le goût de chanter elle aussi ce vieil air de France.

– Chante plus fort, petite sœur ! cria Anastasie.

– Non, tu sais que j'ai la voix tout croche.

– Pas vrai ! T'as la plus belle voix de la famille Fillion.

– Tu me fais rire, Nastasie.

– Chante, je t'en prie !

– D'accord, mais en duo.

– Tu sais bien que je peux pas me lever.

– Tes eaux sont pas crevées, tu pourrais.

– Quoi, as-tu donc tant à faire autour du poêle ?

– Bon, d'abord que tu veux, on va chanter ensemble, mais dans ta chambre. J'arrive…

Césarie courut à petits pas, franchit la porte, s'amena au lit dans l'ombre et s'y assit auprès de sa sœur. Et ce fut le duo pour *M'en revenant de la jolie Rochelle*.

En haut, Poilard leva la tête. Son geste sortit Godefroy de sa somnolence, qui se mit à l'écoute de ce chant magnifique et si bourré de joie simple. Il se leva, marcha sur la pointe des pieds jusqu'au bord de l'escalier et s'allongea sur le plancher pour mieux entendre. Et ajouta vite sa propre voix silencieuse à celles de sa mère et de sa tante. Et il tâchait de graver en sa mémoire les notes et les mots. Quand elles eurent fini, il savait la mélodie et aurait pu la fredonner à son tour.

Pendant qu'il écoutait, les yeux fermés et les oreilles grandes ouvertes, le chien vint s'accroupir à côté de lui par imitation.

Puis, l'animal se remit à siler, à gémir, à frétiller. Cette fois, ce n'était pas à cause d'un loup, mais parce qu'il entendait Thomas et Prudent qui revenaient de l'étable, le train fini, et se suivaient le long du câble dans la tourmente nocturne.

Il faisait nuit noire.

Et il neigeait fort.

Et le vent fouettait la neige et les hommes à coups incessants et enragés…

∞∞∞∞∞∞∞∞

Chapitre 10

Les deux hommes et Césarie veillèrent tard. Et le travail se poursuivait inlassablement dans le ventre d'Anastasie. Les contractions se rapprochèrent d'heure en heure. Il paraissait que le bébé attendrait le jour suivant pour se décider à quitter la chaleur de son nid douillet, lui qui percevait les rages hivernales et se disait que la nuit les amenuiserait peut-être.

Une lampe jetait un éclairage discret dans la chambre, tout comme une autre dans la cuisine où fumaient les pipes patientes. Sa flamme vacillait parfois, comme si quelque fin jet d'air infiltré par un interstice du châssis l'avait atteinte pour lui souffler à la tête une glaciale confidence.

Anastasie parvenait à s'endormir entre les douleurs, mais pas chaque fois, et les voix mêlées et basses lui parvenaient par la porte. Il lui arrivait de crier, contrariée :

– Veillez pas le corps, là, vous autres : allez donc tous vous coucher. Si mes eaux crèvent, je le dirai.

On finit par trouver qu'elle avait raison, qu'il ne servait à rien de rester debout sans dormir, tandis que le bébé faisait son important par son retard à venir au monde. Par prudence, Césarie alla s'étendre auprès de sa sœur alors que Prudent montait là-haut à tâtons pour y dormir dans la chambre de la visite. Thomas mit une dernière attisée dans la fournaise du gros poêle, vérifia le niveau de l'eau dans une grosse bouilloire ouverte posée sur le premier pont, et rejoignit son beau-frère en s'éclairant à l'aide d'une troisième lampe.

Il s'étendit tout habillé afin d'accourir à la moindre alerte à lui être signifiée par sa belle-sœur. Il entra aussitôt dans la somnolence et s'endormit comme un loir. Prudent le recouvrit, et leur chaleur devint commune dans cette pièce glacée envahie par le vent coulis. À son tour, il fut emporté dans l'inconscience.

Tout le long de la nuit, les deux sœurs s'échangèrent des propos légers, dispersés au gré des douleurs, et quand vinrent les premières lueurs de l'aube, le vent diminua d'intensité et enfin la poche de liquide amniotique creva. Le vrai travail ultime commença. Averti, Thomas descendit. Nerveux, il remplit le poêle de quartiers d'érable et de bouleau, ajouta de l'eau froide dans la cuve d'eau chaude et alluma sa pipe mal bourrée de mauvais tabac trop vert et puant.

Ce fut long et dur pour la mère. Elle en vint à ne plus pouvoir que geindre par trop de faiblesse, et c'est alors que le bébé exigeant fit son entrée dans cet univers rude, tandis que son père adressait au ciel des *Ave* qu'il dirigeait du regard vers la croix noire de tempérance suspendue au mur de la porte de sortie.

Le cri primal ne fut pas aussi vigoureux que celui des autres garçons ayant précédé ce bébé. Un son mesuré dépourvu de colère ou de peur : un son presque harmonieux. Mais était-ce bien un septième fils qui venait de naître, celui qui posséderait la « fleur de lys », le don de guérir ? Césarie l'annonça au père qui, interdit de présence dans la chambre lors d'un accouchement, comme du reste tous les hommes, attendait, le dos appuyé contre le chambranle de la porte.

– C'est un garçon… et pas trop gros ni trop fort…

– Il va-t-il survivre, toujours ?

– Ça… c'est le bon Dieu qui va en décider.

Prudent prêtait l'oreille en fumant sa pipe dans la cuisine et se berçant pour tuer le temps. Il lança :

– Tu voulais un gars, c'te fois-là, Thomas, ben tu l'as.

– Ouè…

Poilard ne se retint plus. Il saisissait qu'un être neuf venait d'apparaître dans la maison et voulait en savoir davantage. Et descendit l'escalier en s'arrêtant parfois pour sonder les commandements et se préparant à rebrousser chemin si on lui en donnait l'ordre. On ne se rendit même pas compte de sa venue, et il put s'approcher jusque dans le cadre de porte, où il renifla pour de vrai la vie nouvelle.

Thomas entrait lorsque Césarie était déjà à envelopper le bébé sans l'avoir lavé sauf le visage, afin que le sébum enduisant son corps continue de le protéger un certain temps contre les attaques du froid. On aurait tout le temps de faire sa toilette entière plus tard.

– C'est de valeur… mais il est pas fort de sa santé, faut ben le dire, déclara-t-elle avec un visage crispé.

– Faudrait-il l'ondoyer[4] ou ben quoi ? demanda Thomas, dont les yeux allaient de son épouse au regard presque fixe à ce bébé si peu vigoureux que sa belle-sœur venait de déposer sur le lit à côté de sa mère.

Derrière le père, Prudent prit la parole :

– Ben moé, je dis qu'on pourrait se dépêcher pis aller le faire baptiser à Sainte-Hénédine. C'est l'église la plus proche même si c'est pas ta paroisse, Thomas.

– Le vent est tombé… on pourrait.

– Bon, ben on niaise pas avec ça, je m'en vas atteler ta Brune.

– Prends la grosse carriole : la Brune est aussi vite quand c'est pesant à traîner.

Thomas déplaça son intérêt vers Anastasie, dont il s'approcha en disant :

– Pis toé, la mère, tu tiens ben les ridelles ?

Elle montra un sourire figé et souffla une phrase aux mots entrecoupés de pauses :

---

4. Baptiser un enfant sans les cérémonies de l'Église

– Le bon Dieu… sait que j'ai encore… ben de quoi à faire… dans son bas monde… icitte…

– Pis on va Lui demander qu'il nous donne pus d'autres enfants: on a fait notre part.

– C'est Lui qui décide…

– C'est pour ça qu'il faut Lui demander.

L'homme évalua la situation tandis que tous faisaient silence et il reprit la parole:

– Vas-tu être bonne pour rester tu seule trois heures de temps? Si on veut faire baptiser tu suite, on a ben ça de chemin à faire…

La mère répondit par des phrases hachurées qui ponctionnaient dans les frêles énergies que l'accouchement lui avait laissées:

– Le salut de cet enfant-là… passe ben avant moé. Allez-y, le faire baptiser. Y a Antoine en haut, là, qui pourrait courir chercher la voisine, madame Lambert, en cas de besoin dans les entrefaites.

– Je vas les faire descendre, les enfants, pour leur faire connaître leur petit frère.

Ce que fit Thomas. Et les trois garçons s'alignèrent, adossés au mur de la chambre, mains derrière le dos, craintifs, inquiets devant la scène inusitée. Et leur père prit un air énigmatique:

– Bon, ben les Sauvages sont passés par icitte durant la nuitte, fit Thomas. Pis ils ont laissé ce bébé-là qu'on s'en va faire baptiser par monsieur le curé.

– Comment qu'il s'appelle? osa demander Godefroy.

– Ben, je viens de le dire, qu'il est pas baptisé. On peut pas avoir un nom si on est pas baptisé, là, voyons!

Pas une seule fois depuis que la mère se savait enceinte, il n'avait été question d'un prénom à donner. On attendait de voir s'il s'agirait d'une fille ou d'un garçon et on n'avait rien prévu pour l'un et l'autre cas.

En ce moment, il vint en belles lettres noires dans l'esprit d'Anastasie le prénom de Napoléon qu'elle avait souventes fois voulu donner à l'un ou l'autre des précédents, mais que des choix différents avaient supplanté. Elle fut sur le point de l'exprimer, mais sa faiblesse l'en empêcha de même que les échanges entre Césarie et Thomas après que les enfants eurent été renvoyés hors de la pièce.

– Je vas laisser du pain pis du beurre dans une assiette à côté d'elle pis quand elle va se réveiller, elle pourra manger un peu. Pis de la confiture itou.

– On sera pas tard revenus… Sur le coup de midi, guère plus.

– À condition qu'il vente pas plus que comme c'est là, dehors, hein !

– Y a des rafales, mais c'est pas pantoute comme hier au soir pis durant la nuitte. La Brune va nous mener pis nous ramener la queue sur la fesse.

– Je vas mettre à manger aux enfants itou… sur la table de l'autre bord.

On entendit la porte s'ouvrir, et Prudent crier vers la chambre, le ton enjoué :

– *All aboard !*

– Sors nos capots, lui répondit Thomas, on arrive, Césarie pis moé. Je m'en vas prendre la peau de carriole en arrière du poêle.

Les trois garçons restaient debout à côté du poêle, à se réchauffer et à se demander quelle était la clef de ce mystère remplissant la demeure familiale. Antoine, un petit noiraud aux oreilles décollées, n'était pas dupe. Il se disait par certains que les bébés arrivaient par cigogne, et voilà que la livraison avait été faite par les Sauvages. Il finirait bien par savoir la vérité en s'embusquant le plus souvent qu'il pourrait pour surprendre les propos des grands. Godefroy était encore plus intrigué, mais ce n'était pas à cause des contradictions des adultes et bien par rapport au gros bon sens. Voir si des Sauvages feraient la distribution de bébés qui en grandissant ressemblaient à leurs parents comme lui-même, comme Joséphine, Delvina, Esdras, Thomas et les autres. Mais son incrédulité ne le faisait pas pour autant cheminer bien plus loin dans la voie de la vérité. Jean, quant à lui, bougeait sans cesse la jambe droite pour y écouler sa nervosité et contrôler mieux son besoin d'aller aux toilettes.

Le départ se fit rapidement.

Thomas enfila son capot de chat sauvage, et Césarie fit de même avec le sien en étoffe épaisse, long aux chevilles, vert comme un conifère. Chacun portait déjà des bottes, et on prit soin de s'enrouler une crémone autour du cou, rouge, celle de Césarie, tricolore, celle de Thomas et sans couleur, celle de Prudent. Et celui-ci se rendit prendre la robe de carriole tandis que sa femme retournait dans la chambre quérir le bébé emmailloté, emmitouflé, endormi par la chaleur retrouvée après son premier combat dans un monde glacial et peu accueillant.

On installa la porteuse et future marraine de l'enfant sur la seconde banquette, de la voiture ; elle et son précieux paquet furent enfouis sous la peau de bison. Les deux hommes prirent place sur la première banquette, et Prudent prit les rênes. Ils s'abritèrent sous la couverte à cheval qu'on remettrait sur la Brune une fois à l'église de Sainte-Hénédine.

Une rafale de vent vint les avertir de son mordant avant même que la jument n'ait fait ses premiers pas. Il aurait beau dire et beau faire, le nordet, il n'empêcherait pas un baptême, et si le sort le voulait ainsi, une jeune âme de se rendre au ciel directement sans risquer de passer une partie de l'éternité dans un pays vide qui n'avait pour le caractériser que le seul nom de limbes qui dégageait des odeurs de néant.

– Guédoppe ! la Brune !

Et Prudent agita les «cordeaux» sur la croupe du cheval en clappant à plusieurs reprises. L'attelage se mit en route sous les regards alignés des garçons devant une fenêtre. Le jour pas encore tout à fait levé, la distance et des rafales de neige effacèrent vite cette image qui pourtant resterait à jamais gravée dans la tête de chacun. Leur œil droit disait à leur œil gauche de ne pas poser tout le temps sa question, que le temps répondrait à la place de leurs parents. Ils se savaient des créatures du bon Dieu, mais comment le bon Dieu les avait-ils mis sur cette terre?

– On a oublié les briques chaudes, déclara tout à coup Thomas. Pas de chauffe-pieds, va falloir accorder du pied.

– Trop tard pour revirer, Tom. On va pouvoir se réchauffer dans l'église betôt.

– Je veux ben crère, mais c'est pour Césarie pis le bébé.

– Ben habillés comme ils sont, pis avec une bonne peau de carriole comme qu'ils ont... hein Zarie?

Elle se contenta d'un signe de tête. De toute façon, si un être devait souffrir du froid, ce serait elle, car elle tiendrait l'enfant de manière à lui transmettre le plus de sa chaleur de poitrine et de cœur.

– Envoye, la Brune, trotte un peu, là!

– Maman, maman, ils ont oublié les briques chaudes, ils ont oublié les briques chaudes! clamait Antoine, qui poussait la porte à moitié ouverte de la chambre de sa mère.

Anastasie, que la faiblesse avait emportée dans le sommeil, reprit conscience.

– C'est quoi qu'il y a donc?

– Ont oublié les briques chaudes dans le poêle.

– Sont-ils rendus ben loin?

– On les voit pus pantoute.

– Bon, ben laisse faire. S'il fait trop frette... ils pourront toujours arrêter quelque part. Le monde, ils vont les accueillir les bras ouverts. Asteur, laisse dormir maman, Antoine: faut que maman dorme un peu, là.

Godefroy, poussé par la curiosité, était venu aussi dans la chambre et il attendait pour savoir quelque chose, n'importe quoi. Antoine disait vrai à propos des briques chaudes: Godefroy les avait lui-même comptées dans le deuxième pont du poêle. Dix s'y trouvaient: dix sur dix. Et c'est lui qui s'en était rendu compte le premier et qui en avait averti son frère.

Le garçon eut le temps d'examiner sa mère de plus près. Il vit des linges rougis sur une table à côté du lit et devina qu'il s'agissait de taches de sang. Anastasie vit qu'il regardait en cette direction et qu'il cherchait à comprendre.

– Va falloir que tu soignes les animaux parce que les hommes vont pas revenir avant midi passé! Greye-toé, pis va à l'étable.

– Je vas y aller, moé itou, ajouta Godefroy, qui s'avança de deux pas pour se montrer encore plus volontaire.

– C'est ça, allez-y tous les deux. T'es capable de faire de la bouette à cochon…

– Ben oui!

– Pis tu donneras des graines d'avoine aux poules. Sont pas trop pondeuses de ce temps-citte.

– On y va…

– Attends… Tire[5] pas les vaches; papa va le faire en revenant de l'église.

– O.K! d'abord.

Anastasie avait les cheveux noirs et agglomérés en paquets par toute cette sueur que son corps avait exsudée durant le long et pénible travail et celle plus abondante encore à l'heure de l'accouchement. Ses yeux disaient une profonde lassitude en ce moment. Non seulement son corps était-il en état de grande faiblesse, mais aussi son esprit et son cœur. Elle disait aux petits ce qu'elle voulait qu'ils fassent, mais sans aucunement y mettre son autorité coutumière; c'était comme si elle déposait les mots simplement sur la table avec les linges souillés. Les enfants sentaient cet abattement moral de leur mère tout comme ils constataient cette langueur physique, mais l'habitude de lui obéir vint compenser pour cette

---

5. Tirer pour traire

énergie manquante, et ils coururent mettre leurs capots chauds et leurs mitaines de laine.

Il fallut une bonne demi-heure avant de voir apparaître le clocher pointu de l'église de Sainte-Hénédine au fond de l'horizon. Le vent, fatigué de sa nuit d'excitation et d'exaspération, faisait répit tout autant qu'il lui prenait à l'occasion des rabettes vives. Mais le froid, lui, ne démordait pas encore de ce matin blanc du 29 janvier 1865, et il aurait bien fallu à Césarie les fameuses briques chaudes pour lui rire au nez comme il faut.

– On arrive ben vite ? demanda-t-elle à son mari.

– Dix, quinze minutes.

– Fais donc courir la Brune un peu.

– Elle court selon sa capacité.

Thomas se tourna vers la seconde banquette :

– As-tu trop frette, Zarie ?

– Moé, j'peux toujours endurer ça, mais lui… il est si petit. Jamais vu un bébé aussi petit pis tant fragile… Je te dis que si on le réchappe, on va être ben chanceux. Ça fait qu'il faudrait pas que le frette…

Inquiété par ces mots, Prudent demanda à la jument par les cordeaux de presser le pas. Elle se mit au petit trot. Et Thomas se renfrognait dans ses vêtements. Il commençait lui-même à avoir sérieusement froid et se demandait ce qu'il advenait du nouveauné. Si on l'avait réchappé jusque là, il ne fallait quand même pas perdre sa vie en voulant sauver son âme.

– Modère un peu, Prudent, je vas prendre les cordeaux pis toé, tu vas aller te réchauffer avec Zarie.

– Suis correct de même, là.

– Fais ce que je dis : c'est important.

En fait, ce que voulait Thomas, c'est que les deux époux entourent complètement le bébé et lui fassent rempart hermétique contre le froid. Et lui saurait mieux quoi demander à la Brune qui, elle-même, saurait mieux comprendre un guide plus familier.

Et la suite du voyage fut plus rapide. On attacha le cheval devant l'église. Thomas le recouvrit. Puis, il courut au presbytère voisin tandis que les Dubreuil entraient dans l'église avec l'enfant à baptiser. Le père livra quelques explications au prêtre, qui ne tarda pas à s'amener malgré que Thomas fût étranger à sa paroisse.

– On laisse pas un enfant s'en aller aux limbes quand on peut l'envoyer au ciel ! fit l'homme d'Église sans hésiter un seul instant à revêtir son épais manteau noir et son chapeau plus noir encore et plus épais.

L'on se rendit tout droit aux fonts baptismaux, de l'autre côté du chœur et de l'autel, où se trouvaient déjà les Dubreuil et le nouveau-né que Césarie avait déposé sur une table haute en bois dur.

– Vous avez fait preuve de bon sens, de courage et d'une grande foi en Dieu en venant faire baptiser par un temps pareil, dit l'abbé, qui souffla ensuite sur ses doigts pour les réchauffer de son haleine de tabac.

– L'eau est en glace, on dirait, s'inquiéta Césarie qui regardait la cuvette de l'eau baptismale.

– Sûrement pas bord en bord, fit l'abbé, qui toucha de l'index le couvert de glace. Voyez, il reste de l'eau claire dessous. On aura ce qu'il faut. Et le bon Dieu sera bien content.

– Savez-vous que c'est un septième garçon de file pour Thomas pis Nastasie, monsieur le curé ?

Le prêtre fronça les sourcils. Il savait l'allusion qui se cachait derrière cette question et ne donnerait pas dans cette autre superstition du populo. Il se fit élusif :

– Ah bon, c'est un garçon ! Et comment on va l'appeler, ce charmant nouveau-né ?

Les trois autres se regardèrent, indécis, incertains.

– Ma femme me l'a pas dit. De coutume, c'est elle qui pense à ça. Quoi c'est qu'on va faire?

– Il s'agit d'une décision parentale, dit le prêtre, qui enleva son chapeau et le posa près du bébé pour montrer un crâne à moitié dégarni et luisant que la lumière d'une fenêtre haute devant le groupe laissait entrer à l'intérieur.

– Je peux toujours pas le faire appeler Hénédine, blagua Thomas dubitativement... Prudent comme son compère, ça, c'est certain, mais son nom de tous les jours... je me demande...

– D'abord que t'es de Saint-Isidore, ça pourrait être Isidore, suggéra Prudent.

– Non, intervint Césarie. Anastasie, elle aime pas ce nom-là pantoute. Ça, je le sais avec certitude.

Les trois paires d'yeux se tournèrent de nouveau vers le prêtre, dont on savait qu'il trouverait une solution puisqu'il était prêtre. Il regarda au loin avec un air de réflexion, entama un sourire, un mot hésitant:

– Je...

On savait qu'il savait. Son visage l'exprimait.

– Je vais vous suggérer un prénom qui fait chic et même... qui fait noble. Celui de...

Il leur adressa un regard panoramique et termina:

– Honoré.

Thomas mit sa tête en biais dans une sorte de demi-acquiescement. Le prêtre acheva de le convaincre:

– Honoré, ça fait honorable. Ça dit le respect des autres envers lui, et ça dit le respect de soi-même sans compter du prénommé envers son prochain. Un prénom prédestiné de plus en plus populaire. Prédestiné... entendons-nous... dans le sens acceptable pour la sainte religion.

– Nastasie en sera contente, je suis certaine, affirma Césarie avec conviction.

– Et n'oublions pas que saint Honoré a une place de tout premier choix dans le livre des Saints. Cet enfant va grandir et devenir quelqu'un de bien avec un prénom pareil. Mais… peut-être aura-t-il beaucoup d'épreuves à traverser comme celle de sa naissance et de ce jour de son baptême qui ne sera pas comme les autres…

Tout en effet se déroulait autrement, songeait Thomas qui se rappelait les autres baptêmes depuis celui de Grégoire en 36. Quand le moment arrivait, on envoyait les autres enfants chez une voisine en leur disant qu'à leur retour, il y aurait dans la maison un bébé apporté par les Sauvages ou le corbeau. La pelle-à-feu (sage-femme) voyait à la délivrance, et les femmes restaient entre elles dans la chambre. Puis, entendant le cri du bébé, les personnes réunies dans la grande cuisine se versaient un verre de vin afin de célébrer la naissance si tout s'était bien passé.

Puis, c'était le compérage ou tout ce qui entourait la cérémonie du baptême. Pendant que la mère reste alitée puisque le baptême se passe le jour même de la naissance, au plus tard le jour suivant, père, parrain, marraine, porteuse, tous tirés à quatre épingles montaient dans la plus belle voiture d'été ou d'hiver suivant le moment de l'année, pour se rendre à l'église tandis que les gens partout courent aux fenêtres pour savoir qui s'en va faire baptiser. L'enfant porte une robe baptismale apportée par la marraine, et le bedeau sonne la cloche comme un « tordilleux » si le parrain lui a offert un bon pourboire. De retour à la maison, c'est un goûter intime avec boissons fournies par le parrain. Et ce parrain, second père de l'enfant, lui donne une cenne noire percée d'un trou que le petit portera à son cou pour éloigner de lui le mal de dents et lui porter bonheur.

Rien ne s'était passé ainsi pour Honoré. Cette naissance exceptionnelle engendrerait-elle une vie exceptionnelle ? Ou bien cette vie était-elle appelée à se terminer bien avant qu'il ne soit un homme ? Le tribut à payer par l'enfance à la maladie était si grand. Épidémies de diverses sortes. Fièvres. La typhoïde, la scarlatine, la poliomyélite, les maux d'été à cause de lait corrompu par la chaleur : chaque famille comptait son lot de maladies et surtout de morts d'enfants en bas âge jusqu'à 6 ans où, plus forts, ils résistaient mieux, d'autant que les moins solides avaient déjà été envoyés ad patres par un mal vicieux ou bien un autre.

– Donc, nous allons procéder... et en raison du froid qui sévit, même ici dans l'église, nous ne dirons que l'essentiel pour que le sacrement soit bel et bien conféré et porte toutes les grâces qui lui sont rattachées. Thomas, quel nom choisissez-vous pour votre enfant ?

– Honoré... Prudent Honoré.

– Que demandez-vous à la sainte Église ?

– Le baptême.

– Et vous qui avez accepté d'être parrain et marraine d'Honoré devrez aider ses parents à exercer leur responsabilité parentale. Êtes-vous disposés à le faire ?

– Oui, dirent ensemble Césarie et Prudent.

– Prudent Honoré, la communauté chrétienne t'accueille avec joie. En son nom, je te marque du signe du Christ, notre Sauveur...

Pour gagner plus de temps, pendant qu'il assurait verbalement le rituel, le curé, de sa main engourdie, remplissait les registres en se servant des réponses aux questions posées. Par chance l'encre de l'écritoire n'était pas figée, et il put s'en servir. Et il finit par prononcer la phrase centrale :

– Joseph, Prudent, Honoré Grégoire, je te baptise au nom du Père et du Fils et du Saint-Esprit.

Il fit une onction avec le Saint-Chrême puis récita un *Ave* et termina par une ultime bénédiction de l'enfant, qui ne se réveilla que peu et rechigna au contact de l'eau et de l'huile.

– Voyez déjà l'effet sacramentel : il montre plus d'énergie.

Le curé n'en croyait rien lui-même, mais de le dire le provoquerait peut-être tant soit peu, se disait-il. C'était ça, la foi qui soulève les montagnes! Et il y faisait appel avec toute personne avec laquelle il était en contact si le besoin s'en faisait sentir. Après une pause où chacun put se faire accroire que l'ange gardien nouvellement arrivé autour de l'enfant lui soufflait de l'énergie, le prêtre reprit:

– Bon, et maintenant, si vous voulez signer…

Il tendit la plume à Thomas, qui demanda:

– Où c'est que je signe?

Le prêtre comprit que l'homme était illettré:

– Faites un X là, sur la ligne, et j'écrirai votre nom ensuite.

Seule Césarie put signer son nom. Elle savait écrire tout comme Anastasie.

Le retour à la maison fut plus aisé. Vent tombé. Froid à la baisse. Soleil brillant dans un grand ciel bleu profond.

Affamé, Honoré pleura. Mais sans s'époumoner comme l'eût fait un enfant fort. Dès qu'elle l'eut sur sa poitrine, sa mère l'apaisa, le nourrit et l'endormit.

∞∞∞∞∞∞∞

Chapitre 11

Saint-Henri-de-Lauzon, le 31 décembre 1865

On était au cœur d'un sérieux redoux qui durait depuis l'avant-veille. Pétronille s'était levée avec plus de difficulté que les matins précédents. Il rôdait en son for intérieur le sentiment que ce serait jour d'accouchement pour elle.

La première fois, à la naissance de son aîné, Joseph-Édouard, seize mois plus tôt, les événements lui avaient arrangé une surprise contrariante : le nouveau-né s'était présenté quelques jours avant son temps sans pour autant être considéré comme un prématuré. Un peu plus et personne n'aurait été là pour assister la mère. Une voisine s'était improvisée sage-femme à la dernière minute. Par bonheur, rien de désastreux n'était survenu et l'enfant avait survécu bien en santé tout comme il l'était encore à son âge de près d'un an et demi maintenant. Un fils qui faisait la joie de son père. Et sa fierté. Et au contraire de Pétronille, l'homme ne se retenait pas de le montrer en s'amusant avec le bébé et en lui apprenant des petites choses que d'autres de son âge sauraient moins vite. Mais la jeune femme, maintenant âgée de 24 ans, croyait qu'il faisait partie intégrante de son devoir de masquer ses sentiments à l'endroit des enfants, et c'est ainsi qu'elle obtenait bien moins de regards joyeux de la part de Joseph-Édouard que son mari n'en tirait. Surtout à le faire sauter sur ses genoux le soir à la brunante dans un «petit galop» de cavale que tous les enfants adorent.

«Le bon Dieu pourrait ben attendre une journée encore, pis ça se passerait au jour de l'An,» avait-elle souligné à son mari.

«Prie pour ça, Pétronille!»

Elle avait soupiré:

«Des fois, prier, ça marche; des fois, ça marche pas.»

«C'est certain: tout le monde sait ça, mais... faut pas prendre de chance avec le bon Dieu...»

«Pis c'est pas assez important pour qu'Il s'en occupe. On va garder nos prières pour que l'année soit bonne pour notre santé pis nos récoltes.»

Elle et lui finissaient toujours par s'entendre, et jamais le ton ne s'élevait, ni quand l'impatience était au rendez-vous, ni quand leurs opinions divergeaient. Elle questionnait, proposait, écoutait et le plus souvent se ralliait. C'était ça, être femme. Et sans qu'il ne s'en rende compte, elle influençait ses décisions et ses pensées.

Pétronille n'aidait plus Édouard au train depuis l'automne. Deux bras pouvaient amplement suffire à l'étable. Habiller l'enfant, s'habiller elle-même et tous autres inconvénients que son état «intéressant» supposait: mieux valait rester à la maison et brasser la soupe.

La jeune femme ressentit ses premières contractions alors que son époux travaillait à la grange. Pas nécessaire de l'alerter à ce stade-ci; il aurait bien le temps d'aller chercher madame Beaudoin, la matrone, et Sophie, sa sœur, pour l'assister. Elle se rendit chercher son bébé dans son berceau et le réveilla pour le nourrir au biberon. Et lui chanta une chanson, ce qu'elle n'aurait pas fait en présence de quelqu'un, pas même son mari. Le chant était profane, défendu dans les églises, mais acceptable, disaient les prêtres, dans les bouches respectueuses de la vraie foi catholique. Pétronille avait beau savoir lire et écrire, c'est par l'oreille et le «par cœur» qu'elle avait appris la mélodie et les paroles latines, mais elle se contentait de fredonner pour endormir le bébé, ou le rassurer quand il pleurait. Et tandis qu'assise sur une berçante près du poêle, au chaud, l'enfant entre ses bras, couché sur son ventre rebondi, elle étirait ses doux et calmes «la la la», les mots approximatifs en langue latine lui venaient à l'esprit :

Ave, Maria,
gratia plena,
Dominus tecum,
Benedicta tu
in mulieribus,
et benedictus
fructus ventris tui,
Jesus.

Et la jeune femme se demandait si le petit garçon retiendrait quelque chose des sentiments divers que transportait sa voix et qui allaient de la tendresse à la crainte du futur en passant par la tristesse, la joie simple et la soumission à Dieu, à la vie, à la religion et à son mari. Elle ignorait que dans la profondeur de ses entrailles, un tout petit cœur battait à un rythme différent depuis que les notes s'égrenaient, qui lui parvenaient de tous côtés à la fois et entraient en elle non par ses oreilles, mais par toute sa substance charnelle et spirituelle.

Une contraction interrompit le chant. Quand elle fut passée, la femme se leva et alla remettre le bébé dans son ber. Puis, elle se rendit de nouveau à la fenêtre et regarda vers la grange. Les reflets éblouissants du soleil sur la neige l'aveuglèrent. Son regard s'adapta. Elle reprit son chant mélancolique…

Peu de temps après, une ombre parut dans son regard perdu et la ramena à la réalité de la vie. Édouard revenait du train. Il la vit, lui fit un signe de la main. Elle se plaignit de le voir ainsi, mackinaw largement ouvert, mais sa voix ne dépassa pas la vitre aux contours glacés devant son nez. Toutefois, elle l'accueillit avec un reproche presque chanté quand il franchit le seuil de la porte :

– Tu te promènes la falle à l'air : tu vas attraper la mort.

– Moé ça ? Nous autres, Pétronille, on va voir le prochain siècle tous les deux.

Elle le contredit :

– On sera pas là dans trente-cinq ans… pas moé en tout cas.

Il assécha la roupie au bout de son nez avec sa mitaine qu'il ôta ensuite et jeta sur une chaise avec sa tuque grise.

– Trente-cinq ans plus l'âge que j'ai, ça va faire quoi, ça ?

– T'es venu au monde en 1832, ça fait que t'as 33 ans. Plus trente-cinq, ça va te faire 68 ans.

Édouard réfléchit puis demanda :

– Pis toé, ça va te faire…

– Autour de 59, 60… J'ai neuf ans de moins que toé…

– Tu vois ben : on va être encore plus jeune que Joseph Beaudoin pis sa femme… même que Médée Lecourt pis sa femme… que…

– Tu les comptes sur les doigts de la main, ceux-là qui sont ensemble depuis autant de temps. Non, je sens que je vas être morte ben avant ça.

– Si tu meurs, je meurs : comme ça, on va s'en aller voir le bon Dieu ensemble.

Elle eut l'air de lire dans son avenir :

– Non, Édouard, va falloir qu'un de nous deux prenne soin des enfants qu'on aura.

– Non, mais veux-tu ben me dire de quoi c'est qu'on parle à matin ? La mort, on pense pas à ça à notre âge, pis on n'en parle pas non plus.

– Déshabille-toé pas ; j'pense qu'il faut aller chercher madame Beaudoin. J'ai des douleurs… ça veut dire que ça va se faire dans la journée.

Un pli d'inquiétude barra son front, et il dit :

– Si tu penses qu'il faut, ben il faut.

Il remit aussitôt ses mitaines et sa tuque :

– Tant qu'à faire, aussi ben aller quérir Sophie itou, hein?

– Aussi ben.

– Ça se passera pas entre-citte pis là?

– Ça pourrait aller dans le milieu de l'après-midi.

Édouard hésita. Elle comprit sa crainte et le rassura :

– Va les chercher en même temps, pis prends pas d'inquiétude. Je vas dire au bébé d'attendre.

– La dernière fois, c'est venu vitement en maudit.

– Là, je sais que ça va être dans une couple d'heures.

– C'est bon, mais… reste pas deboutte de même : assis-toé pour pas que ça vienne avant son temps.

– Mieux que ça, je vas me recoucher une secousse en vous attendant.

– Pis occupe-toé pas du manger, Sophie va le faire.

Et le jeune homme s'en alla à la fine épouvante.

Pétronille mit ses mains sur ses hanches comme pour rééquilibrer son corps et marcha jusque dans la chambre, prit place sur le lit, mais ne se coucha pas sur-le-champ. Il lui parut qu'elle devait faire comme souvent déjà depuis qu'elle était enceinte pour la seconde fois, soit de parler au bébé qu'elle portait comme s'il avait pu l'entendre. Elle lui murmura :

– Je sais que t'es une petite fille, là, au-dedans de moé… pis je veux que tu m'écoutes comme il faut… Tu dois savoir que la vie, c'est ben souvent une vallée de larmes comme le disait ma mère tout le temps. Mais des fois, on rit un peu. Des fois, on ressent du bonheur. Plus quand on est jeune. Pis un peu… de moins en moins à mesure qu'on grandit pis qu'on vieillit… Mais si on a de la peine pis qu'on l'offre au bon Dieu, ben c'est comme si on avait du bonheur… Notre chagrin se transforme en bonheur parce qu'on l'offre pour la rédemption de l'humanité comme l'a fait Notre-Seigneur sur la sainte croix… Pour que ta vie soit bonne, faudra que tu sois honnête, aimable pis surtout une bonne chrétienne… Mais itou… crains jamais de tenir la tête haute… dis ce que tu penses en tout…

pis obéis jamais à ceux qui vont essayer de te faire prendre un mauvais chemin… Tu vas le savoir, si c'est le bon chemin… t'écouteras la voix au fond de toi-même… je l'ai toujours fait pis…

Pétronille s'arrêta, et son regard devint luisant :

– … si jamais, comme moé, tu dois t'occuper de tes frères pis de tes sœurs, ça va te montrer comment faire pour tes enfants plus tard…

Une contraction l'interrompit. La jeune femme crut le moment venu de s'étendre. Elle le fit et s'adonna à de profondes respirations. Mais devait se poursuivre un long temps encore ce monologue aux airs de leçons de vie, de recommandations, de conseils…

∞◎◎∞

Shenley, ce même jour…

– Genest, Genest, es-tu mort ?

Venu en raquettes depuis chez lui en compagnie de Clément Larochelle, Elzéar Beaudoin venait de frapper à la porte du camp de bois rond érigé l'année précédente par le seul habitant du rang Petit-Shenley et dont on était sans nouvelles depuis trois mois.

La porte s'ouvrit. Et parut celui pour lequel on s'inquiétait le dimanche lors des rencontres à caractère religieux. C'est qu'on ne l'avait guère revu, le déserteur de l'armée américaine, depuis son installation dans le canton, loin des autres habitants, l'année précédente. Genest n'assistait pas à la messe et ne visitait personne. Mais d'aucuns rapportaient l'avoir vu passer sur la piste de la Grand-Ligne pour se rendre probablement à Saint-Georges s'y approvisionner. Et d'autres s'étaient rendus pas loin de sa cabane et avaient vu de la fumée sortir d'un tuyau de poêle qui transperçait le toit en chaume.

Le jeune homme avait bâti sa cabane sans aucune aide l'été 1864, et une fois adaptée à ses besoins, n'y avait ajouté aucune amélioration. Il l'habitait depuis près de dix-huit mois mainte-nant, survivant de chasse, de pêche et de trappage. C'est pour y vendre des peaux et des carcasses de lièvre qu'il se rendait parfois à Saint-Georges. Et pour en ramener de la fleur et du tabac, rare-ment autre chose. Au cours de ces rares voyages à pied – car s'il était venu en voiture à cheval prendre possession de son lot au départ, il avait rapporté la bête à Saint-Henri dès l'automne faute de pouvoir l'hiverner par manque de nourriture pour elle – il ne s'arrêtait nulle part ailleurs que là où il avait affaire.

Cette vie d'ermite aux comportements sauvages inquiétait la petite communauté du canton. Elzéar Beaudoin parlait de lui comme d'un personnage sociable, un peu réservé mais ouvert à ceux qu'il connaissait, quoique parfois rêveur. Il fallait bien attri-buer aux horreurs de la guerre les changements survenus dans sa personnalité. On se sentait le devoir de le rapprivoiser à la petite société des colons fondée sur l'entraide et le partage.

Après tous ces mois d'enfermement dans son hermétique giron, il fut décidé de faire une tentative d'approche. Conseillée par le prêtre et poussée à le faire, la communauté délégua auprès de l'étrange personnage une connaissance de longue date : Elzéar Beaudoin. Et Elzéar demanda à Clément Larochelle, celui que tous considéraient comme un représentant officiel, sorte de maire avant l'heure.

Et on avait un bon prétexte. Faible mais valable aux yeux des colons. Et Elzéar le tenait serré sous son bras, ce prétexte, soit un exemplaire du *Journal de Québec*[6] au contenu qui ne manquerait pas d'intéresser le reclus.

En fait, il s'agissait d'une copie datant du mois de mai, donc ayant sept mois de retard. Et on y parlait de la fin de la guerre de Sécession américaine.

– Ouais, de la visite !

– On est venu te saluer pis t'apporter une bonne nouvelle.

6. D'alors

– Y a pas grand-nouvelle qui est pour moé une bonne ou ben une mauvaise nouvelle.

– Celle-là, tu vas voir.

– Restez pas dehors : vous allez geler deboutte pis faire geler mon camp.

– C'est pas trop frette, une chance, fit Larochelle.

On fut étonné de voir tout ce que contenait cette petite habitation. Il avait fallu que Genest fasse plusieurs voyages en voiture pour ramener tout ça. Une table en planches et aux pattes taillées à la scie. Un lit-carriole à chevet et pieds incurvés. Un buffet à pointes de diamant. Un vaisselier ouvert. Un banc à seaux. Et beaucoup d'outils de menuisier accrochés sur les murs. Aussi, un poêle à feu fermé qui répandait une bonne chaleur dans l'unique pièce.

Mais ce qui par-dessus tout attira l'attention des deux visiteurs qui se le diront plus tard, c'était une absence : quelque chose qui n'était pas là parmi ces objets divers et ce décor chargé. Aucun signe religieux. Ni croix, ni rameau tressé, ni image pieuse, pas de crucifix et aucune statuette. Voilà qui leur fit comprendre que Genest ne croyait pas en la sainte religion et même en Dieu, et qui expliquait une autre absence remarquée : celle de sa personne à la messe du dimanche. Le prêtre excusait cette conduite en parlant de distance puis, prenant soin de ne pas établir un lien direct avec lui, il parlait de brebis égarée que le temps ramènerait au bercail de la sainte religion. C'était là son premier dessein quand il avait fortement suggéré cette entreprise d'approche et si possible d'embrigadement.

Il y avait même deux chaises droites et une berçante que le jeune homme tira au milieu de la place et offrit à ses visiteurs :

– Qui c'est qui la veut pour s'assire ?

– C'est la chaise du maître de maison : prends-la, toé, fit Elzéar en s'emparant des deux chaises droites qu'il disposa pour Larochelle et pour lui-même.

– C'est comme vous voulez.

Les trois prirent place. Elzéar fit part de son étonnement quant à l'ameublement, mais leur hôte ne fit pas le moindre commentaire. Il regarda les objets dont on parlait avec une sorte de hauteur et d'indifférence.

– Tu vis plus richement que nous autres! résuma ensuite Elzéar.

– J'avais un petit peu d'argent des États en revenant de la guerre pis je me suis meublé.

– T'as pas l'air à faire beaucoup de terre neuve! dit Larochelle, qui ne songeait pas aux obligations du colon.

– Ça veut-il dire que j'pourrais perdre mon lot?

– J'pensais pas à ça... pis c'est pas nous autres qu'on va te rapporter si t'en fais pas assez. C'est l'inspecteur des lots qui voit à ces affaires-là; il passe une fois par trois ans.

– Je vas commencer le printemps prochain.

Genest prit sa pipe encrassée qui reposait sur le buffet et la chargea de tabac à même un sac posé sur la table. Il proposa à ses visiteurs de faire de même. Et parla de ses intentions et projets, et se montra plus loquace que le jour de son arrivée. Mais il parut aux deux autres que plus il parlait, plus il cachait ses mystères et qu'il se servait de propos abondants comme écran de fumée.

Larochelle osa ensuite aborder une question délicate: celle de l'assistance à la messe dominicale.

– On a pensé que vu que demain, c'est le jour de l'An, pis que c'est le bon temps de changer d'accoutumance, que tu pourrais penser à te joindre à nous autres pour la messe. Le curé de Saint-Évariste va venir demain après-midi. Tu sais où c'est...

Genest fronça les sourcils et coupa:

– Je sais où c'est... mais j'ai pas l'intention de faire de religion pantoute. J'ai été baptisé comme vous autres, j'ai grandi catholique... mais j'aime autant parler directement au bon Dieu... ou me taire.

Elzéar prit la parole en secouant la tête:

– D'après moé, ça se peut pas trop trop, c'est que tu nous dis là. Le bon Dieu écoute les prêtres, les évêques, le pape…

Genest éclata de rire. De la fumée de tabac sortit de travers au même moment :

– Ça, c'est réfutable. Le pape Pie IX… c'est un homme comme vous autres pis moé. Y a pas une ligne de télégraphe entre lui pis le bon Dieu, vous savez. Non, quand c'est que j'aurai l'idée d'aller à la messe, ben j'irai. Pis ça, ben ça regarde personne d'autre que moé.

– Nous autres, fit Larochelle, on t'invitait comme ça. Pis ça ferait ben plaisir au curé Desruisseaux de te voir, de te connaître, de parler avec toé. C'est un homme renseigné qui s'intéresse à tout.

Elzéar ajouta :

– J'y parle de toé souvent… Changement de sujet, quand est-ce que tu vas te chercher une créature dans les bas, par chez-nous ?

– Dans le temps comme dans le temps, dit Genest avec un mouvement évasif de sa main droite tenant la pipe. Pis, la grande nouvelle, c'était quoi donc ? J'sais que ça m'intéressera pas, mais j'sus curieux pareil de savoir.

– Quen, lis toi-même !

– J'sais pas plus lire asteur qu'avant la guerre, Beaudoin, tu devrais y penser. Pis toé non plus, j'penserais ben ?

Elzéar tendit le journal à Larochelle, qui lut :

– D'abord, le journal date du 11 d'avril de cette année 1865… L'article dit… Fin de la guerre civile. Le 9 avril, dans un village appelé Appomattox, le général Robert E. Lee, chef des forces rebelles, a rendu les armes au général Ulysses S. Grant, commandant des armées du Nord. Cet acte de reddition des troupes sudistes met fin à cette guerre de Sécession qui a duré quatre ans et coûté la vie à plusieurs centaines de milliers d'hommes en plus de ruiner l'économie du Sud et de saigner le Nord à blanc…

– Pas besoin d'en lire plus, dit Genest, qui cracha de travers dans un récipient au pied du poêle.

– On a su queuq' chose d'autre itou, dit Elzéar, qui sondait le regard de leur hôte.

– En quoi que ça pourrait me faire de quoi, à moé ?

Les deux visiteurs s'échangèrent un regard qui en disait long à propos de l'indifférence totale de Genest sur les affaires du monde. En tout cas en apparence.

– Bon, ben si tu veux pas le savoir…

– J'sus pas curieux pantoute.

Et il cracha encore de la salive noire.

– Ben moé, je vas te le dire pareil, déclara Larochelle. Parce que si y a un homme que ça peut intéresser au Canada, c'est ben toé, mon Jean Genest, ancien combattant de l'armée américaine… Y a que le président Lincoln, il s'est fait tuer d'une balle un soir qu'il était au théâtre. Ça s'est passé quelques jours après ce qu'on vient de te lire… autour du 14 avril. Il a été à l'agonie une nuitte de temps, pis au matin, il a rendu l'âme.

Genest, qui portait toujours sa tunique bleue de l'armée nordiste, voulut se montrer désabusé encore une fois :

– Les présidents, c'est comme les rois : un meurt un jour, l'autre prend sa place le même jour. Pis c'est comme tout nous autres : quand je vas être parti de l'autre bord, un autre va prendre mon territoire pis en faire c'est qu'il voudra ben. Qui c'est qui sait pas ça ?

Les visiteurs se rendirent compte que la nouvelle de l'assassinat de Lincoln avait fait broncher leur homme. Au moins réagissait-il à quelque chose ! Voilà pourquoi, un coup partis, ils se promirent de revenir à la charge pour faire de ce loup solitaire et apostat un mouton heureux dans la grande et sainte bergerie catholique romaine…

∞∞∞∞∞∞∞∞

Chapitre 12

Vinrent madame Beaudoin et Sophie dans la carriole que mena Édouard sous un soleil radieux.

«Un beau jour pour venir au monde!» songea-t-il à quelques reprises en chemin.

Et ce ciel d'un bleu si pur paraissait livrer en lettres belles à cet homme analphabète la destinée heureuse de ce nouveau-né qui serait là dans quelques heures...

Rien ne semblait presser encore quand les deux femmes furent à l'intérieur avec Pétronille qui les reçut dans la grande cuisine. Mais dès lors, les contractions se rapprochèrent, et sur le coup de midi, après un repas rapide, il parut que le temps du nouveau-né était arrivé.

Et ce temps survint.

Ce fut une petite fille en santé, vigoureuse et d'un poids sans doute moyen si on avait disposé d'une balance pour le mesurer. L'accouchement s'avéra moins pénible que le précédent pour la jeune femme. Elle reprit vite son souffle et ses forces.

– On a eu un gars en premier, là, on a une fille : c'est ben correct de même, déclara le père, qui le pensait vraiment en son for intérieur.

Il lui fut même permis d'entrer dans la chambre et de prendre entre ses mains fortes et rugueuses le bébé emmailloté.

– Comment on va l'appeler, celle-là, Pétronille ?

– As-tu ton idée ?

– Ben… c'est pas à l'homme de décider ça.

– On peut le faire à deux.

Ils s'échangèrent des regards hésitants :

– Bon… je dirais Émélie…

Sophie, qui se trouvait derrière son beau-frère, intervint :

– C'est pas Émélie, c'est Émilie… Comme Émile mais au féminin.

– Ben mon idée à moé, c'est Émélie, mais vous ferez ben comme vous voudrez.

Puis, il posa l'enfant auprès de sa mère et jeta un dernier coup d'œil à ce petit visage tout en plis en se disant qu'il pouvait y lire l'énergie de la survivance. Et il quitta la pièce et la maison pour aller terminer à l'étable quelques travaux d'un barda inachevé mais incontournable.

∞∞∞∞

Comme voulu par Pétronille depuis avant la naissance de Joseph-Édouard, Sophie et Joseph Tardif furent de cérémonie lors du baptême d'Émélie en la chapelle de Saint-Henri l'après-midi du jour de l'An.

Le curé Grenier opta pour Émilie également et sans qu'Édouard ne s'en rende compte puisqu'il ne savait pas lire, il écrivit dans les registres paroissiaux :

Le 1er janvier 1866, nous, curé, soussigné, avons baptisé Marie Émilie née hier du légitime mariage d'Édouard Allaire, cultivateur, et de Pétronille Tardif de cette paroisse. Parrain Joseph Tardif, marraine Sophie Tardif qui n'ont pu signer.

Et sur les fonts baptismaux, il prononça un mi-chemin entre Émélie et Émilie tout en adressant un mince sourire à Sophie, qui lui avait fait part du léger problème à l'écart des autres.

Ce fut un jour tout aussi beau et doux que la veille. Mais à cause de l'état de Pétronille qui ne le permettait pas, l'on ne rendit visite à personne de la parenté comme le voulait la tradition de ce jour de l'An. Toutefois, il vint plusieurs visiteurs à la maison, qui apportèrent des petits présents pour la mère ou la famille et des tartes à la viande et d'autres à la pichoune, histoire de célébrer l'événement. Les Allaire, parents d'Édouard, les cousins Leblond, les Émond et d'autres avec leur trâlée d'enfants vinrent tous voir la nouvelle petite fille et lui prédirent un avenir heureux et prospère.

Et parce qu'il en avait été question la veille, Édouard répéta à tous qu'elle portait le prénom d'Émélie, insistant sur la syllabe médiane.

Bien évidemment, à chaque arrivant, on s'était souhaité la bonne année en se donnant la main. Édouard ne se priva pas d'embrasser sans cérémonie toutes les femmes. Il y avait sur la table de cuisine des friandises pour la visite : confitures, gâteaux, amandes, dragées…

Il vint un moment où Pétronille fut seule dans la chambre avec les deux enfants endormis, Joseph-Édouard dans son ber et la minuscule Émélie auprès d'elle. Les voix joyeuses lui parvenaient, mais elle vivait un moment de tristesse comme celui du premier soir de sa vie sous ce toit alors qu'un frisson de mauvais augure l'avait enrobée tout entière jusqu'au moment où son époux l'avait enveloppée au creux du lit.

Il lui semblait que les années passées avec ces enfants seraient peu nombreuses et qu'il ne lui serait jamais donné de les voir avec leurs étrennes du jour de l'An quand ils auraient l'âge d'en recevoir. Cette séparation lui semblait devoir être due à son départ à elle et non à celui du petit Joseph-Édouard ou d'Émélie pour l'autre monde. Pas une fois il ne lui vint en tête que les enfants tombaient comme des mouches de tant de maladies tandis qu'un adulte ayant traversé la période critique de l'enfance pouvait aspirer à une vie autrement plus longue. Sauf les femmes qui décédaient en couches ou des fièvres puerpérales ainsi que de tous ceux que la consomption envoyait ad patres avant leur temps.

Combien étaient-ils à rire, à parlotter, à jouer aux cartes, à chanter parfois un bout de petite chanson ? Elle n'en savait rien, mais le bruit en révélait au moins une quinzaine dans la cuisine. Pétronille entendit un silence s'installer après qu'une voix, plus puissante que l'ensemble des autres, eut demandé à Joseph Tardif de donner la bénédiction paternelle. Quand tous furent attentifs, l'homme, avant de faire, lança vers la porte de la chambre qu'on laissait entrouverte :

– Pis c'est pour toé itou pis vos deux enfants, Pétronille.

– Faudrait ben qu'Édouard vienne les bénir itou pis moé dans la chambre icitte.

Une rumeur composée de mots approbateurs fut entendue. Joseph procéda, et sa main traça le signe de la croix à travers la fumée à trancher au couteau qui baignait toute la pièce. Puis, Édouard se rendit auprès de son épouse et donna la bénédiction paternelle pour la toute première fois de sa vie, ce qui lui fit prendre davantage conscience de son état de chef de famille.

Alors que le bruit de tous dominait celui de chacun dans la cuisine, il se produisit un moment tendre dans la chambre étroite. Le jeune père prit la main de son épouse pour lui dire sa reconnaissance :

– Ben merci de nous avoir donné une belle petite fille !

Cela suffit à faire oublier à Pétronille autant ses douleurs de l'accouchement que ses vues pessimistes sur son avenir. Elle sourit faiblement en disant :

– C'est certain qu'on va en avoir d'autres... des filles pis des garçons.

– On prendra c'est que le bon Dieu nous donnera.

– J'aime ça te l'entendre dire. Ben des hommes veulent des garçons pis encore des garçons. Comme si des petites filles comme Émélie, c'était inutile.

– Je dois te dire que j'ai un cadeau du jour de l'An pour toé. C'est le temps que je te le donne.

– Pour moé ?

– Pour toé...

Il fouilla dans la poche droite de son pantalon et en sortit un billet de banque tout gris qu'il déplia et tendit à son épouse en disant:

– C'est un deux dollars de la Province du Canada. Quand on ira à Québec, tu pourras le dépenser pis t'acheter quelque chose à ton goût.

Elle écarquilla les yeux et prit le billet:

– C'est ben trop, voyons! Je vas m'acheter du tissu pour une robe… non pour un manteau… un chapeau… Ah, j'sais pas, un talisman peut-être… que je vas laisser à un de mes enfants quand je vas m'en aller de l'autre bord.

– J'voulais pas t'acheter quelque chose moi-même pis te laisser t'acheter quelque chose à ton goût. Quand on ira à Québec la prochaine fois…

Elle fut un moment sans voix puis lui toucha la main:

– Merci, Édouard, merci à plein! Mais moé, j'ai pas de cadeau pour toé…

– Tu nous l'as fait hier… pis il dort avec toé, notre plus beau cadeau.

– Ben c'est un beau jour de l'An, pis je vas m'en rappeler tout le temps de ma vie.

– C'est un ben beau jour de l'An pour moé itou.

– Embrasse-moé donc avant de sortir.

Il se pencha sur elle et lui servit un bec à pincettes qui la fit sourire. Puis, rajusta ses couvertes de laine.

– Je t'en donnerai d'autres plus tard quand c'est que le monde sera parti… si tu dors pas…

– J'dormirai pas…

Émélie se réveilla. Sa toute petite voix rappelant celle d'une agnelle naissante se fit entendre. Le temps de son boire était venu.

∞∞∞∞∞∞∞∞

Chapitre 13

Le 10 mai 1867

Édouard profitait avec Pétronille de la nuit qui se faisait attendre après un jour de beauté pure que le grand peintre de toutes choses avait étendue sur l'entière voûte céleste depuis tous les horizons jusqu'à tous les zéniths.

La sérénité du bleu devenait chaque minute un peu plus profonde. Les heures du labeur et de la sueur avaient vécu. C'était le temps calme de la jeune famille du plus vieux rang de Saint-Henri.

La jeune femme se berçait sur la galerie, mains à plat sur les bras de la chaise, le regard satisfait et un peu mélancolique comme toujours. Parfois, elle touchait du pied gauche le cerceau d'un ber où reposait sa petite Émélie dormant à poings fermés. L'enfant traversait son seizième mois sur la terre du bon Dieu avec la même vigueur qu'elle avait vécu tous les autres depuis sa naissance. Sa mère commençait de l'éloigner d'elle et l'avait sevrée à son premier anniversaire, au jour de l'An, en apprenant qu'elle se trouvait enceinte de nouveau et donnerait naissance à son troisième enfant en septembre prochain.

Quant à Joseph-Édouard, il grandissait bien et ses deux ans et demi se pouvaient lire dans son visage sain, un brin joufflu et encore rosé de sa toute petite enfance. On le disait plus beau qu'un ange.

– Ti-guédoppe, ti-guédoppe, ti-guédoppe…

C'était Édouard qui s'amusait avec le petit garçon en le faisant se balancer sur un cheval de bois à bascule qu'il lui avait fabriqué et donné en étrenne au jour de l'An. Et l'enfant riait et riait sans jamais s'arrêter. Et son père n'en finissait pas avec sa patience, et il était déterminé à jouer tant que le petit ne s'en lasserait pas. Cela risquait de durer longtemps car le jouet avait sur la croupe une petite chaise pour asseoir les enfants, et le petit se tenait l'avant du corps bien cramponné à la tête du cheval, qu'il entourait de ses bras pour s'y retenir.

– Tu te tannes pas, Douard, de le faire balanciner comme ça?

– Il va se tanner avant moé, tu vas voir.

Mais c'est le père qui dut rendre grâce et quand il s'arrêta, le fils continua de se faire aller d'avant en arrière. Édouard descendit de la galerie. Il prit sa pipe qu'il chargea à même sa blague à tabac et alluma alors même que le croissant pâle de la lune s'élevait à l'horizon pour commander à la nuit tranquille de venir afin qu'il puisse mieux nourrir les rêves de tous et de chacun.

Les époux se parlèrent du beau temps et des Leblond qui viendraient les visiter le dimanche suivant, soit dans deux jours.

– On devrait aller les voir plus souvent: ça les ferait venir plus souvent eux autres itou! dit Pétronille, qui commença de se bercer tout juste un peu.

Édouard se tourna:

– C'est une bonne idée. Faudrait se voir plus que deux fois par année, t'as ben raison, ma femme.

Mais la pensée de cet homme de 35 ans qui se voyait au mitan de sa vie s'arrêta un moment à l'image idyllique que lui servaient les siens devant sa maison. Il en fut ému. Il ne devait pas le laisser paraître et de nouveau, il leur tourna le dos.

Le jour suivant toutefois, il lui fut donné de revoir par le souvenir cette belle scène de la veille au soir lorsque parut sur le chemin étroit une voiture fermée sur laquelle étaient écrits les mots: tireur de portraits. Vis-à-vis de la maison d'Édouard, le cocher agita une clochette pour attirer l'attention, et quand le cultivateur sortit, il lui cria:

– Monsieur Chose, ça vous intéresserait-il de faire poser votre famille en avant de votre maison ?

– Tu veux faire une peinture de nous autres ? Trop long pis trop cher ; on est du monde pauvre.

– Pas une peinture, un portrait… un vrai portrait avec un appareil à photographier.

Édouard était quelque peu sceptique. Certes, il connaissait comme tout le monde l'existence de la photographie, il avait vu des photos, s'était fait lire des articles de la *Gazette des campagnes* par Pétronille sur le sujet, mais ignorait qu'il se trouvait à Québec un jeune homme qui avait décidé de se faire photographe ambulant dans les villages et campagnes des environs de la vieille ville. Saint-Henri n'était quand même pas au bout du monde pour qui voyageait en voiture attelée.

Debout dans l'embrasure de la porte, Pétronille entendait l'échange et brûlait de se faire prendre en portrait avec Édouard et les deux enfants.

– Ben… mettons que j'dirais oui, ça nous coûterait-il ben cher ?

– D'abord, laissez-moé vous dire que c'est ben moins cher qu'avant étant donné qu'on a asteur un procédé appelé la ferrotypie…

– Quoi ?

– Ferrotypie… des portraits en tôle si vous voulez. Durant la guerre civile américaine, ils ont fait des millions de photos en tôle de même… Asteur, ils s'en servent pour lambrisser des bâtisses… Tout ça pour vous dire que c'est ben moins cher qu'avant. Pour vous, je ferais un prix spécial vu que vous seriez le premier à vous faire poser par icitte, à Saint-Henri, avec votre famille.

– Pis ça veut dire ?

Le jeune homme, dont les paupières légèrement bridées conféraient toujours un effet persuasif à sa voix calme et chantante, répondit avec un clin d'œil qui parlait de complicité et de prix abaissé :

– Deux piastres.

Édouard éclata de rire :

– C'est ben au-dessus de mes moyens à moé, ça. Ah, je te dis…

– Écoutez, j'voudrais pas vous faire peur, mais ils sont en train de faire un pays avec le Haut-Canada, le Bas-Canada pis deux provinces anglaises, pis ça veut dire que tout l'argent en circulation sera remplacé par de l'argent du nouveau pays…

Édouard se fit presque menaçant avec le bouquin de sa bouffarde :

– Tu veux dire qu'on pourrait perdre l'argent qu'on a déjà entre nos mains ?

– Ben… faudra pas trop retarder à le ramener à la banque pour en faire l'échange…

À partir des faits politiques en cours depuis 1864 au pays, le jeune photographe avait bâti cette histoire propre à effrayer les gens et à les pousser à dépenser leur vieil argent bancaire. Il se parlait de plus en plus dans les journaux à Québec et d'ailleurs, et dans les lieux publics, d'une Confédération de provinces qui donnerait naissance à un pays qui s'appellerait le Dominion du Canada. Un seul pays uni avec un gouvernement fédéral auquel seraient dévolus certains pouvoirs, et des gouvernements provinciaux auxquels en écherraient d'autres. Cela mijotait dans les têtes de dirigeants politiques des Canada et des territoires maritimes, et brassait autour de tables de parlementaires depuis plusieurs années, notamment à Charlottetown, et avait fini par aboutir en mars de cette année-là. Les députés de la chambre des Canada-Unis avaient voté à quatre-vingt-onze en faveur et trente-trois contre ce projet de Confédération canadienne. On prévoyait encore quelques mois pour que soit accordé officiellement par Londres cet Acte de l'Amérique du Nord britannique comportant quatre-vingt-douze résolutions.

Ce qui intéressait l'habitant regardait davantage son quotidien que les grands ouvrages politiques, et se faire dire que son argent pourrait perdre sa valeur avait de quoi le toucher au plus sensible.

Et il écoutait volontiers une vérité déformée, bancale, comme celle du photographe de la ville sur la question.

– Sors du chemin pis approche, on va en discuter, mon gars. D'abord, c'est quoi, ton nom?

– C'est écrit là, en dessous de « tireur de portraits »...

Édouard s'insurgea:

– Je t'ai pas demandé où c'est que ton nom est écrit, je t'ai demandé de me le dire.

– Moé, c'est... Joseph Roy-Audy...

La voix de Pétronille se fit entendre depuis le pas de la porte:

– Mais... c'est écrit Clément Roy-Audy, pas Joseph.

– Ouais là... fit Édouard qui regarda sa femme puis, l'œil en point d'interrogation, le vendeur ambulant.

– C'est ça que je disais... Vous allez comprendre... Mon père était tireur de portraits. Son nom, c'était Clément Roy-Audy. Moé, je tire des portraits itou, mais avec un appareil à photographier... pis mon nom ben...

– C'est Joseph Roy-Audy, coupa Édouard comme dans un morceau d'évidence.

– Vous avez tout compris.

Édouard plongea sa pipe dans son sac à tabac en hochant la tête:

– Ça empêche pas que c'est trop cher pour nous autres et pis pas mal.

Pétronille descendit de la galerie. Elle s'approcha, tenant dans sa main le billet de deux dollars de la Province du Canada que son époux lui avait donné en étrenne du jour de l'An, le lendemain de la naissance d'Émélie, et qu'elle n'avait jamais dépensé. Et que son mari lui-même avait oublié depuis belle lurette.

– Ça ferait-il votre affaire, ça, pour tirer notre portrait. C'est ben deux piastres?

Joseph, un être maigrichon aux cheveux blonds tirant sur le roux et au visage pâle et ossu, plissa les yeux en regardant le billet qu'il venait de prendre dans sa main. Puis, il le rendit à sa propriétaire en jetant, l'air indifférent :

– Je prendrais une chance de prendre ça, mais… si je le perds quand ils vont changer l'argent…

Édouard s'impatienta :

– Coudon, c'est pas un faux deux piastres, ça. T'auras rien qu'à te dépêcher à le dépenser. Tu viens d'où ? Tu dois ben venir…

– Il vient de Québec, c'est écrit sur la voiture, intervint Pétronille, ce qui indisposa son mari en appuyant sur le fait qu'il ne savait pas lire.

L'homme grimaça, mais garda le front haut. Joseph reprit la parole en plissant les yeux :

– Écoutez, je vas vous le faire, votre portrait… pour ce que vous voulez me donner. Mais faut pas retarder. Ça prend de la clarté. Pis là, on est au beau milieu pis au mieux de la clarté du jour. Le temps que je vas installer mon gréement, vous allez vous habiller en dimanche… ou ben comme le jour de vos noces. Je vas monter une toile en arrière, pis ça va faire de quoi de beau… de quoi de pas mal beau. Vous avez des enfants ?

Le jeune homme posa son regard sur le ventre de Pétronille, qui commençait à témoigner de son état intéressant, mais sans insister pour ne pas faire montre d'indiscrétion. Elle dit à Édouard de se presser. Avant qu'ils ne retournent à l'intérieur, le photographe leur dit :

– Pour l'argent, vous me le donnerez demain quand je vas revenir vous donner votre portrait fini.

Le couple s'habilla comme le jour de ses noces, de ses plus beaux atours. Et quand on fut de retour à l'extérieur avec les deux enfants, tout était fin prêt. Le photographe fit asseoir Pétronille et Édouard sur un banc qu'il avait installé et qui faisait partie de ses nombreux accessoires ; chacun prit un enfant sur ses genoux, lui son fils et elle la petite Émélie dans une robe blanche toute de dentelles et de frisons, et qui interrogeait toute cette nouveauté devant son regard agrandi.

– Le plus beau couple que j'ai jamais eu à prendre dans mon appareil, je vous le dis.

Pétronille ne le crut guère, mais quand elle songea à son mari, il lui parut que le photographe disait peut-être la vérité. Édouard ne le crut pas davantage, mais sa fierté qui lui commandait de croire Pétronille la plus jolie femme de la paroisse l'inclina à penser que Roy-Audy ne leur mentait peut-être pas. De toute façon, il n'était point désagréable de se faire parler comme ça.

Et cela leur donna à tous les deux l'air souriant quand le photographe prit enfin son cliché après tous ses préparatifs et interminables précautions. Pour plus de sûreté, il en prit deux autres tout en rassurant Édouard sur le coût qui serait le même. Puis, il remballa ses affaires et quitta les lieux jusqu'au lendemain, dimanche, alors qu'il apporterait le produit fin prêt.

Et ce dimanche fit son entrée sous les nuages denses et la menace de pluie fine, une de ces lavasses de printemps qui ne tarda pas à se faire sentir sur les visages de ceux qui, comme Édouard Allaire, avaient affaire à sortir. Suivant son habitude, il se rendit faire le train une heure après l'aube. Accompagné par le chien Wouf, un bâtard aux airs de Colley, il assuma l'ordinaire en s'inquiétant une fois encore de la faible quantité de foin qu'il lui restait dans la grange et en espérant que la saison se dépêche de faire pousser l'herbe nouvelle pour que les bêtes puissent paître à l'extérieur sans plus gruger les réserves de l'année précédente.

Tandis que son mari vaquait aux occupations reliées au train de matin, Pétronille nourrit Émélie d'une bouillie au fécule de maïs et au lait, que l'enfant aimait beaucoup surtout avec du sucre d'érable égrené dans le liquide; sa mère ne se retenait pas de la gaver. Pendant ce temps, Joseph-Édouard courait aux quatre coins de la maison et parfois franchissait le seuil de la porte ouverte qui donnait sur une petite dépense où l'on conservait sous des linges des plats de lait mis là à cailler. Une seconde porte empêchait d'y entrer, mais il suffisait de soulever le loquet et de pousser pour y avoir accès, ce que l'enfant n'avait jamais fait pour ne l'avoir jamais vu faire, mais qu'il réussit ce jour-là simplement à essayer. Et il découvrit un autre univers que celui qu'il connaissait, plus mystérieux même que le caveau sous la cuisine où son père l'avait amené à quelques reprises. Il regarda, explora, toucha. Souleva des linges. Et sous l'un d'eux vit du pain, et cela aiguisa sa faim. Il en arracha un morceau sans difficulté. Car le pain vieilli n'était pas sec mais plutôt moisi. Et il en mangea...

En début d'après-midi, le photographe revint avec son travail dont il se montrait fier par le regard avant même que de le déposer sur la table de cuisine.

– C'est le meilleur portrait que j'ai fait, je vous le garantis, monsieur, madame.

Pétronille et son mari avaient pris place en même temps que leur visiteur qui tenait comme un trésor le rectangle de tôle contenant l'image de la famille Allaire de ce mois de mai 1867. Il sourit à chacun puis déposa la photo de métal devant Édouard, qui fut un instant sans réagir. Sa femme pencha la tête et le corps vers lui pour voir aussi, et sa mine se réjouit:

– Hé... mais c'est nous autres! s'exclama-t-elle. Mais c'est ben nous autres!

– Certain que c'est nous autres! dit son mari sur le ton de l'évidence. Qui c'est donc que tu veux que ça soit?

Et même si aucun n'avait souri sur la photo, voici qu'ils avaient du mal à se retenir de rire de joie. Leur bonne humeur émanait de leur visage. C'est qu'ils n'avaient pas eu de photo de noce et qu'ils étaient maintenant quatre à regarder l'avenir par l'œil de l'appareil.

– Regardez vos yeux, ils vous suivent tout le temps, leur révéla Joseph.

Édouard pencha la photo dans divers sens, la montra à l'un et à l'autre et les émerveilla comme s'ils étaient tous des enfants.

– On dirait qu'on est vivants, tous les quatre… C'est hors de l'ordinaire, hein?

La joie fut de bien courte durée cependant. Le petit Joseph-Édouard, à qui l'on voulut montrer cet objet merveilleux et qui s'était caché derrière le poêle à l'arrivée du visiteur, se mit soudain à émettre les bruits du vomissement. Sa mère accourut en disant:

– Ben voyons, c'est quoi qu'il te prend donc, mon p'tit gars?

La toxine du pain moisi avait agi dans l'estomac du petit. Voici qu'il fut également pris de diarrhée et qu'incapable de se retenir, il se souilla et souilla le plancher à travers les jambes de ses culottes.

– De quoi c'est qu'il a donc mangé, lui?

– La même affaire que vous autres à matin pis nous autres, on a rien pantoute. La même affaire hier… Pis l'eau rend pas malade à ce temps-citte de l'année; c'est trop de bonne heure.

– On sait pas…

– Il en boit pas, de l'eau, il boit du lait.

Pendant ce temps, Pétronille transportait l'enfant sur la table où elle le fit étendre, maintenant que le pire de ses évacuations était passé. Roy-Audy s'empressa de s'enlever. Il prit la photo qu'il mit sur le banc près de la porte, en réclamant poliment:

– Si vous voulez me payer pis vous débarrasser de moé, je vas m'en aller.

– Édouard, va sur la commode dans la chambre, le billet de deux dollars y est… Pis toutes nos excuses, monsieur le tireur de portraits…

– C'est plutôt photographe qui se dit…

Mais Pétronille se désintéressa de lui, de la photo, et son front barré par les profonds sillons du souci, elle commença à déshabiller le petit dont le visage était pâle comme la mort et couvert de vomissure sur les joues, les lèvres, le cou et même les ailes du nez.

– Ça ressemble à ce qu'a déjà eu mon petit frère… il se vidait des deux bouttes comme ça…

Édouard ressentait une forte inquiétude. À la mi-trentaine, il avait bien meilleure conscience de la valeur d'un enfant que s'il avait été dans la vingtaine. Et cette poussée de maladie avait été si soudaine… La parole de Pétronille était à la fois alarmante et soulageante. Car son petit frère, s'il avait frôlé la mort, avait quand même survécu.

– C'est peut-être pas grand-chose. On a ça chaque année…

Il cherchait à se rassurer. Debout au milieu de la place après le départ du visiteur, il tournait en rond sans savoir quoi faire ou dire.

– Sur les enfants, c'est tout le temps pire de conséquence que su' du grand-monde.

– Si ça fait pas pis si c'est pire, on va l'emmener voir le docteur à Lévis.

– Le docteur va nous dire ce qu'il dit toujours dans ces cas-là : donnez-y de l'eau de riz pis encore de l'eau de riz pour arrêter la diarrhée…

– Ben on va en faire… Je chauffe le poêle…

Quand l'homme est impuissant, il finit parfois par trouver la bonne solution au problème important qu'il doit envisager, mais quand il y peut quelque chose, il lui arrive de ne se fier qu'à ce qu'il parvient à faire et le remède approprié au problème lui échappe alors. Peut-être que cela arriva à Édouard ce dimanche gris. Peut-être que cela arriva aussi à Pétronille ce jour où la joie avait si vite tourné au chagrin et à la pesante anxiété.

L'enfant fut lavé. On lui donna de l'eau de riz encore et encore. La diarrhée se poursuivit ce jour et le jour suivant, et le pauvre petit continua de se déshydrater. Des linges et des linges furent souillés, des draps et des draps furent mis à tremper. Il parut au milieu de l'après-midi du lundi que l'état de faiblesse de Joseph-Édouard empira considérablement. Il n'ouvrait plus les yeux dans son petit lit et semblait être entré dans un état comateux.

– Faut le docteur sans faute, s'écria Pétronille en sortant de la chambre du couple où l'enfant se trouvait.

– C'est quoi qu'il se passe de pire ?

– On dirait qu'il est sur le bord de mourir.

Et la jeune femme se trouvait quant à elle sur le bord d'éclater en sanglots. Souventes fois, elle avait vu la maladie de fort près et même avait assisté aux derniers moments de sa propre mère, mais jamais la mort dans ce qu'elle a de plus cruel, celle qui fauche un petit enfant vulnérable qui est le sien, ne l'avait visitée de manière aussi implacable et avec pareille soudaineté.

– Greye-le, on va l'emmener voir le docteur.

– Il est trop faible, il pourra pas survivre, gémit-elle.

– Faut essayer : ça sera pas pire que le laisser mourir de même. Je m'en vas atteler le cheval sur la voiture.

Édouard se pressa d'agir comme il venait de le dire et quitta la maison. Dix minutes plus tard, il rentrait pour ne plus entendre à l'intérieur que le plus glaçant des silences. Il sut dès lors que son fils avait rendu l'âme tout en refusant de toutes ses forces d'envisager l'insupportable réalité.

– Je vas le prendre, annonça-t-il inutilement.

– Non, fit son épouse dans un cri rauque imprégné de douleur… c'est trop tard… c'est trop tard…

Édouard franchit à gros pas lourds la distance le séparant de la chambre, comme s'il avait transporté la terre sur ses épaules. Il poussa la porte entrouverte, et la lumière du jour tomba sur le petit visage figé dans le temps et dans l'absence. Pétronille s'était assise sur le plancher et adossée au mur, dans une semi-pénombre, à côté de la fenêtre. Elle ne pleurait pas. Elle ne parlait pas. Elle ne bougeait pas.

La mort des enfants ne parvient pas à les priver de leur beauté, comme si un morceau de leur âme restait en arrière-garde pour préserver leur image de grâce et de pureté. Édouard s'avança, s'agenouilla, fit le signe de la croix, regarda intensément son fils, pencha la tête, et son cœur, jusque là pétrifié, sombra dans une infinie tristesse.

Des voisins vinrent soutenir Pétronille et son mari. On garda l'enfant une journée en exposition sur la table de la cuisine. Ce n'était pas un grand deuil aux yeux des visiteurs de la parenté ou des connaissances : il ne se trouvait là qu'un enfant et pas une seule famille n'était exempte de telles disparitions. Et la beauté conservée du petit défunt mettait vite en bouche les mots consolateurs « ange du ciel » qui étendaient un baume sur les douleurs et regrets des parents.

Pétronille fut incapable d'assister à l'inhumation qui eut lieu deux jours plus tard. Elle était malade au lit. Le choc la faisait chanceler. Mais sa douleur demeurait sèche comme de la glace. Elle regardait dans le vague. Se demandait. Elle ne trouvait aucune réponse. Et se réfugiait dans la récitation répétitive d'Avé qui parvenaient parfois à la faire somnoler.

Effondré, Édouard ne le put davantage. Et deux hommes du voisinage lui rendirent le service d'emporter le corps de l'enfant dans un petit cercueil de cèdre à l'église, où une brève cérémonie permit aux portes du paradis de s'ouvrir encore plus grandes.

L'abbé Bourassa écrivit plus tard en lettres ourlées dans le registre paroissial :

Le 15 mai 1867, nous, prêtre, soussigné, avons inhumé dans le cimetière de cette paroisse le corps de Joseph-Édouard, enfant légitime d'Édouard Allaire, cultivateur, et de Pétronille Tardif de cette paroisse, décédé l'avant-veille à l'âge de deux ans et demi. Présents Charles Couette et Joseph Beaudoin, qui n'ont pu signer.

Le soir suivant, avant la brunante, Pétronille, Édouard et leur petite Émélie se rendirent au cimetière en voiture fine. Ils trouvèrent vite l'emplacement de la tombe. Et s'approchèrent, elle tenant la fillette dans ses bras et lui une pelle à la main. Il se mit aussitôt à creuser et dégagea le cercueil qu'il ouvrit. Il regarda une dernière fois son fils puis tendit la main vers Pétronille, qui y mit la plaque de métal portant la photo de famille prise quelques jours plus tôt. Édouard en recouvrit le visage du petit garçon et referma la boîte.

Il se releva et porta son pouce et son index sur ses yeux avant de remplir le trou de la terre enlevée. Pétronille le regarda faire en répétant de nouveaux *Ave* qui sortaient comme des grains de sable d'entre ses lèvres sèches.

Émélie posait sur toutes ces choses étranges ses petits yeux à peine bridés comme si elle venait de se réveiller.

Elle se sentait si confortable dans les bras chauds de sa douce mère…

∞∞∞∞∞∞∞∞

Chapitre 14

Quatre mois lents et tristes s'écoulèrent après la mort du petit Joseph-Édouard. Pétronille s'adapta plus vite que son époux à cette perte irrémédiable. Il y avait bien ce grand trou sombre dans son cœur dont parfois émanait une image-souvenir de l'enfant à ses jeux joyeux ou bien qu'elle nourrissait au sein avant de tomber enceinte d'Émélie, mais elle la chassait impitoyablement en la remplaçant par des images bien réelles tout particulièrement celles impliquant Émélie qui trottinait partout dans la maison comme le faisait Joseph-Édouard avant elle...

Mais il arriva que la mort de l'enfant la rattrape comme en ce jour du 15 septembre, un dimanche. Le couple se rendit à la messe et au sortir de la chapelle, s'arrêta à la boutique de forge où Pétronille reçut des mains de la femme Larue le dernier exemplaire de la *Gazette des campagnes*. Les Allaire n'y étaient pas abonnés, mais ils achetaient à demi-prix le journal dont le forgeron détenait, lui, un abonnement annuel. Et Pétronille, dans l'après-midi, lisait tout haut pour son mari les articles un à un. Édouard se faisait une fierté de parler avec ses voisins de nouvelles fraîches, c'est-à-dire qui dataient de moins d'une semaine comme celles portant sur la politique, un domaine particulièrement effervescent de ces temps-là en raison de la naissance, maintenant officielle, du Dominion du Canada par le pacte confédératif.

Vu son état, Pétronille resta assise dans la voiture, sur un coussin qui amoindrissait les contrecoups des ornières du chemin afin de protéger sa grossesse même s'il ne lui restait guère de temps avant l'accouchement.

– Tiens, le journal, dit Adélaïde Larue en le tendant à l'autre femme.

– Édouard serait allé le quérir à la maison.

– Ça me fait du bien de parler à quelqu'un de temps en temps, surtout à toé.

Adélaïde gardait en permanence sur son visage un sourire qui lui amincissait la ligne des paupières comme si le soleil l'avait toujours frappée de plein fouet. Elle portait une mantille blanche en dentelle sur une chevelure noire tirant presque sur le bleu. Des atomes crochus circulaient entre elle et cette jeune femme du fond d'un rang. Et elles se comprenaient par la douleur d'avoir perdu leur enfant premier-né à l'âge le plus charmant et attachant qui soit. Elle regarda derrière son épaule pour se rendre compte que ni son mari ni Édouard ne la voyaient et posa sa main sur le ventre de Pétronille en disant :

– C'est pour betôt[7] ?

– Probablement la semaine prochaine.

– Ça va être un beau petit gars qui va remplacer ton Joseph-Édouard.

– Ce bébé-là, je l'ai porté plutôt comme Émélie.

– Ben si c'est une petite fille, elle va te donner ben des joies… Le bon Dieu nous abandonne jamais… pis il remplace ce qu'on a perdu.

– Édouard se plaint pas, mais j'sais pas s'il pourra jamais remplacer le petit qu'est mort dans le fond de lui-même.

– Pis notre p'tite Émélie, elle ?

Adélaïde regarda l'enfant que sa mère avait attachée à la banquette de bois vu qu'elle ne pouvait la prendre longtemps sur elle à cause de son ventre. Édouard lui avait fabriqué un petit

---

7. Bientôt

harnais de sangles ajustées de façon que la petite n'y soit pas inconfortable ; ainsi encadrée par ses deux parents, l'enfant s'abandonnait à un sentiment de parfaite sécurité.

Émélie cacha son visage dans les replis des vêtements de sa mère. Pétronille souffla à l'autre femme :

– Est ben gênée avec ceux qu'elle connaît pas.

– Bah ! c'est l'âge, on sait ben…

Mais les deux femmes ne purent échanger plus longtemps. Édouard revenait de la boutique où Larue lui avait rendu une fourche à fumier emmanchée en neuf et donnée à réparer le dimanche précédent. Les hommes et les femmes se dirent des salutations, et le couple Allaire reprit le chemin de la maison.

Là-bas, Édouard s'habilla en semaine et se rendit faire le train à cette heure tardive comme tous les dimanches à cause des dévotions obligatoires puis rentra à la maison. Il trouva Pétronille pâle comme la mort, les yeux rougis d'avoir sûrement pleuré, les mains à plat sur le journal. Il comprit que là devait se trouver la source de son désarroi.

– Quoi c'est qu'il t'arrive donc à midi, ma femme ?

– Le petit est mort… c'est de ma faute…

– Quoi c'est que tu me dis là ? lui lança-t-il dans un reproche mêlé d'incrédulité.

– J'y ai repensé, pis pour moé, il avait mangé du pain moisi.

– Si tout ceuses-là qui mangent du pain moisi un jour ou l'autre en meurent, ça ferait du monde mort en masse. Ça tue pas, du pain moisi… mais ça peut rendre malade.

– C'est pas tout à fait ça qui est écrit icitte. Je vas te le lire, tu vas voir.

L'homme tira la chaise à l'extrémité de la table et se mit à l'écoute. Pétronille pencha la tête sur le journal à travers de longues respirations :

« *L'habitude qu'ont les gens de la campagne de faire une provision de pain, qui doit durer quelque fois quinze jours, nous fait un devoir de signaler divers accidents produits par l'usage du pain moisi; ces accidents ont été assez graves pour simuler les symptômes d'un empoisonnement violent. Les enfants sont les individus sur lesquels paraît agir le plus la moisissure du pain, les symptômes se manifestent par les congestions à la tête, des coliques violentes, des envies de vomir, de la somnolence, et quelquefois des convulsions. Le pain se moisit avec facilité, lorsqu'il n'est pas assez cuit ou qu'il est déposé dans un lieu humide…»*

— Comment ça, qu'il aurait mangé du pain moisi?

— Il allait jamais dans la dépense; il savait pas comment faire pour ouvrir la porte. Pis la journée que le photographe est venu, il a trouvé moyen d'y aller… c'est là qu'il a dû prendre du pain… J'ai vu qu'il était moisi pis je l'ai jeté, mais lui… pour moé, il en a mangé, pis c'est ça qui l'a rendu malade pis fait mourir.

Édouard grimaça:

— J'penserais pas.

— Qu'il en a mangé?

— Mettons qu'il en aurait mangé… Le journal, il parle pas de mourir, il parle de coliques… de vomir… mal de tête…

— C'est tout ça qu'il a eu.

— Il devait avoir autre chose.

— Peut-être… mais sans le pain moisi pour ajouter à ce qu'il avait, il aurait pu passer à travers.

— Tu te mets des idées noires dans la tête; arrête de penser comme ça… c'est pas bon pour l'enfant que tu portes. Ce qui est fait est fait, on n'y peut rien changer. Faudra être plus prudent avec le manger dans l'avenir. Pis… relis-moé le commencement de ton article…

Ce qu'elle fit lentement et au mot «accidents», il l'arrêta:

— Un accident, c'est un accident. Si c'est le pain moisi qui a fini par le mettre dans sa tombe, c'est ni toé ni moé qu'on lui a mis dans la bouche. Pis d'une manière ou d'une autre, c'est une étoile dans le ciel asteur, cet enfant-là.

– Je te dirai, moé, que j'aime mieux un petit soleil dans la maison qu'une belle étoile dans le ciel.

L'homme baissa les yeux :

– J'comprends... J'comprends...

∞∞∞

Après Joseph-Édouard et sa sœur Émélie, voici qu'il entra une fois de plus, le soleil, dans la maison Allaire, deux semaines plus tard, le matin du jeudi 26 septembre. Pétronille accoucha d'une fille, aidée une fois encore par sa sœur Sophie et par madame Beaudoin agissant comme sage-femme. Comme cela était demandé par l'Église, on se rendit au plus tôt faire baptiser le nouveau-né à la chapelle de Saint-Henri. Furent de cérémonie Marie Allaire, qui signa Mari Alair, et son époux, Olivier Leblanc qui ne put signer. La petite reçut le nom de Marie Joséphine, et on lui donne-rait dans la vie quotidienne le premier prénom, comme celui de sa marraine, et non pas celui de Joséphine.

Sur le chemin du village, il s'était produit une avarie à la voiture d'Édouard et il fallut franchir le dernier mille au risque de voir la roue se détacher de l'essieu. Le jeune homme se rendit chez le forgeron, et le curé Gingras refusa de l'attendre pour procéder à l'administration du sacrement. Et ne se fit pas prier de mentionner dans le registre : le père absent.

– J'aurais mieux aimé un garçon pour remplacer l'autre, mais on prend c'est que le bon Dieu nous donne, dit-il quand il reprit ses passagers devant la chapelle.

Comme si elle avait entendu ce regret exprimé par son père, la petite Marie se mit à pleurer. Mais c'était sûrement la faim qui commençait de la tenailler.

Les feuilles d'automne peignaient le petit village en ocre et en or, mais il était trop tôt encore pour qu'elles se détachent des arbres et tombent au sol. Et pourtant, l'une d'elles le fit, peut-être pour saluer la petite Marie, et chuta en tournoyant jusque sur le châle blanc qui l'enrobait et la gardait des rafales de vent soudaines et sournoises.

– Tiens, une première feuille morte! déclara Marie, qui portait l'enfant sur elle et prit le végétal par la tige pour le faire tourner sur lui-même. Regardez comme elle est belle!

Les deux hommes jetèrent un furtif coup d'œil puis se remirent à se parler avec énergie de leur opposition à la Confédération canadienne et plus encore de la nouvelle la plus chaude ayant rapport avec le grand événement: le départ intempestif du parti conservateur d'un de ses plus fougueux partisans, le jeune tribun Honoré Mercier...

∞∞∞∞∞∞∞∞

Chapitre 15

Jour de l'An 1868, Shenley

Les trois dernières semaines avaient vu trois importantes bordées de neige tomber sur le canton et le pays d'alentour. La première, dite de la Dame, faisait dire à tous que son épaisseur serait à l'image de l'hiver ; elle dura trois jours et encombra toutes les clairières dans la forêt. Aucun redoux entre les tempêtes n'avait permis à la couche originale de fondre le moindrement pour laisser de l'espace aux suivantes.

En ce jour de l'An 1868, c'était donc l'ensevelissement général de tous les cantons sous une grande nappe de ouate. Et la religion dans ses rites brillait par son absence depuis la fête de l'Immaculée Conception. Les fidèles toutefois avaient fait le plein de dévotions et de prières, car depuis la promulgation du dogme voulant que la Vierge ait été exemptée du péché originel, et l'institution de la fête de l'Église pour le souligner, le peuple catholique célébrait avec foi et ravissement le fameux événement dont on faisait le pieux rappel chaque 8 décembre.

Mais enfin le curé desservant était venu de sa maison presbytérale de Saint-Évariste. Il avait pris son courage à deux mains, mis ses raquettes à ses pieds, et marché, marché, marché jusqu'à la maison d'Alfred Roy du Grand-Shenley, où il était arrivé au cœur de l'après-midi de ce premier jour de l'année par un temps heureusement ensoleillé et pas trop froid.

On attendait le prêtre. Quelqu'un s'était rendu à Saint-Évariste l'avant-veille pour solliciter sa présence au nom d'une population assoiffée de pratique religieuse et qui avait besoin surtout d'Eucharistie. L'abbé avait donc pris avec lui une provision d'hosties capable de sustenter tous les fidèles présents à la maison-chapelle quand il les aurait consacrées toutes durant la messe célébrée sitôt arrivé là.

On avait chauffé la cuisine d'été qui recevait les fidèles, et voici qu'elle était remplie quand l'abbé Desruisseaux fit son apparition. Des femmes pieuses le reçurent et virent à ses vêtements d'hiver. Il endossa rapidement ses vêtements sacerdotaux qu'il laissait sur place depuis l'ouverture de la desserte puis, accompagné du servant du jour, un garçonnet de 9 ans dénommé Pierre Champagne, il passa d'une pièce à l'autre pour marcher vers l'autel en saluant de signes de tête les fidèles qui se mirent debout, et en les bénissant du signe de la croix pour les incliner à s'agenouiller. Il transportait sur lui le linge replié contenant les hosties qu'il déposa dans un modeste ciboire en argent frotté pendant une heure par la femme Roy pour le faire briller de tous ses feux. Le calice aussi étincelait, posé sur le buffet. Et le vin attendait à côté des burettes sur un lave-mains à pieds chanfreinés près du meuble-autel.

Et la municipalité qui se donnerait un nouveau maire dans l'année s'était déjà dotée d'un chantre attitré en la personne de monsieur Pierre Chabot. Sur un signe du prêtre qui disposait les accessoires sacrés à sa façon, l'homme s'élança dans un *Asperges me* retentissant, à faire frémir les poutres massives du plafond et toutes les vitres des fenêtres. De même que les cœurs.

De la sérénité s'écrivit sur plusieurs fronts. De la joie sur d'autres. De l'espérance marqua maints visages. Il se trouvait là des représentants de toutes les familles. De tous les habitants de la municipalité, il ne manquait plus que le solitaire Jean Genest, toujours enfermé dans ses douloureux souvenirs et les effroyables images que l'humanité malveillante et sauvage avait inscrites dans son âme. Et la messe progressa jusqu'à l'heure du sermon que précéderait le prône. Alors, l'abbé promena un regard bienveillant sur les assistants et trouva sur lui, sous la chasuble blanche, à l'intérieur de son aube, sûrement dans une poche de soutane, une lettre qu'il brandit comme quelque chose truffé des meilleures promesses et ouvrit devant tous.

– Mes bien chers frères, voici quelque chose de fort important qui s'adresse à vous tous et qui me fut envoyé récemment par monseigneur l'archevêque Baillargeon du diocèse de Québec : le nôtre.

Plusieurs s'échangèrent des regards signifiant «qu'est-ce qui nous vaut tant d'honneur?» D'autres se raclèrent la gorge. Marie-Rosc Larochelle, qui avait du mal à se retenir de tousser, profita de la rumeur pour se soulager dans une quinte qui la mit mal à l'aise car elle fut ponctuée de quelques cris de coq embarrassants et dont le curé attendit la fin pour continuer sa lecture.

– C'est à la fois une mauvaise et une bonne nouvelle. Et voici ce qu'on peut y lire… Monsieur le curé, après la vôtre du 15 octobre 1867, nous avons décidé de fermer la desserte de la municipalité de Shenley vu l'impossibilité de la maison-chapelle de monsieur Alfred Roy de recevoir l'ensemble des fidèles qui désirent assister aux saints offices et y recevoir les sacrements. En conséquence, veuillez prévenir vos chères ouailles de l'endroit précité de la nécessité pour eux à compter du mois de juillet 1868 de se rendre à la chapelle de Saint-Évariste pour y recevoir les secours de la sainte religion catholique. Nous recommandons instamment aux autorités reconnues de la municipalité du canton de Shenley de mobiliser leurs commettants en vue de la construction dans les plus brefs délais d'une chapelle sur leur territoire. En pareil cas, nous accepterons que se poursuivent les allées et venues à Shenley de l'abbé Honoré Desruisseaux aux fins d'y célébrer la messe et d'y administrer les sacrements…

Le prêtre termina par la répétition de «et caetera» puis repliant la lettre reprit après une courte pause :

– Je pense comme monseigneur l'Archevêque qu'il est temps de penser à construire cette chapelle sur le vaste territoire du canton de Shenley. Et si d'aucuns parmi vous veulent prendre la parole maintenant, qu'ils le fassent avec ma permission.

Un personnage à long manteau gris affublé d'une moustache énorme et noire comme sa chevelure flottante se leva aussitôt, se pinça le nez et déclara :

– Ben moé, mon terrain est là qui attend. Je peux le céder n'importe quand à la municipalité qui à son tour le cédera à la Fabrique quand y en aura une.

Prudent Mercier ne faisait ainsi que se conformer aux conditions rattachées à l'attribution de ses lots par le gouvernement quelques années auparavant. Du reste, pour être certain de ne pas errer quand viendrait le temps de bâtir la chapelle, il avait lui-même érigé sa maison et sa grange à quelque distance du point central de la future paroisse.

– Vous pouvez tous applaudir monsieur Mercier, suggéra le curé, qui donna l'exemple en multipliant les signes de tête affirmatifs.

L'homme se rassit, et le prêtre reprit :

– Et maintenant, il vous faut former un comité, de concert avec la municipalité, afin de lever les fonds requis pour la construction de ladite chapelle.

Une dizaine de minutes plus tard, le colon Magloire Gagné présidait ledit comité formé de cinq membres. Il fut demandé à Chabot d'établir une évaluation des coûts, ce qu'il promit de faire dans les plus brefs délais. Car c'est lui que tous pressentaient comme maître d'œuvre des travaux qu'à l'unanimité, on voulait voir commencer dès que la terre serait dégelée au printemps.

Le curé fit un court sermon ensuite, puis la messe se poursuivit tandis que l'abbé jubilait à la pensée qu'il avait suffi de pousser un peu dans le dos de ces gens pour qu'ils se décident enfin à élever à la gloire de Dieu un temple, si modeste et humble puisse-t-il être, au milieu de ces terres neuves de colons pauvres. On aurait un clocher dans la forêt…

∞∞∞

Dès que la chose fut possible, les billots coupés durant l'hiver en vue de l'érection de la chapelle furent transportés par plusieurs colons au moulin à scie de Saint-Évariste. Là, on les débita en madriers et planches qui furent mis à sécher au gros soleil du printemps. Et à la fin du mois de mai, le signal de départ de la construction fut donné par Chabot, qui agissait comme architecte et entrepreneur. En réalité, il n'en donna l'ordre que le jour où le curé Desruisseaux fut venu lever la première pelletée de terre et encourager les citoyens à donner chacun une journée par semaine de son temps afin que l'équipe des bâtisseurs soit valable et en nombre constant. La bâtisse serait imposante pour une si petite municipalité : trente-cinq pieds par soixante-dix pieds. À cette condition disait-on avec le curé Desruisseaux, l'évêque ne tarderait pas à donner à la paroisse un curé résident. Aussi la chapelle pourrait sans doute servir pendant vingt ou même trente ans. Et alors, grâce à l'expansion de la paroisse et au nombre de ses citoyens, on pourrait se payer une église comme il s'en trouvait dans les vieilles paroisses de la vallée du Saint-Laurent. Mais on n'en était pas là, et le chemin à parcourir pour y arriver serait long.

On était à élever les murs en ce milieu de juin lorsque parut sur le chemin battu là où se trouvait la Grand-Ligne un homme d'environ 30 ans portant paqueton sur son dos et sourire élargi sur le visage. Il était à pied, et on le prit tout d'abord pour un quêteux tant il semblait posséder l'air libre pour tout bien, l'eau des bois pour tout breuvage et les fruits des champs pour toute nourriture.

– Qui c'est qui est le chef icitte ? lança-t-il à des hommes qui transportaient un lourd madrier.

– Va voir à l'autre boutte : c'est lui qui travaille pas pantoute, lui répondit Xavier Poulin, pince-sans-rire.

Et qui pourtant fit s'esclaffer les quatre ou cinq journaliers qui se trouvaient aux alentours.

– Merci ben !

L'arrivant longea les fondations de pierre jusqu'à repérer celui qu'on avait somme toute bien décrit et qui fumait la pipe, bras croisés, semblant calculer ou peut-être prier vu qu'il regardait là-haut dans le vague.

– C'est vous, le chef des travaux ?

– Oui, mon gars ! Je m'appelle Pierre Chabot.

Ils s'échangèrent des gestes de la main en guise de salutation.

– Moé, c'est Rémi Labrecque, pis je viens m'établir su' un lot. J'ai tous mes papiers qu'il faut. J'aurais voulu un petit brin d'ouvrage avant de commencer à bûcher ma terre. J'ai su qu'il se bâtissait une chapelle. J'viens vous voir. Ben paré à travailler…

– Ouais, fit Chabot, un personnage courbé et qui pourtant ne dépassait pas les 30 ans.

Il toisa l'autre, frotta sa barbe de trois jours et hocha la tête à quelques reprises :

– C'est que ceuses-là qui travaillent icitte le font pour trois fois rien. C'est du temps donné.

Labrecque, un petit homme blond à sourcils pâles et aux yeux d'un bleu intense, pencha la tête :

– Bon… d'abord que c'est de même, je vas m'arranger comme je vas pouvoir.

– T'as pas d'outils ? Pas de hache ? Pas de marteau ? Pas de sciotte ?

– J'ai une hache dans mon paqueton, mais c'est tout ce que j'ai.

– Tu viens d'où c'est comme ça, mon gars ?

– Saint-Henri-de-Lauzon.

– Ah, mais t'es pas tu seul qui nous vient de par là. On a Elzéar Beaudoin pis Magloire Bellavance pis… quen… mais le Ferdinand

Labrecque, ça vient de Saint-Henri itou, çà. Il serait pas parent avec toé, toujours?

– C'est en plein mon frère. Pis c'est par lui que j'ai su c'est quoi qu'il se passe par icitte.

– Ça fait 13 ans que les premiers colons ont donné le premier coup de hache par icitte, c'est pas d'hier.

– Ça, je le savais; mais pour la chapelle...

– Y aurait-il quelque chose que tu saurais faire que les autres sont pas capables de faire d'après toé?

– Su' la bâtisse, non, mais su' le monde, oui.

– Quoi c'est que tu veux dire avec ça?

– Ben moé, dit Labrecque avec fierté, j'ai appris de mon père qui l'a appris de son père, à soigner le monde pis les animaux quand qu'ils sont malades.

Chabot se gratta la tête:

– Ferdinand nous a jamais parlé de ça.

– C'est ça pareil. Demandez-y, il va vous le dire si c'est pas un menteur.

– Ouais... Ben vu qu'on est pas prêt d'avoir un docteur par icitte pis que y en a pas non plus dans les nouvelles paroisses des alentours, on va te prendre les bras ouverts, nous autres.

Labrecque fit la moue:

– Ça paraît pas.

– Comment ça?

– J'aurais besoin d'un peu d'ouvrage pour me partir... m'acheter des outils qu'ont de l'allure...

– Ouais, tu me mets au pied du mur, mon gars. Ben quen, je vas t'engager, mais vu que personne est payé pour travailler à la chapelle, je vas te payer en outils qu'ont de l'allure pis en provisions... pis même avec des heures d'homme... Ça, tu vas en avoir d'une manière ou d'une autre. Pis comme ça, on fera pas de jaloux, ben au contraire: tous les hommes vont être contents de savoir qu'on t'aide à te partir par icitte pis que de ton bord, tu vas nous faire profiter de ton don du bon Dieu…

L'œil pétillant, Labrecque annonça:

– Pis j'fais pas rien que soigner, je reboute itou. J'peux vous ramancher n'importe quoi.

– Ben là, tu tombes à pic; on bâtit pas une grosse bâtisse de même sans que personne se démanche quelque chose un jour ou l'autre.

– C'est ça que j'me suis dit avant d'arriver.

Chabot l'entraîna plus loin vers un amas de billots:

– Mets ton paqueton à terre là, prends ta hache… Sais-tu équarrir toujours?

– Certain que je sais équarrir!

– Ben je vas te mettre à équarrir les gros *beams* de support… Pis sur le coup du midi quand les femmes vont venir porter à manger pis qu'on va se mettre à table dehors là-bas, ben je vas te faire connaître à tout le monde. Ça fait-il ton affaire?

– Ben paré moé!

∞∞∞∞

Une poutre était entièrement équarrie sur deux faces lorsque Chabot vint prévenir Labrecque au sujet du repas que l'on servait devant la chapelle, au beau milieu de la piste de la Grand-Ligne. Tout d'abord, il jeta un coup d'œil sur son ouvrage qu'il trouva à son goût.

– Coudon, toé, tu travailles vite pis ben.

Il se pencha et toucha les minces aspérités du bois, fit l'étonné:

– C'est ben égal: j'serais pas capable de faire mieux.

– J'ai fait de mon mieux.

– Ben viens manger: tu l'as ben gagné.

Les deux jeunes hommes longèrent les billes puis les fondations et un commencement de cloison en madriers étroits, parfois sous l'ombre d'arbres voisins, parfois sous le plein soleil qui trouvait tout espace laissé libre par les feuilles pour s'y infiltrer jusqu'au sol et tout ce qui se trouvait dessus.

Une dizaine d'hommes travaillaient ce jour-là. Ils étaient tous déjà à table. Parmi eux, Clément Larochelle, le pionnier fondateur et maire depuis cinq ans, et qui venait d'annoncer sa démission pour laisser sa place, disait-il, à du sang plus jeune que le sien, lui qui n'avait pourtant pas encore ses 40 ans. Toute la paroisse refusait sa démission. On le suppliait de toutes parts de rester. Il avait été choisi non seulement parce qu'il était le pilier-fondateur mais parce qu'il était l'un des seuls hommes à savoir lire et écrire dans la paroisse, et aussi à cause de sa faconde. Un petit colon capable d'écrire à un archevêque, ce n'était pas rien : on ne pouvait s'en passer comme représentant de tous.

Chabot présenta le nouveau qui fut accueilli avec politesse et bienveillance. Les deux prirent place parmi le groupe. On invita dès lors Larochelle à répondre à une question qui lui avait été posée au préalable. Il dit :

– Écoutez, je veux bien rester président de la Commission scolaire encore une couple d'années, mais le poste de maire, je pense que mon temps est fait. Un autre ferait mieux l'affaire. Par exemple Magloire...

Gagné que l'autre venait de désigner était aussi analphabète, et la proposition le fit rire aux éclats :

– Moé ? Moé maire de par icitte ? Tu veux rire de moé, Clément Larochelle.

– Pantoute ! Tu sièges déjà depuis un an comme conseiller. T'as des bonnes idées. T'es capable de tempérer les élans des autres. T'es capable de raccorder les chicaniers. T'es capable de réparer les pots cassés. T'es le meilleur maire qu'on pourrait avoir. Je vous le dis à tous, moé...

– J'sais même pas signer mon nom.

– C'est pas nécessaire pantoute.

Les dix hommes entouraient la table et mangeaient avec appétit ce que deux femmes et une jeune adolescente venaient de leur servir dans les assiettes en étain. Ils interrogèrent Larochelle du regard et lui commenta :

– Savez-vous qu'on a pour premier ministre du Canada un homme qui s'appelle John A. Macdonald et qu'il ne sait pas un mot de français ? Il sait ni lire, ni écrire, ni parler le français : c'est pire que toé, ça, mon Magloire. Toé, au moins, tu sais le parler.

– Ouais, mais…

– Ce qu'il faut lire pis écrire, c'est ben simple, ça relève du secrétaire-trésorier. Un maire a pas besoin de savoir lire pis écrire. Son intelligence suffit.

Magloire passa sa main gauche dans son abondante barbe noire qui en son extrémité pointue donnait l'impression d'être en laine, puis il lissa sa moustache épaisse. Mais sans dire. L'honneur d'être maire le flattait dans le bon sens du poil. Toutefois, il devait se convaincre et se laisser convaincre qu'il en avait l'étoffe et la capacité.

– À notre prochaine séance du Conseil, vous savez ce qui va arriver ? Je démissionne et je propose Magloire Gagné pour me remplacer à la mairie. Pis ben c'est notre secrétaire-trésorier, Anselme Buteau, qui va continuer dans sa fonction. Il sait lire pis écrire, lui.

Tous sans exception applaudirent. Rémi Labrecque le fit sans trop de conviction puisqu'il ne connaissait pas les personnes en cause et encore moins leurs aptitudes et talents. Il se tourna sur son banc et aperçut dans son dos qui surveillait la table la fillette de 11 ans sur qui à peine il avait jeté un œil à son arrivée à la table.

– Salut !

Elle rougit de confusion et d'embarras.

– Comment c'est que tu t'appelles ?

Elle haussa une épaule et resta muette, pétrifiée.

– C'est-il ta mère, là, qui est en arrière de la petite table ? On dirait qu'elle te ressemble.

Le voisin de Labrecque ayant tout entendu répondit pour la jeune fille :

– Moé, c'est Gus Morin. Pis ma femme, c'est Adélaïde. Elle s'appelle Philomène : c'est notre fille.

Jamais Labrecque n'aurait montré pareille audace s'il avait eu devant lui une jeune fille dont des signes extérieurs de son corps auraient révélé qu'elle était devenue femme ; mais la jeune Philomène avait tout d'une enfant encore et quoique poussant en orgueil, elle était mince comme un fil et timorée.

Si le jeune homme avait pu entrer dans son cœur, il aurait ressenti son grand embarras devant pareille interpellation par un personnage de ce sexe et de cet âge. Elle avait grande hâte qu'il se retourne enfin et s'intéresse à la tablée plutôt qu'à sa petite personne si peu importante comparée à tous ces hommes adultes capables de construire de leurs mains la maison du bon Dieu.

Le repas se poursuivit. À la fin, il n'y paraissait plus que Rémi Labrecque était un nouveau citoyen de la municipalité. Il était déjà des leurs vu que comme eux autres tous, il provenait d'une vieille paroisse de l'autre bout de la Beauce. Et il continuerait d'en venir année après année, de ces arrivants remplis d'espoir, de détermination et de rêves.

Mais ce jeune homme possédait un peu plus qu'un « travaillant » ordinaire. Non seulement pouvait-il aider à construire la demeure du Seigneur, mais il était capable de reconstruire un corps dont un des membres avait été désarticulé par une fausse manœuvre, un faux pas, un accident. Et le premier cas à traiter fut celui de la jeune Philomène Morin, qui se démit un pouce au cours de l'été.

Sa mère vint la reconduire au village qui comptait maintenant une dizaine de maisons. On savait que Rémi Labrecque travaillait toujours à la chapelle dont les murs et le comble étaient déjà en place. On en était à sa finition intérieure.

Il avait plu ces derniers jours. La piste était boueuse. La mère et sa fille durent soulever leur robe pour n'en pas souiller le bas et, dos courbé, elles entrèrent dans la bâtisse en devenir. Pierre Chabot vint à leur rencontre. En voyant la main et le pouce tordu de Philomène, il comprit, et après quelques mots se rendit chercher le ramancheur, qui s'amena sans tarder.

– Bon, viens là, te coucher sur la table.

– Pour quoi faire ? demanda Adélaïde, une femme dans la trentaine souffrant de strabisme.

– Pour la ramancher, madame Morin.

– C'est le pouce, c'est pas le pied.

– Faut toujours faire étendre quelqu'un qui est démanché, madame. S'étendre pour se détendre, comme ils disent. Pis itou, ça l'empêche de «grouiller». C'est nécessaire.

– C'est ben correct de même.

Et Rémi emmena la jeune fille à la table autour de laquelle se trouvaient des bancs. Il l'aida à monter et s'étendre tandis qu'Adélaïde et Chabot se parlaient de la construction qui avançait à grands pas et qui ferait la fierté de la communauté, encore plus celle de son entrepreneur.

– Non, tu fermes pas tes yeux, tu me regardes drette dans les yeux, dit Rémi, qui venait de prendre dans ses mains celle de Philomène en se tenant debout près d'elle.

Malgré son insupportable gêne, la jeune fille obéit. Il fallait pareille circonstance fâcheuse pour qu'elle parvienne à plonger ainsi dans les yeux de quelqu'un, pire encore d'un homme de cet âge. Elle les avait couleur noisette et qui brillaient toujours de l'éclat de l'enfance. Et les gardait grands ouverts sans jamais battre des paupières.

Il lui sourit.

– C'est correct… regarde-moé tout le temps comme ça…

Elle ne lui sourit pas. Elle lui était soumise. Et elle était fascinée.

Il souleva la main et la massa doucement partout ailleurs que trop près du pouce démis. Puis, lui toucha mais très légèrement. Elle réagit et à peine les muscles sous son œil gauche bougèrent-ils pour indiquer une douleur. Il s'arrêta. La regarda plus intensément encore. La vit prendre une longue inspiration. Le moment était venu d'agir. De sa main gauche, il retint la main abandonnée et de ses pouce et index de l'autre, il s'empara du pouce et d'un coup sec, le remboîta à sa place dans un léger craquement d'os. Cette fois, malgré la douleur aussi vive que rapide, Philomène ne broncha pas. Pas un muscle de son visage ne cilla. Il lui paraissait que le douleur avait été hors d'elle. Et elle esquissa un sourire à peine perceptible, mais que Rémi sut lire. Il frotta doucement et tendrement la main réparée puis la posa le long de son corps en disant tout en ravalant beaucoup de salive qui lui était venue à la bouche :

– C'est déjà fait, ma toute belle Philomène.

Leurs regards toujours pénétrés, elle semblait médusée et ne bougea pas d'une ligne.

– Tu peux te relever asteur, c'est ramanché, ton pouce.

Il fut le premier à retirer son regard de cet entrecroisement qui les nouait si serré. Et à partir. C'est maintenant son cœur que Philomène sentait démanché de partout.

– Comment ça coûte ? lui demanda Adélaïde.

– C'est rien. Vous me donnerez du manger…

– Je vas t'en envoyer porter par Philomène.

Il ne répondit pas et retourna à son travail.

Philomène sentait de la guenille lui monter dans les jambes ; elle croyait défaillir… Que s'était-il donc passé dans sa jeune vie ce jour-là en plus du pouce déboîté ?

∞∞∞∞∞∞∞∞∞

Chapitre 16

Automne 1868

Dans le canton de Shenley, le nombre de colons s'accrut nota-
blement cette année-là. Les pionniers comme Clément Larochelle,
Elzéar Beaudoin et autres ne se considéraient plus comme colons
puisque leur terre était faite en bonne partie et que tous résidaient
dans une demeure presque digne de celles des vieilles paroisses d'en
bas d'où ils venaient pour la plupart, et non plus dans une cabane
de bois rond comme l'année de leur arrivée, bâtisses désuètes qui
avaient été converties en étables ou hangars.

Et voici que s'élevait fièrement un premier clocher dans la forêt.
Il ne s'agissait pas encore d'une église comme il y en avait tant dans
le pays, mais d'une vaste chapelle surmontée d'un beffroi où il ne
manquait plus qu'une cloche. Ce serait la prochaine et ultime étape
de l'érection de cette nouvelle et pratique demeure du bon Dieu.
Mais il faudrait lever des fonds et faire venir la cloche d'Europe, ce
qui n'était pas une mince affaire. À moins peut-être de récupérer
celle de la chapelle de Saint-Henri, qui serait disponible quand la
construction d'une grande église commencerait là-bas, ce qui ne
saurait tarder, avait-on appris de ceux qui s'y rendaient parfois ou
en arrivaient pour s'installer dans leur nouveau patelin.

Magloire Gagné devint maire après Clément Larochelle et sur
sa proposition; il fut secondé, en fait dirigé, par le secrétaire-
trésorier Anselme Buteau, personnage calme, posé, mesuré et qui
semblait ne jamais rien voir d'insoluble. Le premier geste de cette

administration fut d'écrire à Ottawa afin de réclamer l'ouverture d'un bureau de poste à Shenley. «Plus vite on le demandera, plus tôt on l'aura!» déclara Clément Larochelle.

Maintenant qu'on avait une chapelle, il fallait un vocable. Le curé Desruisseaux écrivit à Mgr Baillargeon pour en demander un. Entre-temps, il fut décidé d'organiser un repas d'inauguration au cours duquel le prêtre desservant bénirait la nouvelle construction avant de le faire une seconde fois, plus officiellement, quand on recevrait la réponse de l'archevêché de Québec alors qu'on pourrait enfin donner un nom à Shenley qui n'avait encore et toujours que celui, par trop anglais, d'un simple canton.

Cela aurait lieu un dimanche du tout début d'octobre. Soit sous les arbres à côté de la chapelle, soit à l'intérieur suivant le temps qu'il ferait ce jour-là. On souhaitait que ce soit dehors pour le plaisir champêtre et on récitait des chapelets pour cela. Mais d'aucuns priaient pour que l'événement se passe à l'intérieur afin de plaire davantage au bon Dieu, le pensaient-ils.

Et il vint vite, ce quantième béni, le quatre du mois des splendeurs. Un soleil éclatant, à la fois doux et frais, réchauffait le bois blond du toit et du clocher, et ses rayons curieux s'insinuaient par maints orifices du feuillage multicolore jusque sur les vingt tables alignées, à la recherche des gens qui se trouvaient autour afin de leur darder la tête et le cœur. Au menu: fèves au lard et tarte à la citrouille avec copieux arrosage au thé anglais.

Vingt cuisinières avaient fait cuire chacune dans un grand pot de terre un lot de fèves mises sur un lit de lard et additionnées de sucre d'érable. Et les maris avaient transporté à la chapelle le contenant fumant à l'heure fixée pour cela, soit peu passé midi. Les pots avaient été alignés sur une table longue. Les assistants venaient, assiette à la main, se placer devant les fèves et les femmes qui les servaient avec une louche à raison d'une copieuse cuillerée par personne, adulte ou enfant.

Et l'on mangeait joyeusement dans l'inconscience du temps qui passe. Il semblait à tous, sans même qu'on s'y arrête, que les choses étaient immuables et seraient les mêmes dans vingt, cinquante, cent ans. Cette puissante chapelle, si solidement bâtie, serait éternelle. Cette forêt protectrice qu'on éclaircissait bien entendu chaque année serait encore là dans un siècle tout comme elle l'y était depuis nombre de siècles. Mais Roy-Audy ne passait pas dans les parages pour fixer sur plaque de métal l'image bucolique offerte par ces trois cents personnes formant une partie et non l'entièreté de la population du canton de Shenley, qui aurait bientôt un nom de saint du ciel.

Devant la chapelle, entre son perron qui servait à l'étalage des pots de «binnes» et le chemin de la Grand-Ligne se trouvait la table d'honneur. Les citoyens les plus éminents entouraient le curé Desruisseaux qui avait omis de prononcer un sermon à Saint-Évariste pour être plus rapidement parmi ses ouailles de Shenley en ce repas d'inauguration et de bénédiction préliminaire. On avait confié au maire Gagné le soin de désigner les personnes qui entoureraient le prêtre. Il avait jugé bon d'y inviter au nom de la communauté les trois pionniers-fondateurs et leurs épouses, Clément et Marie-Rose Larochelle, Thomas et Euphrosine Morin, Pierre et Marie Boutin. L'honneur appelait aussi à cette table Anselme Buteau et son épouse de même que Pierre Chabot et sa jeune femme.

– Il paraît que le chiffre treize n'est pas très chanceux, blagua le curé entre deux cuillerées de fèves, lui qui se devait de combattre toutes les superstitions. Et nous sommes treize à table.

– Comme pour ben des cultivateurs à leur table, commenta le maire.

– Vu qu'il reste une place, intervint Chabot, on pourrait la donner à quelqu'un qui est tout seul. Je pense à notre quasi docteur, l'ami Rémi...

– Rémi? s'enquit le curé, un peu déconcerté.

– Rémi Labrecque… notre « ramancheux »… Il vient d'arriver par icitte. Un des meilleurs qu'on a eus pour travailler su' la chapelle.

Clément Larochelle se dégagea de sa place en un geste alerte autour du banc et dit :

– Je m'en vas le chercher ; il est à la dernière table de l'autre boutte.

Cette absence permit au prêtre de regarder plus souvent du côté de Marie-Rose, qui attirait souvent l'attention en raison de sa taille et de la chaleureuse intensité de son regard, deux aspects de sa personne que sa voix profonde colorait abondamment et de belle manière. Et pourtant il se voyait des rides au coin de ses yeux. Et pourtant il se voyait du volume à ses hanches et à sa poitrine. À l'approche de la quarantaine, alourdie comme la plupart des femmes par des grossesses répétées, mais heureusement saine et sauve malgré le dur combat de la vie, onze ans séparaient son cœur déjà de sa paroisse natale de Sainte-Hénédine où elle ne retournait qu'une fois par deux ans pour visiter la parenté : père et mère, frères et sœurs, cousins et cousines. Bien rarement avait-elle entendu parler de cet Édouard Allaire de Saint-Henri, sans jamais que ne s'efface en son esprit leur inoubliable rencontre, mais chaque fois qu'on en avait dit quelque chose, elle avait prié pour lui et sa famille. Car elle le savait marié depuis cinq ans et père de trois enfants dont un fils aîné décédé prématurément.

– Madame Larochelle, comment on se sent, à si jeune âge et pourtant pionnière de cette paroisse ? lui demanda le prêtre, qui la sortit de sa lointaine réflexion.

Elle souleva une épaule recouverte d'une manche gigot :

– On se sent bien. Ça met dans les honneurs comme vous le voyez.

– Honneur bien mérité. Et plus encore !

Édouard Allaire et, dans une moindre mesure, le curé Desruisseaux n'étaient pas les seuls personnages que cette femme d'exception avait troublés en leur for intérieur. Il y avait aussi ce vétéran de la guerre de Sécession vivant dans le Petit-Shenley et qui développait son lot petit à petit, seul toujours, et comme sans aucune ambition à part celle de survivre au jour le jour.

Marie-Rose était la première personne de Shenley que Jean Genest avait rencontrée à son arrivée. Ils s'étaient griffés comme chat et chien, et cela avait causé une forte impression à l'ancien soldat, témoin de tant de massacres, de tant de sang versé. Il lui arrivait, le dimanche, d'aller rôder aux environs de la maison des Larochelle dans le rang 10, seulement pour voir la personne de cette femme. Jamais il n'avait manifesté sa présence, et l'eût-on rencontré qu'il aurait prétexté un motif de chasse ou de pêche pour se justifier de rôder dans ces parages.

Des voisins étaient apparus dans son décor du rang quoique distancés, et on lui avait transmis l'invitation générale à la fête du quatre octobre. Lui qui ne pratiquait pas la religion, lui qui restait à l'écart de tout depuis son installation, lui qui se débrouillait avec de minces moyens n'était attendu par personne au village. Et pourtant il vint. Il apparut soudain dans sa vieille tunique usée de soldat de l'Union au beau milieu du repas, comme le général Lee au cœur de la bataille. Le curé, qui ne l'avait jamais vu de sa vie, le reconnut par son accoutrement et ce qu'on avait dit de lui, et il l'accueillit à bras ouverts:

– Si c'est pas monsieur Genest en personne! s'exclama-t-il en se levant pour le recevoir.

Les paroissiens ne s'en rendirent pas compte, eux qui étaient attablés le long de l'église du côté est, tandis que la table d'honneur se trouvait sur le devant donc au nord, et que l'arrivant venait de l'ouest.

– M'ont dit que y avait des bonnes «binnes» à manger icitte aujourd'hui, j'sus v'nu.

En plus des bras, l'abbé ouvrit grande aussi la bouche pour recevoir cet homme et lui dit:

– Ben vous allez vous asseoir avec nous autres à la table d'honneur…

C'est ainsi que le renégat agnostique occupa la place que d'abord, on avait pourtant voulu donner à Rémi Labrecque, le guérisseur bâtisseur.

Les deux seuls à se serrer la main furent le prêtre et celui qu'il considérait déjà comme un enfant prodige. Et dont la venue lui réchauffait le cœur plus que celle des centaines d'autres assistants à la fête.

– On prend son assiette et on va se faire servir par ces bonnes dames généreuses, sur le parvis de la chapelle. Il n'en manquera pas, soyez-en certain.

– Je vas le faire…

Tandis qu'il allait se faire ravitailler vinrent Larochelle et Labrecque. Le curé fit un signe au maire, qui prit la parole en s'adressant à chacun :

– Y a l'ami Jean Genest qui nous arrive ; on lui a donné la place d'honneur qui restait. Ça te fâche pas, mon Rémi, toujours ?

Labrecque répliqua avec un sourire embarrassé qui contredisait ses phrases :

– Ben non, voyons, je me sentais un peu bouche-trou ; comme ça, tout va sur des roulettes. Je m'en retourne avec ceuses de l'autre boutte…

Le jeune homme tourna aussitôt les talons, un peu froissé mais pas trop, et revint où il était avec son petit bonheur. Il comprenait qu'on donnait la place à ce Genest qu'il n'avait jamais vu, mais dont il devinait l'identité par ses vêtements, surtout cette casquette accordéon devenue célèbre par tout le continent depuis la guerre de Sécession. Et ce gars jouissait quand même d'un certain droit d'ancienneté dans le canton.

La place de Genest se trouvait face à face avec celle occupée par Marie-Rose ; la femme se sentit fort mal à l'aise, ennuyée. Il y avait en cet homme une étrangeté inquiétante. Dès qu'il fut de retour à la table et rassis, elle se renfrogna en elle-même comme pour se protéger de quelque maléfice. Il lui paraissait que ce personnage rebelle portait en lui quelque chose de vilain, peut-être de diabolique.

Chance pour elle, le curé l'accapara tout entier, l'entoura de soins verbaux, se fit disert, parlant de tout ce qu'il savait à propos de la guerre civile que toute l'Amérique oubliait pourtant. Et le prêtre continua d'en dire afin de persuader la brebis perdue de se joindre au troupeau catholique. Il lui vint même une idée qui, loin de faire l'unanimité autour de la table, souleva objections et interrogations, et surtout oppositions.

– Monsieur Genest, maintenant que notre chapelle est construite et que le culte ne se déroulera donc plus dans une maison privée, en l'occurrence celle de monsieur Roy, il faudra quelqu'un pour voir à l'ordre, à la préparation des cérémonies, etc. en somme, il faudra un bedeau. Il me semble que ce travail pourrait vous convenir. Il y a salaire bien entendu. Pas une fortune, mais une valable rétribution… qui sera déterminée par… les marguilliers quand ils seront nommés après la bénédiction officielle et en attendant… par la municipalité, n'est-ce pas, monsieur le maire ?

Magloire Gagné et Clément Larochelle avaient eu le temps de s'échanger des regards qui en disaient long sur leur mécontentement. De quoi le prêtre se mêlait-il ainsi tout à coup ? Voulait-il acheter une âme avec des faveurs d'aussi peu de valeur ? Ils ne pouvaient pas se faire les complices de pareille transaction douteuse, et ce, malgré tout le respect qu'ils vouaient au curé desservant.

– Moé, j'pense que Jean Genest vit trop loin du village. Pour être bedeau, faut vivre proche de l'église.

– Mais non, mais non, mais non, mon ami ! Monsieur Jean pourrait venir ici au lever du soleil et retourner chez lui une fois le travail requis accompli. Ce n'est en rien impossible. Très faisable selon moi.

– C'est quoi que t'en penses toi-même, Genest ? demanda le maire.

– Si ça me rapporte un salaire, suis capable de le faire comme n'importe en qui.

Le curé fut enchanté de cette réponse. Et pourtant, l'intéressé la donnait pour une seule raison : embêter ceux qu'il savait s'opposer à l'idée du prêtre, ce que, mine de rien, il avait pu lire aisément sur les visages.

– Il appartient donc à nos édiles municipaux de fixer ce salaire, dit l'abbé qui exultait à la pensée de convertir cet incroyant à si bon compte.

Les femmes présentes comprenaient mieux le prêtre que les hommes. Pour elles, le chemin à prendre pour ramener à l'Église une brebis égarée ne devait pas forcément être celui du confessionnal, de l'aveu de ses péchés et de sa petitesse devant l'Éternel. Jusque Marie-Rose, pourtant si mal à son aise en face de ce personnage insolite, voyait d'un bon œil son engagement comme bedeau. Plongé dans le cœur religieux de la paroisse, côtoyant le bon Dieu de très près tous les jours, l'homme deviendrait sûrement meilleur, plus sociable, plus ouvert aux autres. La bonne graine de l'amour de Dieu et du prochain germerait en lui sans même peut-être qu'il ne s'en rende compte.

Et peut-être qu'il s'habillerait autrement et mettrait sa personne en meilleure valeur…

Euphrosine était la seule qui osait esquisser un sourire quand son regard croisait celui du déserteur de l'armée américaine et de l'Église catholique. Mais il ne lui répondait pas et n'avait d'ailleurs pas une seule fois souri depuis son arrivée, comme si son visage avait été pétrifié par une substance indécollable.

Anselme Buteau, l'homme de toutes les solutions, imperturbable jusque là, prit la parole tandis que tous les autres béaient d'incrédulité et d'incertitude, y compris Clément Larochelle, à qui pourtant ça n'arrivait pas souvent.

– J'voudrais pas qu'on ôte le pain de la bouche à Jean, mais j'pense honnêtement que l'ouvrage de bedeau doit revenir à Prudent Mercier, à personne d'autre. C'est lui qui a donné le terrain pour la chapelle, pour le petit cimetière où c'est que y a encore personne d'enterré, pis qui va probablement le donner pour le nouveau cimetière qu'il nous faut, pour le presbytère qu'il faut pis pour la grande église qu'il faudra bâtir un jour ou l'autre pour remplacer la chapelle.

Contrarié, le curé intervint:

– Il ne faut tout de même pas penser un siècle d'avance. Le futur s'arrangera bien avec son présent.

– Regardez le nombre de familles nouvelles qui s'installent à Shenley chaque année. Si ça continue de même, c'est cinq cents personnes de plus par dix ans qu'on aura dans nos limites de territoire. Ce qui veut dire que dans pas trente ans, il nous faudra une église à mille ou quinze cents places de banc. Une terre fertile comme la nôtre, c'est une terre d'avenir. Faut penser pour ceux qui vont nous suivre, faut penser pour les générations futures!

Le prêtre hochait la tête, se désolait, comprenait un peu, hésitait.

Marie-Rose osa prendre la parole alors qu'une fois encore tous attendaient que quelqu'un le fasse:

– Demandons son idée à monsieur Mercier! Il est à la table du fond là-bas…

– On aurait dû l'avoir à la table d'honneur, celui-là, affirma Pierre Chabot, qui regrettait de ne pas l'avoir suggéré auparavant.

Une fois encore, Clément Larochelle agit le premier. Il quitta sa place et courut chercher Prudent, un personnage au visage rasé, sauf l'énorme moustache, mais aux traits fins, presque efféminés, au regard bienveillant et qui ne comptait aucun ennemi dans le canton. Et pour répondre aux vœux de son épouse, il avait fait raccourcir sa chevelure ces derniers temps.

On lui avait fait une place au bout de la table, en biais avec Jean Genest et le curé, à côté du maire et de son épouse. Dès qu'il fut assis, l'abbé Desruisseaux prit la parole pour couper l'herbe sous le pied de ceux, trop nombreux à son goût, qui s'objectaient à son idée :

— D'aucuns pensent qu'il faudrait vous offrir le poste de bedeau étant donné que vous avez donné beaucoup de terrain pour l'Église et que, dit-on, vous serez appelé à en donner encore, mais je pense que votre motivation… la raison de votre générosité dépasse et de beaucoup des considérations aussi… disons-le, terre-à-terre… Ceci étant dit, voudriez-vous… absolument être bedeau ou bien si vous approuvez le choix de monsieur Genest ici présent ?

Pris dans une encoignure, cerné par les propos du prêtre, le pauvre Prudent ne savait plus du tout où donner de la tête. Certes, il s'attendait à être nommé bedeau et, à l'instar de tous, considérait que l'emploi lui revenait. Les tâches du sacristain s'ajouteraient à celles de continuer la mise en valeur de ses lots par défrichement annuel et culture des terres arrachées de peine et de misère à la forêt depuis quelques années. Si son âme avait eu des yeux on y aurait aperçu des larmes. Il en avait même parlé à certains comme d'une chose acquise de cette fonction voulue. Et, homme de grande piété, il lui semblait que de vivre en contact quotidien avec les affaires du bon Dieu, comme le permettrait ce travail, le rapprocherait de tous ceux qui vivaient déjà au ciel ainsi que des anges du paradis.

— Comme vous dites, j'ai donné de ma terre sans m'attendre à rien à part que le contentement de l'avoir fait pour le bon Dieu. Pour ce qui est de choisir un bedeau, c'est pas pantoute à moé de décider ça. Bon, ça fait que j'peux pas répondre à votre question, monsieur le curé. C'est impossible pour moé.

Le prêtre se gratta la tête ; il parut qu'une lumière divine s'alluma dans son esprit. En fait, il s'agissait plutôt d'un vilain petit piège :

— Que vous, gens de la table d'honneur, des adultes responsables, preniez la décision. Votons à main levée pour l'un et pour l'autre.

Ironie voire sarcasme dans l'œil, Genest savait que sa candidature serait battue à plate couture. Il résista néanmoins à la tentation de se désister afin de voir jusqu'où iraient les choses. Et savoir qui voterait en sa faveur… surtout parmi ces femmes présentes.

– Nous, on n'a pas le droit de vote, et c'est tant mieux! déclara Marie-Rose, qui prit prétexte d'en remettre dans son assiette pour quitter la table, suivie d'Euphrosine et de Marie Buteau-Boutin.

– Pour une fois, on pourrait laisser voter ces dames, suggéra le prêtre, dont l'idée fut reçue par des regards assombris et des rides réprobatrices.

Sans les femmes pour décider au vote, le curé se savait battu et l'Église perdrait une âme qu'elle n'aurait pas réussi à repêcher.

– Moé, je suis pour Prudent, intervint le maire. Pas que j'ai quelque chose contre toé, Genest, mais parce que j'trouve que ça a plus de bon sens de même.

Morin, Boutin, Chabot votèrent tous trois en faveur de Mercier. Déjà Prudent l'emportait à cette drôle d'élection d'un bedeau alors qu'il ne restait plus que les voix de Larochelle et Buteau à se faire entendre. Larochelle pensa qu'il valait mieux donner quelque soutien à Genest pour qu'il ne se sente pas rejeté, lui qui depuis son arrivée avait tout fait pour cela. Il s'expliquerait par la suite avec Prudent Mercier, qui comprendrait.

– Ben moé, j'pense que Jean Genest ferait un bon bedeau pour quelques années. Prudent pourrait prendre sa relève plus tard…

– On dirait que ça fait cinq contre un, dit le prêtre. Bien sûr que je m'abstiens. Vous n'êtes pas trop déçu, monsieur Genest?

– Pas une miette! répondit-il, malicieux. Ça tenait pas deboutte qu'on m'engage comme bedeau. Je l'aurais fait pour l'argent, pas pour le bon Dieu ni pour personne. Y a du monde intelligent dans votre paroisse, monsieur le curé.

Démonté, dépité, le prêtre fit contre mauvaise fortune bon cœur. Il trouverait autre chose pour apprivoiser et ramener à la grange la brebis perdue. Mais ne devait pas y parvenir ce jour.

Genest mangea vivement sans rien dire puis il prit prétexte d'un besoin naturel pour s'éloigner de la table et n'y pas revenir. Le repas prit bientôt fin. Les uns et les autres se dispersèrent.

Euphrosine et Marie-Rose allèrent marcher dans le village vers l'est, les pieds dans les feuilles tombées et qui chuintaient ou faisaient entendre de légers craquements sous leurs pas. Les deux femmes formaient une paire d'amies depuis leur arrivée dans le canton ensemble onze ans auparavant. L'une n'avait toujours pas d'enfants, et l'autre dépassait la demi-douzaine. Elles croisèrent d'autres promeneurs sans s'arrêter mais sans omettre de les saluer. Tous des gens aimables, sympathiques, agréables à côtoyer dans une même agglomération, à revoir chaque dimanche, à voir vieillir doucement tout comme soi-même.

Une surprise les attendait plus loin. Un homme apparut soudain devant elles après avoir émergé d'entre les arbres du côté nord, caché à leur vue auparavant par la maison de Félix Beaudoin. Aussitôt reconnu et qui marcha nonchalamment vers elles.

– Le soldat qui s'en vient, dit l'une à l'autre.

– Il sort de nulle part.

– Bizarre qu'il survienne comme ça!

– Pis inquiétant…

Genest leur parla dès qu'il fut à portée de voix, mais sans l'agressivité qu'on redoutait:

– J'aurais ben voulu savoir si vous «ariez» voté pour moé tantôt, pour l'ouvrage de bedeau. Curiosité pas plus… J'sais que vous me le direz pas.

– Moé oui, mentit Euphrosine. Toé, Rose?

– J'aurais voté comme mon mari, mais j'sais pas pour qui il a voté.

Genest ricana:

– A voté pour moé.

— Ben vous avez votre réponse. Une femme doit se soumettre à l'idée de son mari.

Il fut devant elles et regarda haut dans les arbres, de côté en soupirant :

— Moins on s'écoute soi-même pis plus on écoute les autres, plus ça va mal dans sa vie. Six cent mille hommes ont été massacrés aux États pour en avoir trop écouté d'autres. La vérité est nulle part ailleurs qu'en soi-même, pis c'est pour ça que moé, j'écouterai pus jamais personne, pis surtout pas un curé qui veut me mener par le boutte du nez comme le vôtre par icitte.

Euphrosine intervint en servant un lieu commun :

— Si chacun fait à son idée, on va se ramasser dans la tour de Babel. En faut qui mènent ; en faut qui suivent pis qui obéissent.

Genest regarda Marie-Rose dans les yeux :

— Pis madame Rose, elle pense pareil ?

— D'abord, c'est Marie-Rose ; y a rien que les proches qui m'appellent Rose.

— Madame Marie-Rose, elle pense de même ?

— Certain que je pense de même !

Genest hocha la tête, l'air désabusé :

— Le mariage catholique, c'est la pire prison au monde, certain.

Pas une des deux femmes ne le prit en métaphore ni ne songea à une prison au plan mental. Elles s'échangèrent un regard entendu signifiant : y a pas de barreaux à nos châssis[8] de maison.

— Bon ben on va s'en aller à la messe, nous autres, fit Marie-Rose, qui tourna les talons.

Euphrosine suivit. Plus un seul mot ne fut échangé entre elles et ce douteux bonhomme qui les regarda s'en aller sans lui-même bouger. Il n'irait pas à la messe, ni maintenant ni jamais… Marie-Rose se disait que chaque fois qu'elle le croisait, elle

---

8. Châssis pris pour fenêtres

aimait de moins en moins ce personnage qualifié de misanthrope par son époux…

En raison de son ministère à Saint-Évariste qui l'avait retenu jusque près de onze heures de l'avant-midi, on avait inversé l'ordre normal des événements et cédulé la cérémonie religieuse après le repas. Le prêtre avait dispensé tous les communiants de l'obligation de se trouver à jeun, réduisant ce temps de jeune à une heure seulement. Ce qui avait permis à plusieurs personnes comme Euphrosine et Marie-Rose de se détendre un peu en marchant sous le soleil d'automne et les feuilles qui tombaient parfois lentement en se balançant dans l'air doux et sec. Ainsi, l'estomac de chacun et l'Eucharistie feraient quand même un heureux ménage en ce jour de fête.

Marie-Rose reçut l'hostie des mains de l'abbé Desruisseaux. Quand elle leva la tête et que leurs yeux se rencontrèrent, la jeune femme ressentit un certain tumulte intérieur, et pourtant ce n'étaient pas les yeux du prêtre qu'elle avait vus dans sa tête mais plutôt ceux de ce Jean Genest si antipathique, puis, bien plus loin dans le temps, ceux de cet Édouard Allaire si sympathique… mais perdu dans l'inextricable labyrinthe du passé révolu.

∞∞∞∞∞

La chapelle reçut la bénédiction officielle le 3 janvier 1869 dans une cérémonie fort brève sous la froidure. Dans une lettre de l'archevêque de Québec, Mgr Baillargeon, il était dit de bénir cette chapelle sous le nom de Saint-Honoré en l'honneur du curé Desruisseaux qui continuerait de venir sur place pour la célébration des offices religieux en attendant la nomination d'un curé résident.

Prudent Mercier était déjà nommé bedeau.

Jean Genest, tout à son trappage, à sa chasse et à sa pêche de même qu'à ses courtes périodes de travail sur son lot, ne devait pas revenir au village de sitôt après la fête de l'inauguration. Il continua d'ignorer ses voisins et concitoyens. Il en faut partout, des exceptions comme lui, il en fallait un à Shenley aussi...

∞∞∞

Quatre jours après cette bénédiction officielle à Saint-Honoré, voici qu'à Saint-Henri, à l'autre bout du territoire de la Beauce, par une journée nuageuse et neigeuse, Pétronille mit au monde une autre fille, sa deuxième, qui fut baptisée le même jour sous le nom de Marie Georgina Allaire. Vu que la deuxième enfant de la famille portait déjà le nom de Marie dans la vie courante, celle-ci serait donc appelée Georgina.

Au retour à la maison de l'enfant baptisé, Émélie resta longtemps debout à côté du ber, accrochée par ses petites mains de 3 ans au rebord, à regarder ce bébé, sans comprendre pourquoi il se trouvait là, si petit, les yeux fermés, bouffis, une tache rouge sur le côté du front...

∞∞∞∞∞∞

Chapitre 17

1870

Le Canada lancé, disait-on, sur la bonne voie vers un avenir magnifique, la fièvre de la construction se répandait partout dans le jeune pays, y compris dans le fin fond du bois de Shenley, que l'on appelait maintenant Saint-Honoré-de-Shenley.

Sous la direction de l'abbé Desruisseaux et de Pierre Chabot, on érigea au voisinage de la chapelle, du côté est, une maison presbytérale, ce qui pousserait l'archevêque, pensait-on, à désigner au plus vite un curé résident. Car le curé Desruisseaux avait beau sourire tant et plus, il ployait sous la tâche écrasante de voir au ministère de deux paroisses aux chapelles distantes tout de même de cinq milles.

Prudent Mercier, personnage enclin à se projeter dans l'avenir, caractère que d'aucuns appellent le flair, se dit qu'il devrait construire une maisonnette sur son lot en face même de la chapelle tout juste de l'autre côté du chemin de la Grand-Ligne. Et pour quelle raison ? Non pas pour lui et sa famille qui résidaient déjà dans une demeure confortable et récente pas loin de la chapelle, mais pour recevoir le bureau de poste qu'on réclamait depuis deux ans du gouvernement fédéral et dont l'obtention apparaissait à tous imminente quand on prenait en compte le nombre de familles requis, un chiffre déjà dépassé par Saint-Honoré.

Ce qui retardait l'attribution du bureau de poste, c'était en plus d'une bâtisse pour le loger, le recrutement d'un maître de poste, car il ne se trouvait que bien peu d'hommes à Saint-Honoré sachant lire et écrire. Et ceux qui, comme Clément Larochelle, Anselme Buteau, Honoré Rouleau ou Xavier Poulin, connaissaient la lecture et l'écriture avaient tous choisi de cultiver la terre, une terre fertile certes, mais qui les réclamait à l'année longue plusieurs heures par jour. De plus, le maître de poste aurait pour tâche additionnelle celle de transporter la «malle» tous les jours, de Saint-Honoré à Saint-Évariste, aller et retour, dirigeant le courrier sortant vers le bureau principal et ramenant le courrier entrant à la desserte de Saint-Honoré.

Une fois de plus, on devait faire appel aux vieilles paroisses d'en bas. Quelqu'un de Saint-Honoré y fut délégué pour faire connaître ici et là le besoin d'un jeune homme qui ne soit pas analphabète et accepte de poser sa candidature au poste à combler. Il s'en trouva un du nom de Pierre Boucher, originaire de Saint-Henri.

Prudent se fit l'entrepreneur de sa propre construction sur les conseils de Pierre Chabot. Il embaucha Rémi Labrecque pour l'aider à ériger la bâtisse qu'il disait promise à un bel avenir.

Quand on commença de mettre en place les fondations de pierres des champs, Mercier déclara, la voix un brin ostentatoire:

– Mon ami, je te dis que la maison qu'on va bâtir sera encore là dans cent cinquante ans.

– Cinquante, ça serait déjà beau! commenta Rémi, sourire moqueur aux lèvres.

– Quand j'ai une vision du futur, j'ai une vision du futur. Cent cinquante ans, ça nous met en 1999… non, plus encore. Pis elle sera deboutte dans le village comme on est deboutte, toé pis moé.

– J'pense qu'on sera pas trop deboutte, nous autres, en 1999, pas même sûr qu'on le soit en 1899 dans une trentaine d'années d'icitte.

Voisin vers l'est se trouvait le terrain du nouveau cimetière. On avait abandonné le premier terrain béni à cette fin où seulement quelques bébés ondoyés avaient été enterrés pour celui-ci mieux égoutté en raison d'une légère pente. Quelques enfants morts durant l'hiver et enterrés après le dégel du printemps y dormaient déjà à l'ombre de croix de bois humbles, parfois plantées de travers, et qui pour certaines portaient pour épitaphe en lettres incurvées les noms et la date du décès.

– C'est ma femme qui écrit sur les croix le nom du trépassé, dit Prudent à son employé qu'il voyait reluquer vers le cimetière.

– Ah oui?

– Elle fait ça au couteau. Elle charge une cenne noire par lettre encavée. C'est assez long… mais ça permet de pas oublier trop vite le petit mort… Ou ben le grand quand y en aura.

L'autre eut un regard lointain:

– Dire que c'est là qu'on va dormir un jour.

– En attendant, on a une maison à bâtir. Envoye, mon Rémi, attaquons les roches des fondations! On a du temps en masse en avant de nous autres avant d'aller dormir dans le clos des morts…

∞∞∞

Le petit Honoré Grégoire, maintenant âgé de 5 ans, s'amusait dans la cour arrière de la demeure familiale de Saint-Isidore à construire lui aussi, comme tant d'adultes, quelque chose d'important: une niche à chien. Il avait beau montrer toutes les dispositions d'un bâtisseur, son trop jeune âge l'empêcherait de réussir son entreprise sans l'aide de quelqu'un de plus habile. Thomas n'avait guère de temps à consacrer à ces jeux d'enfant et quand il lui arrivait de passer pas loin du fragile assemblage de morceaux de bois et d'y jeter un œil, il recevait un regard presque désespéré de celui qui demande de l'aide. Et la cabane finissait par se défaire en ses composantes trop mal ajustées.

C'est qu'il lui avait été donné un chiot, à l'enfant, par son parrain et sa marraine, les Dubreuil: oncle Prudent et tante Césarie. Son instinct protecteur et son instinct entrepreneur se combinèrent en son cerveau, encore en devenir, pour lui suggérer de bâtir sa maisonnette au très jeune chien baptisé Colin.

Mais le désir de l'enfant ne demeura pas vain, et son effort trouva un cœur attentif en la personne de son demi-frère qui rendait visite à leur père ce jour-là. Grégoire était venu en visite, lui qui, comme plusieurs autres des «bas» avant lui, s'était établi en 1863 sur un lot de Shenley la même année qu'il avait épousé une jeune femme de Saint-Évariste du nom de Séraphie Mercier.

Le jeune homme de 34 ans était quelqu'un de flegmatique, placide, peu jasant et bien peu souriant. Et pourtant, c'est à la recherche de l'humain qu'il était allé vivre dans les bois là-bas: des gens de son âge ou plus jeunes et qui ne passaient pas leur temps à lui faire la leçon. Et, avant son déménagement, on se disait entre hommes que dans les bourgades sauvages de la Beauce, il se trouvait des jeunes abénakises friandes de la compagnie des jeunes gens de la race blanche. Bien sûr, jamais Grégoire n'aurait bousculé sa vie entière pour si peu, mais des idées fugitives de ce genre lui avaient alors passé par la tête, car il se connaissait depuis son âge d'homme un appétit insatiable, presque féroce, pour la chose dont les adultes de sexe masculin ne parlaient jamais et à laquelle ils pensaient tout le temps…

Il avait depuis toujours le goût de bâtir du neuf dans du neuf, tandis que dans les paroisses d'en bas, on bâtissait sur du vieux. De voir ainsi par la fenêtre les efforts patients de son petit demi-frère pour construire sa cabane le toucha. Il sortit pour lui donner un coup de main.

– Salut, Noré.

– Salut! dit l'enfant assis par terre entre des planches et autres bouts de bois.

Grégoire lui apparut devant le soleil comme un géant magnifique. Un bon géant au visage encadré d'une barbe fournie, égale de partout, taillée pour ne pas s'allonger trop sous le menton, et une chevelure vaguée, brune. En fait, quoique plus bel homme, il avait une certaine ressemblance avec Abraham Lincoln par tous ses traits du visage, depuis des yeux enfoncés jusqu'à la lèvre inférieure avancée, en passant par un nez important quoique moins large que celui du président défunt.

– Quoi c'est que tu fais donc là?

Sa voix était basse, nette mais sans éclat. Ferme sans agression. Presque neutre et qui ne s'imposait guère à l'attention des autres.

– Une cabane.

– Le père dit que c'est pour ton chien.

L'enfant fit un signe de tête affirmatif. Aveuglé par les rayons du soleil, il baissa des yeux en peine sur ses efforts éparpillés.

– Voudrais-tu un petit peu d'aide?

– Ben ouè!

Grégoire n'accomplit pas le travail à la place d'Honoré, il lui montra quoi faire, comment le faire et pourquoi le faire. Chacun de ses gestes et des mots allant de pair ainsi que les émotions s'y mélangeant entrèrent par les yeux d'Honoré pour se fixer à jamais dans toutes ses mémoires. La capacité d'apprendre et la dextérité naturelle de ce petit garçon étonnèrent son grand frère, et quand l'ouvrage fut terminé et que tous les deux se mirent debout devant pour le contempler, Grégoire dit:

– Dans la vie, quand tu bâtiras quelque chose, fais-le toujours de ton mieux. Tu vas en être content tout le temps ensuite. Si t'es fier de ton ouvrage, ceux qui vont le voir seront fiers de toé à leur tour.

Si Honoré avait été ébloui par la personne resplendissante de son grand demi-frère à son arrivée, voici qu'il l'était maintenant par son esprit et sa pensée. Des reflets du soleil frappaient la cabane dont s'approchait en reniflant le petit chien jaune, et ils rebondissaient sur les prunelles de l'enfant. Il vivait un des grands moments de bonheur de sa tendre enfance: une heure indélébile.

∞∞∞∞

Ailleurs, d'autres constructeurs s'affairaient sans relâche. Et la bâtisse qu'ils commençaient d'ériger sur des fondations déjà en place depuis l'année précédente serait l'une des églises les plus imposantes des grands alentours. Saint-Henri se dotait d'un magnifique temple paroissial en cette année 1870, et il arrivait à Édouard Allaire d'y aller travailler pour ainsi payer son écot de temps à la sainte Église.

Il en faudrait, de l'espace, pour accueillir aux offices religieux toutes ces familles qui ne cessaient de s'agrandir malgré les morts fréquentes de jeunes enfants comme son aîné Joseph-Édouard trois ans auparavant. Pétronille, déjà mère d'Émélie, avait mis au monde Marie puis Georgina, et voici maintenant qu'elle était de nouveau enceinte, cette fois de son cinquième enfant depuis leur mariage, sept ans auparavant.

C'est à ces choses que ce père de famille songeait, lui qui comme tous ses concitoyens donnait une journée par semaine de son temps afin d'aider à l'érection de l'église nouvelle dont on voulait, à la demande des prêtres et au désir de chaque paroissien, que Dieu en soit très fier, plus encore que des autres temples élevés pour son honneur et sa plus grande gloire.

Le travail d'Édouard consistait à servir les maçons qui travaillaient à l'érection du mur latéral gauche en haut des échafaudages. Il prenait les pierres taillées dans ses mains et entre ses bras, depuis une empilade et les approchait une à une du pied du mur où il les mettait sur une plate-forme étroite qu'il faisait ensuite monter à l'aide d'un palan actionné par des câbles de chanvre.

L'abbé Côté qui surveillait les travaux de près fit sa tournée une fois encore cet après-midi-là. Il parvint auprès d'Allaire alors qu'il était à tirer sur le câble du palan.

— Belle journée aujourd'hui! dit-il en guise d'entrée en matière.

Le soleil était au rendez-vous depuis le matin. Il ajoutait son ardeur aux efforts des travailleurs pour faire jaillir de leur peau une sueur abondante comme celle qui coulait en ce moment du front, de la poitrine et du dos du jeune cultivateur Allaire.

— Un peu chaud, mais c'est l'été.

– Les arbres nombreux gardent beaucoup d'humidité dans l'air ambiant.

Certains mots trop savants échappaient à Édouard comme cet «ambiant» dont par contre il devinait le sens. Mais il ne s'en offusquait pas et trouvait normal qu'un prêtre en montre un peu à ses paroissiens chaque fois qu'il entrait en contact avec eux.

– Un peu de vent, ça ferait pas de tort.

– En effet, mon cher Édouard, en effet!

Ce prêtre devait être sensiblement du même âge que son interlocuteur. Roux, mince, visage tacheté, œil bleu, il gardait une réserve qui embarrassait et ressemblait à de la hauteur. On le disait toutefois d'une piété exemplaire. Il serait bientôt nommé curé de la paroisse en remplacement de l'abbé Grenier, une formalité qui retardait pour des raisons qu'il ignorait et dépendant de l'archevêché.

– Un peu de vent mais pas trop, dit Édouard, parce que les murs sont encore branlants si on peut dire.

– Le bon Dieu nous gardera des ouragans ou des trop gros coups de vent tant que les murs seront fragiles et insuffisamment étançonnés pour supporter une force latérale trop grande.

– D'abord que vous le dites, je veux bien vous croire, monsieur l'abbé.

– Cette bâtisse reçoit la bénédiction du ciel par mes mains et mon esprit tous les matins, et cela va, j'en suis assuré, la protéger des tentatives du Malin d'empêcher sa construction ou de la retarder.

Une voix énorme venue de là-haut se fit soudain entendre, qui, pour une seconde, pétrifia les deux hommes, les gela sur place sans heureusement les empêcher de lever la tête:

– At-ten-tion en bas, at-ten-tion en bas...

Vif comme l'éclair, Édouard repoussa le prêtre et s'écarta lui-même de la trajectoire de la grosse pierre qu'en haut, le maçon avait échappée, et qui s'abattait sur eux. Manquant de force suffisante pour la prendre de la plate-forme trop basse vu l'interruption par Édouard de la traction sur le câble à l'arrivée du prêtre, le garçon, car il n'était pas encore « homme fait », n'avait pas été capable de la retenir et elle était retombée sur le rebord de la plate-forme puis avait basculé dans le vide sous ses yeux horrifiés. Ce n'était même pas lui qui avait crié, mais un maçon témoin de l'accident.

Et la pierre tomba sur le sol sans faire aucun dommage, ni aux humains ni à elle-même.

– Un miracle vient de se produire, lança aussitôt le prêtre d'une voix qui atteignit presque tout le monde sur le chantier, car au tumulte entendu, l'on s'était partout arrêté pour voir et pour savoir.

Édouard fut le premier à y croire dur comme pierre. Un incroyant aurait dit que c'était à cause du prêtre s'il n'avait pas complété l'ascension de la lourde plate-forme. Mais très croyant, il pensa que s'il n'avait pas été écrasé à mort par cette masse, c'était en raison de la présence du prêtre à ses côtés.

Plusieurs des travailleurs se rapprochèrent par le regard, par l'oreille ou même par les pas. Le prêtre en profita pour rendre hommage au ciel :

– Mes amis, si vous voulez, nous allons réciter un Notre-Père afin de remercier le bon Dieu de nous avoir protégés, moi et monsieur Édouard. Nous avons frôlé la mort. C'est la main de Dieu qui a écarté cette pierre de nos têtes, et nous rendrons hommage à cette Main sacrée.

Un des maçons, celui qui avait crié et qui n'avait guère la foi de cette manière naïve, songea dire :

« La pierre est tombée en ligne droite, monsieur l'abbé. C'est parce que j'ai crié pis qu'Édouard a réagi si vous êtes encore vivant à faire croire au miracle. »

Une voix profonde en lui, alliée du prêtre, s'insurgea :

« C'est le bon Dieu qui t'a mis ce cri en bouche et qui a fait lever la tête à Édouard… et l'a fait réagir pour sauver le prêtre et lui-même. C'est donc miraculeux, ce qui vient de se passer… »

Mais son gros bon sens lui revint :

«Le miracle, ç'aurait été que la pierre s'arrête en chemin et remonte sur la plate-forme...»

Malgré ce tiraillement intérieur, il récita lui aussi le Notre-Père en se disant qu'après tout, il valait mieux mettre le bon Dieu de son bord. Et ça ne coûtait pas si cher...

∞∞∞∞

Devant l'évidence de ce fait prodigieux, Édouard non seulement souhaita mais pria pour que l'enfant que portait son épouse soit un fils afin de remplacer son aîné disparu trois ans auparavant. Le vingt-trois septembre suivant, Pétronille donna naissance à Pierre Joseph Édouard, qui porterait le prénom de Joseph dans la vie courante. Il reçut pour marraine Césarie Tardif et pour parrain Philisète Bussière.

Une fois de plus, Édouard fut absent lors du baptême. C'est que ce jour-là, il travaillait encore à la construction de l'église et que ce don de son temps à Dieu et à la paroisse primait sur celui qu'il aurait pu prendre pour assister à la cérémonie.

∞∞∞∞∞∞∞∞

Chapitre 18

1871

Elle trônait là, de l'autre côté du chemin de terre, face à la chapelle, la petite maison construite l'été d'avant par Prudent Mercier avec l'aide de Rémi Labrecque. L'homme avait eu beau user de son flair et prévoir la nécessité d'un lieu pour établir le futur bureau de poste, il avait omis de songer à la concurrence. Comme homme et comme bedeau, il se croyait aimé de tous et tous l'aimaient, il est vrai, mais pas au point de lui laisser toute la manne qui passe. Question de survie, chacun devait d'abord penser à soi.

Et voici qu'un nouveau citoyen venu au printemps et installé dans la maison d'Alfred Roy tout près du village pour y agir comme cordonnier-sellier pensa qu'il devrait offrir à louer sa cuisine d'été au gouvernement fédéral pour la faire servir de bureau de poste. Les Roy avaient rétrocédé leur fond de terre à un voisin qui possédait déjà sa demeure, et la maison vide avait trouvé preneur en cet Onésime Lacasse, 30 ans, célibataire. Il avait dessein d'ajouter à la cuisine d'été un lambris extérieur additionnel et de la doter d'une truie qui assurerait le chauffage lorsque la saison l'exigerait.

Il se rendit donc à Saint-Évariste payer une visite au maître de poste de là-bas à qui incombait la responsabilité d'engager la personne qui aurait cette même fonction à Saint-Honoré. Cet homme devrait aussi trouver un lieu où installer le bureau de poste et en faire la location au nom du gouvernement d'Ottawa. Déjà, il avait sur sa table de travail la proposition de Prudent Mercier relative à sa nouvelle maison du milieu du village. Et comme il ne connaissait aucun autre lieu disponible au voisinage de la chapelle, probable que serait approuvé par Ottawa ce choix qui n'en était pas un en fait et correspondait plutôt à l'absence d'une autre alternative réelle, quoique la maison en question fût parfaite pour l'usage anticipé.

Mais voici qu'entra sur le bout des pieds dans son bureau ce frêle jeune personnage au sourire affable et qui se présenta:

– Je m'appelle Onésime Lacasse. Je viens de Saint-Honoré-de-Shenley. C'est moé qui reste dans la maison à monsieur Roy, la maison qui a longtemps servi de chapelle pas loin du village dans le bord du Grand-Shenley.

– C'est que j'peux faire pour toé, mon bon ami?

Le maître de poste, un homme du nom de Tanguay, moyenne quarantaine, besicles sur le nez, le crâne dégarni et un œil plus petit que l'autre, se recula sur sa chaise et croisa les bras sur sa poitrine en signe d'attente.

– Je sais que vous allez choisir une place pour le bureau de poste pis je viens vous offrir ma cuisine d'été.

– Si je comprends bien, il s'agit de la maison de monsieur Alfred Roy?

– C'est ben ça.

– Et elle t'appartient?

– C'est ça.

– Assieds-toi, mon bon ami. On va se parler. Prends la chaise qui se trouve là!

– Merci ben!

Tanguay l'examina pendant que Lacasse prenait place. Il avait devant lui un homme de guère plus de cinq pieds, bien rasé, aux cheveux noirs et raides et à la voix riche et bienveillante.

– Est-ce que tu saurais que le maître de poste de Saint-Honoré a été nommé et qu'il s'agit de monsieur Pierre Boucher?

Lacasse composa son large sourire persuasif:

– Bien content de l'apprendre!

– Tu voulais pas le poste?

– Non, moé non! Tout ce que je veux, c'est louer ma maison pour abriter le bureau de poste.

– Il vaudrait mieux que le bureau de poste et le maître de poste soient tous les deux dans la même bâtisse. Mais vu que tout ça ne fait que commencer... Est-ce que tu sais lire et écrire?

– Certainement! Mais comme je vous dis, je suis cordonnier-sellier et...

– Ça t'empêcherait pas d'être en même temps le maître de poste, tu sais. Ce sont deux fonctions qui pourraient bien aller ensemble sans que l'une nuise à l'autre, bien au contraire. À condition que tu votes du bon bord aux élections fédérales...

– Je dois vous dire que j'avais pas songé à ça.

– De toute manière, il serait trop tard puisque, ainsi que je te le disais, le choix du maître de poste est fait et définitivement arrêté par le gouvernement en la personne de monsieur Boucher.

– Bon, ben revenons au bureau de poste lui-même.

– Je connais la maison de monsieur Roy; j'y ai même assisté à la messe déjà. Il est bien vrai que la cuisine d'été, pourvu bien sûr qu'elle soit chauffée l'hiver, logerait convenablement le bureau de poste. J'étais sur le point d'accepter l'offre de monsieur Mercier qui louerait sa maison nouvellement construite au cœur du village, devant la chapelle. Mais il est de mon devoir d'examiner toutes les propositions et de recommander au gouvernement celle qui paraît la plus favorable. Possible même que je fasse parvenir les deux propositions, ou d'autres s'il devait s'en rajouter, aux autorités fédérales du ministère des Postes, et alors la décision serait prise là-bas. Bon, l'espace dans ta maison serait suffisant... Mais pourquoi ne pas utiliser cette cuisine d'été pour ta cordonnerie?

– Je prendrai la cuisine d'hiver pour ça. Pis si je me marie, ben, je verrai.

– Si tu signes pour le bureau de poste, il sera trop tard pour reculer et il te faudra attendre la fin du contrat pour le renouveler ou y mettre fin.

– C'est ben ça que je pensais, pis ça ferait mon affaire de même, monsieur Tanguay.

– Dans ce cas-là, on va remplir la demande ensemble. Attends que je trouve un formulaire…

∞∞∞

Prudent Mercier faillit tomber en bas de sa chaise quand il apprit la nouvelle. On avait accordé le loyer du bureau de poste à Onésime Lacasse, ce nouveau venu dans la paroisse. Et sa maison neuve resterait vide et sans revenu. Comment cela avait-il pu se produire alors qu'il ne savait même pas qu'un concurrent avait fait la même demande que lui auprès du gouvernement fédéral ? Tanguay n'aurait-il pas dû le prévenir ? Il se rendit aussitôt, par un matin ensoleillé du mois de juillet, chez Onésime Lacasse pour tâcher de lui faire casser son contrat.

Lacasse le reçut avec aménité. Mercier, lui-même de bon tempérament, parla avec modération sur le pas de la porte, sans se donner la peine d'entrer pour ne pas, dit-il, déranger l'autre dans ses travaux de cordonnerie. Après quelques banalités sur le temps du jour, il piqua au vif du sujet qui l'amenait :

– Tu devais pas savoir que j'avais appliqué pour avoir le bureau de poste ?

– Je le savais. Monsieur Tanguay me l'a dit.

Mercier grimaça :

– Comment ça qu'il me l'a pas dit, à moé ?

– Il m'a juste parlé de votre demande ; il m'a pas dit le prix de location que vous avez demandé. Probable que le gouvernement a choisi le prix le plus bas vu que la place de votre maison est plus avantageuse.

– Suis venu te demander de te retirer. J'ai bâti la maison pour le bureau de poste. Exprès pour ça pis tout le monde le sait dans la paroisse. Toé, tu peux mettre ta maison en valeur avec ta cordonnerie.

– Je comprends, monsieur Mercier, mais la cordonnerie, ça rapporte pas assez. C'est pour ça que j'ai loué ma cuisine d'été pour le bureau de poste.

– J'ai envie de te dire ben poliment, mon ami Lacasse, que tu m'ôtes le pain de la bouche.

– J'ai envie de dire ben poliment, monsieur Mercier, que le soleil reluit pour tout le monde.

Toujours sur un ton modéré mais qui camouflait de la colère, Prudent dit en s'approchant d'un pas vers son rival:

– T'es nouveau, pis on dirait que tu veux déjà tout régenter par icitte.

– Écoutez, y a une nouvelle province dans le Canada depuis une semaine… s'appelle le Manitoba. Elle a les mêmes droits pis les mêmes privilèges que les quatre premières: celles du Québec, de l'Ontario, du Nouveau-Brunswick et de la Nouvelle-Écosse. J'ai joué honnêtement les règles du jeu. J'ai pas triché. Peut-être qu'à la fin de mon contrat avec le gouvernement, je vas me contenter de ma cordonnerie. Tout va dépendre de la clientèle.

Mercier soupira:

– Dans le fond, t'as ben raison! C'est à moé de me faire à l'idée pis de penser à autre chose. Quand est-ce qu'il vont arriver dans la place avec leur bureau de poste?

– D'une semaine à l'autre.

– Bon, ben il me reste à te souhaiter bonne chance.

Et Mercier pour qui la question était maintenant réglée tendit la main que serra volontiers Lacasse en disant:

– J'espère que ça va ben aller avec votre maison.

– Je la dois au complet, mais je vas juste prendre plus de temps pour remettre l'argent à mon créancier.

– Si jamais vous êtes mal pris à cause de ça, revenez me voir. Un endossement, des fois, c'est ça qui empêche une saisie.

– Ben non, ben non, c'est pas aussi pire que ça.

En fin de compte, c'est sous l'enseigne de l'entraide que les deux hommes devinrent des amis malgré leurs intérêts divergents.

∞∞∞

À Ottawa, en cette même année, Georges-Étienne Cartier, le bras droit du premier ministre Macdonald, s'écriait en Chambre : « En route pour l'Ouest ! » Ce politicien influent, ministre de la Milice, qu'on désignait sous le nom d'avocat des chemins de fer, venait de se lever après l'adoption de la loi donnant naissance à la Compagnie du Pacifique Canadien pour lancer ce cri mémorable.

Pour favoriser l'entrée de la Colombie-Britannique dans la Confédération canadienne, l'on construirait une voie ferrée jusqu'au Pacifique. Plus que l'ère du rail, c'était la fièvre du rail.

Mais dans la Beauce, la ligne espérée se faisait encore attendre. On en parlait. On l'annonçait. Les curés prenaient leurs désirs pour des réalités. Le nouvel archevêque de Québec, monseigneur Taschereau, originaire de la Beauce, usait de tout son poids pour que la construction de la voie ferrée au moins se mette en branle vers Sainte-Marie. Il était question de grands projets dont certains plutôt farfelus comme celui d'utiliser des rails de bois qui connut son heure de gloire et engouffra des sommes appréciables tout en valant de belles humiliations à des personnages en vue ayant adhéré à cette idée sans trop y réfléchir.

Ce que tous ignoraient, c'est que les tergiversations et tractations de coulisse ne faisaient que commencer, s'ajoutant aux luttes interminables entre deux compagnies pour obtenir la grande part du gâteau des subsides puis à celles entre les tenants d'une ligne Lévis-Jackman et ceux d'une ligne Lévis-Mégantic, et qu'il faudrait donc plus de vingt ans encore avant qu'une ligne reliant Beauce-Jonction (atteinte dès 1880 par la ligne du Québec-Central venant de Sherbrooke par Thetford) et Lac-Mégantic en passant par Saint-Évariste ne soit inaugurée.

∞∞∞∞∞∞∞∞

Chapitre 19

Octobre 1871

C'était l'automne encore, et avant de s'encabaner pour l'hiver, avant en tout cas les fêtes de fin d'année, d'aucuns sentaient le besoin de célébrer quelque chose. N'importe quoi pourvu qu'on se retrouve entre jeunes gens et jeunes filles pour fêter la vie. Et pour permettre aux plus timorés et aux autres peut-être aussi de se trouver une « blonde ».

À Saint-Honoré, le temps était frais et les feuilles tombaient sans trop se presser. Les arbres couleur de flammes allant du jaune pâle au rouge vif habillaient le village d'une incomparable livrée dont les jeunes femmes reflétaient la beauté dans leurs yeux pudiques et leurs vêtements longs qui resplendissaient jusqu'à leurs chevilles cachées.

Le mot fut passé après la messe du dimanche, premier octobre, sur le parvis de la chapelle, par le bouche à oreille discret. Les organisateurs de cette veillée qui aurait lieu le samedi soir suivant étaient Xavier Poulin et Rémi Labrecque. Ils glissèrent le mot à le plus de jeunes gens et jeunes filles qu'ils purent en leur demandant de faire de même. On serait vingt, trente, cinquante : le plus de monde, le plus de plaisir !

Le mot glissé de l'un à l'autre était fort simple : veillée... samedi soir... maison à Prudent Mercier... Jeux. Danse. Musique. 14 ans et plus.

La chose parvint à des oreilles adultes dans les jours suivants, mais comme l'occasion de se rencontrer et de s'en parler ne se présenterait pas avant le dimanche suivant, donc le lendemain de la veillée, impossible de s'objecter ou d'encadrer la soirée de balises à ne pas dépasser. On était au cœur de l'époque victorienne, et pour plaire à Dieu, il ne fallait pas trop s'amuser, surtout ne pas le faire en dehors des limites voulues par la sainte Église. Pire, le curé Desruisseaux non plus ne serait pas là de la semaine pour mettre les organisateurs de la veillée dans son collimateur, puisqu'il n'était pas résident mais desservant seulement.

Aucun bâton ne fut donc mis dans les roues. La fièvre se communiqua telle une épidémie à tous les jeunes de la paroisse, des deux rangs de la Grand-Ligne, du Grand-Shenley, du Petit-Shenley, du rang 9 et du rang 10. Et pour sûr le village qui comptait alors plus d'une douzaine de maisons essaimées des deux côtés de la chapelle.

Qui serait de la partie, qui n'en serait pas, telle était la question. Les jeunes gens ne rendaient pas de comptes à leurs parents sitôt traversés la ligne de leurs 12 ou 13 ans, mais il n'en était pas de même des jeunes filles. Certes, elles pouvaient le soir se retrouver entre elles, se visiter, aller marcher dans les chemins pourvu qu'elles soient de retour avant la brunante. Mais aller veiller là où foisonneraient les jeunes gars fringants, c'était la garantie de sourcils froncés, de réprobation, d'inquiétude des mères et de grande crainte dans les âmes.

Au moins, y avait-il la chapelle de l'autre côté du chemin tout près. Mais le bon Dieu ne s'y trouvait que lorsque le prêtre s'y trouvait. Car il n'y laissait pas les saintes espèces la semaine, et cela ne serait que le jour où on aurait à Saint-Honoré un curé résident.

Des jeunes filles sondèrent le terrain auprès de leur mère, d'autres pas et inventèrent une raison d'absence, quitte à revenir à la maison à une heure raisonnable. Mais comment cacher qu'on s'habille à quatre épingles, qu'on se lave deux ou trois fois de suite avec du savon du pays, qu'on montre une grande nervosité quand on affirme vouloir passer la soirée chez sa cousine qui vit à un mille de soi ? Quelques-unes qui dirent carrément la vérité et leur dessein essuyèrent un refus raisonné. D'autres, des cachottières, furent questionnées et vivement démasquées par des mères intuitives. L'argument le plus sérieux, celui qui permit à plusieurs de convaincre leur mère de les laisser aller à la rencontre fut qu'il s'agirait d'une veillée surveillée.

«Monsieur et madame Prudent Mercier, maman, c'est dans leur maison. C'est certain que ça va ben se passer. Pis peut-être qu'ils seront là eux autres mêmes.»

«C'est mieux parce que le Prudent, il va se faire parler dans le fraisier. Pas obligé de faire scandale parce qu'il a pas eu le bureau de poste pis que sa maison est restée vide. Il avait embelle à pas la bâtir. On vend pas la peau de l'ours avant de l'avoir tué, il devrait savoir ça, le Prudent pas assez prudent.»

Par-dessus les hésitations et murmures, une trentaine de jeunes personnes se réunirent à la brunante, tant venus à pied qu'en voiture, mais tous bardés d'un falot pour ne pas s'y perdre au retour et pour chasser les loups s'il en survenait sur leur chemin. Aucune jeune fille ne vint seule. Toutes formèrent des couples, soit deux sœurs, soit un frère et sa sœur, soit deux voisines pas trop loin.

Les gars avaient décoré l'intérieur de la maison, en fait la pièce principale où aurait lieu la célébration de l'automne. Ils avaient coupé des petites branches, gardant leurs feuilles colorées, et en avaient tapissé les murs.

«C'est dangereux pour le feu, je te préviens,» avait dit Ferdinand Labrecque à son frère.

«C'est pas des branches de sapin sec, c'est de l'érable vert. Tu parles pour rien dire.»

On avait emprunté des chaises diverses, certaines droites au siège tressé en babiche, d'autres berceuses québécoises à fond tressé en frêne et aussi des fauteuils berçants d'esprit victorien et même un fauteuil berçant de style québécois à deux places utilisé d'ordinaire par les amoureux. Celui-là servirait à de joyeux jeux de pairage de couples et on en espérait beaucoup.

Le violoneux serait Ti-Jos Bellavance, jeune homme de 18 ans, visage rondelet et sanguin, qui aimait rire et chanter, et surtout giguer quand l'occasion s'en présentait dans le temps des fêtes. Il y fut l'un des premiers. On lui avait installé une petite plate-forme sur laquelle il prendrait place. Les danseurs évolueraient devant lui au beau milieu de la cuisine encerclée par les chaises et les fauteuils de bois.

— Pis si y a quelqu'un qui se démanche la hanche à force de trop « stepper », qu'il se présente à l'ami Rémi qui va y arranger ça tu suite.

Ce furent les mots de Ti-Jos Bellavance quand il eut dit ceux conviant fêtards et fêtardes à la veillée, deux douzaines de jeunes déjà bien installés, prêts à s'amuser ferme, ce qui arrivait si rarement dans leur vie rude. Debout, après un clin d'œil, il donna deux, trois coups d'archet. Et il reprit la parole pour quelques phrases :

— J'ai su comme ça, au travers des branches... vous voyez qu'il en manque pas icitte-dans... j'ai su que parmi nous, un quelqu'un est capable de jouer de la ruine-babines... c'est-il vrai, ça ?

Les assistants s'échangèrent des regards interrogateurs sans rien dire. Onésime Lacasse sortit son instrument de sa poche et le montra haut. Il se sentait un peu à part d'être là vu son âge. 30 ans, ça faisait de lui le plus âgé de tous. Il ne paraissait pas que cette différence puisse déranger qui que ce soit. On se mit à l'applaudir, et Ti-Jos le réclama avec lui sur scène :

— Un musicien, c'est bon, mais deux, c'est mieux.

On applaudit chaleureusement. Une rumeur joyeuse parcourut le cercle. Rémi vint installer une chaise libre à côté de celle de Ti-Jos. Onésime s'y rendit sous les approbations de tout un chacun.

L'éclairage de la cuisine était assuré par deux lampes à pétrole : du jamais vu pour d'aucuns, du connu pour d'autres. L'usage de cet appareil d'éclairage n'avait encore que quelques années, mais il s'était répandu par toute l'Amérique et l'Europe comme une traînée de poudre. Le pétrole lampant était peu coûteux, et tous les habitants avaient voulu se convertir au plus tôt à la lampe à « karossine ».

Voilà qui plaisait fort aux jeunes dames si fières de leurs atours colorés, et encore davantage à leurs admirateurs, car la lumière du soir donnait à toutes ces belles une image différente, plus attirante que celle du jour à la messe ou en voiture. Mais ici, pas une n'avait mis de coiffure, et les cheveux éclaboussés de rayons jaunes livraient au regard des attraits nouveaux et combien plus agréables.

Alors qu'on s'apprêtait à entamer un set canadien sur appel de Bellavance, voici que la porte s'ouvrit sur deux retardataires: deux jeunes filles flamboyantes que tous reconnurent.

Esther Ferland et Philomène Morin, deux cousines, étaient venues ensemble en boghei avec la permission de leurs parents qui étaient de ceux qui, en leur for intérieur, pensaient qu'il faut montrer ses filles au plus tôt si on veut les marier au plus vite. Sans pour autant exagérer...

– Bon... soir... mes... demoiselles... Ça va balancer les gars, les filles... Il nous manquait de demoiselles... c'est le bon Dieu qui vous envoie.

Toutes les deux rouges comme des fraises mûres, elles refermèrent la porte et prirent place sans attendre sur deux fauteuils droits juste à côté de l'entrée. On les applaudit. On les oublia. La danse commandait. La joie montrait le chemin à suivre.

Rémi Labrecque avait été un des premiers à se lever pour faire partie du groupe de danseurs, mais il ne se rendit pas au milieu de la pièce. Et se rassit, le cœur battant. Comme elle avait changé, la Philomène! Quelle différence!

– Vous êtes assez, dit-il à Xavier Poulin qui le réclamait pour compléter le quatuor. J'irai la prochaine fois.

Et il se recula sur sa chaise jusqu'à la faire porter sur les deux seules pattes arrière. La danse commença, Onésime accordant du pied. Rémi ferma les yeux pour se rappeler du jour où il avait ramanché le pouce de Philomène, de leurs regards qui s'étaient tant dardés, tant mélangés l'un dans l'autre ce jour-là, mais aussi de l'idée qu'il avait d'elle alors, comme d'une fillette fragile sans aucun intérêt pour un homme fait comme lui. Mais voici que vêtue en femme, Philomène ressemblait à une femme. Le jeune homme ne prenait pas conscience du temps qui avait passé et qui, comme le soleil mûrit les fruits verts, avait transformé si extraordinairement cette fleur d'automne.

Onésime cessa de jouer de son instrument, mais pas de taper du pied. Et s'improvisa «calleur». En fait, ce ne serait pas la première fois, mais personne dans son nouveau patelin ne lui connaissait cet autre talent. Les avait-il donc tous? On ignorait encore qu'il possédait une voix bien meilleure encore que celle de Pierre Chabot, mais on ne tarderait pas à le découvrir, et cela se produirait le soir même.

Il y avait donc une douzaine de jeunes femmes. Et toutes plus jolies les unes que les autres, aux yeux bouleversés des jeunes gens. Combien de mariages cette soirée arrangerait-elle au cours de l'année? Il se pourrait fort bien que le nombre dépasse la demi-douzaine car on ne mettait le plus souvent que quelques mois entre le début des fréquentations et les épousailles devant Dieu et les hommes.

– Et un demi-tour à droite, et un demi-tour à gauche... Swingnez votre compagnie... Les femmes au milieu, les hommes alentour...

Un être humain rasait les murs extérieurs et s'approchait de la fenêtre. C'était quelqu'un qui n'avait pas été invité et qui n'aurait pas été bienvenu dans la place s'il avait frappé à la porte. Jean Genest avait appris par un voisin du rang qu'il y aurait fête au village ce samedi-là. Il lui avait pris l'idée de venir voir ça de près dans un sursaut de son instinct grégaire. Mais il se sentait hors d'âge tout comme Onésime Lacasse plus tôt, avant de se rendre indispensable à la veillée. Surtout, lui, l'ermite qui refusait toute intégration à la communauté depuis son installation dans la paroisse, ne s'attendait pas à un accueil à bras ouverts à une danse où il serait vite pris pour un ennemi, un compétiteur en recherche, comme les autres jeunes gens, d'une compagne.

Aux abords du village, il avait réduit la flamme de son fanal à l'huile puis l'avait presque éteint avant de le camoufler hors de vue dans un bosquet de sapins. Et voici qu'il risqua un œil à l'intérieur et qu'alors, son esprit bascula dans l'horreur une fois encore comme tant d'autres depuis son abandon de l'armée nordiste huit ans auparavant.

Une scène insupportable, indélébile, lui revenait en mémoire. Une scène cauchemardesque qui hantait si souvent ses nuits depuis toutes ces années...

Ils sont quatre soldats dépêchés par un officier pour se rendre à une trentaine de milles porter une lettre à un détachement affecté à la garde d'un pont qu'il faut préserver à tout prix. On ignore la teneur du message. Ses trois collègues sont de New York et font parfois des blagues racistes à son sujet. Mais il a l'habitude. Une insulte, quelle qu'elle soit, cause moins de dommages qu'une balle sudiste. Et ils n'insistent pas. On se trouve dans un État rebelle, et les civils rencontrés montrent aisément leur antipathie par leurs yeux qui fusillent ou leur silence de mort. Le meneur du quatuor de l'estafette change de personnalité en l'absence d'un supérieur aux alentours. Il devient bizarre, agressif et semble une bombe sur le point d'éclater. Il monte le cheval de tête, une bête noire et nerveuse. Au détour d'un chemin, il lève la main et fait signe aux autres de s'arrêter. C'est la brunante. On croit qu'il a décidé d'un lieu de campement pour la nuit. Mais il nourrit une autre idée...

Une maison est en vue. Elle comme les autres est sûrement habitée par des sympathisants sudistes puisqu'on se trouve en plein territoire rebelle.

On met pied à terre.

– On va s'amuser un peu, lance le chef du groupe.

Quand on a vu tant de sang couler, quand on a entendu autant de gémissements de blessés, quand on a vu tant de corps démembrés, quand on a regardé mourir tant de jeunes gens que la pneumonie emporte, quand on a connu à une telle intensité la misère la plus sordide qui soit, quand on a côtoyé les rats, les serpents dans les marécages, quand on a passé plus de deux années à tuer des ennemis, à faire cette guerre extrême, on a le goût de s'arrêter l'espace de quelques heures quand l'occasion s'en présente. Et cette occasion avait pour nom Joseph John, le sous-officier chargé de la mission, personnage de 20 ans à peine, balafré au milieu du front et au menton, cicatrices de blessures reçues au combat, petit visage sous sa casquette militaire écrasée, regard noir et brillant, tunique poussiéreuse.

John reprend, le ton vicieux :

– On va attendre une demi-heure et ensuite, on va encercler la maison et faire des prisonniers… disons plutôt des prisonnières…

Et on attend. Il passe dans des regards la perverse mais sombre perspective de viols s'il devait se trouver dans cette demeure des personnes du beau sexe. Il semble que Joseph John ait choisi cette maison parce qu'elle était des plus ordinaires, à carré restreint quoique sur deux étages, blanche avec jalousies vertes, aux fenêtres vaguement éclairées et surtout isolée et hors de vue des voisins.

– Comme ça, on va se payer du bon temps ? demande un soldat à son chef, dont le regard semble possédé par les forces du mal.

– Plus on aura de plaisir, mieux on aura combattu pour la cause du Nord.

– On pourrait se faire tirer dessus, monsieur, avance l'autre Yankee.

– Ne serait-ce point encore plus excitant, monsieur ? lui est-il répondu de manière laconique.

Et le temps passe, silencieux, fébrile, inquiétant. Et enfin Joseph John donne un ordre :

– On y va. Chacun s'approche d'une fenêtre, et le premier qui voit quelqu'un en avertit les autres. Ensuite, on se regroupe à la porte d'entrée.

Ce qui est accompli. Genest est celui qui le premier aperçoit de la vie bouger à l'intérieur. En fait, il n'y voit que trois personnes de sexe féminin, qui lui semblent être une mère et ses deux filles adolescentes. Vêtues de splendides robes aux chevilles, elles sont assises dans un salon, occupées à des petits travaux à la lueur de bougies qui éclairent leur visage et leurs doigts qui ouvragent. Il remarque sur des guéridons près d'elles des pistolets couchés : contraste frappant dans un lieu aussi quiet. Comme si, dans le vestibule du ciel, on s'attendait à la venue d'une horde de Satan.

Genest ignore quel sort leur sera fait. La décision ne lui appartient pas. Mais il ne peut songer au pire. On ne pourra que leur faire peur, histoire de rire en passant. Il a entendu parler de massacres de civils, mais toujours perpétrés par les Sudistes aux dépens des gens du Nord. L'armée yankee n'est-elle point civilisée ? Ne défend-elle point la cause fort noble de la libération de l'esclavage ? Ne mène-t-on pas une guerre pour la vie et contre la mort ?

Alors, il obéit aux ordres, fort de sa réflexion. Et prévient les autres qui se regroupent devant la porte d'entrée, sans bruit, furtivement, à l'indienne. Aucun n'a rien vu dans la pièce inspectée par lui – il y a un éclairage d'utilité dans toutes – et fait rapport.

– On défonce la porte et on fonce au salon, déclare Joseph John, l'œil dangereux, l'œil abominable.

Les trois jeunes femmes n'ont aucun temps pour réagir. Fusils pointés, baïonnettes devant, les quatre soldats se précipitent dans la pièce et les mettent en joue. Elles s'arrêtent, pétrifiées, tremblantes.

– Y a-t-il des hommes dans cette maison ? hurle John.

La femme fait signe que non en hésitant. Elle est blonde, a les yeux bleus, le teint pâle, des taches de rousseur sur le visage. La proie idéale pour le jeune sous-officier au cœur dépravé.

– Nous ne sommes pas des rebelles, parvient-elle à dire en frissonnant de tous ses membres.

– Tous ceux qui vivent en territoire ennemi sont forcément des rebelles, rétorque John.

Il s'approche d'elle, appuie la baïonnette sur sa poitrine. Le moment est terriblement poignant, insupportable pour les trois victimes qui ne comprennent pas mais savent que leurs cris n'alerteraient personne. Il lui suffirait de donner un coup pour la transpercer et l'atteindre droit au cœur. Un seul mouvement et c'est la mort de cette femme que ses filles désespérées, horrifiées, clouées, regardent en la suppliant de trouver une solution.

John, dans un geste sec, soulève son arme et fait sauter un bouton du corsage. Pâle comme la mort, la femme ne bouge pas. Il y a d'autres boutons, mais elle n'a qu'un cœur. Il en fait sauter trois de la même manière puis jette son arme par terre et se rue sur elle, qui ne résiste pas. Telle est sa réponse à ses filles. Résister, c'est la mort. Obéir, c'est peut-être la survie.

Les jeunes filles ont à peine 12 et 13 ans. On ne voit de semblants de poitrine qu'à l'aînée. Genest se demande quel est leur nom. Il en imagine… Prudence comme sa mère… Octavie comme sa sœur… Émérencienne comme sa cousine… Puis, il songe qu'elles sont de langue anglaise et ne sauraient porter un prénom français, surtout pas canadien français.

John arrache les vêtements de la femme, la force à s'étendre sur le divan. Les deux autres soldats se ruent à leur tour sur les adolescentes et imitent leur chef. Ils les jettent par terre sur le tapis tressé et les dévêtent brutalement, elles aussi. Les jeunes filles pleurent, gémissent mais doivent se soumettre à l'instar de leur mère. Genest regarde, cesse de regarder, sait qu'il ne peut arrêter ces hommes déchaînés, se dit qu'il ne peut, ne doit s'en mêler. Ou bien lui faudrait-il les tuer tous les trois? Trois viols font moins de dommage que trois meurtres…

Et la scène se poursuit sous ses yeux. Il souhaite une intervention divine. Il espère que quelqu'un, n'importe qui, survienne et change tout. Mais rien n'arrive d'autre que les trois viols. Rapides. Violents. Sans rémission. Le premier à finir est celui par John. Genest n'a jamais vu un homme prendre une femme sous ses yeux, mais les sons lui parlent. Comme il regarde peu, il ne se rend pas compte que le sous-officier a tendu le bras vers le guéridon et s'est emparé de l'arme chargée qu'on avait préparée pour se défendre. Il ne voit pas John en appuyer le canon sur la tempe de sa victime. Il n'entend pas la terreur muette de cette femme qui sait qu'elle va mourir.

Les deux autres grognent comme des porcs en se déversant dans leurs victimes. Un son sourd dépasse leurs cris rauques de la passion bestiale s'assouvissant. Joseph John se détache de sa proie et à la vitesse de l'éclair, s'empare du second pistolet dont il se sert aussitôt contre la fille aînée en lui transperçant la poitrine à la hauteur du cœur. Elle meurt à l'instant tout comme sa mère.

Médusé, Genest n'a rien pu faire. Les deux autres soldats n'auraient pas voulu la mort de ces femmes, seulement leur dignité. Le troisième proteste:

– Pas elle! Elle est trop jeune.

Mais le sous-officier est pris d'une frénésie barbare. Il a soif de sang, de mort. Ces femmes pourraient se trouver grosses d'enfants qui deviendraient des rebelles, et cela l'enrage encore plus.

La cadette réalise ce qui vient d'arriver. Elle voit l'assassinat de sa sœur, comprend celui de sa mère. Se lève d'un bond en espérant échapper à la mort par la fuite. Court vers la porte. John reprend son fusil, la poursuit, l'embroche alors même qu'elle parvient à la porte défoncée. Il la frappe encore et encore: à la nuque, aux reins, à la tête… Le sang gicle, coule tout autour, éclabousse le meurtrier qui en jouit comme son rictus figé en témoigne…

Huit ans plus tard, Jean Genest ressentait la même envie de vomir qu'il avait soulagée ce soir-là en Virginie. Une drôle de question lui passait par l'esprit alors qu'il voyait ces jeunes filles et jeunes gens s'amuser à l'intérieur de la maison Mercier: pourquoi a-t-il gardé toutes ces années l'uniforme de l'armée nordiste, et pourquoi l'avoir porté jusqu'à l'user à la corde? D'ailleurs, ce soir-là, il en portait encore la casquette, trouée par les mites. Peut-être, songea-t-il, pour que ces vêtements lui rappellent, chaque jour qu'il les porterait, la bassesse de la race humaine et lui dise sans cesse de s'en tenir éloigné?

Philomène et Esther se déplacèrent pour aller vers d'autres chaises restées libres plus loin, de l'autre côté de Rémi Labrecque, toujours reculé sur sa chaise, les yeux fermés, tandis que la première danse achevait.

La jeune fille soudain lança un cri. Elle venait d'apercevoir derrière les musiciens, dans la fenêtre, la tête peu recommandable de cet homme qu'elle avait rarement vu et ne reconnaissait d'ailleurs pas. Rémi sursauta, rouvrit les yeux, perdit l'équilibre et tomba à la renverse dans l'hilarité générale.

— Mais c'est quoi qu'il t'arrive donc, mon Rémi? lança Onésime Lacasse.

Le jeune homme se remettait sur ses jambes, honteux et confus. Philomène pointait la fenêtre en bégayant:

— Y a quelqu'un qui nous guette là, dehors.

Plusieurs têtes se tournèrent vers l'endroit indiqué. Plusieurs épaules se haussèrent devant l'image de rien du tout que leur avait livrée la fenêtre obscure.

Rémi crut la jeune fille et se rendit aussitôt regarder par ladite fenêtre. Rien d'autre ne lui apparut que la sombre silhouette des grands arbres et, plus au ras du sol, la masse des aulnes et arbustes. Se sachant repéré, Genest s'était tapi dans la noirceur.

— J'ai vu quelqu'un... une face en grimace...

– C'était le diable, lança la voix masculine d'un joyeux luron qui la grossit à dessein pour mieux effrayer.

Cela réussit. D'aucuns frémirent de tous leurs os. D'autres froncèrent les sourcils. Onésime pensa que la superstition ne devait pas venir couper le plaisir et lança :

– Les amis, êtes-vous prêts pour une chanson à répondre ?

Il fut copieusement approuvé. Pendant ce temps, Rémi ouvrait la fenêtre et reluquait dehors sans rien voir d'autre que le noir pur. Il rentra :

– Peut-être un ours à face de belette ? lança-t-il pour faire rire aussi et ramener la joie dans la maison.

L'on se rassit. Rémi en profita pour aller à Philomène et la questionner sur l'apparition : prétexte en vue de passer la veillée à ses côtés. Et Onésime debout se donna le ton à lui-même à la ruine-babines puis lança une chanson qui n'avait pourtant rien pour rassurer :

« Le « yable » est dans l'village, savez-vous c'qu'il y a ? »

Mais sous peu, tous embarquèrent dans la joie générale, chantèrent, frappèrent des mains, rirent, se laissèrent envahir par un plaisir sain et vivifiant.

Genest erra un temps autour des bâtisses puis il retourna chez lui, éclairé par la flamme dérisoire de son fanal.

Rémi passa la veillée avec Philomène.

Onésime fit les doux yeux à Esther, bien plus jeune que lui. Elle en fut émue. N'était-il pas la vedette de la veillée ?

∞∞∞∞∞∞∞∞∞

Chapitre 20

Le lendemain après-midi, le curé entendit les confessions avant la messe. Il lui fut parlé à quelques reprises au moins de la veillée des jeunes. Et voilà qui le contraria voire l'irrita, lui qui se disait que le douteux événement ne se serait sans doute pas produit s'il avait été résident ou bien si un curé était nommé à la tête de la nouvelle paroisse et y vivait à la semaine longue. Si au moins, il s'était agi d'une veillée surveillée, mais même pas!

Les forces de Satan s'exprimaient de plus en plus fort de ce temps-là, songeait-il, et il n'y aurait pas de quoi se surprendre que le Malin lui-même soit apparu à la fenêtre de ces jeunes pêcheurs. Et pourquoi Satan se montrait-il si actif partout et jusque dans les villages de colons comme Saint-Honoré? se disait-il aussi. C'était la réponse du Malin au Concile du Vatican qui venait de se terminer après deux années de durs travaux et avait promulgué deux dogmes, l'un sur l'infaillibilité doctrinale de l'évêque de Rome et l'autre sur sa juridiction universelle sur les fidèles de l'Église, pris individuellement et collectivement.

Et par quelle bouche Satan s'exprimait-il le plus fort ces temps-là? Celle de ce renégat[9] d'abbé Charles Chiniquy prêchant partout au Canada catholique et aux États contre ces deux dogmes. Et voici que le curé Desruisseaux avait reçu cette semaine même une

---

9. Les appellatifs (renégat, apostat) concernant le Père Chiniquy ne correspondaient pas à la réalité puisque le prêtre, s'il se trouvait hors de l'Église, l'était par la décision même de l'Église et non par son reniement de la religion catholique ou son apostasie.

lettre de l'archevêque de Québec, Mgr Taschereau, l'informant de la publication d'un livre sacrilège au titre de *Le prêtre* écrit par ce même Père excommunié par l'Église en 1858. L'auteur y dénonçait – à tort bien sûr – divers abus de pouvoir (domination sur la conscience, exploitation des femmes, leur corps inclus, etc.)

Le curé Desruisseaux avait préparé une prêche sur Satan incarné en la personne de Chiniquy, mais voici que cette histoire de veillée de danse requérait attention et modifierait sûrement la teneur de son sermon. Car le démon ne se contentait plus de parler par la bouche de l'apostat qui avait été longtemps sous Mgr Bourget de Montréal un champion de la prédication en faveur de la tempé-rance et grâce à qui tant de croix noires avaient été suspendues dans les foyers catholiques du Canada français, mais voici que le Malin était venu parler en plein Saint-Honoré, dans cette maison sans âme érigée face à la chapelle, par les cordes du violon à Ti-Jos Bellavance et les lamelles de cuivre de la ruine-babines à Onésime Lacasse. Comme si le prince des ténèbres avait ainsi voulu défier Dieu lui-même en soufflant son esprit à quelques pas seulement du temple paroissial.

Il leur chaufferait la couenne, à ces jeunes écervelés, tout comme l'Église lui chauffait la couenne, à ce Chiniquy dont on pouvait d'ores et déjà être certain de la damnation éternelle à moins qu'il ne se repente avant de mourir, ce qui ne semblait pas du tout au risque de se produire dans son cheminement impie.

Et en dehors du sermon, c'est Prudent Mercier, son bedeau, qui se ferait frotter les oreilles de la belle façon. Prêter sa maison pour une veillée de danse: insensé!

Plusieurs remarquèrent le rouge au visage et aux oreilles de l'abbé Desruisseaux tout au long de sa messe jusqu'au sermon. D'aucuns s'attendaient à ce qu'il parle de la veillée. Ceux qui y avaient pris part se sentaient la conscience en paix, et pas un ne s'en était accusé, à confesse.

Le curé regarda tout un chacun après s'être approché du lutrin derrière lequel il se livrerait à sa prêche dominicale. Mais ses yeux lançaient des éclairs inhabituels. Et il paraissait aux plus observateurs que sa tête légèrement penchée et son visage figé sous des paupières menaçantes diffusaient une sorte d'ironie mordante voire de la sainte colère.

« Mes bien chers frères,

Satan veille… Le saviez-vous ? Le savez-vous ? Il veille partout où il y a des âmes, le démon, ce moissonneur d'âmes, cet être perfide prêt à vous embarquer dans sa voiture pour vous emporter vers son éternité à lui, une éternité de souffrances et de malheur. Il rôde tout autour de nous, et quand nous ne sommes pas vigilants, quand nous ne prions pas assez, quand nous nous laissons aller à nos vils instincts, quand nous tournons le dos à notre ange gardien, voici que l'ange des ténèbres s'approche de nous et nous fait succomber à la tentation. Hier soir, il semble qu'il soit venu faire un pied de nez au bon Dieu ici même, dans ce beau village, en plein cœur de Saint-Honoré, en face même de cette chapelle paroissiale… »

La foule fut parcourue par une sorte d'ondulation semblable à celle qui fait bouger la surface des blés mûrs sous le souffle du vent. Tous savaient à quoi le prêtre faisait allusion. Et voici que non seulement il annonçait ses couleurs, mais qu'il les lançait droit devant, sur tous les fidèles de la paroisse, comme une chaudiérée d'eau glacée.

D'aucunes se disaient : ils vont ben voir, les jeunes !

D'autres pensaient que peut-être il s'était passé à la maison Mercier quelque chose de répréhensible et qu'ils l'ignoraient, mais que le prêtre allait le leur révéler à l'instant.

D'autres croisèrent les bras sur leur poitrine, histoire de se rebiffer, et le curé les remarqua, ces Chiniquy de Shenley.

Et voici qu'il songea que c'était une chance s'il avait reçu cette lettre de l'archevêque, car il pourrait ainsi imbriquer deux événements, les relier par Satan et par l'enfer pour mieux embrigader les fidèles dans la pensée catholique, maintenant infaillible plus que jamais.

– Une partie de notre jeunesse, heureusement une partie seulement, échappant à la vigilance des parents sans doute, s'est réunie dans la maison d'en face hier soir pour s'y adonner à des activités se situant bien loin de la pensée catholique et chrétienne, hélas! La danse et la pureté des mœurs ne vont pas ensemble, ne font pas bon ménage. Pas plus que les boissons alcooliques et les principes de la sainte religion. À ce propos, mes bien chers frères, j'ai appris ces jours-ci que le prédicateur de la tempérance dont vous avez tous entendu parler un jour ou l'autre, l'ex-abbé Chiniquy, excommunié par l'Église il y a une dizaine d'années et qui, avec l'aide de Satan, essaie depuis ce temps de s'en venger, vient de faire paraître un livre sacrilège dans lequel il accuse la sainte Église de contribuer à l'exploitation de la femme… Qu'est donc cela, Dieu du ciel, dites-moi… J'ai bien dit oui, exploitation du corps de la femme. Qu'est donc cela, mon Dieu? Donner la vie est-il un acte condamnable? Donner la vie serait-il donc un acte d'abomination? Non, Chiniquy! Non, Satan! Qui de plus grand aux yeux de Dieu que la femme qui donne le jour à six, dix, quinze enfants? Ce sont six, dix, quinze âmes neuves destinées à la vie éternelle et à la gloire de Dieu parmi lesquelles souvent des religieuses ou des prêtres et parfois même les deux dans les meilleures familles. Cela est-il condamnable? Non, Chiniquy! Non, Satan!

Plusieurs femmes dans leur candeur naïve ne saisissaient pas que l'énumération six, dix, quinze signifiait en réalité plusieurs et que dans ce «plusieurs» étaient compris tous les autres chiffres entre un et vingt ou même vingt-cinq. Par contre, elles se disaient toutes, à l'exception de celle qui avait franchi le cap de la quinzaine d'enfants, Marie Martin, qu'elles atteindraient un jour ou l'autre les chiffres mentionnés par le curé.

– Certes, le péché de Chiniquy est grave et grand. Bien plus grave et grand que celui de notre belle jeunesse irréfléchie qui s'adonne sans surveillance à des activités peu recommandables le samedi soir. Mais les deux ont pour dénominateur commun qui? Nul autre que… le… démon. Il a même été dit qu'on l'aurait peut-être aperçu par une fenêtre de la maison… et qui s'en surprendrait? Qui s'en surprendrait, qu'on me le dise!

Plusieurs femmes avaient la chair de poule. D'autres, des hommes surtout, le prenaient en riant intérieurement. Mais celles et ceux, pas tous quand même, qui avaient participé à la veillée se sentaient menacés, agressés, violentés par les mots du curé. Et celles parmi les punaises de sacristie qui avaient rapporté les faits au prêtre ressentaient à la fois du soulagement et une certaine bénédiction venue d'en haut, une reconnaissance par le bon Dieu pour leur contribution à la lutte universelle contre le péché universel.

– Les seules danses admises par l'Église, vous le savez tous, mes frères, sont les sets canadiens entre parents et amis au temps du jour de l'an. Les gigues simples, la danse du petit bonhomme… Mais pas autre chose… L'esprit est fort, mais la chair est faible, mes bien chers frères…

Marie-Rose Larochelle se demandait pourquoi le prêtre ne disait jamais aussi « mes bien chères sœurs ». Mais en ce moment, c'est moins à la veillée des jeunes qu'elle pensait qu'à ce qu'avait dit l'abbé Desruisseaux à propos des idées de Chiniquy. N'y avait-il pas en effet abus de la femme à qui on demandait de passer le plus clair et le meilleur de sa vie à porter des enfants, risquant sa propre vie à chaque naissance et donnant un morceau de sa santé chaque fois? Pourquoi l'Église catholique démonisait-elle le père Chiniquy parce qu'il se faisait défenseur de la femme avant de se faire défenseur de la foi? Elle était la seule de l'assistance à pousser aussi loin le questionnement intérieur sans se dire que ces interrogations puissent être associées à la soi-disant pensée sacrilège du père Chiniquy.

Philomène Morin était anéantie. Tête basse, triste, apeurée, elle se croyait une grande pécheresse. En même temps, elle se demandait comment on peut s'amuser autrement entre jeunes de son âge. Rire et chanter était-il donc si déplorable pour le bon Dieu? Le curé parut entendre son interrogation et poursuivit:

– Le bon Dieu n'a jamais défendu à ses enfants de rire et de chanter. Mais il y a des règles à suivre que seule l'Église peut édicter. Partout où l'on rit et danse entre jeunes, il faut des couples mariés pour assurer la surveillance. Vous le savez, ça, mes bien chers frères. Votre curé ne s'élèverait pas contre cette veillée si elle avait été surveillée, comme on le dit souvent. C'est bien simple. Et Satan voyant cela se tiendrait à distance…

L'imagination et la mémoire de Philomène la ramenèrent la veille au moment où elle avait aperçu cette face bizarre par la fenêtre de la maison Mercier. Elle ne put retenir un petit cri qu'elle transforma aussitôt en toussotement. Sa mère la regarda et soupira…

Le prêtre ne croyait pas très profondément ce qu'il faisait accroire à ses fidèles, et c'est pourquoi il recourait, comme bien des collègues, aux artifices les plus flamboyants de l'art oratoire, ainsi du reste que l'avait toujours fait le père Chiniquy dans ses mémorables prédications en faveur de la tempérance.

– Les deux premiers mots de mon sermon furent… vous vous en souvenez? Quelqu'un s'en souvient-il? Levez la main ceux qui s'en rappellent…

Seul Clément Larochelle leva le bras. Le curé lui cloua le bec:

– Je vous crois. Mais nous sommes deux cents personnes ici, et une seule se souvient des deux premiers mots de mon sermon. Ce n'est pas un reproche. Ce n'est pas un manque de mémoire. C'est que le Malin cherche à se faire oublier, et en voici la preuve irréfutable. Les deux premiers mots de mon sermon ont été: «Satan veille».

Bien des têtes approuvèrent. Bien d'autres hochèrent la tête silencieusement.

– Satan le malveillant se souvient des deux premiers mots de mon sermon...

Il remarqua des sourires et songea qu'il devait ouvrir une parenthèse pour soulager le seul qui avait levé le bras :

– Je ne fais bien sûr aucun rapprochement entre Satan et monsieur Larochelle, notre pionnier-fondateur, bien au contraire, ce que je veux dire, c'est que vous devriez tous veiller... oui, veiller – pas une veillée pour danser, là – mais veiller... être sur vos gardes encore plus que le Malin. Être vigilant. Satan veille : un seul d'entre vous s'en souvenait. C'est dire que les autres ne veillent pas assez. Satan veille... et surveille... Et attend son heure... et sème les occasions de péché sur la route des êtres humains... Assez dit sur le sujet, revenons sur celui de mon sermon préparé, l'apostat en exil qui ne cesse d'attaquer l'Église...

∞∞∞∞

Après la messe et le départ des fidèles, le curé apostropha son bedeau. Tout d'abord, il lui mit entre les mains le bénitier dans lequel trempait le goupillon et l'entraîna à sa suite à l'extérieur sans rien dire. Là, il traversa le chemin et se mit devant la porte de la maison inhabitée.

– Mon cher Prudent, je vais la bénir afin d'empêcher le démon d'y mettre le feu.

– Écoutez, monsieur le curé, j'ai prêté ma maison aux jeunes pour leur être agréable. Ils n'ont rien fait de mal.

– Qu'est-ce que tu en sais ?

– On l'aurait su.

– Le mal que préfère le Malin, c'est celui qu'on accomplit à l'intérieur de soi, dans le secret de son cœur, en catimini. Et ça, comment aurais-tu pu le savoir ? Tu n'es pas confesseur, tu es bedeau. Un bedeau...

Prudent dut s'incliner devant cet argument. Il baissa la tête pour le signifier. L'abbé prit le goupillon et aspergea les marches de bois :

– Je bénis cette maison au nom du bon Dieu. Que toutes choses à s'y passer désormais soient belles et bonnes. Que jamais le péché n'y trouve refuge ! Que plus jamais Satan ne l'approche ! Et ainsi, elle sera cent ans et plus…

Onésime Lacasse, qui avait tardé à retourner chez lui à cause d'une conversation prolongée avec Pierre Chabot qui voulait faire de lui un chantre paroissial, s'approcha du curé et de Prudent Mercier pour défendre la jeunesse. Quand le prêtre rebroussa chemin, il tomba face à face avec lui.

– C'est que j'aurais voulu vous dire, monsieur le curé, c'est que j'étais à la veillée hier, pis que les jeunes, moé, je vous les ai sur-veillés comme il faut. J'peux vous garantir que tout s'est passé suivant les règles des bonnes mœurs. On a même chanté un chant religieux à un moment donné…

– C'est très bien… il aurait peut-être fallu me le dire avant la messe… quoique je ne regrette pas mes paroles…

– Je veux vous dire itou que monsieur Chabot m'a convaincu d'être deuxième chantre paroissial.

– Il m'a été dit en effet ces derniers temps que tu possèdes une voix exceptionnelle, mon ami.

– J'en ai aucun mérite : c'est un don du bon Dieu.

– Bon, dit le prêtre en se frottant les mains d'aise, il semble que tout est pour le mieux dans le meilleur des mondes.

Puis, il regarda le ciel entre les arbres multicolores :

– Belle journée d'automne !

– J'ajouterai, monsieur le curé, qu'à l'avenir, si vous voulez, je vas les surveiller, moé, les veillées des jeunes… Je serai votre œil dans la place… si vous voulez, bien entendu…

L'abbé était satisfait, somme toute, de son dimanche, mais il ne le montra pas et rentra dans la chapelle.

∞∞∞

Dès la semaine suivante, les membres de la commission scolaire votèrent en faveur de l'ouverture d'une école au village. Il fut demandé à Prudent Mercier s'il accepterait de louer sa maison neuve à cette fin. L'homme ne put s'empêcher de penser qu'il s'agissait là d'un effet de la bénédiction du curé. Il accepta. Mais il fallait maintenant trouver une maîtresse d'école, et la seule personne « instruite » capable d'enseigner aux enfants était Marie-Rose Larochelle. Elle en discuta avec son mari, et la proposition fut acceptée. Il lui faudrait aller au village tous les matins à pied et en revenir de la même manière. Peut-être qu'aux neiges, elle viendrait en traîneau attelé. Firmin Beaulieu pourrait loger son cheval dans son étable…

∞∞∞

Que de temps avait passé pour Grégoire Grégoire depuis son installation à Shenley. Que de sueur! Que de labeur sur son lot devenu terre faite à force de bras et d'efforts incessants! Un soir de cet automne 1871, à la brunante, il sortit de sa maison située sur le chemin de la Grand-Ligne vers Saint-Évariste et regarda le grand ouvrage de sa vie: sa terre. Il était content. Ses yeux parlaient de futur au mont Adstock qui dans le lointain l'avait regardé faire toutes ces années laborieuses.

∞∞∞

L'abbé Côté de Saint-Henri, qu'une pierre avait failli écraser l'année précédente sous les échafaudages de l'église et que la Providence par la voix avertisseuse d'un maçon et la main d'Édouard Allaire avait sauvé, acheva son entrée dans le registre paroissial après avoir récité quelques *Ave* pour rendre hommage à la Vierge Marie. On était le jour de la fête de l'Immaculée Conception. Il relut son texte :

« *Le 8 décembre 1871, nous, prêtre soussigné, avons baptisé Marie Henriette, née ce jour du légitime mariage d'Édouard Allaire, cultivateur, et de Pétronille Tardif, de cette paroisse. Parrain Charles Tardif. Marraine Émérence Beaudoin, qui n'ont pu signer. Le père absent.* »

Venait de naître le sixième enfant de la famille Allaire.

Une fois de plus, au retour du nouveau-né à la maison, la petite Émélie âgée de 5 ans s'accrocha les mains au ber et regarda longuement ce bébé dont sa mère lui dit qu'il s'agissait d'une petite fille tout comme elle. Mais ce visage tout de plis aurait bien pu être celui d'un petit garçon puisqu'il ressemblait en tous points à l'image qu'elle avait gardée en souvenir du bébé de l'année d'avant, Joseph, qu'elle appelait Jos tout comme son père le faisait et en donnait l'exemple…

∞∞∞∞∞∞

Chapitre 21

Saint-Henri-de-Lauzon, 1872

Ce jour de l'An resterait pour toujours gravé dans la mémoire de la fillette de 6 ans dont c'était la veille l'anniversaire de naissance. Il y avait plein de monde dans la maison de ses grands-parents où elle se trouvait en ce moment pour une raison bien particulière. Elle remplaçait sa mère malade et qui n'avait pas y venir avec son époux en raison de son alitement.

Émélie que tous appelaient Mélie était vêtue de noir profond des pieds à la tête et, son père l'avait fait asseoir sur une petite chaise berçante à côté du poêle où elle risquait moins de souffrir du froid qui entrait dans la maison à pleine porte chaque fois qu'on l'ouvrait et qu'un visiteur entrait ou quittait les lieux funèbres.

C'est que son père avait une grande affection pour sa fillette, devenue l'aînée de famille après que son fils premier-né, Joseph-Édouard, eut trépassé de façon si prompte et bête au lendemain d'une prise de photographie mémorable en 1867. Édouard Allaire n'était guère démonstratif de son sentiment, mais il l'exprimait par le soin qu'il prenait d'Émélie, par les valeurs qu'il lui inculquait et l'instruction qu'il lui ferait acquérir. Et maintenant que sa femme était sérieusement malade depuis la naissance du dernier enfant, petite fille prénommée Henriette, le cultivateur de 40 ans voyait encore de plus près à l'éducation des enfants, bien qu'il ne sache pas lire ou écrire lui-même. Car il ne confondait pas instruction et éducation.

L'enfant aux cheveux encore plus noirs que ses vêtements ne bougeait pas depuis un bon bout de temps et collectait toute la chaleur que le poêle à deux ponts voulait bien lui donner. Mais dans sa tête passaient les questions qui hantent l'humanité depuis la nuit des temps : qu'est la maladie, qu'est la mort, pourquoi l'une et l'autre ?

Il lui parut que le bruit diminuait dans la pièce. Plusieurs personnes venaient de s'en aller. Un semblant de silence les avaient remplacées. Alors, elle se pencha en avant, et la raison de ce brou-haha et de sa présence en ces lieux lui apparut. Au milieu de la cuisine, étendu sur un drap noir au milieu de la table, se trouvait le corps de sa grand-mère qu'une attaque du cœur avait emportée la veille vers ce que les grands appelaient un monde meilleur.

Par bonheur, se disait la fillette chaque fois qu'elle jetait un regard sur la défunte, sa mère n'ayant que 30 ans, était donc loin de l'âge de mourir, ainsi que le disait son père à propos des personnes de 60 ans et plus.

Et depuis leur arrivée de l'autre rang en carriole, sur le coup de midi, elle entendait les visiteurs adresser à la parenté proche, donc à son père, mais pas à elle parce que trop petite, des paroles pour le moins contradictoires. « Mes sincères condoléances ». « Bonne et heureuse quand même. » « Que voulez-vous, la vie se continue. »

Sa vue fut voilée par une grande personne en noir portant un capuchon. La femme vint droit à elle et se pencha pour lui dire tout bas :

– Je te dis bonne fête, Mélie. Ton père m'a dit que tu irais à l'école cette année ?

L'enfant sourit et fit un signe de tête affirmatif.

– Ça sera pas long que tu vas savoir écrire ton nom… comme le mien.

Cette belle jeune femme au sourire à fossettes était la tante de la fillette et portait le même prénom d'Émilie suivant le registre paroissial, mais à cause de ce diminutif Mélie et à cause de son père qui avait toujours déformé son prénom, la petite fille se désignait elle-même et le ferait plus tard à l'école et toute sa vie sous le prénom d'Émélie.

— T'as-tu de la peine que ta grand-maman soye morte?

— Ben oui, voyons! fit Émélie en penchant la tête.

— Mais, tu sais… elle était malade beaucoup… pis quand on est beaucoup malade, on est mieux de s'en aller avec le bon Dieu.

L'enfant eut les yeux ras d'eau. Elle ne pensait pas à sa grand-mère et plutôt à sa mère alitée. S'il fallait qu'elle meure, que ferait-elle sans elle? Il y avait une famille dont la maman était décédée dans le troisième rang, et on les appelait les pauvres orphelins, ces enfants délaissés. Elle aimait tant sa mère et ressentait un tel chagrin de la voir si faible, si cernée, si lointaine aussi.

— Je vois que tu as de la peine, mais grand-maman est au ciel pis elle te bénit, tu sais.

Émélie fit un signe de tête et se laissa retomber vers l'arrière, le dos à sa chaise, sa grand-mère hors de sa vue. Sa tante reprit:

— Je te dis bonne fête pis j'ai un petit cadeau pour toé…

Elle trouva dans sa sacoche une petite croix de bois qui lui avait été donnée par sa mère un jour et qu'elle dit à l'enfant de garder toujours.

— Quand le malheur va passer, elle va te consoler. Et puis par elle, il va t'arriver du bonheur, tu vas voir. Quand t'en auras envie, tu la prendras, tu la regarderas pis tu diras un *Ave* Maria. Là, la bonne Sainte Vierge va venir dans ton âme pour l'inonder de lumière et dans ton cœur pour le noyer de chaleur. Pis là, tu vas te sentir ben mieux. Tiens, prends.

Émélie ouvrit sa main droite et recueillit l'objet précieux qu'elle enveloppa de ses doigts:

— R'ci ma tante!

— Là, je retourne avec les autres.

Émélie ferma les yeux et garda longtemps sa petite croix dans le creux de sa main. Elle se demanda où elle pourrait la mettre pour ne pas la perdre et ne trouvait pas de réponse. Mais sa maman saurait, elle qui savait tout… Dès son retour à la maison, elle irait la voir dans sa chambre.

— On dirait qu'elle dort, souffla une voix de femme au-dessus de la fillette que la chaleur rendait somnolente et que sa réflexion gardait en elle-même.

— C'est la chaleur du poêle, commenta une voix masculine. C'est pas une petite paresseuse, je vous dis, moé. Ça travaille tout le temps… comme sa mère quand elle est dans sa bonne santé.

Émélie, ouvrit les yeux. Elle aperçut un couple formé de son père et d'une dame du voisinage de chez elle, une personne qui lui était très familière, madame Leblond.

— Bonjour Émélie! Ton père vient de me dire que c'est ta fête aujourd'hui… ben bonne fête. Quel âge que t'as donc là?

— C'était hier… 6 ans.

— 6 ans? Mais c'est une grande fille déjà!

L'enfant sourit un peu.

— Pis une ben belle grande fille à part de ça!

Le visage d'Émélie respirait la santé. Ses yeux bruns légèrement bridés, vaguement tristes, disaient la détermination, la force de caractère. Il y avait dans chaque partie de sa figure une finesse de traits, une joliesse des courbes se mélangeant avec des lignes solides pour former un ensemble d'une beauté pure à la grecque. Les regards sur elle s'arrêtaient un peu plus que sur les autres enfants en raison de cette mystérieuse harmonie dégagée par ses attributs: oreilles délicates, bien ciselées, attentives, menton fin sous des lèvres belles et chaudes qu'accentuaient les plis de l'espièglerie aux ailes du nez. Ses pommettes saillaient pour marquer la vigueur et l'énergie tandis que son regard exprimait autant la douleur que la puissance docile. Et pour encercler cette grâce enfantine que le temps aurait beau transformer, et ne saurait qu'agrandir, anoblir, une couronne de cheveux foncés et très denses dessinée par une capeline en laine emprisonnant la coiffure entortillée à l'arrière de la tête.

Et des doigts démesurément longs pour une fillette de cet âge promettaient un labeur incessant que seule la mort pourrait arrêter alors que son dernier souffle emporterait avec son âme un sens du devoir appelé à baigner sa vie entière.

Philomène, épouse d'Olivier Leblond, était la belle-sœur d'Émélie la tante. Elle vivait plus loin dans le même rang où s'était établi Édouard Allaire une quinzaine d'années auparavant après avoir failli se joindre à un duo de jeunes gens passant par là pour aller défricher la forêt d'un plateau en Haute-Beauce.

Il y avait presque toujours un sourire de bonté dans son visage rassurant. Et si elle fronçait les sourcils, c'était moins pour réprouver que d'amener l'autre à se questionner sur sa propre attitude, ses gestes, ses dires.

– Je te laisse avec elle, je vas parler avec Olivier, dit le père d'Émélie.

Philomène dit:

– Par chance que tu restes pas chez nous parce que ça te ferait long à marcher pour aller à l'école. As-tu hâte d'aller à l'école, Émélie?

– Ben... oui...

– Tu vas apprendre à lire, à écrire, à compter... Tu vas savoir compter jusqu'à cent peut-être même jusqu'à mille.

– Je le sais jusqu'à vingt.

– Hein? C'est vrai?

L'échange se poursuivit tandis que le père de la fillette retrouvait son voisin et ami Olivier, un homme de petite taille au visage de lune qui le questionna aussitôt sur l'état de santé de son épouse:

– Comment qu'elle va, la Pétronille de ce temps-là?

– Comme tu peux voir qu'elle a pas pu venir au corps, pis elle pourra pas venir au service de la mère demain non plus.

– Ils trouvent toujours pas c'est quoi qu'elle a?

– Je l'ai emmenée deux fois voir un bon docteur, le nôtre par icitte pis un autre à Lévis, pis ils savent pas trop ni un ni l'autre. C'est comme qu'on dirait... son sang qui revire en eau. Il dit qu'il faut qu'elle mange en masse de la viande de bœuf pis du boudin, mais elle a jamais faim, elle mange comme un oiseau. J'ai beau faire, j'ai beau dire...

Pendant que l'autre parlait, Olivier résumait en sa tête ce qu'il savait de lui...

Édouard, homme de taille légèrement supérieure à la moyenne, avait les cheveux noirs, raides et courts. Il avait beau arborer une moustache à la mode, large et aux rebords tombant de chaque côté de la bouche, il gardait ses traits juvéniles et riait parfois d'aussi bon cœur qu'un enfant. Malgré des sentiments plutôt vifs et peut-être pour cette raison, il s'était marié sur le tard, soit à plus de 30 ans, en 1863. C'est que toutes ces années, tout en travaillant sa terre avec courage et patience, il rêvait d'aller s'établir lui aussi en Haute-Beauce, dans cette région dont les terres, était-il rapporté, se montraient d'une fertilité rare. Puis, au rêve de cultiver là-bas s'était ajouté parfois celui d'y ouvrir un magasin général quand le chemin de fer dont on parlait de plus en plus passerait par les environs là-bas. Mais le destin avait ses propres vues sur sa vie et lui avait fait rencontrer Pétronille Tardif. Et alors le barrage du célibat érigé autour de lui s'était s'effondré comme un dérisoire château de cartes.

Quand, à l'âge de 22 ans, la fort jolie Pétronille était entrée pour partager sa demeure, il lui avait lancé une phrase déclaratoire:

«Ben c'est icitte qu'on va faire notre règne!»

Voilà donc les seules grandes lignes de la vie d'Édouard que connaissait Olivier...

– On va passer lui faire une visite à soir en retournant à la maison... si elle est pas trop affaiblie...

– Non, non, ça va lui faire du bien. Moé, je vas veiller le corps jusqu'à neuf heures, mais arrêtez en passant, même si vous partez pour chez vous avant moé.

– Joséphine pis Pétronille, ça s'entend ben comme il faut, mieux que deux sœurs.

– Ouais ben la mère est partie vite. On s'attendait pas à ça pour le jour de l'An. Mais à son âge…

– Elle avait 70 pis plus ?

– 74.

Olivier hocha la tête :

– Quand on va être rendus là, nous autres…

– Bah ! on a «de reste» le temps de mourir. Ça vient tout le temps avant son temps, ça, la mort.

– On veut ce qu'on veut, pis le bon Dieu veut c'est qu'Il veut. Toujours Lui qui décide.

– Ça, c'est ben certain !

L'on poursuivit cet échange de tous ces lieux communs qui de tout temps historique ou préhistorique se sont croisés en la bouche des visiteurs dans les pièces funéraires…

Il y avait deux rangs de chaises alignées en forme de L autour de la table d'exposition depuis la porte d'entrée jusqu'au poêle. Une quinzaine de personnes y avaient pris place, toutes habillées en foncé, certains hommes parents proches arborant un brassard noir au bras gauche. Quand de nouveaux arriveraient, certains partiraient afin de laisser la chance à ceux-là de prier à leur tour pour l'âme de la défunte.

Une vieille demoiselle au menton en galoche, qui, à l'année longue, faisait la navette d'un corps à l'autre dans la paroisse au gré des coups du sort, se leva et, par le *Au nom du Père*, annonça une dizaine de chapelet, les yeux clos, les mains jointes. Tous se levèrent, et l'échange entre les deux hommes fut interrompu. Elle lança son premier *Avé*, le cœur content, sûre que grâce à elle, la Marie-Josephte Gosselin aurait moins long à attendre au purgatoire avant que ne s'ouvrent toutes grandes devant son âme les portes du beau ciel bleu.

Mais Édouard renoua avec une image du passé qui lui était revenue un moment plus tôt. Il se revit quelque part en 1854, en train d'écouter ce jeune Français au magasin général de Sainte-Marie et qui, avec deux amis, allait s'approvisionner avant de poursuivre sa route vers la Haute-Beauce et cette forêt vierge des hauteurs…

Le temps de le dire et les *Ave* prévus furent tous récités. La vieille demoiselle se rassit, fière et sanctifiée.

– Je repensais à ceux-là qui sont allés s'établir dans la Haute-Beauce. Ça grossit tant par là, les rangs pis toute, qu'ils vont fonder officiellement paroisse à ce qu'il paraît. C'est sur le point de se faire, que j'ai su. Ont déjà une grande chapelle… une quarantaine de familles… Plusieurs appellent déjà le canton de Shenley Saint-Honoré.

– T'as toujours eu envie de t'en aller dans ce boutte-là, hein Édouard? C'est le Français de Sainte-Hénédine qui t'avait mis ça dans la tête.

– Un vaillant! Pas frette aux yeux. Un fonceur pis un fondateur comme on pourrait dire.

– On a beau dire de contre eux autres, les Français, y vont d'avant sans trop s'assire dans les brancards.

Édouard regarda le corps de sa mère, puis au loin quelque part dans l'inconnu, soupirant:

– Ma vie, celle à ma femme pis de mes enfants, c'est par icitte, à Saint-Henri: c'est pas d'hier que je le dis.

– Bon, ben nous autres, on retardera pas. Les enfants sont tu seuls à maison pis les petits gars, Alphonse pis Eusèbe, ils sont un peu tannants avec Cédulie pis Alice.

– Pouvez-vous ramener Mélie avec vous autres? Ça va rassurer ma femme, pis pas tard, je vas retourner, moé itou.

– Ben certain!

– Ben certain! dit aussi Philomène quand Édouard lui fit la même demande.

Et, tendant la main à la petite Émélie, elle lui dit:

– On va te mettre dans le borlot entre moé pis Olivier, ben au chaud, pour t'en retourner à maison. Pis les petites clochettes vont sonner tout le temps.

La fillette enfouit ses mains dans ses mitaines blanches, et la petite croix demeura entre ses doigts. Elle voulait garder contact avec l'objet pour être sûre de ne pas le perdre. Encadrée par le couple Leblond, elle s'avança près de la défunte et imita les grands en se signant elle aussi. Elle savait qu'ils disaient une prière et en dit une à son tour.

«Mon Dieu, faites entrer grand-maman dans votre grand royaume… pis ramenez maman… qu'elle soit pus malade. Je vous donne mon cœur… faites que maman soit pus malade… ça ferait que papa… il serait heureux pis moé itou, pis la p'tite Marie itou… pis ma p'tite sœur Georgina… pis mon p'tit frère Joseph… pis ma p'tite sœur Henriette…»

Philomène lui prit le bras. Elle regarda son père derrière elle. Il lui dit:

– Dis à maman que je vas être là dans pas plus que deux heures.

Et l'homme montra avec ses doigts le chiffre deux que la fillette connaissait sur les siens, et tous les autres jusqu'à vingt, alors que pour la seconde dizaine, elle recommençait le décompte. Son regard brilla. Son père lui sourit. Elle quitta avec les Leblond.

La nuit n'était ni très profonde ni trop noire. Le cheval resté attelé, recouvert d'une épaisse peau de bison, parut en saluer d'autres qui attendaient leur maître, comme il l'avait fait. Il hennit à moitié à trois reprises quand Olivier le découvrit avant de monter à côté d'Émélie et de Philomène sur l'unique siège de la voiture. Et il s'engagea hors de la montée sur le chemin verbalisé et balisé.

Olivier étendit la robe chaude sur eux trois. Il fit trotter la jument pour le seul plaisir de faire entendre à Émélie les grelots tintinnabuler. Un quartier de lune permettait de voir que l'hiver tardait à installer ses pénates et que décembre n'avait laissé sur les champs que des taches blanches aussi importantes que les espaces sombres.

– Une nuitte claire du premier janvier pis pas plus frette que ça : c'est rare ! s'exclama l'homme quand la jument se mit au pas après un joyeux trot qui n'avait pas duré.

L'on pouvait voir, devant et derrière, le ruban blanc foncé du rang simple qui se dessinait entre les espaces dénudés des champs limitrophes. Émélie tourna la tête entre les épaules des Leblond pour voir faiblir doucement les pâles lumières s'échappant des fenêtres de la maison Allaire. Puis, elle regarda en avant. Tout son cœur et tout son esprit allèrent en direction de sa mère qu'elle avait hâte de revoir malgré une absence de quelques heures seulement.

Le temps passa bien au chaud entre ces grandes personnes aimables, à telle enseigne que l'enfant ferma les yeux et entra dans la somnolence. Elle alla jusqu'à rêver voir sa grand-mère en ange du paradis et qui faisait descendre sur elle une pluie d'étoiles qui, comme la promesse rattachée à sa croix de bois, inondait son âme de lumière et noyait son cœur de chaleur.

– Huhau ! entendit-elle au fin fond d'un monde qu'elle avait quitté momentanément.

– On dirait donc qu'elle s'est endormie, dit Philomène de sa voix de miel, douce et chantante.

Émélie rouvrit les yeux. Elle aperçut sa demeure tout près du chemin. C'était la nuit, mais elle la reconnaissait à tous ces indices familiers : la forme, l'emplacement des fenêtres qu'elle prenait souvent pour des yeux rieurs quand elle s'en distançait le jour, le linéament de la grange à l'arrière, les dimensions elles-mêmes des bâtisses que mille regards passés de sa jeune vie avaient gravées dans toutes ses mémoires.

– Elle se réveille, dit Olivier qui descendit pour la laisser descendre à son tour et rentrer chez elle.

– Ben quoi, fit son épouse, mais on devait pas rentrer avec elle pis saluer sa mère en passant?

– On s'était dit ça, mais il est tard.

En réalité, on craignait de visiter les malades en raison des épidémies si nombreuses de toutes sortes dont la plus insondable et effroyable, celle de la consomption. Par contre, il ne semblait pas que Pétronille souffrît des bronches et des poumons, et son mal, comme le répétait Édouard, affectait plutôt son sang, un sang qui semblait lui faire défaut tant son teint était pâle et cireux.

– Cinq minutes, ça nous fera pas mourir.

– C'est bon d'abord. Je m'en vas mettre la couverte su' la jument.

– Fait pas assez frette pour ça.

– Un cheval qui marche pis qui court, faut abrier ça quand ça arrête, autrement, il va poigner le souffle…

– Bon, je rentre avec la petite; toé, tu nous suivras.

– C'est ça.

La femme prit la fillette par la main; elles se dirigèrent vers la porte de la maison. Olivier prit la peau de carriole qu'on avait délaissée sur la fonçure et se rendit la mettre sur la jument, qui fit un signe de tête et renâcla. Puis, il s'appuya à son flanc et regarda le ciel, les étoiles, le quart de lune, l'éternité. Il n'aurait pas pu voir, lui, l'âme de la vieille Marie-Josephte Allaire se promener dans la voûte céleste ou dans tout monde imaginaire avec des ailes d'ange sur le dos. Il se dit que son esprit avait peut-être rejoint tous ceux qu'on disait rôder dans le grand bois noir qui commençait pas loin et qui durait des milles de temps vers le sud, jusque pas loin de Sainte-Marie…

∞∞∞∞∞∞∞∞

Chapitre 22

Il faisait sombre à l'intérieur. Toute la maison semblait profondément endormie. Deux enfants, Marie et Joseph étaient absents, gardés chez de la parenté du voisinage. Pétronille somnolait dans sa faiblesse, et le bébé dormait dans son ber au pied du lit de sa mère malade.

Émélie se mit dans l'embrasure de la porte à moitié ouverte et regarda cette image de désolation que sa pauvre mère présentait. Philomène s'arrêta derrière elle et regarda aussi sans pouvoir empêcher un frisson de la parcourir. Si jeune et si mal en point, songea-t-elle. Pâle comme ses draps et sa jaquette, Pétronille avait les yeux fermés, des yeux cernés de bistre et qui semblaient se renfoncer à l'intérieur d'elle de plus en plus chaque jour, comme si son crâne était sans fond.

La fillette tourna la tête vers la femme. Des éclairs dans ses yeux profondément noirs parurent lui demander de répondre à son désarroi.

– Elle dort, souffla Philomène. On va la laisser se reposer ben comme il faut.

– Elle est beaucoup malade ?

– Elle va revenir à la santé... tu verras, ma petite Mélie, au printemps... quand c'est que le soleil va se remettre à nous réchauffer, il va lui guérir les sangs... Pis on va tous aller à la cabane, elle itou... en waguine... tout le monde... on va rire pis chanter tous ensemble...

Philomène en mettait le plus qu'elle pouvait pour rassurer la petite et ramener un peu de bonheur dans le cœur de cette enfant qui, à 6 ans tout juste, perdait sa grand-mère et risquait de perdre bientôt sa mère par ce mal qui la rongeait et dont il semblait que tous ignoraient la nature, surtout les docteurs.

Olivier ne put s'empêcher de bardasser un peu en entrant, et le bruit sortit Pétronille de son univers onirique. Elle ouvrit les yeux, murmura :

– C'est toé, Mélie ? Viens donc voir maman un peu…

– Pis c'est moé, Philomène, dit la femme Leblond restée à moitié dans l'ombre. On vient reconduire ta fille. Ton mari va revenir tantôt. Tu comprends, fallait qu'il reste avec les gens au corps.

– Ben oui, ben oui…

Émélie s'approcha, marcha le long du lit jusque près du visage de sa mère tourné sur le côté dans son oreiller profond.

– T'as ben prié pour ta grand-maman ?

– Oui.

– Tu sais qu'elle est au ciel asteur.

– Oui.

Pétronille les voyait si grands, ces yeux, si brillants sous le faible éclairage de la lampe sur tablette, buveurs de mots, reflets de son esprit limpide ouvert à tout. Il fallait qu'elle sème quelque chose d'important, d'indélébile dans ce cœur en cette heure où l'enfant venait de voir de près la mort d'un être cher, une personne bien connue de la petite depuis qu'elle avait pris conscience de la vie et des humains qui la balisent, qui encadrent et sont encadrés, qui moulent et sont moulés.

– Écoute-moé ben, ma petite fille. Grand-maman Josephte est pas loin, tu sais. C'est comme s'il y avait une porte invisible entre elle pis nous autres. Elle nous entend. Elle nous voit. Mais nous autres, on peut pas… Tu sais, peut-être que betôt dans pas grand temps, ça sera moé… qui sera partie avec grand-maman… Faudra pas que tu pleures. Parce que je vas être juste de l'autre côté de la porte invisible pis que je vas te voir pleurer. Pis te voir pleurer, ça va me faire de la peine. Tu comprends-tu ça, Émélie ?

Pétronille s'empara de la main de la fillette et la serra entre les siennes :

– Tu vas t'en rappeler tout le temps de ta vie ? Quand y a quelqu'un que t'aimes qui meurt, faut pas que tu pleures… faut pas que tu pleures… faut pas que tu pleures… Quand y a quelqu'un que t'aimes qui va mourir, tu t'en iras quelque part où c'est que tu seras tu seule, pis là, tu te berceras, pis tu te diras : faut pas que je pleure, faut pas que je pleure, faut pas que je pleure… Parce que si je pleure, je vas faire de la peine à la personne chérie qui est partie, mais qui me regarde, pis qui m'entend, pis qui me sourit…

Philomène se retira et retrouva son mari. Il lui semblait qu'il se déroulait dans la chambre une scène dont personne ne devait être témoin, une rencontre entre deux cœurs qui requérait l'abri de l'intimité, de la discrétion.

Pétronille demanda à sa fille de fermer les yeux, et elle reprit en d'autres mots le message qu'elle voulait imprimer à jamais en elle, mais sans modifier le leitmotiv : faut pas que tu pleures. Et pourtant, la pauvre petite, en ce moment, était submergée par des flots intérieurs qu'elle n'arriverait peut-être pas à dominer. Il y avait dans sa tête l'image d'un corps étendu sur la table de la cuisine, comme celle de sa grand-mère, mais il s'agissait de sa mère, endormie pour toujours, muette dans l'éternité, les paupières fermées pour ne plus jamais se rouvrir. Des soubresauts rapides se faisaient sentir dans sa poitrine, et ses épaules commencèrent à sautiller comme des folles incontrôlables… inconsolables… Sa mère lui redisait sans cesse de sa voix la plus douce :

– Faut pas que tu pleures, faut pas que tu pleures, faut pas que tu pleures…

Et l'enfant éclata en sanglots à la fin. Sans doute parce que sa mère n'avait jamais été aussi tendre envers elle. Émélie n'avait d'ailleurs pas souvenir que sa main ait été ainsi emprisonnée dans autant d'affection. Alors, sa mère changea ses mots pour :

– Mais si tu pleures, c'est bon : ça va vider ton cœur. Pis ensuite, tu vas être soulagée pour voir en avant dans ta vie.

Pétronille savait qu'elle ne verrait pas le prochain jour de l'An, aussi voulait-elle transmettre à sa fille aînée le courage de ne pas sombrer mais également celui de se relever quand le malheur la submergerait. Une autre vision qu'elle détestait bien plus encore que celle de sa mort, c'était celle lui montrant cette pauvre Émélie toute sa vie durant déchirée par la disparition soudaine d'êtres chers qui lui seraient ravis, arrachés brutalement. Une vague prit naissance dans sa poitrine, mais malgré son abattement physique et mental, elle parvint à lui faire barrage. Il ne fallait pas qu'elle pleure pour montrer à sa fille à ne pas pleurer.

Quand Émélie se calma, sa mère lui parla à mi-voix :

– Asteur, tu vas aller ôter ton manteau, pis tu vas demander à mon oncle Olivier de mettre une attisée dans le poêle parce qu'il fait pas mal frette dans la maison.

– Maman, r'gardez c'est quoi que ma tante Émélie, elle m'a donné.

La fillette montra sa croix de bois dans sa main gauche.

– Elle est donc fine, ma tante Émélie. Ça, ça va te porter bonheur. Tu la garderas tout le temps. Mais il faudrait pas que tu la perdes, par exemple.

Ce que disait sa mère ressemblait en tous points à ce que lui avait dit sa tante, et l'enfant se demandait où elle pourrait garder la croix pour ne jamais la perdre.

– Tu sais ce qu'on va faire ? On va la mettre dans mon petit coffre, là, sur la commode. Pis le petit coffre... je te le donne avec tout ce qu'il y a dedans. C'est le cadeau que je te fais pour tes 6 ans.

Émélie se sentit à la fois heureuse et inquiète. Heureuse de trouver une cachette pour sa croix. Incapable de comprendre que sa mère se sépare de son coffre. Encore moins capable de voir que ce don était celui de quelqu'un qui sait que de toute façon, elle ne posséderait plus l'objet bientôt.

– Vas-y, mettre ta croix dedans.

L'enfant contourna le pied du lit et se glissa devant la commode. Elle porta doucement sa main droite vers le coffret pour l'ouvrir dans un respect infini. Il s'agissait d'une boîte en cèdre rouge à couvercle bombé orné d'un tiroir à double bouton en céramique à sa base, et assemblé en queue d'aronde. Devant, près des coins, deux cœurs étaient gravés et depuis qu'elle les avait vus la première fois, si loin en arrière pour elle si jeune, Émélie n'avait cessé de les admirer chaque fois qu'elle venait dans la chambre de ses parents. Et pourtant, jamais elle n'avait osé ouvrir ce coffre mystérieux. Et voici que sa mère le lui faisait faire. Sa main tremblait.

– Ouvre le tiroir en bas, Mélie.

L'enfant tira sur un bouton, et le tiroir glissa vers elle.

– Asteur, cache ta croix au fond, en arrière de mon collier en pierres du Rhin.

Émélie fit ce que lui suggérait sa mère. Ses doigts touchèrent au collier en passant. Quelle drôle d'impression! Si agréable! Elle en porterait un aussi plus tard, pensa-t-elle, sans se faire à l'idée encore que celui même qu'elle venait d'entrevoir et d'effleurer lui appartenait.

– Asteur, tu peux le fermer. Vas-tu t'en rappeler, que le petit coffre, c'est à toé? Je vas le dire à ton père quand il va revenir tantôt.

«S'il épouse une autre femme après ma mort, se disait-elle au même moment, je ne veux pas qu'elle ait mes petites choses, je veux qu'elles soient rien qu'à ma fille.»

Cette pensée n'avait rien à voir avec un rejet par avance de la femme qui la remplacerait dans cette maison, sûrement une bonne personne traversant tout comme elle cette inévitable vallée de larmes menant au paradis de l'autre monde.

– Asteur, Mélie, va dire à mon oncle Olivier de mettre une attisée parce que maman, elle se sent comme de la glace partout dans son corps.

∞∞∞

– Mais pourquoi c'est faire que tu veux lui donner ton petit coffre ? C'est ta mère qui te l'a donné…

– Pis moé, je veux le donner à ma fille.

– Oui, mais pas tu suite : tu commences ta vie.

Édouard venait de rentrer à la maison. Les Leblond étaient partis sur les entrefaites. Pétronille voulait que sa promesse – en fait son présent – faite à Émélie soit garantie par l'approbation de son mari. Si elle ne le faisait pas ce soir même, elle pourrait l'oublier ou bien empirer de son état et être emportée avant de s'assurer que cet héritage dérisoire, immense trésor pour Émélie, soit bien à l'enfant après sa mort.

– Je me sens ben malade, Édouard, ben malade.

La jeune femme paraissait grabataire, incapable de quitter son lit ni même de se lever au moins sur un coude, et il semblait que son corps était cloué à la paillasse. Cela durait depuis une semaine après les relevailles qui, en fait, ne s'étaient jamais produites après la naissance du dernier bébé trois semaines auparavant.

– T'es pas une enfant pour mourir de même, comme une mouche en été.

L'image n'était guère plaisante pour qui, concerné, l'entendait, mais elle trahissait une sorte d'impatience du mari devant son impuissance. Et comme il regrettait en ce moment de n'avoir pas laissé reposer le ventre de Pétronille entre l'une ou l'autre des nouvelles grossesses. Mariage : 1863. Premier enfant : 1864. Deuxième : 1865. Troisième : 1867. Quatrième : 1869. Cinquième : 1870. Sixième : 1871. Lui aussi avait entendu parler des prises de position de l'abbé Chiniquy… Et si comme tout bon catholique, il damnait ce personnage excommunié, entraîné lui aussi par les prêtres et surtout les prédicateurs de passage, qui depuis l'inauguration de la nouvelle et très vaste église de Saint-Henri, venaient s'y essayer à l'art oratoire que rehaussait une acoustique exceptionnelle. Mais ce n'était pas Chiniquy ni aucun curé qui apportaient à Édouard la réponse incontournable à ses interrogations presque repentantes proches du déchirement intérieur, et plutôt ce qui se produisait dans la plupart des maisons de ce pays depuis fort longtemps : ce beau phénomène des familles nombreuses. N'était-il pas glorieux et souhaitable pour un couple d'avoir une progéniture allant de dix à vingt enfants ? Or lui s'était marié sur le tard. Même que Pétronille, contrairement à la plupart des jeunes mariées, était majeure en 1863. Et elle n'avait encore accouché que six fois.

Non, non et non, ce n'était aucunement sa faute, ni non plus sa responsabilité, mais celle du bon Dieu, que ces grossesses rapprochées de Pétronille et sa maladie. 30 ans, c'était l'âge de guérir de n'importe quoi, pas celui de mourir des suites d'un événement aussi naturel qu'un nouvel accouchement.

– On va prier le bon Dieu, pis tu vas revenir.

– Ça suffit pas tout le temps, tu sais ça.

L'homme jeta un œil du côté de la porte par crainte d'être vu. Il s'approcha de sa femme et lui prit la main qu'il serra rudement entre les siennes :

– Pétronille, si tu t'en vas, je vas jamais me remarier comme y en a tant qui font. C'est pour ça qu'il faut que tu restes… pour élever nos enfants qu'on a déjà pis ceuses qui vont venir.

Elle lui adressa un regard suppliant, jaune, malade, désespéré presque noyé :

– J'me sens pus la force d'avoir d'autres enfants… On dirait que chacun vient me chercher la force d'un bras, d'une jambe, d'une main. C'est trop pour un corps de femme, autant de bébés dans si peu de temps.

– C'est le bon Dieu qui a fait ça de même. Tant qu'une femme peut avoir des enfants, c'est pas ça qui fait mourir. Tu manges pas assez non plus. Je vas aller te faire chauffer du boudin : il nous en reste. C'est ça qu'il te faut pour te refaire les sangs.

– J'ai pas faim. Pis j'aime autant dormir. Tu peux coucher icitte si tu veux… ou ben en haut.

Édouard ne s'attarda pas. Il recouvrit Pétronille jusque sur les épaules en disant:

– Faut que tu manges… faut que…

Elle revint sur autre chose, l'interrompant:

– Je te l'ai déjà dit, ça, si je meurs, va falloir que tu te retrouves vite une autre femme pour les enfants.

L'homme s'insurgea:

– Je te jure devant le bon Dieu qui m'entend que si tu meurs, jamais je vas me remarier.

– Tu penses rien qu'à toé; pense donc aux enfants!

Il secoua la tête:

– Arrête donc avec des discours de même! Chaque fois qu'un enfant vient au monde, tu dis ça par faiblesse. Dans une semaine ou deux, tu vas être deboutte pis ben mieux.

Elle soupira et ferma les yeux.

Plus tard, il revint avec du boudin chaud, mais n'osa la réveiller… Il dut le manger lui-même…

∞∞∞

Édouard avait vu juste: dans les semaines suivantes, sa jeune épouse prit un peu de mieux. Elle put se lever enfin de son lit aux premiers rayons du soleil printanier à la mi-mars. Et chaque jour qu'elle revenait de l'école, Émélie courait à la chambre quand elle ne voyait pas sa mère dans la cuisine, avec l'espoir qu'elle ne soit pas couchée et malade encore. Et quand elle se reposait, Pétronille alors se dépêchait de se lever pour rassurer l'enfant qu'elle sentait si inquiète pour elle.

En avril, elle voulut se rendre à l'étable avec Édouard pour aider au train comme auparavant, mais il refusa net. «Pas tant que tu seras pas en pleine santé!»

Chaque fois qu'elle avait un TB dans son cahier de devoirs, Émélie courait à la maison comme une petite folle, en chantonnant, si heureuse de le montrer à sa mère. Et cela arrivait souvent, et la petite fille croyait que ses bonnes notes aidaient à la santé de sa maman en lui apportant un petit bonheur que Pétronille exprimait avec des sourires et des mots d'encouragement.

En mai, Émélie prépara avec tout le soin qu'elle put, et si ingénument, un cadeau de fête pour sa mère qui aurait 31 ans le premier juin prochain. Un dessin au crayon de graphite avec un grand cœur comme ceux ouvragés sur le coffret que Pétronille lui avait donné mais qu'on laissait sur la commode de la chambre. Le cœur contenait les silhouettes de tous les membres de la famille : Édouard, Pétronille, Émélie, Marie, Georgina, Joseph et la petite Henriette. Et parmi les personnages, Émélie traça une croix qui représentait son frère Joseph-Édouard décédé avant qu'elle n'ait conscience des choses de la vie, mais dont ses parents parlaient parfois avec nostalgie dans des phrases qui ne duraient pas et que la fillette devinait douloureuses pour eux.

Mais ce samedi, premier juin, serait un jour décevant pour Émélie. Sa mère s'alita de nouveau. Elle déclara se sentir faible et vouloir récupérer. Mais demeura couchée de longues heures, ne se levant que pour ses besoins faits sur un pot de chambre. Édouard prépara les repas. Au milieu de celui du soir, Émélie quitta la table et se rendit à la chambre qu'elle partageait avec Marie et Georgina au deuxième étage, et prit son dessin-cadeau dans son sac d'école puis descendit l'offrir à sa mère. Tandis qu'elle arrivait à la dernière marche de l'escalier, son père lui demanda avec douceur comme il le faisait toujours en parlant aux enfants, mais sans la regarder dans les yeux et rivant son regard sur sa robe aux chevilles qui paraissait grandir la petite :

– Quoi c'est que tu fais, Mélie ?

– C'est pour maman, dit l'enfant, une joie dans un œil et une grande tristesse dans l'autre.

Il fit un léger signe de tête approbateur et continua de manger lentement, inquiet depuis le matin de ce nouvel alitement de Pétronille. Elle avait vomi, mais cela était peut-être attribuable à une nouvelle grossesse. Ce qu'elle lui avait dit être une probabilité vu l'absence prolongée de ses règles.

Émélie poussa la porte de la chambre et entra, tenant le dessin entre ses mains à la hauteur de ses yeux. Elle marcha jusqu'à la tête du lit, près de sa mère qui semblait endormie. Elle dirait un seul mot: maman. Et tout bas pour ne pas la réveiller si elle dormait vraiment. Et si elle dormait, elle poserait le dessin sur sa poitrine et retournerait dans la cuisine.

– Maman...

Pétronille, qui l'avait entendue venir malgré son pas de chaton, ouvrit les yeux vers elle:

– Qu'est-ce que c'est?

– Un cadeau.

– Pour moi?

– De bonne fête.

La jeune femme fut envahie par les larmes, mais tâcha de les contenir pour faire exemple comme elle l'avait si bien enseigné à sa fille au jour de l'An. Son regard brilla derrière sa lassitude. Elle prit le dessin que la lumière du soleil encore visible éclairait et le regarda longuement en multipliant les signes de tête.

– Je nous vois tous, tu sais... toute la famille... et la croix, c'est ton cadeau de tante Émélie...

– Non... c'est pour Joseph-Édouard...

Pétronille hocha longuement la tête. Elle ne voulait pas le dire ni le laisser deviner, mais elle avait aimé son fils aîné plus que les autres enfants, y compris Émélie pour qui elle ressentait une affection toute particulière, partageant en cela celle que cherchait à cacher son mari. Mais elle en ignorait les raisons. Sans doute parce que sa santé était meilleure au début de son mariage. Peut-être parce que l'enfant comblait un vide dans cette maison. Ou bien parce qu'un premier enfant émerveille plus que les suivants en vous faisant prendre conscience de votre pouvoir de procréer, de coopérer avec le Créateur, ainsi que le clamaient les prêtres.

– C'est très beau, ma fille, tu sais. Je vas le montrer à ton père... Va le chercher... Va lui dire de venir...

Ce que fit l'enfant. Édouard vint voir. Il fut ému à son tour devant la simple croix qui évoquait le premier-né de la famille. Pour la première fois de sa si jeune vie, Émélie put voir les regards de ses deux parents dirigés en même temps vers elle et lui dire leur contentement et leur affection. Ce serait aussi la dernière...

∞∞∞∞∞∞∞

Chapitre 23

L'état de Pétronille empira les jours suivants. Puis, se stabilisa quelque part au pied de la côte qu'elle savait ne jamais parvenir à remonter. Édouard fit venir le docteur toutes les semaines et à chacune de ses visites, le praticien sortait de la chambre en hochant la tête de découragement. Il s'entretenait alors avec Édouard, tandis que la petite Émélie, qui n'allait plus à l'école à cause de la saison d'été, entrait dans la chambre et se tenait debout à côté de la porte, dans l'ombre, sans rien dire, sans rien faire, le cœur au bord des yeux, à regarder sa maman dépérir.

Édouard fit en sorte de garder de la fraîche dans la chambre vu la canicule de juillet qui faisait peser sur les hommes et les choses une chape de plomb qui enveloppait tout le pays d'une lourde humidité. Il fermait les rideaux et tenait allumée à l'intérieur une lampe à la flamme basse, tout juste l'éclairage nécessaire pour y voir assez. Et créer l'illusion que la mort était bien loin encore...

Marie ne comprenait pas du tout ce qui se passait. Et personne, pas même sa mère, n'avait cherché à lui faire saisir le sens de la mort. Dans sa tête, l'univers ne changerait pas. Toutefois, un instinct naturel la poussait à se tenir le plus près possible de sa sœur aînée. Et plus les pieds de Pétronille s'enfonçaient dans un marécage mystérieux, plus souvent et solidement Émélie tenait la main de sa petite sœur dont seulement vingt et un mois la séparaient.

Les deux fillettes se ressemblaient bien peu. À la complexion foncée de l'une s'opposait le teint farinacé de l'autre. La fragilité de la cadette contrastait avec la solidité de l'aînée. Marie affichait une chevelure d'un blond pur, nouée en une seule tresse qui flottait sur son dos. Émélie arborait des cheveux noirs ramassés en un chignon sur le dessus de la tête. Un point commun les rapprochait pourtant : la touche de la tristesse, un sentiment qui allait de pair avec leur sensibilité profonde et qui ne parvenait pas à se cacher derrière les paupières finement bridées sur le côté extérieur.

C'était le dimanche midi, quatorze juillet. Une voix posée vint dire aux deux petites filles, qui s'étaient assises dans l'escalier devant la maison au retour de la messe avec leur père, de rentrer pour manger. Elles n'avaient presque pas parlé depuis qu'elles étaient là, côte à côte, comme figées dans l'attente, gelées sous le soleil de plomb qui écrasait toutes choses, les yeux perdus dans un invisible lointain quelque part sur l'horizon entre la ligne des champs et celle d'un ciel trop bleu.

Marie offrit sa main à Émélie, qui la prit. On obéissait toujours aussi bien, même à tante Sophie qui habitait maintenant la maison depuis un mois pour voir à l'ordinaire et ne jamais y laisser Pétronille toute seule tant son état lamentable alarmait tout le monde.

Les deux petites portaient chacune une robe d'un beige moyen faite d'un coton froissant et qui leur descendait aux chevilles. Sophie avait voulu qu'elles restent endimanchées, pressentant un grand et terrible événement à survenir dans les heures prochaines.

Pétronille souffrait d'un mal incurable et létal dont l'époque venait tout juste de connaître le nom et que les médecins qualifiés appelaient leucémie chronique. Une maladie couvant en elle depuis la naissance d'Henriette, peut-être avant, et qui était entrée dans une phase aiguë début juin. La pauvre jeune femme se sentait au bord de la fin et avait demandé à sa sœur ce matin-là de laisser la porte de sa chambre grande ouverte pour soi-disant «avoir plus d'air», tandis qu'elle voulait une dernière fois voir sa famille à la table du midi. Entendre les voix entremêlées de ses enfants. Ressentir jusque dans sa substance profonde cette vie des siens qui battait et, l'espérait-elle, battrait au moins jusqu'au prochain siècle. Prier pour leur bonheur. Demander à la Vierge Marie de veiller sur ses quatre filles et de les protéger de malheurs comme les siens. Se dire que son fils, quant à lui, saurait faire son chemin comme un homme. Pleurer à sec comme elle avait montré à son aînée à le faire au jour de l'An. Et… inexorablement… se préparer avec le soutien de cette image à entrer dans l'éternité.

Le visage d'Édouard était coupé en deux par l'embrasure de la porte, mais il lui apparaissait quand l'homme se penchait en avant pour prendre quelque chose sur la table. Émélie et Marie faisaient dos à la porte de la chambre, et leur mère pouvait les aimer sans voir leur visage non plus que cette pointe de sensibilité extrême que leurs yeux révélaient. De l'autre côté, c'était Sophie que Georgina suivait comme un petit chien fidèle et qui lui souriait souvent. Enjouée, heureuse dans son innocence, cette petite âgée de 3 ans maintenant était blonde comme les blés, une particularité dont on ne pouvait situer nulle part l'ascendance dans les ancêtres connus, et belle comme le jour avec ses cheveux frisés, ses lèvres tournées et ses pommettes roses. Et des yeux plus bleus qu'un ciel matinal sans ce petit quelque chose de poignant présent dans le regard de ses sœurs plus grandes.

Le petit Joseph prenait place dans une chaise haute à plateau amovible située au coin de la table, entre Sophie et le père du garçon. Il était le seul que Pétronille pouvait voir de face et distinctement. Les autres, elle les devinait sereins contents d'être tous ensemble, habitués de la savoir malade, mais sécurisés de la savoir vivante. Le seul fils de la famille avait des cheveux foncés comme ceux de sa sœur Émélie. Il ne se faisait guère entendre, mangeait ce qu'on lui servait sans faire trop de dégâts et souriait aux mots qui s'adressaient à lui sans plus. Son père ne le voyait pas comme le remplaçant de celui qui était mort et s'en préoccupait bien moins. Et l'enfant devait sentir qu'il indifférait les autres car ils n'en avaient que pour Georgina, la petite poupée aux longs cils.

C'était presque silence autour de la table. Il fut rompu par une voix de bébé qui ressentait de l'inconfort. Sophie se leva et en passant devant la porte de la chambre pour aller au ber qu'on avait déménagé dans le fond de la cuisine, elle jeta un œil sur sa sœur. Pétronille bougea les yeux. Sophie lui adressa un léger signe de tête voulant dire « bon courage » quoi qu'il advienne et se rendit réinstaller le biberon à la petite Henriette, qui se tut et se remit à téter sa survie à même cette bouteille contenant du lait de vache.

À 19 ans, Sophie, qui avait pris la relève de Pétronille plusieurs années auparavant au soin des enfants Tardif, dépassait presque l'âge de se marier. Sa sœur aînée lui avait transmis souvent et discrètement le conseil d'attendre le plus tard possible pour amoindrir peut-être l'usure prématurée de son corps. Mais ses sœurs et frères avaient grandi et n'exigeaient plus de soins suivis. Il faudrait bien qu'elle se laisse approcher par les jeunes gens, du moins, l'un d'eux, bientôt. La maladie de Pétronille lui donnait un prétexte et un nouveau délai. Advienne que pourra lorsque sa pauvre sœur s'éteindrait, ce à quoi elle s'attendait d'un jour à l'autre.

Sophie était un être de bonté. Elle aussi l'avait au fond du regard, la pointe de souffrance indéfinissable et sans cause apparente ou extérieure que Pétronille, Émélie et Marie se partageaient toutes trois. Son port de tête paraissait baigné dans l'indolence, et sa parole, toute bâtie de patience et de foi en Dieu. Elle portait ses cheveux bruns plutôt courts et en cascade derrière la nuque. Lèvres charnues, pommettes arrondies, grand, très grand regard, elle inspirait confiance aux adultes comme aux enfants.

Émélie adorait sa marraine, qui le lui rendait bien. Sa présence dans la maison calmait un peu le désarroi qui grandissait dans la petite fille en même temps que s'accroissait l'affaiblissement de sa mère de même que sa crainte de la voir partir pour ne jamais revenir tout comme sa grand-mère Allaire au jour de l'An.

– Comment qu'elle va à matin? demanda Édouard à sa belle-sœur. Je l'ai vue qui dormait…

– Est réveillée mais…

– Mais quoi?

– On dirait qu'il y a pus rien que ça qu'elle sait faire, ouvrir les yeux. Même pus capable de lever un bras, la main, un doigt…

Édouard regarda vers une fenêtre, soupira et se tut. Ce silence faisait barrage devant ses émotions profondes. Il se réfugia aussi dans une pensée qui l'emporta vers cette terre de la Haute-Beauce qu'il n'aurait jamais, mais qui pourtant continuait de lui faire signe de temps à autre, par un contact avec quelqu'un qui revenait de là-bas en visite à Saint-Henri ou bien qui partait s'y installer comme ce Pierre Boucher nommé maître de poste là-bas. Il lui vint aussi en tête cet autre projet né dans son inconscient quelque part en arrière dans le temps, sans doute à l'une de ses visites au magasin Couture de Sainte-Marie, et qui était d'ouvrir un magasin dans la nouvelle paroisse de Saint-Honoré qui en aurait bien besoin dans peu d'années. Pure vision de l'esprit puisqu'il avait bâti sa vie à Saint-Henri avec Pétronille et les enfants. Et une bonne vie de famille…

Et l'on mangeait à travers de petits bruits d'ustensiles contre la faïence des assiettes, des raclements de gorge, des mots épars. En fait les circonstances affligeantes enrobaient la tablée d'une sorte de respect que chacun livrait sans savoir ce que c'était. Comme si le Dieu des âmes les avait mobilisées toutes, celles-là qui se trouvaient dans cette pièce, pour tisser un voile de crainte et de soumission à sa sainte volonté. Je serai au milieu de vous quand vous prierez, a-t-il déclaré dans ses mots d'amour à l'humanité. On venait de le prier juste avant le repas par un bénédicité dit par Sophie comme elle le faisait chaque fois.

Soupe aux pois et pain beurré ; pommes de terre et sauce blanche aux œufs ; mie de pain et sirop d'érable. Tel était ce menu copieux connu de plein été. Et le breuvage était pour d'aucuns de l'eau fraîche, pour d'autres, du lait cru et pour les adultes, du thé fort. Édouard de coutume mangeait à grosses bouchées successives et, premier repu, il était aussi le premier à quitter la table et à donner ainsi le signal aux autres qui n'avaient plus faim qu'ils pouvaient se retirer à leur tour. Mais ce midi-là, il devait triturer longtemps chaque bouchée pour qu'elle passe sans trop de peine dans son gosier. Émélie mangea à peine, un peu de tout et sur le bout des lèvres. Il lui tardait d'aller visiter sa mère dans sa chambre. Peut-être de lui demander la permission de prendre sa croix de bois que Pétronille avait dans sa main pour la garder sur elle parce que c'était dimanche. Elle se glissa doucement hors de sa chaise.

– T'as déjà fini, Mélie ? demanda Sophie.

– Oui, ma tante.

– T'as pas mangé beaucoup : t'as pas faim ?

L'enfant prit un air désolé. Sophie reprit :

– C'est pas grave : si tu en veux plus tard, il va en rester.

Il n'était pas question de nourrir les enfants en dehors des repas, là comme ailleurs. Mais rien en cette maison ne pouvait se passer comme ailleurs ces temps-là.

– Je peux aller voir maman ?

Édouard répondit à la place de sa belle-sœur :

– Vas-y, Mélie. Demande-lui si elle veut manger…

– Oui.

La fillette entra dans l'ombre de la chambre et dit sur le ton de l'interrogation :

– Maman ?

On l'entendit redire encore et encore le mot puis on la vit revenir et s'arrêter dans l'embrasure à regarder sa marraine et son père un après l'autre tout en restant muette.

– Qu'est-ce qui se passe ? demanda aussitôt Sophie, qui se leva vivement et se dirigea vers la chambre, suivie de près par Édouard.

– Pétronille ? dit Sophie à trois reprises en s'approchant d'elle, éplorée.

La malade, dans un impensable sursaut ultime, avait réussi à se mettre sur son séant et à s'adosser tant bien que mal à la tête de son lit, les reins appuyés aux oreillers. Elle avait voulu jeter aux siens un dernier regard : les voir tous à la fois et leur adresser un souffle de tendresse. Et sans doute prier… Car voici que sa main droite tombée sur le drap laissait voir la croix de bois que la petite Émélie lui avait confiée, à sa demande même, la veille au soir.

– Votre maman est morte ! dit Sophie, dont les yeux se mouillaient de larmes.

Marie avait rejoint Émélie et toutes deux, épaule contre épaule, regardaient leur mère, si blanche dans sa jaquette, ses draps, ses oreillers, son visage et son silence.

Édouard s'approcha de Pétronille, la prit dans ses bras et la coucha sur le dos puis la recouvrit du drap jusque par-dessus les épaules, ne laissant visible que son seul visage émacié et déserté par l'esprit. Puis, il se tourna la tête afin que personne ne puisse le voir de face et ses soupirs remplirent la pièce en même temps que les pleurs étouffés de Sophie. C'était pour la famille Allaire le moment du pire.

« Quand y a quelqu'un que t'aimes qui meurt, faut pas que tu pleures… Quand y a quelqu'un que t'aimes qui meurt, faut pas que tu pleures… pour pas lui faire de la peine… parce que la personne est là encore, de l'autre côté d'une porte invisible… pis elle te voit… pis elle t'entend… »

L'immobilité que produit le premier choc d'un deuil, même attendu, fige ceux qui le subissent dans l'incrédulité et la souffrance. Édouard restait debout, ahuri, prisonnier d'un coin de la chambre comme un enfant sévèrement puni à la petite école. Les pleurs de Sophie devinrent vite des larmes muettes qui roulaient une à une sur ses joues devant le regard des petites filles perdues dans leurs sentiments et qui cherchaient à comprendre pourquoi elles avaient le cœur en pièces.

Marie prit la main d'Émélie puis elles se regardèrent dans les yeux. L'aînée souffla à l'oreille de sa sœur:

– Faut pas pleurer, maman aurait de la peine à nous voir pleurer… faut pas…

Marie fit plusieurs petits signes d'acquiescement. Puis, sa sœur bougea, la délaissa un moment et marcha tout doucement jusqu'à la couche funèbre où elle prit sa croix de bois dans la main inerte et la tint par sa base pour en toucher la bouche de sa mère défunte et lui faire baiser le mystère de Jésus. Mentalement, elle dit:

«Je vas pas pleurer, maman, je vas pas pleurer…»

Elle y parvint, et il lui parut alors lire une sainte paix sur le visage de celle qui ne lui parlerait jamais plus, qu'elle ne reverrait jamais après les quelques heures d'exposition du corps, suivies, le lendemain, de son enterrement dans le cimetière paroissial après le service religieux.

Tandis que personne ne bougeait encore, que Sophie regardait sa peine, qu'Émélie regardait le visage sans vie en écrasant ses larmes au fond de son cœur, que Marie demandait à sa mère de l'emmener avec elle au ciel, et que son père regardait le vide devant lui, il se produisit un événement d'une grande tristesse qui eut pour effet de faire émerger chacun du gouffre profond dans lequel il se trouvait. La petite Georgina entra dans la chambre en courant et se rendit au lit où elle toucha le bras de Pétronille en lui disant sans s'arrêter:

– Maman, maman, maman, maman…

Comme si quelque chose dans son âme d'enfant de 3 ans lui suggérait qu'à force de redire le mot et de tapoter son épaule, sa mère se réveillerait. Peut-être que cela aurait pu arriver si on ne l'avait pas arrêtée de le faire.

– Viens avec Mélie, lui dit gentiment sa sœur aînée, qui la prit par les épaules.

– Occupe-toé d'elle, veux-tu, Mélie ? demanda Édouard, la voix enrouée.

– Tu peux aller mettre la vaisselle dans le plat d'eau, dit Sophie à sa nièce. Ma tante va aller t'aider tantôt.

– Viens, Marie, on va emmener Georgina avec nous autres.

Et les trois fillettes sortirent à la queue leu leu, main dans la main, Marie devant, Émélie derrière et leur petite sœur entre les deux. Georgina se laissa faire, mais tout le temps de leur marche, elle garda la tête tournée vers le corps de sa mère. Il semblait que l'enfant entendait quelque chose et que dans son beau visage empreint de sérénité voire de félicité leurs esprits communiquaient. Mais le meilleur observateur n'aurait jamais pu savoir comment cela était possible, comment cela arrivait et ce que les deux âmes se disaient par-delà la matière et le temps.

∞∞∞∞

Un messager à cheval se rendit avertir la parenté de Saint-Henri, de Saint-Isidore et de Lévis, et ce soir-là, la maison Allaire se remplit de personnes venues prier pour la défunte et consoler par leurs vœux la famille endeuillée. (On savait que la maladie de Pétronille n'avait pas été la consomption ni une autre qui soit contagieuse.)

Comme elle l'avait fait au corps de sa grand-mère au jour de l'An, Émélie trouva refuge derrière le poêle à deux ponts qui toutefois, à cause de la saison, ne dégageait aucune chaleur. Si bien qu'elle eut le frisson dans sa robe noire. Ainsi sortaient ses larmes de son corps, venues de son cœur affligé et si serré, si serré... Elle fut vite rejointe par Marie, et les deux fillettes restèrent là, assises sur un banc double, à entendre les gens s'émouvoir et plaindre les enfants mais surtout leur pauvre père effondré qui ne quittait pas le corps de sa femme, lui qui regrettait ferme maintenant de ne pas l'avoir laissé se reposer, ce corps trop fécond, durant ces dix années passées.

Elles dormirent cette nuit-là. Toutes les deux ensemble comme à l'habitude. Émélie parla à sa mère dans une longue prière silencieuse, et Marie se tint contre elle, sentant que sa sœur savait comment se comporter dans la souffrance et saurait la protéger comme elle l'avait toujours fait.

Les autres enfants furent confiés à une voisine pour la journée de l'enterrement. Toutefois, les deux fillettes se rendirent à l'église et assistèrent à la cérémonie funèbre aux côtés de leur père. Déjà, il avait été question de leur garde. La famille Leblond avait offert de prendre Émélie et Marie le temps du veuvage de leur père. «J'vas jamais me remarier!» objecta Édouard. «J'vas les élever, mes enfants.» On lui fit voir que c'était chose impossible pour un culti-vateur de voir tout seul à sa terre, au barda quotidien et à cinq enfants allant de sept mois à sept ans. Il soutint qu'il se ferait aider, d'abord par sa belle-sœur Sophie puis d'autres jusqu'au moment où l'aînée, Émélie, pourrait prendre la relève et finir d'élever les plus jeunes comme il était pratique courante de le faire. Pétronille la première avait donné plusieurs années à la famille de son père, puis Sophie ayant pris sa relève. Ceux qui lui parlèrent se dirent qu'Édouard mûrirait avec le temps et envisagerait de se remarier, peut-être, tiens, avec Sophie, et qu'il oublierait ce serment fait en des circonstances d'émotion qui n'avaient rien à voir avec la raison et l'esprit pratique. Il fallait une autre mère à ces enfants. Le bon Dieu y veillerait… sans doute…

Au cimetière, au moment de faire descendre dans la fosse le cercueil de bois blond, Édouard éclata en sanglots. Émélie lui prit la main, un geste spontané que sa mémoire n'aurait jamais pu lui rappeler puisque ne s'étant jamais produit avant. Comme si elle obéissait à la volonté de Pétronille qui par-delà la tombe désirait faire savoir à son mari qu'elle ne voulait pas le voir pleurer pour elle, maintenant si heureuse dans l'attente de la venue de ses enfants, là où était son paradis. Édouard serra fort au point qu'Émélie eut mal. Mais elle ne pleura pas... Et cette douleur opportune l'y aida...

∞∞∞

Édouard convint avec son beau-père et Sophie d'un arrangement qui lui permettrait de garder ses enfants sans offenser les apparences de la morale chrétienne. La jeune femme viendrait travailler comme mère chez les Allaire durant le jour, et le soir, elle rentrerait chez son père dans l'autre rang. Un cheval d'Édouard et une voiture adaptée à la saison seraient mis à sa disposition. Un salaire lui serait versé. Une pitance. Mais son vrai salaire lui serait versé par le bon Dieu, et l'argent de son mérite serait déposé à la banque du ciel.

La jeune femme n'était pas mécontente de ce contrat moral. Voici qui l'éloignerait sûrement du mariage et de ses vicissitudes. Les malheurs de sa pauvre mère et de sa pauvre sœur ne seraient jamais les malheurs de Sophie, disait-elle parfois au fond de son cœur ou même à l'oreille d'amies sûres.

Mais le malheur, lui, semblait avoir choisi pour cible la maison Allaire. Un mois jour pour jour après l'enterrement de Pétronille, le bébé tomba malade. Le lait que la petite avait bu contenait des bactéries qui eurent pour effet de la bourrer de coliques d'abord. Puis, de lui donner une diarrhée que rien ne semblait devoir arrêter. Les deux premiers jours de sa maladie, le jeudi et le vendredi, elle pleura; puis ses forces en déclin ne le lui permirent plus. Le samedi, on l'emmena chez le docteur au village. Il prescrivit de l'eau de riz comme chaque fois dans ces cas de gastro-entérite provoquée si souvent chez les enfants par l'eau ou le lait en plein cœur de l'été. Sophie lui en donna. Édouard lui en donna. Émélie surveilla la petite dans son ber pour que sa bouteille d'eau lui soit toujours accessible. Mais l'enfant dépérit, et le lundi matin, son père la trouva dans le coma. Il l'emmena une autre fois chez le docteur qui ne put prescrire, cette fois, qu'une bonne dose de temps et une plus grande encore de prière.

Henriette mourut dans la nuit du mardi.

Elle avait vécu 8 mois et une semaine.

On enterra l'enfant avec sa mère.

Émélie assista à la cérémonie des anges.

Elle pensa que sa petite sœur de même que ce frère décédé qu'elle n'avait pas connu étaient tous les deux en la compagnie de sa maman et qu'ils lui souriaient tous ensemble.

Et elle leur sourit quand Édouard lui toucha l'épaule pour l'emmener hors du cimetière.

∞∞∞∞∞∞∞∞

Chapitre 24

Tôt l'automne, Émélie et Marie prirent le chemin des écoliers dans leurs robes longues et noires qui attirèrent l'attention des autres enfants. Le premier jour de classe, la maîtresse dit à tous qu'elles étaient des orphelines et demanda de prier pour leur mère défunte. Marie, effrayée par trop de nouveauté, se mit à pleurer. Émélie figea son propre visage dans de la glace et se répéta mentalement comme tant de fois depuis le départ de Pétronille qu'elle ne pleurerait pas. Et elle ne pleura pas. Mais garda les yeux plongés, vissés dans le bois de son pupitre tant qu'il fut question de leur deuil.

Puis le quotidien fait d'écoute en classe, de leçons, de jeux, de marche aller et retour sur une longue distance, reprit ses droits. À chaque dimanche, elles visitaient avec leur père la tombe de leur mère. Sophie prenait soin d'elles comme l'aurait fait Pétronille. Mieux peut-être parce qu'elles étaient des orphelines.

Septembre, octobre, novembre, décembre firent d'elles des êtres consolés mais plus riches moralement que les autres de leur âge. Le deuil dans toutes ses composantes les avait fait grandir, surtout Émélie qui se sentait de plus en plus responsable de ses sœurs et de son frère plus jeunes. Dès son retour à la maison et après le départ de Sophie le soir, c'est elle qui le plus souvent s'occupait de Georgina et du petit Joseph.

Pour tâcher de mieux s'éloigner de ces trois deuils de l'année 1872, Édouard, de concert avec sa belle-sœur Sophie, prit la décision de faire vivre aux enfants un jour de l'An mémorable. Et quoi de mieux pour faire la joie des petits que des étrennes et du bonbon ? Et les enfants sauraient bien voir derrière ces gâteries des sentiments qui leur parlent de sécurité, de certitude après toute cette insécurité et ces incertitudes attachées à la disparition d'un être cher, par-dessus tout d'une mère.

L'homme gratta tous les fonds de tiroir afin de réunir les sous requis pour acheter à chacun au moins une étrenne. Vers le quinze du mois de décembre, ayant confié tous les enfants à la garde de Joseph Tardif, à l'exception de la petite Georgina, Édouard et Sophie, encadrant la petite, se rendirent à Lévis dans un magasin qui proposait les dernières nouveautés venues des manufactures anglaises, américaines et canadiennes, lesquelles foisonnaient en ce beau milieu de révolution industrielle, étendant leurs marchés pour écouler leurs produits.

Il avait neigé assez depuis un mois sans que la température ne monte au point de tout fondre, pour que les chemins soient durcis et aisés à suivre en borlot. On ne se parla guère à l'aller sinon qu'on établit l'âge des enfants, âge qu'Édouard, ne sachant guère compter si ce n'est de l'argent pour payer ou être payé, perdait au fil des années. Émélie aurait 7 ans la veille du jour de l'An. Marie : 5 ans et demi. Georgina aurait 4 ans une semaine après le jour de l'An. Et Joseph atteignait ses 2 ans et demi. Pour le père, le chiffre ne signifiait quelque chose qu'associé à une personne, à sa taille, à son visage, à son image extérieure. Il lui fallait visualiser les chiffres en les apposant sur une réalité concrète pour en saisir le sens, la valeur.

Et Sophie, qui aimait bien chanter et le faisait souvent avec les enfants d'Édouard, fredonna sur de bonnes distances tandis que son beau-frère passait en revue dans sa mémoire tous ceux de sa génération qu'il avait connus et qui avaient disparu, non pas en raison d'un trépas prématuré, encore qu'il s'en trouvât de ceux-là au moins une demi-douzaine, mais parce qu'ils avaient quitté Saint-Henri pour chercher un plus grand bonheur autre part. Et plusieurs de ceux-là partis pour le canton de Shenley. Ou Saint-Honoré comme on disait devenu, ce territoire de la Haute-Beauce. Cette réflexion ne lui ramenait pas à l'esprit toutefois son vieux rêve d'aller s'y établir, ce que la mort de Pétronille rendait maintenant possible pourvu qu'il trouvât un prix raisonnable pour sa terre de même qu'une nouvelle terre à prix raisonnable là-bas à Saint-Honoré-de-Shenley. Car il ne se sentait plus l'âge d'être colon et voulait une terre au moins en partie faite. En réalité, il s'en était voulu d'avoir pensé à cela le midi même de la mort de sa femme, et le voile du deuil lui avait permis d'occulter sa chère et inexpugnable utopie…

Et Sophie fredonnait :

Là-haut, là-bas, sur la montagne,
Là-haut, là-bas, sur la montagne,
Il y avait des moutons blancs,
Viens-t'en donc, belle Rose,
Il y avait des moutons blancs,
Belle Rose du printemps !

Sophie connaissait par cœur les paroles de la chanson. Son beau-frère s'en laissa charmer. D'autres paroles venaient se mélanger à celles de la jeune femme : celles qu'on soufflait parfois à l'oreille du veuf lui conseillant d'épouser sa belle-sœur malgré les vingt ans qui les séparaient. « À l'âge qu'elle a, je pourrais avoir à nourrir une trâlée d'enfants et des tout jeunes encore quand moé, j'aurais passé 60 ans… » Voilà ce qu'il retenait le plus de ceux qui discutaient de son avenir devant lui. Mais surtout, il avait, bien ancrée dans le roc de sa volonté, son intention de rester veuf jusqu'à sa mort ainsi que sa promesse à cet effet à Pétronille, promesse dont par ailleurs elle l'avait délié et qu'elle avait désapprouvée.

Un beau soleil d'automne peignait le ciel du bleu le plus pur et diamantait les champs enneigés. La jument noire aimait trotter, et le voyage vers Lévis fut vite accompli, surtout qu'embelli par la voix douce mais portante de la jeune femme.

La chanson *Belle Rose du Printemps* comme bien d'autres se termine par un mariage. C'est tout d'abord la rencontre de la jolie bergère avec un jeune homme qui voudrait aussitôt l'aimer au sens biblique. Prude, la jeune fille refuse et dit «garder ses talents» pour son mari «quand ça s'ra l'temps», ce qui ne laisse au prétendant d'autre choix que celui de la demander en mariage à ses parents. Elle sait qu'ils vont dire oui. «Faudra s'marier avant longtemps». Et ce que suggère la chanson sans l'exprimer, c'est que les sentiments viendront par la suite…

Voilà qui ressemblait à la réalité de la plupart des jeunes femmes. Et il fallait le prendre en riant. Mais pas Sophie qui se promettait d'attendre le jeune homme qu'elle aimerait presque autant qu'elle aimait le bon Dieu. Et qui l'aimerait de son côté. Il ne lui semblait pas que ce mariage dont elle rêvait puisse se faire à la campagne. Les cultivateurs, s'ils pouvaient avoir des enfants, en avaient en trop grand nombre, se disait-elle. Et cela coûtait tellement de vies comme celles de sa mère et de sa sœur…

– Est-ce que tu vas te marier, un jour, toé, Georgina? demanda Sophie à la fillette qui se sentait au septième ciel d'avoir été choisie pour aller en voyage à Lévis.

La petite promena ses grands yeux, dont les paupières battaient rarement, à la recherche d'une réponse à une question qu'elle ne comprenait guère. Enfin, elle fit des signes de tête affirmatifs.

Édouard se pencha au-dessus d'elle vers Sophie à qui il glissa à l'oreille:

– On va lui acheter une belle catin[10].

– Faudra pas oublier Émélie pis Marie non plus.

– Ben sûr que non!

_____

10. Au Canada, poupée d'enfant

Il passa les rênes à la jeune femme pour plus aisément sortir son sac de tabac et sa pipe :

– Y a rien de meilleur que de fumer au grand air. Ça sent bon pis c'est bon pour la santé. La plupart des docteurs fument itou.

La jeune femme n'en croyait rien, mais elle se tut sur la question. Et les milles glissèrent sous les patins de la voiture, emportant avec eux des êtres qui apprivoisaient leur deuil et qui, entraînés par la fringante Victoire, allaient droit devant en tâchant de ne plus regarder derrière autrement que pour y puiser courage et détermination.

Le long du magasin, il y avait un endroit où l'on pouvait stationner les voitures, des barres de métal pour y attacher les longes et, sur demande moyennant paiement, se procurer du foin pour nourrir les bêtes qui venaient de loin.

Édouard descendit. Il souleva Georgina et la posa à terre près de Sophie, qui lui prit la main. L'homme alla couvrir Victoire de la robe de carriole. Il l'attacha et lui dit comme il le faisait chaque fois qu'il la récompensait :

– Je vas te r'venir avec un p'tit minot d'avoine.

Il parut que la bête comprenait. Elle agita la tête et hennit. Mais c'était peut-être pour saluer un ou plusieurs de ses congénères qui l'encadraient des deux côtés, rangés en biais, le nez au magasin.

Édouard rattrapa Sophie avant qu'elle n'entre dans la bâtisse à deux étages, une construction longue et large où l'on disait pouvoir trouver de tout. Le magasin avait pour nom J. L. Demers en grandes lettres affichées sur le fronton et qu'Édouard prit le temps de regarder avant d'y entrer.

Son petit visage engoncé dans une capuche vert foncé qui laissait échapper des boucles blondes, Georgina souriait comme si la main de sa tante l'avait transportée dans un univers féérique. Elle dit ses premiers mots du voyage, ceux entendus avant leur départ, dits par Sophie :

– On va au magasin ?

– Oui, ma fille, on va au magasin.

Tout était immense au regard de cette enfant de pas 4 ans qui sous son long manteau de couleur brune alignait des petits pas qu'elle croyait grands. Les vitrines avec des robes suspendues à l'intérieur, ces portes doubles avec des lettres d'or en cercle qui disaient quelque chose que ni elle ni les deux adultes en sa compagnie ne pouvaient lire.

Et l'on fut bientôt à l'intérieur. Ni Édouard ni Sophie n'étaient jamais venus là. Une dame d'âge mûr vit tout de suite qu'il s'agissait de nouveaux clients et s'intéressa à eux, leur disant quand elle se fut approchée :

– Bienvenue chez Demers, monsieur, madame et la petite demoiselle… Vous avez donc une belle petite fille ?

– C'est ma nièce, se dépêcha de dire Sophie.

– C'est ma fille, d'ajouter Édouard.

La femme, un être rondouillard dont les bajoues sympathiques et maternelles ballottaient aux mouvements de sa tête, se pencha en avant et s'adressa directement à Georgina :

– Et comment tu t'appelles donc, toé, la belle petite fille ?

Certes, l'enfant pouvait dire son nom depuis belle lurette, mais cette interpellation la surprenait ; figée dans l'embarras, elle n'osait parler.

– Tu peux lui dire, à la madame, dit Sophie.

– Georgina, osa dire l'enfant sur un ton hésitant et avec un regard qui fouillait tout ce que dégageait cette étrangère pour savoir si c'était bon pour elle ou menaçant.

– Georgina, y a des belles bébelles pour toé icitte. Mais ça, c'est en haut. Vous allez voir quand vous allez monter au deuxième par le grand escalier que vous voyez là-bas… Laissez-moé vous expliquer où c'est que sont les affaires. Les tissus, la quincaillerie, les parapluies, tout ça, c'est de ce bord-là, à gauche du comptoir du milieu ou si vous voulez au comptoir du fond. Plus loin, au fond, c'est les remèdes. Pis en arrière, y a du linge fait pour les dames : des robes, des chapeaux, des manteaux pis des vêtements d'en dessous.

Ça peut être essayé: y a pas personne de l'autre sexe qui est admis là… Ça se passe entre femmes… Il faut que ça soit de même ben entendu… Les outils, monsieur, ça se trouve de l'autre côté. On a de la vaisselle itou un plus loin. On vend jusque des poêles, imaginez. Des chaudières. Des pipes. Du tabac… parce qu'une pipe pas de tabac, un homme crache pas loin…

La blague fit sourire les deux adultes. Georgina ne suivait aucunement la conversation et se contentait de tout admirer sans jamais se lasser. Soudain, son attention fut attirée par quelque chose qui descendait du plafond au-dessus de leurs têtes. Un grincement se fit entendre, et la vendeuse leva la tête:

– Ça, c'est un monte-charge… en réalité, ça descend les charges depuis le troisième étage… disons le grenier parce que le troisième, c'est pas véritablement un étage… Vous achetez quelque chose là-haut et un commis se charge de vous le faire descendre jusqu'icitte, sur le plancher des vaches. C'est-il pas merveilleux, ça? Bon, là, je vas vous laisser; faut que je retourne en arrière du comptoir. Dès que vous avez besoin de moè, faites-moè signe. Votre nom, vous, c'est monsieur?

– Allaire. Édouard Allaire. Nous autres, on vient de Saint-Henri.

– Ah oui? Il vient souvent du monde de Saint-Henri nous voir. Monsieur le curé Grenier vient souvent. Monsieur le vicaire Côté itou. Ah, qu'ils vous ont fait une belle église par chez vous là!

– J'ai travaillé à la bâtir.

– Vous êtes un homme béni du ciel dans ce cas-là comme tous ceux qui ont mis leur main à la pâte.

Édouard songea aux disparitions qui l'avaient affligé et se demanda si le ciel lui était aussi favorable qu'elle le présumait. La dame perçut la lueur inquiète dans son regard et pensa qu'elle avait sans doute affaire à un veuf, même si aucun signe de deuil sur lui ou sa belle-sœur et l'enfant ne le révélaient. D'autres signes ne trompaient pas, eux. La présence de cette belle-sœur. Plus la préoccupation de cet homme pour sa petite fille : chose rare. Elle saurait à coup sûr à voir leurs achats plus tard. S'ils prenaient des bébelles, même seulement des colifichets, probable que ces gens voulaient se consoler en consolant leurs enfants. Elle mit fin à l'échange et ses réflexions, et tourna les talons. Les reverrait plus tard, entre-temps, elle avait à voir à d'autres clients qui arrivaient nombreux.

– Où c'est qu'on commence ? demanda Sophie.

– Allons en haut pour les bébelles des enfants. Autrement, je pourrais tout dépenser mon argent. Je te dis que y a du beau stock icitte…

Édouard prit la petite dans ses bras et gravit les marches avec sa belle-sœur à son côté. Plus haut, un escalier latéral plus étroit les amena au second étage. Et l'on fut vite au rayon des jouets : une marchandise rarement achetée par des cultivateurs ou gens de petits métiers en raison de son coût prohibitif, ce qui incitait ces gens à bricoler eux-mêmes les jouets de leurs enfants quand ils leur en donnaient. Édouard, qui n'avait jamais été dépensier et s'était marié sur le tard, avait pu engranger quelques surplus et même si pour faire plaisir aux enfants, il avait dû gratter les fonds de tiroir, ça ne l'avait pas obligé de toucher à sa réserve qu'un instinct lui disait de conserver précieusement pour plus tard, pour la grande occasion de sa vie peut-être.

Sur une tablette à la hauteur des yeux d'adultes étaient rangées quatre poupées que Georgina, toujours dans les bras de son père, pouvait presque toucher en tendant le bras. Ce qu'elle fit vers l'une d'elles, en chiffon de diverses couleurs et qui avait de grands yeux ronds, bleus comme les siens. Sophie la lui mit entre les mains, et la fillette la regarda comme un trésor sacré. Puis, elle lui enleva et la remplaça par une autre, mais le choix de Georgina était déjà fait et, semblait-il, définitif. L'on remit ensuite l'objet à sa place, et la petite, si elle devint triste, ne rechigna pas. Pétronille lui avait montré à ne pas pleurer par caprice…

Édouard la déposa par terre, et Sophie lui prit la main pour marcher plus loin. L'enfant tourna la tête et les yeux vers la poupée qui s'était emparée de son cœur. Elle pouvait voir sa face là-haut et son pied chaussé de rouge qui dépassait du bord de la tablette.

On trouva un chapelet pour Marie, elle tant fascinée par la vie de Bernadette Soubirous que Pétronille lui avait contée, et qui priait pour que la Sainte Vierge lui apparaisse, à elle aussi, comme à la jeune fille de Lourdes.

Pour Joseph, l'on choisit un petit traîneau, sans doute fabriqué par un artisan et non pas manufacturé, mais si bien fait, si beau dans sa couleur rouge sur ses lisses de métal brillant, si bien orné de motifs ouvragés qu'il avait sûrement fallu des mains d'artiste pour le fabriquer.

Et pour Émélie, Sophie choisit un parapluie tout gris de la meilleure qualité.

– C'est pas trop un jouet, objecta Édouard quand on fut devant l'étalage.

– Je sais pas pourquoi, mais les parapluies l'excitent. Elle aime beaucoup les voir à l'église, le dimanche. Surtout ceux en couleur des belles dames.

– À y penser, c'est ben vrai. Elle demandait toujours à Pétronille pour tenir le parapluie quand il mouillait pis qu'on allait à l'église, mais vu qu'elle est pas grande, ça durait pas longtemps qu'il fallait le reprendre pour pas venir trempes en navette.

– Même quand il fait beau, elle dit tout le temps : ma tante, on va prendre le parapluie… Pis moé, je lui dis : pourquoi, Mélie, il fait soleil ? Elle de répondre : en tout cas… en tout cas, ma tante.

L'on acheta à l'insu de Georgina la belle « catin » qui lui avait tant plu. Elle aurait son étrenne comme les autres le matin du jour de l'An de ce 1873 que le père de famille espérait moins douloureux que celui de 1872…

Les objets achetés furent mis dans divers sacs de papier brun, ficelés à l'aide de corde jaune échevelée. La vendeuse du début fut la même personne qui reçut le paiement. Elle osa dire:

– Depuis quand que vous êtes veuf, monsieur Allaire?

– Depuis le 15 de juillet… mais comment savez-vous ça?

Elle ramena sa main ouverte vers son nez et la rejeta devant en penchant légèrement la tête sur le côté:

– Ça me le disait…

L'on ne s'en dit guère plus, et quand la transaction fut bâclée, Sophie marcha devant avec sa nièce tandis que lui transportait les sacs. Soudain, il s'arrêta près de pièces de harnais suspendues à un demi-plafond, et un souvenir vint le frapper de plein fouet. Il se vit quinze ans auparavant à l'intérieur du magasin de Sainte-Marie, devant cette Marie-Rose fabuleuse, sidéré par son image, boule-versé par son sourire. Et voici que son idée encore vague d'ouvrir magasin à Saint-Honoré lui revint en tête. Mais comment réaliser un tel projet quand on ne sait ni lire ni écrire? Alors, il se dit qu'il devrait compter sur Émélie. Il la ferait instruire jusqu'à ses 14 ans, et c'est elle qui à ce moment l'assisterait. Entre-temps, il se prépa-rerait aussi. Il prendrait information sur les fournisseurs des magasins. Plus tard, il mettrait sa terre en vente et prendrait le temps qu'il faut pour en obtenir le maximum. Et il prierait pour que personne ne le devance là-bas.

– T'as donc l'air perdu, lui dit sa belle-sœur quand ils furent enfin dehors.

– C'est vrai, j'avais la tête rendue pas mal loin.

– Essaie d'oublier tous les jours…

– J'avais pas la tête dans le passé, je l'avais dans l'avenir, dans notre avenir peut-être.

Sur le chemin du retour, il lui fit part de son projet. Elle l'approuva. Il suggéra que Sophie soit de la même entreprise. Elle sourit mais déclina sa proposition, affirmant qu'elle n'avait aucun désir de s'exiler au fond des concessions de la Haute-Beauce.

Quand elle quitterait Saint-Henri, ce serait pour aller vivre à Lévis ou à Québec...

Peut-être devrait-il abandonner ce rêve ou bien le laisser dormir dans un enrobage de glace...

∞∞∞

Édouard voulait recevoir des invités au jour de l'An. Il demanda à Sophie de l'aider aux préparatifs. Voir à la mangeaille. Nettoyer la maison. Décorer. Elle accepta. Lui fit boucherie à quelques jours de Noël. Puis, essaima ses invitations le dimanche 29 sur le perron de l'église à la sortie de la grand-messe tandis qu'on faisait la criée pour ramasser de l'argent à être versé à quelques familles miséreuses de la paroisse.

Les enfants savaient qu'ils auraient des étrennes, et les deux aînées, Marie et Émélie, supputaient. Les cadeaux se trouvaient dans la chambre de leur père, et défense d'y mettre le nez. Elles avaient hâte et se le répétaient sans arrêt avec excitation. Et, en plus de fêter le jour de l'An, on soulignerait l'anniversaire de naissance de la plus vieille qui aurait 7 ans le 31 décembre, et de Georgina qui en aurait 4 le 7 janvier.

Que de merveilleux petits bonheurs en vue après toutes ces affreuses douleurs de l'année passée!

∞∞∞∞∞∞

Chapitre 25

Édouard remplit la boîte à bois dès l'aube avec de la belle érable bien sèche prise dans la cuisine d'été. Il faudrait chauffer le poêle à plein régime toute la journée afin de garder une bonne température dans la maison mais surtout pour fricoter. Et avant de partir pour aller faire le train, il mit sur le deuxième rond un chaudron noir contenant de l'eau à bouillir. Il en faudrait pour se laver. Il en faudrait pour la soupe. Il en faudrait pour le thé. Il en faudrait pour mélanger à la boisson forte. Il en faudrait toute la journée, et rien que la bouilloire ne suffirait pas à la demande.

Sans avoir besoin de le dire, il confia la garde des plus jeunes à Émélie et se rendit à l'étable. Sophie ne serait là qu'une demi-heure après la messe basse de ce matin du premier de l'an et donc probablement tandis qu'il travaillerait dans la grange. De toute façon, il saurait qu'elle était là quand elle viendrait reconduire le cheval à l'étable, où l'animal passerait la journée jusqu'au départ, le soir, de la jeune femme dévouée qu'un gros barda attendait.

Sophie apprécia la prévenance de son beau-frère quand elle fut dans la maison après son arrivée un peu plus tard. Et elle se mit aussitôt à l'œuvre. Tout d'abord, elle lava les deux plus jeunes en même temps que derrière un drap suspendu, Émélie et Marie successivement, se lavèrent dans une cuve avec de l'eau chaude : mélange d'eau bouillante puisée à même le contenu du chaudron noir et d'eau froide venue de la pompe à main fixée au comptoir de l'évier.

– Frotte-toé pas trop, Mélie, avec la barre de savon : tu pourrais avoir une poussée de boutons sur la peau.

Mais la fillette n'obéit pas à la voix de sa tante Sophie venue de l'autre côté du mur en drap. Elle avait conscience que son corps lui appartenait et que la seule personne à qui elle devait obéir en matière de soins d'hygiène, c'était elle-même. Elle frottait donc moins longtemps au même endroit, mais y revenait après une tournée des autres parties de son corps. C'est qu'elle avait le goût de la propreté aussi loin qu'elle se rappelle. Pétronille le lui avait transmis en même temps que celui de lire et d'écrire, habiletés qu'à l'école elle était en train d'acquérir avec brio. Et ayant fait sa première communion l'année précédente et rendue à sept ans depuis la veille, voici qu'elle se considérait grande fille.

En plus de se sentir bien dans la cuve, elle rêvait à son cadeau de fête et du jour de l'An. Sophie lui en avait parlé plusieurs fois, et sa curiosité était fort aiguisée. Sa tante lui avait même confié un secret en lui révélant qu'on avait acheté une jolie « catin » pour Georgina et un petit traîneau pour Joseph. Toutefois, elle n'avait rien dit au sujet du chapelet de Marie ni du parapluie d'Émélie.

– Dépêche-toé, Mélie, ton père est allé atteler…

C'est que la fillette serait aux côtés d'Édouard pour aller à la grand-messe comme souvent le dimanche et les jours de fête. Les autres, y compris Marie, qui n'avait pas encore fait sa première communion, restaient le plus souvent à la maison sous la garde précautionneuse de Sophie. Mais il arrivait une fois par mois que tous se rendent à la messe. Car les prêtres conseillaient vivement aux parents d'habituer leurs enfants à la pratique religieuse dès leur plus jeune âge.

« Il pourra pas garder ses enfants ben longtemps, » se disait-on à l'oreille quand on voyait le veuf et sa fille, tous deux en deuil, dans un banc de l'allée centrale.

« La plus vieille à Ti-Mé Beaudoin, ça y ferait une saprée bonne femme. »

« Trop jeune voyons ! Pourquoi pas la veuve Labrie ? Une quarantaine d'années… pis dans la misère avec ses enfants… »

Il faudrait plus que des murmures dans son dos pour décider Édouard à placer ses enfants. Tant qu'il pourrait compter sur sa belle-sœur comme maintenant…

Et sous un ciel nuageux et un froid raisonnable, on retourna à la maison un peu avant le coup de midi. Trop occupée tout le temps de leur absence, la pauvre Sophie n'avait pas eu le temps encore d'habiller les deux derniers qui étaient restés en jaquette blanche après ce bain qu'elle leur avait donné plus de bonne heure.

Une fois entrée, Émélie ôta son manteau qu'elle suspendit à un des crochets du mur de l'escalier puis elle approcha la chaise berçante de son père, du poêle au feu ronflant, et s'y assit pour se réchauffer un peu en attendant le bel événement de la remise des cadeaux. Georgina ne tarda pas à courir à elle et à quémander une petite place à son côté sur la chaise, ce que sa grande sœur lui consentit avec un bon sourire.

– Tu vas avoir un beau cadeau quand papa va revenir à la maison, lui glissa-t-elle à l'oreille.

Georgina éclata de rire et colla sa tête au bras d'Émélie, qui garda son sérieux, car elle se sentait responsable des trois autres depuis la mort de leur mère et réprimait ses envies de rire tout autant que ses envies de pleurer.

Vint enfin l'heure de la distribution des étrennes. Tout d'abord, Sophie donna des bonbons durs à chacun puis Édouard bénit la famille qui s'était mise à genoux. Ensuite, il prit place dans sa berçante qu'il fit pivoter sur elle-même de sorte qu'elle fasse dos au poêle. C'est là qu'il agirait au nom de l'Enfant-Jésus pour donner son étrenne à chacun. Sophie eut pour tâche d'aller chercher les cadeaux, un à un, de les lui remettre, et lui appellerait alors l'enfant concerné. Ce serait fait au hasard, sans ordre d'âge. Marie fut appelée la première. Elle ouvrit le sac, trouva son chapelet et en fut très contente. Son âme de mystique avait été bien labourée et ensemencée par sa mère naguère, et qui sait, peut-être même que Pétronille continuait d'y semer de la bonne graine.

Puis, Joseph reçut son traîneau et s'assit dessus en se donnant des élans pour le faire bouger. Tout ce qu'il réussit à faire fut de provoquer un éclat de rire général.

Quand Édouard remit son sac à Émélie, il lui dit :

— Ça va te servir toute ta vie, mais jamais l'hiver.

Elle l'ouvrit et fut enchantée. C'était un parapluie à tissu gris qu'elle parvint à déployer du premier coup. Cette fois, les sourires dépassèrent sa volonté, et Sophie lui dit trois petits mots bien importants :

— Comme une grande !

Émélie prit la main de Georgina, et elles firent ensemble une petite ronde de bonheur pour la plus grande joie des deux, l'une encore souriante et l'autre riant aux éclats.

— Asteur, dit Édouard, c'est au tour à Georgina… Viens voir papa.

La petite obéit et vint se mettre debout devant son père, qui une fois encore la trouva bien jolie, celle-là, tout en lui ressemblant peu. Sophie revint avec le dernier sac dont elle avait ôté la ficelle. Édouard le remit à l'enfant qui l'ouvrit, y plongea le nez et trouva la poupée de chiffon qui avait ravi son cœur au magasin et dont elle avait gardé enfoui un souvenir brillant qui remonta à la surface de sa mémoire.

Elle prit l'objet dans ses bras et rejeta le sac avec les autres. Et eut un éclat de rire. Sa petite voix claire résonna par toute la grande pièce et monta sans doute jusqu'à sa mère par l'escalier menant au ciel.

— Êtes-vous contents, les enfants ? demanda alors Sophie.

Elle récolta des « oui » mélangés que leur père engrangea. Il leva les yeux vers le plafond et dit mentalement :

— Tu dois être contente, toé itou, Pétronille…

Sophie ensuite emmena les deux plus jeunes au deuxième et les revêtit de leur linge du dimanche, tandis que les deux aînées allaient dans leur chambre déposer leur précieuse étrenne du jour de l'An. À Georgina, qui ne délaissa jamais sa poupée, Sophie fit endosser une robe bleue avec de la dentelle blanche autour du cou, songeant que ni Pétronille là-haut ni les invités en bas ne s'offusqueraient de voir que la petite ne portait pas le deuil ce jour-là. « Assez des deux autres ! » songea la jeune femme qui elle-même ne portait plus de noir.

Ce fut ensuite un repas pris sur le pouce. Il ne fallait pas trop manger car le souper du jour de l'An avec toute la mangeaille préparée par Sophie aurait lieu vers quatre heures de l'après-midi, quand les invités seraient tous arrivés. Édouard finit le premier et sortit de la maison. Il se rendit à la grange pour y «débouler» du foin dans l'étable afin de nourrir les chevaux des visiteurs qui devraient y passer plusieurs heures jusque tard le soir.

Sophie se fit aider par Émélie et Marie à la corvée de vaisselle. Le garçonnet s'amusait de peu, toujours assis sur son traîneau, tenant les deux bouts de la corde qu'il imaginait des rênes… et se fabriquant des randonnées dans sa tête.

Georgina se glissa sur la berceuse qui n'était pas à sa place habituelle vu qu'Émélie l'avait rapprochée du poêle et que son père l'avait fait pivoter sur elle-même pour s'y asseoir et distribuer les étrennes. L'enfant avait pris la dangereuse habitude d'imprimer à la chaise un mouvement de balancier d'avant en arrière, et il lui avait été dit à quelques reprises qu'elle se ferait du mal en tombant à la renverse. Mais aurait-elle pu s'en rappeler sans l'avoir appris par la douloureuse expérience de chuter en un jour aussi merveilleux pour elle ? L'enfant à boudins blonds tenait toujours sa poupée qu'à la suggestion de Sophie, on avait baptisée Bonbonnette. Tout était en place pour faire d'elle un être aussi heureux qu'un ange du paradis : l'esprit de la fête dans la maison, sa belle robe bleue sur le dos et sa catin entre les mains. Un bonheur de plus serait celui de se balancer… Il ne manquait plus que ça pour la rendre ivre de joie.

Debout, mains au dossier, l'une tenant Bonbonnette, l'enfant fit bouger son corps vers l'avant puis vers l'arrière. La chaise commença à bercer…

À l'évier, on parlait de Bernadette Soubirous et des apparitions de la vierge à la grotte Massabielle, événements surnaturels dont les prêtres entretenaient abondamment leurs ouailles depuis leur survenue en 1858. Sophie racontait l'histoire pour la énième fois, et toute son attention était partagée entre son récit et la tâche qu'elle partageait avec les petites filles. Émélie jeta un coup d'œil vers Georgina sans s'inquiéter pour l'avoir vue se balancer ainsi à maintes reprises sans jamais tomber, comme si la petite avait un instinct d'équilibre bien particulier.

L'enfant s'amusait comme une petite folle et riait aux éclats, mais la chaise alla trop loin. Georgina leva le bras qui tenait Bonbonnette pour se garantir, et la poupée s'accrocha dans l'anse du chaudron d'eau bouillante. Le mouvement de retour de la chaise fit en sorte que le chaudron fut entraîné vers elle, bascula et se vida sur sa petite personne qui fut ainsi ébouillantée en plein visage, à la tête, au cou et sur tout le haut de son corps.

Son rire se transforma en affreux cri de mort. Si puissant et si affreux qu'il figea sur place ses sœurs et sa tante. Le chaudron s'écrasa sur le plancher dans un bruit sourd enterré par les cris incessants de l'enfant qui s'effondra sur la chaise.

– Mon doux Jésus! parvint à dire Sophie qui se mit à gémir en saisissant toute l'horreur de la situation.

– Vite, Mélie, va chercher ton père à la grange…

Et elle se précipita auprès de l'enfant blessée sans savoir quoi faire dans pareille situation. Émélie se trouvait en pleine torpeur et avait les pieds dans la glace. Sophie s'agenouilla devant la chaise arrêtée puis tournant la tête cria:

– Mélie, va chercher ton père… vite… vite…

Comme si ce geste et sa vitesse d'exécution pourraient réduire les dommages irrémédiables déjà survenus à la pauvre petite fille.

Émélie jeta le linge à vaisselle par terre et courut à la porte sans regarder la scène abominable et sans voir le visage de Georgina devenu rouge et ses paupières déjà terriblement enflées et qui l'empêchaient d'ouvrir les yeux. Sophie la prit dans ses bras, et la poupée tomba par terre. Elle l'emporta dans la chambre d'Édouard et la coucha sur le lit. La fillette se tut. Elle venait de perdre conscience.

Marie courut en haut chercher son chapelet. Il lui semblait que la seule manière d'aider pour elle était de réciter des *Ave* sans s'arrêter. Elle ne concevait pas qu'il arrivât à sa petite sœur le même sort qu'à sa mère et au bébé Henriette.

Et sans autre vêtement que sa robe noire, Émélie courut dans la neige, le souffle coupé et pourtant sans s'arrêter, jusqu'à l'étable où elle entra en hurlant des mots épars qui pourtant portaient en leur ensemble de la cohésion:

– Faut venir… Georgina… ébouillantée… va mourir…

Émélie connaissait mieux la mort depuis qu'elle l'avait vue rôder dans la maison l'été précédent et une autre fois chez ses grands-parents Allaire au dernier jour de l'An.

– Dis donc pas des affaires de même, toé!

– Elle se berçait, pis le chaudron a tombé sur elle…

Édouard comprit la gravité de l'accident. Il avait bu du thé à la fin du repas et se souvenait que le chaudron était au moins à moitié rempli d'eau bouillante. Il revint à la maison en courant plus qu'un fuyard, et pourtant, c'est vers l'horreur à l'état pur qu'il se jetait. D'un coup d'œil en entrant, il imagina la scène qui avait dû se produire à voir les éléments qui la composaient: la chaise, le chaudron, le plancher mouillé et la poupée gisant dessus. Il se dirigea à la chambre dont il provenait des gémissements qui exprimaient une blessure morale insupportable.

– Faut l'emmener su'l docteur; faut l'emmener su'l docteur.

Sophie répétait sans cesse les mêmes mots qui au fond contenaient divers sentiments de culpabilité, d'impuissance et de douleur profonde.

Cette deuxième scène fit comprendre au père que sa fillette était perdue, qu'elle rendrait l'âme dans les minutes à suivre ou bien dans les prochaines heures. Il ne restait qu'à prier le ciel pour que vienne la mort au plus vite afin d'éviter à la petite des souffrances atroces pour le cas où elle émergerait de son coma.

Émélie referma la porte laissée ouverte par son père et se dirigea à son tour à la chambre. Elle entra et se tint à côté, contre le mur, comme si souvent du temps de la maladie de sa mère. Et elle regarda sa pauvre petite sœur que le jour entrant par la fenêtre éclairait et montrait.

Marie quant à elle avait redescendu l'escalier à moitié et s'y était assise, chapelet à la main, la tête tournée vers la fenêtre qui se trouvait plus bas, au pied, incapable de rejoindre Émélie, donnée tout entière à sa prière répétitive qu'elle imaginait devoir être exaucée.

Georgina gisait sur le drap blanc, sa petite robe bleue trempée de cette eau mortelle qui après l'avoir assassinée était redevenue froide. Son visage boursouflé, ses paupières terriblement enflées, sa peau rouge témoignaient du terrible et irréparable dommage qu'elle avait subi. Elle respirait néanmoins, mais sa poitrine se soulevait d'un coup et se rabaissait de la même façon : elle ne tenait plus à la vie que par soubresauts, et le fil risquait de se casser à tout moment.

– On va la graisser comme il faut avec du beurre pis, on va l'envelopper ben comme il faut, pis je vas l'emmener su'l docteur, mais... j'ai ben peur...

Le beurre était le seul remède que connaissait Édouard pour soulager une brûlure et l'aider à guérir. Il savait que toutes les tentatives faites pour sauver la petite fille ne sauraient avoir pour effet pernicieux que celui de prolonger sa souffrance. Et Sophie, prisonnière de ce fatras de sentiments violents, ne parvenait pas à sortir d'elle-même afin d'agir.

– Mélie, va chercher du beurre, lui demanda son père.

Tremblante, l'enfant se rendit dans la dépense. Elle en ramena un vase de faïence contenant un gros morceau de beurre dur. Édouard le prit et le mit sur le deuxième pont du poêle afin que la substance ramollisse au plus vite.

– Mélie, tu vas la graisser, ta petite sœur, avec du beurre, partout dans la face… partout où c'est qu'elle s'est fait brûler. Moé, je m'en vas atteler… Bon… Sophie…

Mais sa belle-sœur était toujours à moitié là et à moitié dans l'univers tordu de ses émotion navrantes. Édouard la prit par les épaules et la secoua :

– Sophie, Sophie, c'est pas de ta faute. C'est pas de la faute à Mélie. C'est pas de la faute à Marie. C'est pas de ma faute. C'est de la faute à personne. Là, ce qu'il faut faire, c'est faire quelque chose… Braille pas, faut faire quelque chose… Aide Mélie ou ben que Mélie t'aide… Je m'en vas atteler, comprends-tu ?

Sophie parvint à faire des signes de tête affirmatifs.

– Je vas revenir la chercher dans une dizaine de minutes. Qu'elle soit prête ! Graissée avec du beurre pis enveloppée ben au chaud…

– Ça va être fait, Édouard, ça va être fait.

Sophie redevint responsable. Elle vit à enduire la peau brûlée de beurre ramolli puis enroba Georgina dans une couverte de laine et une épaisse catalogne. Émélie en fut réduite à regarder. Édouard vint prendre l'enfant et l'emmena…

Il revint trois heures plus tard. La docteur n'avait rien pu faire d'autre que de dire qu'elle ne pourrait survivre et qu'on avait fait ce qu'il fallait jusqu'à maintenant. Déjà des visiteurs venus fêter le jour de l'An se trouvaient dans la maison, atterrés, muets et qui, comme Émélie et Marie, regardèrent Édouard entrer avec dans les bras ce paquet de misère qu'il se rendit déposer sur le lit de la chambre.

– Elle a pas repris connaissance, dit l'homme gravement au sortir de la chambre. C'est une question d'heures… elle va mourir…

Tout un jour de l'An, hein, Sophie, nous autres qu'on avait tout fait pour faire oublier la mort aux enfants pis les voir sourire !

Il pencha la tête. Marie, toujours assise au même endroit le regardait en priant. Debout près de l'escalier, Émélie ne bougeait pas ; son visage empreint de tristesse restait figé dans la glace. Sophie et sa belle-sœur en visite pleuraient ; l'autre homme secouait la tête, serrant les mâchoires.

– C'est quoi qu'il s'est donc passé ? demanda-t-il afin de mobiliser les esprits faute de pouvoir soulager les cœurs.

– Sophie, tu me l'as pas dit, enchérit Édouard.

– Je le sais pas trop trop… On lavait la vaisselle… pis la petite a grimpé sur la chaise pour se balancer comme ça lui arrivait… elle a perdu son ballant, faut croire… quelque chose a dû s'accrocher dans l'anse du chaudron… Elle a poussé un cri de mort… Quand on s'est retourné de bord, c'était déjà fait…

Édouard retint les mots « quelque chose a dû s'accrocher dans l'anse du chaudron ». Il posa ses yeux sur la poupée de chiffon et comprit que sa fille mourrait à cause de l'étrenne damnée qu'il lui avait offerte. Le bonheur qu'il avait voulu lui faire causait sa perte. Alors, il se rendit près du poêle, se pencha, ramassa la « catin » maintenant asséchée et la regarda un moment en la bougeant légèrement, puis il ouvrit la porte du poêle et la jeta au feu.

Il apparut aux yeux de tous, surtout ceux si grands d'Émélie, que la poupée avait été la cause directe de l'accident et donc de la mort annoncée de sa pauvre sœur. Son père lui parla à ce moment :

– Mélie, tu vas rester avec Georgina… pis à toutes les deux, trois heures, tu vas la frotter avec du beurre…

Édouard avait pensé que son aînée, la seule qui n'avait pas versé une seule larme à la mort de sa mère, était donc celle qui possédait la meilleure maîtrise de soi ou peut-être que la nature l'avait dotée de carapaces enrobant ses sentiments. Il ignorait que Pétronille avait montré un an plus tôt à sa plus vieille·à ne pas pleurer en cas de deuil…

Mais il n'y avait pas encore le deuil : Georgina survivait et peut-être que si le bon Dieu s'en mêlait comme l'espérait tant Marie... Mais Dieu s'en mêle rarement...

Émélie prit son poste au chevet de la fillette au seuil de la mort. Elle la frotta comme on l'avait demandé. Et elle pleura, pleura, pleura sans arrêt, par crises interminables qui recommençaient et recommençaient... On la releva pour la laisser dormir. Vidée, morte de chagrin, elle entra dans des sommeils profonds, cauchemardesques... Et son martyre moral dura le même temps que l'agonie incroyable de Georgina.

La délivrance survint enfin l'après-midi du surlendemain, 3 janvier, un vendredi. Georgina décédait à quatre jours de ses 4 ans. Sophie était dans la chambre alors.

Elle l'annonça à voix blanche aux autres réunis dans la cuisine, à Édouard en premier, qui restait assis dans sa chaise près du poêle, prostré dans l'inutile, à réfléchir sur son avenir et celui de sa famille, et à s'en vouloir de n'avoir pas confié ses enfants à d'autres mains à la mort de Pétronille. Ce qu'il ferait au plus tôt avant qu'ils ne meurent tous dans cette maison qui semblait l'objet d'une malédiction...

Émélie ne pleura plus.

Quand plus tard l'occasion se présenta, elle trouva des ciseaux dans le tiroir de la commode de la chambre et en secret coupa une mèche de cheveux de sa petite sœur décédée. Elle lui parlerait à travers cette chose qui ne périrait jamais. Tout comme sa croix de bois et son coffre, elle préserverait pour toujours le boudin blond, non pour pleurer quand elle le toucherait mais pour dire à l'oreille de Georgina qu'elle l'aimait de tout son cœur...

Et elle lui parlerait aussi les jours de pluie quand le temps lui demanderait de déployer son parapluie. Et à ses côtés marcherait l'âme de Georgina qu'elle tiendrait par la main. Et toutes deux souriraient de bonheur alors... Et elle entendrait sa petite sœur chérie rire aux éclats...

∞∞∞∞

Il y eut cérémonie des anges le lendemain après-midi. Puis, un convoi sombre par temps nuageux se forma à la sortie de l'église vers le cimetière situé à l'arrière. Le charnier d'hiver était à demi construit, et l'on y déposa le cercueil de planches de cèdre. Le vicaire bénit la boîte, récita quelques prières et quitta les lieux avec l'enfant de chœur qui l'assistait. Les assistants s'en allèrent aussi. Puis, Édouard qui laissa derrière lui Émélie et Marie. Les deux enfants, toutes de noir vêtues, endeuillées pour la quatrième fois dans une seule année, restèrent un moment épaule contre épaule, à regarder par l'embrasure de la porte qui n'était pas encore installée le petit cercueil déposé sur la neige à l'intérieur.

Elles ne dirent mot. Puis, leur père les appela au lot de leur mère Pétronille, de leur frère Joseph-Édouard et de leur sœur Henriette, tous ensemble sous cette croix de bois qui mentionnait le nom de chacun en lettres encavées. S'y ajouterait bientôt celui de la petite Georgina.

Édouard prit la douloureuse décision de se séparer des trois enfants qui lui restaient. Il pensa confier la garde des deux fillettes à la famille Leblond, qui lui en avait fait la proposition à quelques reprises. Quant à Joseph, il y songerait dans les prochains jours...

∞∞∞∞∞∞∞∞

Chapitre 26

Édouard prit deux ententes dans les jours suivants. L'une avec les Leblond à propos de la garde de ses deux filles durant l'année scolaire. L'autre avec sa sœur Émélie pour celle de son fils Jos.

Les gens, par leurs paroles lancées avant même la mort rapprochée de ses deux enfants, avaient semé la graine dévoreuse du remords en lui. Et en vertu du conformisme de son temps, un homme ne pouvait pas élever tout seul de jeunes enfants, et difficilement et rarement, même en comptant sur une aide familiale de valeur comme Sophie l'avait été. Il attendrait que son aînée atteigne l'âge de 14 ans pour la reprendre, elle et les deux autres. En tout cas, tel était son dessein à ce moment-là d'un profond questionnement et d'un regret certain.

Et voici qu'en cette première semaine de janvier, alors que les travaux de la ferme sont réduits à leur plus simple expression, soit le barda quotidien à l'étable, il se mit à l'ouvrage afin de fabriquer à chaque enfant un coffre en cèdre qui deviendrait pour chacun son petit territoire, le lieu où mettre ses maigres affaires personnelles auxquelles les années en ajouteraient d'autres. Il fallait leur donner le sentiment qu'ils n'étaient pas des orphelins démunis élevés par charité, ce que, dans leur cruauté enfantine, d'autres ne manqueraient pas de leur dire ou de leur faire sentir.

Joseph fut emmené le premier. On fit en sorte de l'apprivoiser d'abord en laissant avec lui pendant toute une journée un gamin de son âge, et on veilla à ce que leurs jeux soient joyeux, ce que Sophie et Émélie permirent et assurèrent. Il s'agissait d'imprimer en sa tête l'idée que son exil de la maison lui serait profitable et heureux... On y parvint fort bien, et ce pli creusé en son être profond de jeune enfant serait déterminant pour le reste de sa vie et inscrirait dans son futur lointain encore un autre exil, choisi de plein gré celui-là, vers les États-Unis...

– Vous allez aller toutes les deux continuer à l'école Élémentaire pis ensuite vous irez à l'école Modèle. Monsieur pis madame Leblond sont ben plus proches du village qu'icitte : ça va vous faire moins long à marcher... surtout quand il va mouiller...

– Ben j'ai mon parapluie, ne manqua pas d'objecter Émélie.

– C'est sûr, mais le frette, le vent, l'hiver, la poudrerie... Vous allez être ben... pis l'été vous allez vous en revenir icitte pour m'aider à faire les récoltes... Pis toé, Mélie, tu vas pouvoir écrire mes lettres comme ta mère faisait... Pis quand tu vas finir ton école Modèle, on va aller ouvrir un magasin...

Ce n'était pas la première fois qu'il lui disait cela, et comme les autres auparavant, le regard de la petite fille brilla de tous ses noirs. Le père et elles étaient assis à la table devant un dernier repas ensemble avant le départ des fillettes par cette journée ensoleillée qui sentait le printemps, mais n'était qu'un redoux en plein cœur de janvier. Il leur brossait un tableau favorable de leur séjour dans une autre famille et leur donnait aussi une perspective d'avenir pour le cas où elles auraient des difficultés à s'adapter. Il poursuivit dans un calme enthousiasme par lequel il voulait les rassurer tout à fait :

– Vous allez être ensemble, vous allez pouvoir vous consoler si d'aucuns vous font de la peine. Vous allez prendre soin une de l'autre...

Soudain, presque brutalement, Édouard repoussa sa chaise et quitta la table pour sortir de la maison sans dire un mot sous le regard médusé de Marie et de sa sœur. Il avait paru à cet homme de maintenant 40 ans que le poids de la terre entière venait de lui tomber sur les épaules. Et son cœur avait chaviré dans l'eau. Il lui fallait cacher sa peine tout comme il était parvenu tant bien que mal à le faire à la mort de sa femme et des deux enfants par la suite, et ne pas la laisser transparaître comme à la disparition en 1867 de son fils premier-né. Ces départs n'avaient pas laissé la maison vide, mais celui d'Émélie et de Marie coiffant tous les autres ne lui laisserait en héritage que le sombre silence et les ombres muettes.

Il lui fallait se vider de ses larmes avant de faire monter les petites dans la voiture où étaient déjà leurs coffres contenant linge et objets personnels. Et il courut à l'étable pour cela, y cachant même son chagrin à la vue des chevaux et des vaches, et pleurant seul dans l'espace à foin sous la trappe donnant là-haut dans la grange.

Quand la crise fut passée, il releva la tête et, les yeux rougis, il les plongea dans son futur, et l'imagina bien meilleur que le présent ou le passé, dans ce magasin là-bas au loin où il finirait d'élever les trois enfants que le ciel lui avait laissés.

Puis, il conduisit la jument dehors pour l'atteler à la waguine. Pendant ce temps, les petites sœurs firent la vaisselle, et quand il rentra à la maison, il trouva la place impeccable comme du temps de leur mère et de Sophie. Il se montra fier d'elles par ses seuls regards.

Il resta près de la porte pendant que chacune revêtait son long manteau foncé puis sa capuche noire. Et se demanda si cette maison retrouverait un jour son âme. Elles s'approchèrent de lui quand elles furent prêtes. Il sortit de sa torpeur. Dit n'importe quoi :

– J'ai mis la peau de carriole dans la waguine, mais il fait pas trop frette. Bon, ben… *all aboard!*

Et l'on sortit en refermant la porte sans la verrouiller. Qui donc oserait venir là dans cette maison marquée par le destin où l'on mourait si vite et où la tristesse avait établi son trop vaste royaume?

Pour Émélie, qui une fois sur la route tourna la tête pour regarder sa maison qui s'éloignait à chaque pas du cheval mais semblait lui parler par ses fenêtres affligées, c'était vivre un deuil encore.

Elle avait la gorge serrée, assez serrée pour faire barrage à ses larmes et les refouler à l'intérieur de son corps.

Pour Marie, c'était bien moins douloureux, car elle gardait avec elle sa sœur aînée devenue presque sa mère depuis la mort de Pétronille et même avant.

Les deux fillettes restèrent l'une contre l'autre, épaule à épaule, telles des petits pantins secoués par les pas du cheval et ceux bien plus lourds de la vie.

Philomène et Olivier ouvrirent grandes la porte de leur maison quand Édouard s'arrêta devant. Émélie fit une courte pause au pied de l'escalier pour examiner sa nouvelle demeure, une bâtisse assez semblable à celle qui l'avait vue naître. Marie ne lui lâcha pas la main tant qu'elles ne furent pas à l'intérieur. Et là, deux garçons plus âgés qu'elles, Alphonse et Eusèbe, se regardaient dans une inquiétude souriante puis toisaient ces fillettes orphelines qu'on les avait avertis de respecter en leur disant qu'il pourrait bien s'agir d'eux, les orphelins, si le bon Dieu en avait décidé autrement. Il se trouvait là aussi deux petites filles, Cédulie et Alice, dont l'âge était à peu près le même que les petites Allaire. Quand les coffres furent entrés, que les manteaux furent ôtés, Cédulie vint prendre Émélie par la main tandis que sa sœur cadette faisait de même avec Marie, et toutes quatre montèrent au deuxième et allèrent dans la chambre qu'elles partageraient désormais. Les fillettes Leblond avaient le sentiment profond d'accueillir deux sœurs aimantes et aimables.

Édouard reprit bientôt le chemin de la solitude en interrogeant l'avenir… Mais rassuré tout de même…

∞∞∞∞

La famille Leblond sera pour les fillettes un milieu de vie sain, chrétien, équilibré, qui les entoura, les enroba dès les premiers temps. Elles allaient ensemble, toutes quatre, à l'école du village et jamais ne se chicanaient ou ne s'opposaient ni même ne se contra-riaient. Chacune avec sa personnalité propre se sentait à l'aise dans le groupe. Enfants pieuses, Alice et Marie rêvaient toutes les deux de se faire religieuses un jour. Mais Cédulie et Émélie se disaient en confidence qu'elles auraient une belle famille à plusieurs enfants si le bon Dieu le voulait et comme elles le lui demandaient souvent dans leurs prières ferventes et naïves.

Émélie se sentait le même cœur que sa mère décédée, mais en plus, elle partageait, dans une certaine mesure, celle d'une enfant de 7 ans, le rêve de son père de s'établir comme marchand quelque part dans la Beauce.

Chaque soir, avant de se coucher, elle ouvrait le coffret que Pétronille lui avait légué et touchait sa croix de bois qui la préser-verait du malheur puis la boucle blonde de Georgina qui lui disait l'immense valeur d'un être humain et la nécessité de lui donner tous les soins possibles pour préserver sa vie le plus longtemps.

Et bientôt, le chaud soleil du printemps vint réchauffer la terre en même temps qu'il faisait briller la neige avant de la transformer en eau neuve.

La nature entrait dans une nouvelle phase de renaissance…

∞∞∞∞∞∞∞∞

Chapitre 27

– Je n'aime pas beaucoup les grenouilles, moi. Et vous ?

Personne ne répondit, mais des murmures discrets furent entendus, des têtes firent des signes négatifs, beaucoup de femmes sourirent et un enfant échappa même un début d'éclat de rire vite réprimé.

On était à la grand-messe. On était dimanche avant-midi. Pour la première fois, Saint-Honoré était réuni à la chapelle à l'heure normale de la messe partout ailleurs. Depuis cinq ans, on assistait à l'office religieux en après-midi, car le prêtre desservant devait d'abord assurer son ministère à Saint-Évariste. Et combien d'autres années auparavant quand la maison d'Alfred Roy servait de chapelle !

C'est qu'on avait enfin un curé résident. Ce qui faisait de cette année 1873 celle de la fondation officielle de la paroisse, même s'il se trouvait là du monde depuis dix-neuf ans, soit depuis le premier coup de hache de Clément Larochelle sur son lot du rang 10. Et l'abbé Faucher venait de prononcer les premières paroles de son tout premier sermon. Il était venu au village avant de s'y installer dans la maison presbytérale voisine de la chapelle et avait pu constater que la grand-rue était une véritable grenouillère. Pire, depuis son arrivée, il n'avait pas pu dormir en confort à cause de la chaleur humide et du chant pas si joyeux que ça de ces bruyants batraciens.

– On ne peut dormir à fenêtres fermées par tant de chaleur la nuit, et voici que l'on est forcé d'assister au concert que donnent les grenouilles à la belle étoile. On se comprend à travers un problème que nous allons régler ensemble par des travaux d'irrigation.

Alfred Bilodeau, le maire, se dérhuma. Il était de ceux qui jugeaient essentiels de tels travaux, plus encore pour éloigner les moustiques que les grenouilles, mais les conseillers avaient voté contre en majorité. Il s'était entretenu de la question avec le prêtre durant la semaine, et le curé lui avait promis de frapper fort sur le clou dès son premier sermon.

Ce qu'il fit pendant un bon dix minutes, mélangeant l'humour et le bon sens. Et il asséna le plus gros coup en misant sur l'orgueil de ses nouveaux paroissiens :

– Si nous ne voulons pas que nos visiteurs nous traitent de crapauds quand ils retourneront chez eux, il faut y voir, mes bien chers frères.

Ce sermon lui permettrait en outre de tester son autorité sur des gens laissés à eux-mêmes toute la semaine durant de nombreuses années et qui avaient développé un certain esprit d'indépendance, peut-être malsain.

Dès le lundi soir, le Conseil se réunit. L'abbé Faucher fut convié à la séance. Il fut décidé à l'unanimité d'entreprendre des travaux d'irrigation, soit le creusage à la petite pelle à force de bras d'un ruisseau collecteur des eaux de surface qui traverserait le village d'un travers à l'autre depuis le sud-est vers le nord-ouest en frôlant la chapelle, et donc en passant tout près de l'arrière du presbytère. Ce qui, à coup sûr, éloignerait des fenêtres du curé l'indésirable concert nocturne à un seul instrument : le coassement. Pierre Chabot dirigerait les travaux, mais c'est le prêtre lui-même qui assurerait la supervision et qui aurait donc la haute main. Chabot se donna pour adjoint le jeune Rémi Labrecque, tout comme il l'avait fait lors de la construction de la chapelle et du presbytère ainsi qu'à l'aménagement du cimetière.

Une croix noire s'élevait déjà dans le nouveau cimetière à l'arrivée du curé Faucher: celle marquant la tombe d'Alvina, enfant de 7 ans, décédée des suites de la typhoïde. Mais voici qu'à la mort, Saint-Honoré s'empressa de répondre par la vie, et bientôt le prêtre administrait le premier baptême à être inscrit dans les registres de la paroisse, celui de Jean-Onésime Audet.

Pour que la paroisse soit vraiment en marche, il ne lui manquait plus qu'un chemin de croix, déclara le curé en chaire. Des gens qui se rendirent dans les paroisses d'en bas en parlèrent, et voici qu'un cultivateur de Sainte-Hénédine, père d'un jeune citoyen de Saint-Honoré, faisait don à la nouvelle paroisse de ce que l'on qualifia de « magnifique chemin de croix » qui fut béni et érigé solennellement en vertu d'une permission spéciale accordée par Mgr Taschereau.

Mais il restait un événement majeur à se produire pour que Saint-Honoré devienne vraiment une paroisse aussi vivante que les autres: la bénédiction de son tout premier mariage. Or, il ne se trouvait aucun couple de fiancés ou d'amoureux disponible pour la grande union. Après s'être gratté la tête, un crâne dégarni et luisant, après avoir consulté la liste de ses paroissiens en rajustant souvent ses petites lunettes rondes, après avoir tordu son nez important à l'aide de son index et de son pouce, après avoir frotté ses lèvres ourlées avec son majeur, l'abbé avait fini par s'écrier:

– Eurêka!

Puis, le doigt sur un nom, il ajoutait:

– Ecce homo…

Ensuite, il s'en voulut de parler ainsi à la Ponce Pilate et, jugeant la faute vénielle, s'en pardonna aussitôt lui-même.

Son homme serait Rémi Labrecque. Il avait vu à quelques reprises une toute jeune fille frêle venir lui parler tandis qu'il travaillait au ruisseau. On lui avait appris qu'il s'agissait de Philomène Morin et qu'elle était la première de la paroisse à se faire « ramancher » par lui. Un peu de pression et on l'aurait en automne, ce premier mariage. Tassé au pied du mur par le prêtre, le jeune homme décida de demander la main de la jeune fille, mais les parents de Philomène, ignorant l'intervention du curé, voulurent y mettre la pédale douce précisément pour ne pas déplaire à l'abbé Faucher, car il s'agissait d'unir une personne encore trop jeune à leurs yeux à un homme un peu trop vieux pour elle…

« Tu m'en donnes des nouvelles, » avait dit l'abbé à Rémi.

Rémi vint dire au prêtre sa nouvelle.

– À voir ton visage, je pense qu'on va célébrer un mariage bientôt.

– L'été prochain, déclara Rémi, l'air victorieux.

Le prêtre grimaça :

– Des fréquentations, faut pas que ça traîne en longueur. Le démon veille…

Rémi blagua :

– Comme disait l'abbé Desruisseaux, Satan veille et nous surveille.

Le prêtre le fusilla par le regard et par le ton :

– Faut pas rire avec ces choses-là, mon ami !

Le jeune homme bifurqua raide vers les travaux en cours dans le village…

∞∞∞

Ce même soir, Rémi commença à fréquenter pour de vrai la jeune Philomène qui, à 15 ans maintenant, entreprendrait à l'automne une autre année scolaire. Car elle voulait devenir maîtresse d'école comme Marie-Rose Larochelle qui lui enseignait et qu'elle admirait au plus haut point.

Elle l'attendait et avait préparé pour eux deux chaises berçantes placées sur la galerie. Rémi entra au moins une heure avant la brunante et salua les parents. Puis, avec elle, il retourna dehors, et ils s'assirent à quelque distance pour jaser et surtout ne rien dire.

– Ton pouce, il va toujours ben?

Il lui avait maintes fois posé cette question qui les ramenait tous les deux à leur première rencontre l'année de la construction de la chapelle.

– Ben ouè...

Elle allongea le bras et fit bouger son pouce devant les yeux du jeune ramancheur. Il s'empara de sa main et sonda l'articulation qu'il avait remboîtée alors que Philomène n'était encore qu'une enfant.

– On dirait ben, hein?

– Des fois, quand c'est ben humide, j'ai comme des... rhumatimes[11]...

– Ça se peut, ça... Dans ce temps-là, tu te mets une compresse d'eau ben chaude, le plus chaud que tu peux endurer. Ça va te faire du bien.

– C'est ça que maman m'a dit.

Rémi sourit. Ils se regardèrent dans les yeux:

– Pis quand on sera mariés, je te le réchaufferai d'une autre manière, ton beau p'tit pouce.

Elle retira vivement sa main de crainte de pécher.

Les parents de Philomène vinrent s'asseoir eux aussi sur la galerie et y restèrent jusqu'à la noirceur. Et même après, car on accrocha un fanal à un poteau de galerie pour veiller avec les jeunes et les avoir à l'œil, un œil qui avait la bougeotte. Puis, vint le temps pour Rémi de s'en aller. Il se rendit à l'étable et en ramena son cheval qu'il attela à son boghei.

Durant leurs fréquentations, les soirées à venir ressembleraient à celle-là, et le jeune homme devrait s'armer de patience pour endurer de ne pas toucher un peu plus souvent au pouce de la jeune fille. Au moins, il aurait droit à un bec du jour de l'An. Mais le jour de l'An, c'était encore bien loin en ce milieu de septembre 1873, pre-

---

11. Façon de dire rhumatismes à l'époque

mière année de la nouvelle paroisse de Saint-Honoré-de-Shenley où les lots des colons se transformaient rapidement en terres de cultivateurs. Terres des plus fertiles, et parmi celles-là, l'une des meilleures appartenant à Rémi Labrecque, un jeune homme qui savait tout faire. Comme son frère Ferdinand.

∞∞∞∞∞∞∞

Chapitre 28

L'année scolaire commençait le lundi 15 septembre cette année-là. On était deux jours plus tôt. Chez les Grégoire à Saint-Isidore tout comme chez les Allaire à Saint-Henri et tous les cultivateurs d'en bas, c'était le temps de l'année des plus notables changements.

Émélie achevait son séjour chez son père avant de retourner au sein de sa famille d'accueil avec Marie. Les deux petites sœurs avaient passé l'été chez leur père, avaient aidé aux travaux des champs : à faire les foins, à râteler au petit râteau sous un soleil intense, à chercher les vaches et à les traire. On aiderait aussi les beaux samedis d'automne à ramasser des petites roches dans les raies de labour et à la récolte des patates. Un rude travail pour de si petites personnes. Mais partout, c'était pareil : dès qu'on avait des bras et des jambes assez forts pour accomplir une tâche, on l'accomplissait. Telle était la règle ; telle était la coutume.

Mais il restait à Édouard quelque chose de fort important à faire avant le départ des fillettes : sa deuxième visite annuelle au magasin Couture de Sainte-Marie. Avec maintenant un prétexte renforcé pour s'y rendre : prendre des nouvelles de l'évolution de Shenley qu'on ne s'habituait pas à désigner sous son nouveau nom canonique de Saint-Honoré. Il lui en parvenait pourtant deux ou trois fois l'an, de ces nouvelles, par des gens de là-bas venus en visite dans leur patelin d'origine, des gens comme Elzéar Beaudoin, l'ami de jeunesse. On aurait pu s'écrire si on avait su le faire.

Mais Elzéar ne se faisait pas prier pour parler, à la demande d'Édouard, de la belle Marie-Rose devenue maîtresse d'école. Et cela entretenait la flamme du souvenir. Une fois l'an, Marie-Rose venait voir sa famille à Sainte-Hénédine, mais Sainte-Hénédine, c'était loin de Saint-Henri bien que la distance entre les deux ne soit que de deux paroisses.

Édouard continuait de se familiariser avec le plus possible d'aspects de la tenue d'un magasin général, et les Couture lui ouvrirent bien large le livre aux renseignements. Et il entraînait discrètement sa fille aînée vers son projet dont il lui parlait parfois sans révéler le lieu exact où on ouvrirait ce petit commerce. La jeune Émélie souriait à la chose, montrant toutes les aptitudes pour y prendre part le moment venu. Toutefois, de nombreuses années seraient nécessaires pour que l'enfant soit prête à la fin de ses études : sept encore, longues et laborieuses.

L'homme attela sa jument au boghei tout en regardant le ciel qui promettait la plus magnifique journée d'automne qui se puisse être. Les deux petites filles attendaient en trépignant devant la fenêtre. Une longue randonnée en voiture et la joie de passer une heure ou deux dans un magasin les attendaient. Les deux consti-tuaient de rares événements dans les années de leur vie. Leur bonheur était grand.

Et le soleil souriant déjà leur faisait des clins d'œil à travers les feuilles des arbres devant la maison. D'aucunes parmi elles, plus pressées que les autres de mourir et de tomber, commençaient à rougir, et dans pas trois semaines, toutes seraient au sol pour for-mer un vaste tapis multicolore. Mais on n'en était pas encore là…

– *All aboard!* lança Édouard selon son habitude quand il fut devant la porte.

Les fillettes étaient déjà sur la galerie. Émélie verrouillait le cadenas de la porte, tandis que Marie enveloppait ses frêles épaules d'un châle rouge qui lui avait été offert par sa tante Sophie quand avait pris fin leur deuil de leur mère deux mois plus tôt.

Les enfants montèrent sur la seconde banquette, Émélie d'abord, que son père aida d'un vigoureux coup de bras, puis Marie, qui confia ses mains à sa sœur et fut tirée en haut mais faillit se faire renverser par la roue quand la jument se mit en marche prématurément, avant un ordre donné. Édouard avait changé de cheval durant l'été, l'autre étant atteint de la gourme, mais il semblait qu'il avait troqué une bête malade pour un animal gesteux. Heureusement, après son soutien à Émélie, il avait eu le temps de tirer sur les rênes pour empêcher la Rouge de trop avancer. Il finirait bien par la mettre au pas, mais en attendant, il devait se montrer prudent.

Le toit avait été replié à la dernière sortie du boghei le dimanche précédent, et voici qu'à moins d'un changement de température peu probable au cours de la journée, on ferait le voyage à ciel ouvert. Malgré cette précaution, la jeune Émélie emportait avec elle son parapluie. Sa tante lui avait dit que cet objet ne servait pas seulement à protéger de la pluie mais aussi du soleil quand il se faisait trop lourd. C'était la mode, paraît-il, chez les belles dames de Paris et de Londres, et même de New York et de Boston. Elle l'accrocha en précaution au dossier de la banquette avant, et l'on se mit en chemin tôt ce si beau samedi alors que les grandes souffrances de 1872, auxquelles on rattachait celles subies à la mort de la pauvre Georgina, se distançaient dans le temps et se cicatrisaient peu à peu grâce à de nouveaux événements et une vie bien autre que celle des jeunes années.

Émélie prit place du côté droit de la banquette pour mieux voir. Marie se tint au milieu pour mieux voir aussi, mais surtout pour être plus proche de sa sœur.

– T'aurais dû t'assire en avant, Marie, tu pourrais tout voir.

– J'aime mieux icitte, Mélie.

– Veux-tu t'assire à ma place, je vas m'en aller avec papa en avant.

– Non, j'veux que tu restes icitte.

– C'est bon d'abord.

Au fond, Émélie préférait ce qui arrivait. Elle venait juste d'avoir une petite leçon quand la Rouge avait fait un pas en avant, risquant de renverser sa sœur. Elle n'avait plus qu'une sœur et plus qu'un frère, et voulait les garder pour toujours. Assez, la mort!

– Les filles, quand je vas vous avertir de faire attention, tenez-vous ben comme il faut. Des fois, on va trotter. Des fois, on va passer dans des trous de vase… mais ça rien que dans le grand bois de l'autre bord de Saint-Isidore…

– Oui, papa.

– Oui, papa, répéta faiblement Marie.

L'on fit un excellent voyage à l'aller. La prévision d'Édouard quant aux ornières ne se réalisa point, et pas un seul diable vicieux ne s'accrocha aux roues de la voiture pour la retenir en arrière dans la longue forêt sombre. Il y fut question des légendes comme chaque fois qu'on y passait. Émélie n'était nullement impressionnée par les joyeux récits de son père, mais elle se rendit compte que sa petite sœur ressentait de la peur et lui prit la main pour la rassurer tout le temps qu'on fut dans l'ombre des grands arbres tranquilles qui avaient l'air de les épier avec leurs gros yeux et de vouloir les étouffer avec leurs grosses branches.

Marie qui, au contraire d'Émélie, n'était jamais venue à ce magasin, et seulement à celui de Saint-Henri, fit les grands yeux en entrant. C'était si grand. Il y avait tant de choses à voir! Et elle croyait que son chapelet et son châle provenaient de cet endroit. Sans même s'en rendre compte, elle cessa de tenir la main d'Émélie et voici qu'elle se soulevait sur le bout des orteils pour admirer dans le comptoir-étagère, section religieuse, les objets de piété là étalés et qu'on avait fait exprès de montrer en un lieu éclairé par les rayons du soleil y plongeant depuis une fenêtre haute. Elle s'en laissa fasciner un long temps qui permit à sa sœur d'écouter avec attention les échanges qu'avait son père avec le marchand et son épouse, lesquels portaient intérêt à cet homme tant éprouvé par la vie, et lui revenaient dès que la clientèle se raréfiait.

Quand s'approcha l'heure de dîner, la femme Couture fit une proposition :

— Au lieu de vous en aller manger à l'auberge, vous avez pas envie de partager notre fricot ?

— Est ben bonne en cuisine : vous allez manger plein votre ventre, tous les trois.

— On voudrait pas déranger votre famille, là, nous autres.

— On a rien qu'une grande fille encore avec nous autres, pis elle est ben fine. Elle aime ben ça, de la visite.

— Je dis oui, mais à condition de vous laisser une piastre pour le manger. Trois bouches de plus, c'est pas rien.

Les époux Couture s'échangèrent un regard entendu. L'homme prit la parole :

— Quand on invite quelqu'un à notre table, Édouard, c'est parce qu'on les aime ben, pas parce qu'on veut leur vendre du manger ou ben n'importe quoi. Vous venez, vous mangez, pis vous allez nous faire plaisir. On va fermer le magasin sur le coup du midi : la clientèle est habituée à ça le samedi.

Cette générosité du couple fit briller le regard d'Émélie. Mais quand elle fut à table, non seulement ses yeux étincelèrent mais aussi ceux de Marie, et même ceux d'Édouard quand il leur fut servi après un repas au bouilli de légumes une délicieuse orange. La femme Couture en servit une à chacun de ses invités, à sa fille Laura et à son mari puis à elle-même.

— Asteur, avec les gros chars, on peut en avoir assez souvent durant l'année. Ça nous vient des États... de la Floride. Ils les récoltent vertes là-bas, pis le temps de nous arriver, sont bonnes à manger.

— J'ai voulu en acheter aux enfants l'année passée au jour de l'An, mais j'en ai pas trouvé.

– C'est rien que depuis cette année qu'on peut les avoir à un prix raisonnable. Avant, ça coûtait les yeux de la tête.

Marie ne disait pas un mot. Elle regardait ceux qui ne la regardaient pas, et quand on posait les yeux sur elle, elle détournait vivement les siens et alors secouait sa jambe gauche repliée et dont le bout du pied touchait le plancher. Et voici qu'elle se demandait bien comment faire pour manger ce fruit à la si belle couleur. Émélie se dit qu'elle n'aurait qu'à imiter ce que feraient les Couture.

Jeune fille de 14 ans, cheveux roux, taches de rousseur, fort timide et rentrée en elle-même, Laura n'avait jusque là dit que des bonjour à l'arrivée des invités. Elle se sentait toutefois une sorte de parenté d'âme avec Marie, qui lui ressemblait par la tête. Et Marie était la seule qui avait droit à ses regards. Quand vint le moment de peler l'orange, elle sortit tout à coup de sa coquille :

– Marie, je vais t'aider, veux-tu ?

Marie fit de petits signes de tête. Laura entama l'écorce avec le bout de la cuillère puis l'enleva au complet. Ensuite, elle divisa l'orange en quartiers et la remit dans l'assiette de la petite fille qui serait ainsi la première à pouvoir goûter, ce qu'elle fit quand Laura l'y invita :

– Tu peux manger, Marie.

Cela amena tout le monde à regarder l'enfant faire. Même Émélie, qui tâchait de peler son fruit, s'arrêta pour voir les réactions de sa petite sœur.

Marie enfin mit un quartier du fruit dans sa bouche. Le goût était si extraordinaire qu'il lui fit relever la tête et oublier sa réserve naturelle alors qu'un large sourire éclairait son visage.

– C'est bon ? demanda Laura.

Mais la petite dut prendre le temps d'écraser le morceau dans sa bouche pour savourer le jus répandu. Avant de finir d'avaler, elle répondit enfin tandis que tous les yeux insistaient pour savoir.

– Beaucoup bon, madame.

Ce fut un éclat de rire général. Marie allait prendre un second quartier quand elle hésita et jeta un regard sur Laura comme pour lui demander la permission. La belle jeune fille fit un signe de tête affirmatif et cligna des deux yeux pour lui montrer son affection.

En réalité, ce goût n'était pas tout à fait étranger à la fillette qui avait mangé des bonbons durs à saveur d'orange ces deux derniers jours de l'an, mais une orange nature, c'était cent fois meilleur.

– Si c'est aussi bon que ça, on va se dépêcher d'en manger nous autres itou, dit le marchand, qui faisait rouler le fruit sur la table afin que l'écorce soit plus facile à décoller de la chair.

À cause de ce qu'ils avaient mangé et en raison de ce chaleureux et généreux accueil des Couture à leur table, la journée de Marie serait mémorable. Pour d'autres raisons, celle d'Émélie le serait tout autant. Elle n'était pas venue là pour magasiner et bien plutôt pour emmagasiner des connaissances comme le voulait son père, et se prêta volontiers à l'exercice, tâchant de tout voir, de tout examiner, de tâter les tissus, de scruter les étiquettes, de mémoriser la disposition des marchandises suivant leur nature...

Quand, cet après-midi-là, ils reprirent la route pour Saint-Henri, la fillette se mit aussitôt à dire à son père ce qu'elle avait vu et ce dont elle se rappelait. Il en fut abasourdi. Car Émélie, lui sembla-t-il, en avait appris et retenu trois fois plus que lui-même durant ce court séjour de quelques heures au magasin général. Il la félicita. Elle dit, alors qu'on arrivait à l'embranchement du chemin de Sainte-Hénédine:

– J'aimerais ça, moé, servir comme madame Couture.

– Pis moé itou, comme monsieur Couture.

On vit alors s'approcher sur le chemin de Saint-Isidore une voiture dont le cheval trottait et qui l'amènerait bientôt à la hauteur des Allaire. Édouard fit s'arrêter la Rouge et annonça aux fillettes qu'il allait vérifier les sangles du harnais, ce qui était un prétexte indiscutable quoique sans valeur, pour parler à ces passants. Il y avait en la mémoire profonde d'Édouard ce souvenir vieux de seize ans déjà qui lui faisait voir par l'imagination sa rencontre avec Marie-Rose Larochelle à peu près là, près de cette croisée des chemins qui n'avait pas été pour elle et lui la croisée des destins.

Il descendit. Se rendit de l'autre côté de la jument. Sonda vaguement les cuirs. Regarda sur un button plus loin l'herbe à dinde qui y poussait toujours. Et des images claires et nettes de sa rencontre de 1857 lui revinrent. Marie-Rose qui caressait le chanfrein de son cheval. Sa tentative de remonter en voiture. Sa blessure. Sa jambe. Le bouquet d'herbe à dinde rosi de son sang et qu'il avait rapporté chez lui. Et les mots échangés, quels étaient-ils donc?

– *Je veux dire que… me faire flatter le nez de même…*

Le pauvre Édouard s'enlisait. Elle eut un petit rire. Il se désespéra:

– *Des fois, je rêve que je suis un cheval…*

Il se dit une fois encore, tant d'années plus tard, qu'il n'avait pas brillé par ses paroles ce jour-là. Et revint jauger les sangles du côté du chemin, tandis que la voiture qui venait avait ralenti et que son cheval allait maintenant le pas, signe qu'on s'arrêterait probablement pour parler. Édouard eut le temps de retourner une autre fois dans le passé pour entendre les paroles qui avaient suivi l'éraflure subie par Marie-Rose dans sa tentative pour remonter en voiture.

– *Tiens, mets ça dessus… ta blessure… C'est pour guérir ben plus vite.*

– *C'est quoi?*

– *De l'herbe à dinde.*

Elle éclata de rire:

– *Tu me prends pour une dinde?*

– *Ben… ben c'est pas de ma faute si ça s'appelle de même… Prends pis frotte le bobo, comme dirait ma mère.*

– *Je veux ben.*

Elle prit le bouquet et fit ce qu'il disait tout en parlant:

– *De l'herbe à dinde… c'est drôle comme nom.*

– *C'est bon pour la santé: ça cicatrice ben plus vite avec ça. Même que ma mère en fait bouillir pour soigner la grippe. Y en a partout sur le bord des chemins… mais faut que ça soye sec, la terre autour.*

Là se termina par la force des choses l'incursion dans son album à souvenirs par cet homme qui n'oubliait pas à 41 ans ce qu'il avait vécu à cet endroit précis à l'âge de 25 ans. Et pour la première fois, il se demanda ce que serait sa prochaine rencontre avec Marie-Rose. Car il y en aurait une et même plusieurs s'il devait ouvrir magasin à Shenley.

— Huhau! dit le conducteur de l'autre voiture, un homme d'au moins 60 ans à en juger par sa chevelure plutôt sel que poivre, pour ce qu'il en restait.

— Fait beau aujourd'hui!

— Une vraie belle journée d'automne.

— On arrive de Sainte-Marie, pis vous vous en allez par là.

— Ouais, je m'en vas reconduire mes deux gars au collège pour l'année.

— Vous les faites instruire? Ben vous avez ben raison, mon cher monsieur.

— Vont en savoir plus que moé, pis comme ça, ils vont avancer plus vite dans la vie.

— Lire, écrire pis compter, c'est capital asteur.

— On s'entend ben, mon ami. Tu viens d'où, toé, au juste? Je t'ai jamais vu.

— Saint-Henri. Mon nom, c'est Allaire.

— Pis moé, Grégoire de Saint-Isidore.

Les deux fillettes pouvaient bien voir cet homme de Saint-Isidore, mais il leur paraissait tout seul dans sa voiture. Où donc avait-il caché ses fils qu'il disait reconduire au collège de Sainte-Marie? Il était seul sur la banquette avant de son boghei, et personne n'occupait la seconde non plus.

Le soleil était maintenant à son zénith. Il prit l'envie à Émélie de déployer son parapluie pour les en protéger, elle et Marie. Ce qu'elle fit.

— T'es cultivateur, ça doit?

— Ouè, ah ouè! Pis vous itou?

– Certain.

– Pis vos garçons, ils ont quel âge?

Édouard savait, lui, où ils étaient, car il pouvait voir leurs jambes gambiller derrière la voiture arrêtée de Grégoire. Il y avait donc une petite plate-forme aménagée à l'arrière de la seconde banquette et sur laquelle les fils prenaient place. Cette légère transformation donnait deux places supplémentaires dans une pareille voiture qui alors pouvait, si on mélangeait enfants et adultes, loger les deux parents et cinq ou six enfants pourvu que des garçons de 8 ans et plus occupent ce derrière de boghei.

– J'en ai un qu'a... Godefroy, quel âge que t'as asteur?

– 15 ans, répondit le garçon qui se montra alors en se mettant à genoux derrière la seconde banquette.

– Pis ton p'tit frère?

– Heu... 3 ans...

– Pas vrai: j'ai 8 ans, protesta la voix de l'autre fils qui, lui, ne se montra pas.

– J'en ai pas mal d'autres, ça fait que j'peux pas savoir l'âge de chaque... Sais-tu que j'en ai un, mon plus vieux, qu'est installé à Saint-Honoré-de-Shenley pis qui doit être pas loin de ton âge. Attends un peu, il est venu au monde en 36, l'année d'avant les grands troubles.

– Moé, en 32.

Cette révélation intéressa fort Édouard. En fait, la partie qui regardait Shenley. Il reprit aussitôt:

– Est-il colon par là-bas?

– Ça sera pas long qu'il va avoir assez de terre défrichée pour être un vrai cultivateur. Il a ses papiers du gouvernement, j'pense ben. Un ben gros travaillant. Il perd pas son temps à parler comme nous autres, lui, il travaille.

Édouard sourit largement:

– Ça fait longtemps qu'il est par là?

Thomas ne s'en souvenait pas précisément et dit en secouant les mains :

– Ben… quelques mois…

– Il a pas été un des premiers en 60, disons.

– Pas ben longtemps après. De la ben bonne terre. Ben content pour lui.

– C'est pas impossible que je le connaisse un jour.

– Tu veux aller t'installer par là ?

– J'y pense… mais pas asteur. Je prends mon temps…

– Tu fais ben, mon gars. Bon, ben je vas continuer mon chemin si je veux revenir à maison avant la noirceur à soir.

– Bon voyage, monsieur Grégoire.

– Toé itou… Ton nom au complet, c'est quoi ?

– Édouard Allaire.

– Ben moé, c'est Thomas Grégoire. Salut ben !

– Salut !

Et le cheval de Grégoire, une bête grise fort docile, se remit en marche. La voiture arriva à la hauteur de l'autre. Le garçon accroché à la banquette regarda les fillettes. Il fit une moue qui voulait dire : c'est quoi que vous faites avec un parapluie ouvert au-dessus de la tête ?

Puis, il apparut enfin aux yeux d'Émélie, ce garçonnet de 8 ans dont elle ne connaissait encore que la voix. Il était assis à l'arrière, un peu efflanqué, le dos et la nuque appuyés au dossier de la banquette. Et il parut surpris quand il la vit. Mais ce n'était pas le parapluie qui prenait son attention et plutôt le regard de cette fillette posé sur lui, et comme un fin sourire à peine esquissé au coin de ses lèvres. Il eut une réaction, un semblant de sourire qu'il rattrapa aussitôt.

Édouard était à monter dans la voiture. Marie regardait devant et rêvait. Thomas et Godefroy Grégoire allaient droit au-devant de leurs affaires en devenir.

Mais il y eut, sans que personne au monde ne le sache, pas même les êtres concernés, une fécondation entre deux âmes par ce regard prolongé qu'elles s'échangèrent. Qui sait, peut-être que ces vives émotions vécues là seize ans plus tôt par Édouard et Marie-Rose avaient laissé dans l'air et dans les choses un relent capable de faire chavirer d'autres cœurs et d'allumer bien des étincelles en d'autres yeux.

Sait-on ce qu'est l'amour à huit et sept ans? Peut-être mieux qu'à n'importe quel âge?

La voiture se mit en marche. Émélie continua de regarder Honoré en se demandant quel était son nom...

Et Honoré continua de regarder Émélie en se demandant quel était son nom...

∞∞∞∞∞∞∞

Chapitre 29

Sept ans plus tard : juin 1880

Près d'un quart de siècle avait passé depuis que le rêve de s'installer à l'autre bout de la Beauce avait pris par la main l'imaginaire d'Édouard Allaire. Et voici que l'homme de maintenant 48 ans était en voie de le réaliser, ce rêve, qui lui avait échappé sitôt entrevu, tout comme cette magnifique jeune personne, si grande, si belle et si agréable, au nom si doux de Marie-Rose. Par bonheur, l'image de cette femme fugitive tout autant que celle de son grand projet d'établissement à Shenley s'étaient nourries l'une à l'autre, soutenues toutes ces années, entraînées comme une paire de chevaux attelés vers leur réalité future.

Mais rien n'étant statique ou permanent, le rêve au fil du temps avait pris une autre couleur, soit celle d'un magasin à ouvrir plutôt qu'une terre à défricher. L'image de Marie-Rose, par la force des années courues, aurait, elle aussi, changé passablement, mais l'homme ne l'imaginait pas, et c'est la jeune personne vive et pétillante, en train de frotter, toute en précaution, son éraflure à la jambe avec l'herbe à dinde qu'il gardait comme trésor dans sa mémoire.

Tout à sa réflexion sur les événements des dernières années qui avaient amené ce changement majeur dans sa vie dont la première étape véritable commencerait ce jour même par son départ définitif de Saint-Henri, Édouard vérifiait son chargement bien sanglé sur la voiture à planches à énormes roues qui le mènerait avec ses trois enfants, Émélie, Marie et Joseph, à Saint-Honoré-de-Shenley, après une interminable journée sur le chemin de Kennebec puis par la piste dite de Tring à travers les bois de l'autre côté de la rivière Chaudière. Un voyage exténuant pour les bêtes et tout autant pour les humains. Mais le père a prévu pour ses enfants un certain confort minimum. Il a fait installer une banquette à ressorts à l'avant afin que les corps ne doivent pas absorber sans cesse et si longtemps les contrecoups provoqués par la chaussée en terre battue, sujette à ornières ou cahots, et cela, parfois même dans sa portion macadamisée de Sainte-Marie à Saint-Georges. Chacun des enfants pourra l'occuper à son tour à son côté. Et il a mis derrière cette banquette, dans un espace réservé devant les bagages, une paillasse d'une bonne épaisseur qui permettra aussi de rendre moins pénible aux filles et à Joseph ce long périple d'une extrémité à l'autre de la longue Beauce.

— Mélie, ça sera pas long qu'on part, lança-t-il vers la maison sans savoir si le son de sa voix atteindrait la jeune fille.

On était à la mi-juin : un resplendissant mercredi qui promettait une chaleur appréciable quoique sans excès. La période était sèche. Ce jour, prévu et annoncé depuis quelques semaines comme celui du grand départ, n'avait pas eu à être retardé. Aucun nuage décoratif dans le ciel. Du beau bleu, horizon à horizon.

Une voix féminine belle et riche lui parvint :

— Ça sera pas long qu'on va venir, papa.

Le père et la fille s'échangeaient souvent ainsi des paroles sans grande utilité. On se rassurait à se parler simplement. On montrait qu'on s'inquiétait de l'autre sans avoir à le dire clair et net. Ce qu'un homme de ce temps, du reste, n'aurait jamais fait. Ce qu'une jeune fille comme Émélie aurait tu également, elle qui, malgré son âge encore tendre, menait ses émotions avec les rênes de sa raison.

Les sept années passées au sein de la famille Leblond avaient parachevé l'œuvre de Pétronille. L'atmosphère familiale y était de qualité, et les deux sœurs avaient grandi sous l'œil bienveillant et attentif des parents d'adoption, à partager avec d'autres enfants l'espace de la maison et celui des cœurs. Émélie s'était liée d'une profonde amitié appelée à durer toute sa vie avec Cédulie et Alice ; les deux sœurs Leblond avaient toujours pris la part de Marie devant les frasques et taquineries parfois exagérées à son endroit par les frères Alphonse et Eusèbe. Émélie, quant à elle, était bien capable de se défendre toute seule. Et, approuvée par les parents, elle avait montré les griffes aux petits « venimeux » quand la chose s'était avérée nécessaire.

Édouard avait poursuivi sa vie d'homme seul, et cultivé sa terre malgré tous ceux qui avaient voulu le remarier à quelque veuve ou femme célibataire prête à mélanger ses enfants à ceux du veuf endurci. Et n'avait cessé de répéter qu'il restait fidèle à sa promesse faite à Pétronille de n'en jamais épouser une autre après elle, promesse dont elle l'avait délié alors même qu'il l'exprimait. Il avait suivi de près les progrès de son aînée dans sa formation scolaire en vue de la tenue d'un magasin général. On avait fait le voyage à Sainte-Marie deux fois l'an, et finalement, alors qu'Émélie entreprenait sa dernière année à l'école Modèle, il s'était enfin rendu là-bas, à Shenley, pour voir de ses yeux ce qu'était devenue la forêt de 1854 après un quart de siècle de colonisation et l'ouverture de toutes ces terres.

Il y avait trouvé un village d'une vingtaine de maisons avec une chapelle et un presbytère ainsi qu'une école située en face de la chapelle. Et le hasard l'avait formidablement servi. Une vraie maison d'école était en construction pour remplacer celle de Prudent Mercier, qui pour cette raison était déjà à vendre. Édouard vit là, au cœur même du village, devant la maison du bon Dieu, son futur magasin. Il discuta avec Prudent et signa avec lui une entente. De retour à Saint-Henri, il mit sa terre à vendre.

Ces événements lui repassaient en tête, tandis qu'il attendait que les enfants sortent. Il songeait qu'il n'avait pas vu Marie-Rose Larochelle lors de sa visite là-bas. Mine de rien, il avait posé des questions sur les pionniers fondateurs. Prudent, parmi ses réponses, lui avait confié que Marie-Rose avait longtemps agi comme maîtresse d'école du village dans sa maison, mais que la femme de Rémi Labrecque, formée par Marie-Rose, la remplaçait maintenant depuis deux ans.

Voilà qui avait ajouté de l'émoi au cœur d'Édouard et l'avait rendu plus heureux de prendre une option sur la maison de Prudent. Penser qu'il vivrait en ce lieu que Marie-Rose avait elle-même fréquenté de nombreuses années, toucher des murs qu'elle avait frôlés, gravir les marches d'un escalier où elle avait laissé des traces, si infimes soient-elles, et surtout coucher dans la chambre où elle dormait durant la saison hivernale du lundi au vendredi : tout cela lui chavirait le cœur. Et bien des fois, depuis cette visite, il s'était plu à imaginer LA première rencontre qu'il ferait avec Marie-Rose, sans jamais perdre de vue qu'elle ne serait pas plus libre pour lui qu'elle ne l'était en 1857. Qu'importe, il ne voulait pas en faire sa femme, il voulait en faire sa fleur. La voir de temps à autre et sentir son parfum : le bon Dieu ne lui en ferait pas reproche...

Tout cet hiver doux, Édouard était resté en contact avec Prudent Mercier par des lettres écrites de la main d'Émélie au nom de son père. La terre de Saint-Henri avait été vendue au prix demandé pourvu qu'on puisse faire usage de la maison jusqu'au départ en juin. Alors, Édouard avait pris rendez-vous avec Prudent chez un notaire de St-Georges, et la transaction avait été conclue à la satisfaction des deux parties.

Il restait à emporter l'essentiel pour ouvrir la maison là-bas. Et à s'y rendre. On en était là, ce 16 juin 1880.

Une adolescente aux beaux cheveux foncés enveloppant sa nuque parut dans l'embrasure de la porte qu'elle ouvrait. Le soleil matinal dessina sa silhouette sur le fond sombre de l'intérieur. Mais elle voulait sortir la dernière, et c'est pour sa sœur et son petit frère qu'elle avait ouvert. Il lui restait une dernière tâche à accomplir avant de quitter définitivement cette maison. Elle l'accomplirait tandis que Marie et Jos monteraient en voiture.

Joseph, garçon de 10 ans, sortit le premier avec sa petite valise noire qui contenait ses maigres effets personnels. Il ne ressentait rien qui s'apparente à du regret à cause de ce départ définitif. Bien au contraire, l'idée de s'en aller ailleurs lui plaisait au plus haut point, et le plus loin serait le mieux. Tout en se sentant bien là où il se trouvait, quelque chose l'attirait toujours autre part, vers un ailleurs lointain. Il se hâta lentement vers la voiture.

Ce fut ensuite au tour de Marie. Elle parut à son tour dehors et s'arrêta un moment sur la galerie, sa valise grise à la main, valise contenant quelques vêtements et des objets de piété. À 13 ans, elle apparaissait comme une frêle jeune fille maigrichonne donnant l'image de quelqu'un de maladif. Ses yeux légèrement entourés de bistre semblaient plus creux qu'ils ne l'étaient, et ses lèvres fines ne parvenaient pas à exprimer un sourire convaincant. Elle portait les cheveux longs, toujours blonds comme les blés d'or, mais ramassés en une tresse qui reposait sur son épaule et jusqu'à sa poitrine peu apparente. Ce jour-là, elle avait choisi de porter une robe de coton teint en brun sans aucun motif dans le tissu. Mais avec de la dentelle blanche autour du cou.

– Mélie, elle s'en vient? demanda Édouard, qui, relevant la tête, ne revit plus son aînée à peine entrevue dans le cadre de la porte ouverte.

– Elle s'en vient.

– Plus vite on part, plus vite on arrive. Le chemin va être long.

– Elle m'a dit qu'elle voulait faire une prière… dans la chambre à maman.

– Oué, c'est une ben bonne idée. Viens icitte, que je t'aide à monter.

Depuis le jour où elle avait failli se faire écraser, Édouard veillait toujours sur Marie quand elle montait en voiture. Le souvenir de cet accident évité de justesse restait greffé, dans son esprit, à celui même de ses trois enfants décédés. S'il avait fallu qu'il en perde un quatrième ce jour-là, il aurait été longtemps à se demander s'il n'était pas l'artisan de ses propres malheurs.

L'intérieur de la maison était vide. Les meubles sauf ceux dans la voiture avaient été vendus à la criée, et les craquements produits par les pas d'Émélie sur les planchettes semblaient avoir une vie propre, et semblables à des lutins fantômes couraient rôder dans les deux pièces de l'étage. Et même emprunter l'escalier pour aller hanter le vide de l'autre étage jusque dans l'attique sous le petit comble.

Il faisait sombre dans la chambre des parents de la jeune fille ; on y était à l'opposé du soleil entrant. Mais pas tant que ça. Émélie entra. Et se glissa contre le mur, où elle s'adossa comme elle l'avait fait tant de fois pour accrocher ses mains au ber où dormait un nouveau bébé ou bien pour voir sa pauvre mère agoniser. C'était si loin mais si net dans ses mémoires, ces moments où la mourante lui faisait des recommandations pour sa vie future. Une voix alors lui parvint comme en écho depuis un autre monde :

Écoute-moé ben, ma petite fille. Grand-maman Josephte est pas loin, tu sais. C'est comme s'il y avait une porte invisible entre elle pis nous autres. Elle nous entend. Elle nous voit. Mais nous autres, on peut pas... Tu sais, peut-être que betôt dans pas grand temps, ça sera moé... qui sera partie avec grand-maman... Faudra pas que tu pleures. Parce que je vas être juste de l'autre côté de la porte invisible pis que je vas te voir pleurer. Pis te voir pleurer, ça va me faire de la peine. Tu comprends-tu ça, Émélie ?

Tu vas t'en rappeler tout le temps de ta vie ? Quand y a quelqu'un que t'aimes qui meurt, faut pas que tu pleures... faut pas que tu pleures... faut pas que tu pleures... Quand y a quelqu'un que t'aimes qui va mourir, tu t'en iras quelque part où c'est que tu seras tu seule, pis là, tu te berceras, pis tu te diras : faut pas que je pleure, faut pas que je pleure, faut pas que je pleure... Parce que si je pleure, je vas faire de la peine à la personne chérie qui est partie, mais qui me regarde, qui m'entend, qui me sourit…

Faut pas que tu pleures, faut pas que tu pleures, faut pas que tu pleures…

Dans l'ombre, la jeune fille revoyait sa mère grabataire, couchée en pleine lumière. Pétronille lui souriait à travers un sentiment de fin inscrit dans ses yeux profonds et sur son front strié de rides nouvelles, comme si elles provenaient de ses 80 ans inaccessibles pour s'imprimer sur ses trente ans perdus. Et surtout, elle continuait d'entendre ses mots sans pourtant que sa mère n'ouvre la bouche.

Mais si tu pleures, c'est bon : ça va vider ton cœur. Pis ensuite, tu vas être soulagée pour voir en avant dans ta vie.

Émélie appuya sa tête et son pied droit contre le mur. Des larmes lourdes vinrent à ses yeux. Elle revivait la mort de sa mère huit ans plus tôt et avait le sentiment de vivre elle aussi quelque chose de semblable. Une mort de son passé. Il ne lui restait pour aller au-devant de son futur que ses vêtements, son coffret, sa croix de bois, son parapluie et la mèche de cheveux de Georgina.

La voix rassurante de Pétronille se fit entendre de nouveau, mais elle ne provenait pas cette fois du passé et bel et bien du présent. Elle était moins caverneuse, toute proche :

Il te reste ben plus, Émélie. Il y a tout ce que je t'ai appris, ce que Philomène et Olivier (les Leblond) t'ont appris, ce que tes maîtresses t'ont appris à l'école, ce que ton père t'a montré. T'as connu la souffrance à cause de ma mort et de celle de Georgina : c'est ta plus grande richesse, ma fille. D'autres souffrances t'attendent à l'horizon, et tu vas être ben plus forte pour les traverser.

– D'autres souffrances, maman ?

– *Mais des grands bonheurs aussi, tu sais.*

– Quelles souffrances, maman ?

— J'peux pas te le dire… mais je veillerai sur toi, pis tu les traverseras. Quand t'auras un grand chagrin, viens t'assire avec moi, pis conte-moi-le… Je vas t'aider à trouver du soulagement…

— Mais, maman, on s'en va s'établir ailleurs ben loin. Y en a d'autres qui vont vivre ici à notre place. Pis moi, jamais je pourrai revenir.

— Qu'est-ce que tu penses, Émélie, je déménage avec vous autres. Le ciel est partout. Suis au ciel, mais je veille su' toi ben comme il faut. J'serai dans tes bagages, dans ton coffret, dans ta chambre là-bas… Pour te dire la vérité, ta chambre là-bas, je la connais déjà… Suis allée voir… curieuse comme une belette, trouves-tu? Toi, tu vas te sentir heureuse là-bas… La pauvre Marie, elle…

— Qu'est-ce qu'il va arriver à Marie?

— Tu l'as aimée, ta petite sœur Marie, tu l'as protégée tout le temps depuis que je suis partie au ciel; je sais que tu vas continuer à le faire… Tu es comme sa maman… Elle t'aime bien plus encore qu'elle ne m'a aimé, pis c'est bien. Asteur, je vas te laisser aller; ton père va s'impatienter. Souviens-toi ben de ça: à tous les jours, je veille sur toi, Émélie, je veille, je veille…

Et la voix s'éloigna puis se perdit dans l'incertain. Les larmes brillantes restées en suspens dans les yeux de la jeune fille s'échappèrent de la paupière inférieure et roulèrent silencieusement vers ses joues…

D'aucuns disaient qu'avec ses cinq pieds et sept pouces, Émélie avait atteint sa taille d'adulte maintenant, mais l'avenir dirait qu'ils se trompaient, car elle était appelée à grandir encore, ce qui la rendrait exceptionnelle parmi les femmes de son temps. Et surtout très mince. Ses yeux, comme auparavant, avaient l'air de cacher tout un univers, mais son visage à la franchise évidente parlait de détermination, de sens du devoir, de sentiments bridés. Elle avait réuni sa chevelure foncée en une toque sur le haut de la tête, et la ligne de ses cheveux encadrait un visage aux traits réguliers. La souffrance, la tristesse, la nostalgie qui en ce moment coulaient de ses yeux en ce que Pétronille dans son paradis aurait appelé des pleurs de perles demeurèrent imprimées dans les traits de son visage quand elle s'essuya avec un mouchoir et cessa finalement de pleurer.

– Tu viens, Mélie? La noirceur attendra pas l'autre boutte de la journée, entendit-elle par les portes ouvertes.

– Dans une minute, papa.

– Ben correct!

La jeune fille voulut prendre un moment ultime afin de prier pour sa famille et pour la famille Leblond à laquelle tant de liens, et si forts, l'unissaient. Elle leva les yeux au ciel et récita quelques *Ave* peu accaparants.

Son visage alors parut dans toute sa beauté d'adolescente, dans cette harmonie des traits qui semble réunir toutes les femmes en une: la volontaire, la romantique, la sensuelle, la perspicace, la tolérante, la généreuse. Mais il y avait chez elle le pouvoir de museler toutes ces femmes, de les enfermer dans quelque estaminet du creux de son âme pour ne laisser plus voir qu'un regard sévère, nostalgique et quelque peu menaçant. C'était sa ligne de défense…

Elle fit un signe de croix et se glissa comme une ombre le long du mur jusqu'à la porte, jeta un regard ultime à cet espace de l'univers qui avait vu sa naissance et la mort de celle qui lui avait donné la vie et revit, l'espace d'un bref moment, la pauvre petite Georgina agonisant dans un corps détruit par les brûlures de l'eau bouillante. Sa gorge se serra de nouveau, mais elle retint ses larmes comme Pétronille lui avait enseigné à le faire.

Puis, elle tourna les talons et marcha à pas rapides qui faisaient écho, se penchant légèrement au milieu de la cuisine vide pour attraper la poignée de sa valise et poursuivre vers le puits de lumière creusé devant par la porte.

– C'est pas trop tôt! lui lança joyeusement son père en guise d'accueil.

Elle posa sa valise sur la galerie et lui dit:

– J'ai parlé à maman… pis à Georgina.

Il l'approuva d'un regard éloquent et de signes de tête positifs sur un sourire à l'évidence. Elle se tourna pour verrouiller le cadenas puis introduisit la clef dans un interstice au-dessus du cadre de porte afin de l'y cacher et que l'y trouve sans peine le nouveau maître des lieux comme convenu. Puis, elle reprit sa valise et resta un moment à regarder la grange de l'autre côté de la voiture et ces champs aussi plats qu'attachants qu'elle ne reverrait jamais plus.

– As-tu peur de t'ennuyer, Mélie, dans le bois, où c'est qu'on s'en va?

– Non, aucune peur. Vous pis ma mère, vous m'avez appris à regarder en avant: je regarde en avant.

– T'as ben raison: l'avenir, c'est en avant, pas en arrière.

La voix d'Émélie n'était pas tout à fait celle d'une femme encore, un peu comme sa poitrine que les années ne manqueraient pas de développer, mais elle portait à bonne distance une sorte de richesse chantante. Et surtout, il ne s'y trouvait pas l'indécision propre à cet âge ni non plus la réserve de ceux qui se sentent coupables sans raison et qui cherchent à savoir pourquoi, et s'attendent à ce qu'on leur dise. La fillette de devoir s'était transformée en jeune fille de devoir; Émélie avait le sentiment d'accomplir le sien au mieux de ses talents et apprentissages.

Il était de son devoir de partir pour Shenley avec son père pour l'appuyer dans l'ouverture d'un magasin et dans sa tenue ensuite, mais il était aussi de son choix de le faire. C'est donc sur un enthousiasme certain qu'elle envisageait l'avenir en ce jour du grand départ. Est-ce pour cela que, malgré la nostalgie, son regard étincelait?

∞∞∞∞

Au même moment, à Sainte-Marie, un jeune homme émergeait de la porte centrale du collège, petite valise noire à la main, diplôme dans le regard brun, chevelure dense mais rasée court et portant une raie du côté gauche. Il attendait la venue de son frère Godefroy qui serait bientôt là avec sa voiture pour le ramener à Saint-Isidore.

Honoré Grégoire finissait ses études ce jour-là. Le collège laissait partir un jeune homme reconnu pour sa droiture, son intelligence vive et son sens des affaires. Il était maintenant âgé de 15 ans et avait en tête un bon bagage prometteur de réussite. Que d'années passées en ce collège et que d'événements survenus autour de sa vie ! À son arrivée en ces lieux sept ans plus tôt, il avait été reconduit par son père Thomas, mais l'homme n'était plus de ce monde depuis deux ans, décédé à 66 ans. Et voici que la terre familiale était maintenant la propriété de son frère Esdras, où il retournait vivre quelque temps en attendant autre chose. À part ses études qu'il avait faites avec application, s'enorgueillissant tout particulièrement de sa calligraphie et de son talent pour chanter, Honoré avait aidé son père aux travaux des champs les deux premiers étés, mais par la suite, il les avait passés chez son oncle Gabriel au village de St-Isidore où l'homme possédait un magasin général. Il s'y était familiarisé avec tous les aspects de ce commerce et avait développé le goût d'en posséder un lui-même.

Le chemin lui avait été tracé aussi par son frère Godefroy, qui, lui, avait fini ses études à Sainte-Marie sept ans auparavant, qui avait appris le métier de marchand chez leur oncle Gabriel et qui venait à son tour d'ouvrir un petit magasin près de la gare de Scott-Jonction. Emporté par un attelage à deux forts chevaux, soit son instruction et son expérience au magasin de son oncle, Godefroy avait vu la grande opportunité que signifiait pour lui l'ouverture de la ligne de chemin de fer atteignant la région en 1875. Et Godefroy avait souvent dit à Honoré que cette ligne se rendrait dans quelques années à Mégantic, ce qui aurait pour effet un développement accéléré des paroisses des cantons de la Haute-Beauce. Une opportunité peut-être pour Honoré.

Honoré se disait en ce moment même, sur le parvis du collège qui venait de le rendre à son futur après lui voir dispensé son instruction durant toutes ces années, qu'il ouvrirait, magasin où vivait son frère Grégoire, là-bas, à Shenley, s'il en avait l'âge. Ce n'était pas la première fois qu'il y songeait, et dans leurs échanges, Godefroy l'y encourageait et lui disait qu'il voyait la réalisation de ce rêve dans l'avenir.

Son front se rembrunit à la pensée que quelqu'un d'autre aurait eu le temps de le faire avant que lui-même ne soit prêt et puisse disposer d'un minimum de capital. Mais peut-être pas. Avec l'aide de son frère Esdras, celle de son oncle Gabriel et surtout le soutien moral de Godefroy, peut-être qu'il serait le premier à clouer une affiche sur un mur de maison à Shenley avec en évidence les lettres d'or : magasin général.

Il ignorait, le pauvre, qu'il était déjà devancé et qu'une famille partait en ce moment de Saint-Henri pour se rendre à Saint-Honoré et que dès le jour suivant, au plus tard le surlendemain, la paroisse aurait son nouveau marchand général.

Il arriva enfin, le Godefroy, alors que le soleil commençait à prendre du sérieux. Honoré demeura néanmoins encore un certain temps en haut de l'escalier de pierre d'une dizaine de marches, sur le perron, à regarder tout autour tandis que son frère arrêtait son attelage devant.

— Es-tu poigné là comme un piquet de clôture ?

— Ça doit être ça, sourit Honoré. Je sors du collège, mais le collège veut pas sortir de moè.

L'adolescent ne prononçait plus les pronoms personnels en « oi » à l'ancienne par des « moé » et des « toé », ni sans les dire à la française au son de l'oie, comme bien d'autres qui ne voulaient pas trop se démarquer des gens ordinaires par leur instruction, il optait pour quelque chose entre les deux sonnant « ouè ». Et pour avoir l'air naturel tout en étant différent, il disait de la même façon le mot « oui ».

— Arrive, le petit frère, on a du chemin à faire. C'est pas l'ouvrage qui manque au magasin.

– Ça veut-il dire que tu vas pouvoir m'en donner?

– Certain, que je vas pouvoir t'en donner. Envoye, viens embarquer.

Adolescent type, Honoré était plutôt grand, plutôt efflanqué, un peu mêlé avec ses bras trop longs, les yeux noirs en quête de tout et qui pourtant semblaient indifférents, la bouche au je-m'en-foutisme. Toutefois, sa démarche, loin d'être nonchalante, avoisinait plutôt celle d'un jeune homme un peu rigide dans son corps.

Il descendit enfin la dizaine de marches le séparant du chemin où l'attendait son frère. Et de là, il regarda son cher collège, vaste construction de pierres grises superbement taillées: l'une des tours particulièrement où il avait dormi pendant quatre ans dans ce dortoir du troisième étage. Combien de fois ne s'était-il pas mis devant la fenêtre après la fermeture des sources d'éclairage pour tâcher de voir dans sa vie future. Rêver à la prospérité, à une jolie jeune femme, à l'admiration des gens. À cet âge, on ne rêve pas à la santé que l'on croit un acquis pour la vie et on songe encore moins à la mort. Un rayon de soleil frappa la fenêtre de la tour, où il avait tant de fois dormi, et se refléta sur lui comme pour lui adresser un clin d'œil. Honoré sourit et monta sur la banquette du boghei qui n'en possédait qu'une, le reste de l'espace transformé en plate-forme pour y mettre des effets à livrer ou bien à quérir à la gare ou ailleurs.

– Mets ta valise en arrière, lui dit son frère, un personnage bien différent qui ressemblait plus à leur père décédé.

Regard moins perçant que celui de son jeune frère, moustache que ne possédait pas Honoré dont le visage demeurait plutôt imberbe malgré son âge, et tombante de chaque côté de la bouche de surcroît, qui lui donnait bien une dizaines d'années de plus. Mais, soulignait-il, un marchand de 22 ans avait du mal à gagner la confiance de la clientèle, alors pourquoi ne pas présenter au public une dizaine d'années de plus en poils bien placés? En cela, il était servi par ceux de son crâne qui, chaque jour, partaient en voyage par le travail ou par le vent dans un aller simple et que d'autres ne se pressaient pas de remplacer. Bref, sa chevelure calait rapidement vers l'arrière, mais dut-il la perdre au complet, ça ne l'empêcherait pas de glisser son crayon sur son oreille qu'il avait bien collée à la tête.

Chance que n'aurait pas Honoré aux oreilles légèrement décollées qui refuseraient toujours de servir de porte-crayon si utile aux marchands et aux commis de magasin. À moins de les grossir au préalable à l'aide de ruban gommé. Il lissa son monticule de cheveux que le vent venait d'ébouriffer et posa sa valise à plat à l'arrière.

– Guédoppe! dit Godefroy à son cheval, une bête de route plutôt légère qui répondait au nom de Gipsy.

L'on se mit en route vers St-Isidore. Honoré y serait reconduit. On discuterait avec Esdras et Anastasie, qui vivait chez son fils héritier de la terre, du sort du jeune homme. Il semblait qu'on voulait Honoré pour commis chez Gabriel au village, mais si le jeune diplômé était valable pour leur oncle, il le serait aussi pour Godefroy à Scott-Jonction.

– Je te paierai pas cher, vu que je commence, moins cher que pourrait te payer mon oncle Gabriel, mais avec moé, tu vas tout apprendre pis tu vas te sentir à ton aise.

– J'pensais pas que j'serais en demande de même en sortant du collège.

La voix d'Honoré portait loin, soutenue par un esprit de décision et un solide désir d'affirmation. Mais il lui manquait l'autorité que l'âge était appelé à lui conférer. Entre-temps, agirait pour lui ce regard profond, droit, appuyé et qu'il posait en plein dans les yeux de son interlocuteur. Il avait remarqué que cette façon de faire augmentait son pouvoir de persuasion et peu à peu l'avait intégrée à tous ses rapports avec ses semblables.

– T'es un jeune homme chanceux, Noré. Bonne santé. De l'instruction plus que les autres. Un oncle pis un frère tous les deux marchands. Il te manque pus rien que de rencontrer la femme de ta vie. Pis ça, t'auras pas de misère à trouver : t'es propre de ta personne pis tu parais ben.

Honoré sortit un calepin de sa poche et le brandit triomphalement en disant :

— Pis comme toè, mon frère, suis capable de leur chanter la sérénade.

— Ah ben sacrifice, on va pas s'ennuyer sur le chemin du retour. Chante-moé une chanson, mon Noré.

— Vu que tu me parlais de la femme de ma vie, écoute ben ça.

— Je t'écoute certain pis peut-être ben que j'vas chanter avec toé.

Et Honoré lança dans l'air une petite chanson fantaisiste qui attira sur eux l'attention des enfants et des passants et même des dames de Sainte-Marie en train de fricoter comme des bonnes derrière les portes à treillis et vinrent mettre leur nez dans le « scream ».

Je ne veux pas d'une coquette
Et d'une femme à sentiment
Qui ne rêve qu'à sa toilette
Et qui compose des romans
Je ne veux pas d'une harpie
Pour me faire ici la leçon
Et je ne veux pas d'une pie
Voilà pourquoi je suis garçon.

Une grosse personne sans-gêne, mains sur les hanches, sortit sur la galerie de sa maison et lança :

— Ouais, ben t'es deffècil' mon garçon !

Les deux frères éclatèrent de rire. Puis, ensemble, ils ajoutèrent de nouveaux couplets qui les amenèrent de l'autre côté du village sur le chemin de Saint-Isidore. Là, Honoré remit son calepin en poche. Il lui vint une idée farfelue, dont il fit part à son frère et qu'il mit aussitôt à exécution. Étant donné que chaque fois qu'il avait voyagé avec son père pour aller à Sainte-Marie ou bien pour en revenir, il s'était toujours assis à l'arrière, il dit :

– Ça me tenterait de voir le pays de reculons.

– Ça nous empêchera pas de parler ; vas-y !

Il franchit la banquette avec ses jambes interminables et alla s'asseoir, en fait s'allonger sur la plate-forme en utilisant sa valise comme appuie-tête. Cette position lui permettait de voir le village s'éloigner et la grosse église qu'il avait tant de fois fréquentée rapetisser peu à peu sur l'horizon.

Et filent les milles. Et vont les ponts.

On rencontra souvent d'autres voyageurs en diverses voitures et même la diligence. Il arrivait que Godefroy fasse s'arrêter Gipsy pour échanger quelques mots avec le conducteur de la voiture croisée. On se parla du train, particulièrement de la ligne Scott-Mégantic appelée à passer pas loin de Shenley, probablement du côté de Saint-Évariste.

Les frères se turent un temps. Il paraissait à Godefroy que le grand Noré roupillait sous le soleil, le bras replié sur ses yeux, heureux comme un poisson dans l'eau que ses études se soient enfin terminées après neuf années de fréquentation scolaire dont deux à Saint-Isidore et sept à Sainte-Marie.

Un attelage différent se pointa sur l'horizon prochain au bout d'une montée qu'entamait Godefroy. Une grosse voiture remplie de toutes sortes de choses qu'il ne pouvait encore distinguer nettement. Une paire de lourds chevaux, lents quasiment comme des bœufs. Il fallait cela pour tirer une pareille charge quoique la tâche ne fût pas bien lourde dans cette descente peu prononcée. Une famille qui déménage, songea aussitôt Godefroy.

– Dors-tu, Noré ?

– Je dormais, ouè…

– S'en vient toute une charrette… du monde des bas… qui s'en vont dans la Beauce.

– Ah, oui ?

Cela indifférait totalement Honoré, qui ramassa son calepin de chansons. Le livret avait glissé de sa poche intérieure sur sa poitrine, et voici qui lui donna envie de chanter encore. Il l'ouvrit et sa voix s'éleva alors que la voiture chargée s'approchait d'eux assez pour que ses occupants puissent entendre le concert.

Celui qui se marie par amour
prend une femme.
Celui qui se marie pour l'argent
prend une maîtresse.
Celui qui se marie pour la position
prend une dame.

Édouard Allaire pensa qu'il s'agissait de voyageurs comme d'autres sauf que ceux-ci avaient peut-être bu un coup un peu trop de bonne heure et que ça leur donnait le goût de fêter quelque chose.

Émélie était assise sur la banquette avant à la place du passager. Grande et l'ouïe fine, elle avait pu mieux saisir les mots chantés portés par le vent et lancés par cette jeune voix masculine riche et forte. Sa curiosité en fut fort aiguisée. D'autant que les mots entendus avaient de quoi intriguer. La voix reprit :

Vous êtes aimé par votre femme,
considéré par votre maîtresse,
toléré par votre dame.

On s'accorde avec sa femme,
on est conduit par sa maîtresse
on est l'esclave de sa dame.

– Entends-tu ça ? souffla Marie dans le cou de sa sœur.

La jeune fille se tenait debout à l'arrière, se demandant quel joyeux luron pouvait chanter ainsi, comme s'il avait eu les poumons d'un lion et d'une telle voix de stentor. La même question turlupinait Émélie, qui ne voyait pourtant qu'un seul passager dans cette voiture arrivant presque à leur hauteur ; or, ce jeune personnage ne bougeait pas les lèvres d'une ligne.

Votre femme partagera vos chagrins,
votre maîtresse, votre argent,
et votre dame vos dettes...

Si vous mourez, votre femme vous pleurera.
Votre maîtresse déplorera votre sort.
Et votre dame portera le deuil.

Et alors que s'arrêtait la voiture de Godefroy près de celle d'Édouard, la voix termina par un seul mot répété :

Choisissez !
Choisissez !
Choisissez !

– Y a du monde heureux su'l chemin aujourd'hui ! s'exclama Édouard.

Honoré ne bougea pas d'une ligne. Il se dit qu'on devait se payer sa gueule chez ces passants bien qu'il n'ait eu aucune honte à chanter par un si beau jour de grand soleil.

Émélie fouillait dans ses souvenirs. Il lui paraissait que cette scène était du déjà vu très loin en arrière. Et pourtant, ce chant, jamais elle ne l'avait entendu.

– Ah, nous autres, les Grégoire, on est du monde qui chante.

– Les Grégoire ? demanda Édouard qui, lui aussi, maintenant, avait le sentiment de se trouver devant une scène qui se répétait.

– De Saint-Isidore.

– Je m'en rappelle d'un Grégoire… pis j'pense que j'me rappelle de toé… ça fait ben des années…

Honoré entendait. Et lui aussi avait l'impression d'un retour dans le passé. Il lui revenait en tête cette petite fille au parapluie qui l'avait regardé avec tant d'insistance un jour qu'il s'en allait au collège de Sainte-Marie avec son père et Godefroy. Il résolut de ne pas bouger et d'attendre. Cela était bien trop invraisemblable, une histoire de roman…

– Mon père s'appelait Thomas… pis il venait nous reconduire, mon frère pis moé au collège…

– Autour du 15 septembre?

– C'est ça.

– Ben c'est vous autres qu'on a rencontrés v'là ben des années. Je m'en rappelle parce que j'trouvais ben étrange que ton père me parle de ses deux gars pis qu'on voyait personne avec lui.

– Ah, ça, on s'assisait en arrière. Mon père avait «arrangé» un petit banc en arrière… C'est comme là, j'ai un grand «flanc-mou» affalé en arrière pis qui chante aux corneilles.

Les deux hommes rirent. Émélie brûlait d'impatience de voir enfin ce joyeux luron qui cherchait à la fois à se faire entendre par tout le pays par sa voix puissante et qui pourtant n'osait se montrer le bout du nez dès que quiconque apparaissait trop près.

– Ben je m'en rappelle encore mieux.

– Dites donc, vous allez loin avec tout votre gréement?

– De l'autre bout de la Beauce… ça fait que va falloir avancer si on veut être là avant la grosse noirceur.

– Vous en avez assez pour ouvrir un magasin?

Édouard s'esclaffa:

– T'auras jamais si ben dit, mon ami.

Émélie vérifia la position du soleil et dit:

– Papa, faudrait ben continuer.

– T'as ben raison… Bon chemin, mon ami Grégoire.

– C'est ça…

– Pis au chanteur avec…

Les chevaux se remirent en marche. Édouard le découvrit, ce ténor qui venait de s'accouder sans se remettre sur son séant. Émélie le vit aussi. Et Honoré vit Émélie. Le temps s'arrêta. Les sept années écoulées entre leurs regards disparurent. Et même le futur vint se lover dans cet échange. Chacun sentit un coup au cœur. Et chacun se dit aussi que ce n'était là que folie passagère.

La raison d'Émélie lui suggéra que ses chances de revoir un jour ce beau jeune homme chantant étaient les mêmes que celles de croiser le pape.

La raison d'Honoré lui suggéra que cette magnifique jeune fille disparaîtrait à jamais et que de toute façon, elle n'était pas la fillette au parapluie qui avait bouleversé son cœur sept ans plus tôt.

Il la perdit de vue et se leva pour la revoir par-dessus un meuble du chargement. Là il aperçut la jeune femme qui déployait un parapluie au-dessus de sa personne. Elle tourna la tête, et ils se regardèrent avec intensité bien loin au-delà des limites de la raison… quelque part dans le grand mystère de l'insondable…

Alors, le cœur du jeune homme sauta par-dessus la banquette avec lui-même. Il dit à son frère :

– Ils s'en vont toujours pas ouvrir un magasin à Shenley ?

– C'était juste une manière de dire. Ils ont même pas parlé de Shenley.

– Asteur, c'est Saint-Honoré.

– Ont pas parlé de Saint-Honoré non plus.

– On devrait revirer pis les rattraper pour en savoir plus long.

– Non, mais t'es malade… Ça serait-il la petite jeune fille brune, grande comme une échalote fine qui te revire tout à l'envers ?

– C'est pas ça, mais… moè pis mon magasin à Shenley… j'pourrai pas si d'autres me dament le pion, hein…

– Si c'est pas là, ça sera ailleurs, mon p'tit frère. Mais tu vas être marchand un jour… comme moè… parce que tu le veux pis que tu t'es préparé pour ça… Retourne en arrière pis chante encore… Toé comme moé, tu traverseras la rivière quand tu seras rendu à la rivière…

– Quant à ça, t'as ben raison, Godefroy.

∞∞∞∞∞∞∞

Chapitre 30

Marie songeait aux ombres de la forêt de Saint-Igan, à ces esprits maléfiques dont elle craignait autrement plus que sa sœur Émélie les sorts et envoûtements. Mais voici qu'elle ressentait bien plus étrange impression lorsque la voiture fit son entrée dans la sombre forêt de Tring, une fois passé la Chaudière et disparues les maisons de Saint-Georges derrière les arbres, les horizons montueux, les dénivellations peu prononcées couvertes d'érables et de conifères, parfois mélangés, parfois pas. Ici, les arbres n'avaient pas d'âme comme là-bas, mais ils semblaient former une seule entité qui se refermait sur la jeune fille comme un gouffre profond.

– Fait cru par ici! dit-elle à sa sœur qui se reposait, allongée sur la grande et lourde paillasse leur servant de couche commune.

Émélie ouvrit les yeux à moitié. Elle ne vit plus que des éclats de soleil tombant sur la grande voiture dans une pluie de rayons argentés. Puis, le visage tendre et amaigri de sa sœur lui apparut, et sa voix lui parvint depuis sa mémoire récente. Elle y répondit:

– Prends mon chandail de laine dans ma valise, je te le prête.

– J'ai le mien...

– Le mien est plus épais, tu le sais.

– Bon...

La malle noire d'Émélie avait été insérée derrière une corde d'attache à la hauteur des yeux, sur d'autres bagages empilés par-dessus une commode en bois blond. Marie tira sur la poignée et la dégagea, mais en voulant la déposer, elle chancela et fut sur le point de tomber.

– Qu'est-ce qui t'arrive, Marie ?

– C'est pesant, ta valise.

– Pas tant que ça !

– Pour toi… mais pour moi…

À cause des ornières de la piste, il était courant de perdre un peu l'équilibre et d'avoir à le garantir à l'aide de ses mains sur les choses à portée. Émélie préféra attribuer au cahotage l'apparente faiblesse de sa sœur plutôt qu'à sa fragilité.

Et tandis que Marie trouvait le chandail noir puis s'en revêtait, elle s'exclama :

– Mais il fait une chaleur d'enfer !

– J'ai le frisson depuis qu'on est dans le bois.

Édouard entendait. Il tourna à moitié la tête pour commenter et rassurer :

– Dans trois heures pas plus, on arrive.

On était l'avant-midi. La lenteur de leur progression n'avait permis la veille que de se rendre à Saint-Georges, où on avait trouvé gîte pour la nuit et couvert au matin. Mais dès l'aube, Édouard avait alerté son monde, et après un petit déjeuner au lait et au pain saupoudrés de sucre d'érable, on s'était remis en route vers Saint-Honoré, qu'on espérait atteindre avant les douze coups de midi.

Assis sur une banquette de fortune à côté de son père, Joseph rêvait comme si souvent à des lointains inaccessibles qu'il tâcherait de rejoindre quand son âge le lui permettrait. En fait, ces lieux n'étaient jamais d'autres que les États-Unis devenus fort populaires chez les Canadiens français depuis l'avènement du chemin de fer et l'éclatement du boom industriel de la Nouvelle-Angleterre. Joseph venait d'entrer dans cette forêt en se disant qu'il n'y vivrait pas bien longtemps. Que passe donc le temps et vite ! Que quelques années s'ajoutent encore à ses dix ans et il répondrait à l'appel de nouveaux horizons plus ensoleillés !

Émélie était la seule des trois enfants à se sentir à son aise en ce voyage vers une vie nouvelle. Sans doute parce qu'elle était celle que son père avait préparée de longue main pour aller vivre dans ces concessions reculées où le premier arbre à tomber n'avait été abattu que voilà tout juste un quart de siècle. On avait beau aller s'installer dans une jeune paroisse, elle y serait en contact avec bien plus de gens qu'à Saint-Henri, où elle était née dans un rang et avait grandi dans une maison isolée des autres. À Saint-Honoré, c'est en plein cœur du village qu'elle vivrait et parce qu'elle occuperait une fonction de premier plan au magasin, il lui serait donné de connaître et de côtoyer régulièrement tous les habitants de la paroisse. Cette perspective l'excitait en exhaussant son estime de soi. Importante pour son père, elle le serait pour tout Saint-Honoré malgré ses 14 ans, et il lui tardait de rencontrer ses habitants.

Marie avait le cœur gros depuis des jours. Elle avait beau partager l'avenir des siens, Alice et Cédulie Leblond lui manquaient terriblement. Seule sa foi en Dieu et en la Vierge Marie lui donnait la force de refouler ses larmes. Émélie devinait sa tristesse qu'elle-même ressentait avec moins d'intensité et l'encourageait. Quand sa sœur fut au chaud de son chandail, elle l'invita à s'asseoir près d'elle avec dessein de la réconforter de nouveau.

– Tu t'ennuies déjà beaucoup, on dirait ?

– Aller vivre dans le bois, soupira Marie, qui croisa les bras pour montrer une sorte de refus moral.

– On va se faire des nouvelles amies, tu verras.

– Mais Alice… Cédulie…

– On va retourner les voir de temps en temps. Ça sera pas long que les gros chars vont passer à Saint-Évariste : là, ça sera rien d'aller à Saint-Henri. Pis on va les inviter à venir passer un mois chaque année avec nous autres. On va pas les perdre de vue.

Tout ça, elles se l'étaient dit et redit quand les quatre jeunes filles s'étaient séparées deux semaines auparavant. On se l'était promis.

On se l'était juré. Mais il fallait que Marie l'entende encore et encore dans la bouche de sa sœur.

Édouard lança:

– Regardez, les filles, trois beaux chevreux… là, qui nous regardent passer au bord de la cédrière.

Les bêtes paraissaient plus curieuses que farouches, et leur vue faisait la joie du père et de son fils. Mais les filles ne se levèrent pas pour les voir, et leur échange à caractère sentimental se poursuivit:

– Et tu sais quoi, Marie, on va leur écrire à toutes les semaines, à tous les dimanches. Y a un bureau de poste à Shenley. On va envoyer nos lettres dans la même enveloppe, pis ça va coûter rien qu'une cenne pour deux.

Émélie cherchait des avantages qui puissent neutraliser au moins un peu les inconvénients de vivre «au fond des bois», comme le disait sa sœur. Et pour ça, elle faisait flèche de tout bois.

Et reprit:

– Tu te sens mieux là? Tu frissonnes moins?

– Ton gilet, il est chaud.

– Ben tu le mettras tant que tu voudras. Pis si tu veux le mettre tout le temps, je vas m'en tricoter un autre.

– Merci, Mélie.

– On va prendre soin une de l'autre, tu vas voir.

Le sourire peu accentué que fit Marie suffit à enterrer ses profondes inquiétudes. Et son chagrin du moment s'évanouit, emportant avec lui la nostalgie. Elle se leva pour jeter un coup d'œil sur les cerfs: ils avaient disparu, évanouis eux aussi entre les épinettes.

Et coulent les milles sous le chargement d'Édouard. Et passent d'autres heures d'attente et de secousses. L'on arriva enfin à proximité d'une habitation qui tenait plus du camp de colon que de la maison de campagne: une demeure humble, petite, réduite à sa plus simple expression, en billes grises fendillées par le soleil et les intempéries des saisons dures.

– Les filles, c'est la première terre de Shenley.

Ce qu'elles ignoraient, c'est que leur père avait choisi le second chemin de bois pour traverser la forêt vers la destination voulue. Et lui-même donc, n'ayant pas voyagé par cette piste les fois où il était allé au village de Saint-Honoré pour y acheter sa future demeure qui servirait aussi de magasin, ne connaissait pas ce rang qu'on appelait le Petit-Shenley.

Rang au fond duquel se trouvait le premier lot concédé par là seize ans auparavant à un certain Genest, vétéran de la guerre civile américaine, ermite et misanthrope qui avait continué toutes ces années de ne fréquenter l'église et les sacrements qu'à une ou deux reprises durant l'année, souvent pas du tout, et que les prêtres, pour éviter le scandale, couvraient de leurs excuses consacrées : « l'homme a été blessé à la guerre et il ne peut venir au village aisément » ou bien « dans son état, c'est beau qu'il vienne à l'église faire ses pâques » ou encore « sa piété le sauvera ».

La curiosité des jeunes filles les poussa à se mettre debout. L'image qu'elles reçurent n'avait rien de rassurant quant au degré de civilisation de leur nouvelle paroisse. Il y avait, assis sur la galerie de cette masure écrasée, un personnage tout en barbe grise et cheveux en broussaille, fumant la pipe, les yeux fermés, le corps adossé au mur, perdu, semblait-il, dans le temps, dans son âge et dans son esprit.

– Huhau ! Huhau ! cria Édouard aux chevaux.

Ce qui fit réagir les bêtes mais pas cet homme étrange qui, sûrement pas plus qu'au début de sa quarantaine, se donnait des airs de vieil individu, sans doute rabougri de l'intérieur et ratatiné de l'âme et du cerveau.

– Monsieur ?

Silence. Regard caché sous les paupières.

– Monsieur… chose ? répéta Édouard.

Un seul œil s'ouvrit.

– Ouè ? questionna l'homme solitaire.

– On est-il rendu dans Shenley?

– Ben l'air, fit Genest, qui ouvrit aussi l'autre œil.

– Clément Larochelle, c'est-il pas loin?

– Qui que t'es, toé?

– Allaire. Je m'en viens m'installer au village.

– Pis ça, c'est tes filles?

Marie renoua avec le frisson. Cette fois, ce n'était pas la crudité de la forêt, mais celle de ce bonhomme au regard trop perçant, comme celui d'un oiseau de proie. Émélie se dit que si on avait affaire à un monstre, il ne vivrait pas si tranquillement dans une maison aussi modeste et rudimentaire.

– Émélie, ma grande. Marie, l'autre. Pis lui, c'est Jos.

– Du ben beau monde, ouè!

– Pis du bon monde itou! insista Édouard en riant.

– Pis quoi c'est que vous allez faire au village?

– On va ouvrir magasin général.

– Maudite bonne idée, ça! Vas-tu acheter des lièvres?

– Certainement!

Voici qu'Émélie commençait à le trouver sympathique, ce bizarre de cultivateur aux airs de trappeur, d'homme des frontières à la Davy Crockett.

– Ben je vas t'en poigner, moé, des lièvres, tout l'hiver.

– On paiera le prix qu'il faut.

– Ben correct de même! Pour ce qui est de Clément Larochelle, c'est pas dans le rang icitte, c'est de l'autre bord de la Grand-Ligne, dans le rang dix. Tu le connais?

– Je l'ai connu en 54...

L'homme chagrin changea brusquement de ton, et le loup solitaire se fit soudain sociable:

– Coudon, mais t'es Édouard Allaire, toé? Mais tu me r'connais pas? Genest... Jean Genest... Parti de Saint-Henri en 60...

Édouard se mit sur ses deux jambes et s'écria, au comble de la surprise:

– Ah ben blasphème !

Genest se leva aussi et s'approcha de la voiture. Édouard poursuivit à son endroit et à celui des filles :

– Le jour de mes noces, ton frère a lu une belle lettre qui venait de toé, des États ; tu parlais de la guerre là-dedans...

La voix de l'autre devint brusque :

– La guerre, c'est pas d'hier, pis j'pense pus jamais à ça.

– J'aurais jamais pensé de voir icitte quelqu'un que j'ai si ben connu autrefois.

Marie se sentait un peu plus rassurée malgré les regards ténébreux qu'il posait parfois sur elle. Elle avait appuyé son menton sur ses bras accrochés à la ridelle tandis que sa sœur aînée se tenait droite, ce qui la faisait paraître plus grande encore.

– Le monde est ben p'tit.

– P'tit à plein.

Édouard tendit la main, mais Genest l'ignora. Il avait beau le connaître depuis belle lurette, pas question d'en refaire l'ami qu'il avait été naguère. Pour compagnes, il n'acceptait que la solitude et la pauvreté.

– Ta terre, on dirait que... ben...

Édouard ne pouvait s'exclamer devant des champs à moitié défrichés où il n'apparaissait aucune culture véritable et où le foin semblait pousser à travers les ronces, les roches et les souches.

– J'ai fait c'est que la loi me disait de faire pour garder mon lot. Asteur, ils peuvent pus me l'ôter vu que c'est concédé final pis que c'est rendu ma terre. Pis comme ça, tu vas ouvrir un magasin ? Je dirais sans savoir au juste que ça sera dans la maison en face de la chapelle ? Ça fait longtemps que y a personne dedans. Ils ont fait l'école là... justement, la femme à Larochelle... Clément Larochelle... elle a fait l'école là, c'te... grand-femme-là...

– C'est ben la maison que j'ai achetée. Suis venu une couple de fois, mais en passant par ailleurs que par icitte. Tu dis la femme à Clément Larochelle ?

– Tu dois pas la connaître : c'était du monde de Sainte-Hénédine autrefois.

– Je l'ai connue, elle pis son mari, ça fait ben des années. Ben ça devait être en 54.

– Faut dire que c'est encore une belle personne.

Édouard eut un éclair de passé. Il revit Marie-Rose qui soulevait sa robe pour mesurer l'importance de sa blessure à la jambe puis, dans une autre vision de sa mémoire, il la vit essuyer le sang avec l'herbe à dinde.

– Ben moé, la terre, je vas toujours aimer ça, même si je vas être marchand général par icitte.

– Chacun ses goûts, chacun ses attraits !

L'échange se poursuivit encore quelques instants puis la voiture reprit le chemin qui devait se faire meilleur, moins cahoteux, plus reposant donc pour le squelette humain des passagers. Les derniers regards qui se croisèrent furent ceux de Genest et de Marie. Elle sentit alors l'impérieux besoin d'envelopper sa poitrine de ses bras.

∞∞∞∞

On les regarda passer depuis les chaumières. Enfin, l'attelage déboucha sur la Grand-Ligne et vira à quatre-vingt-dix degrés vers l'est. D'autres interpellations leur furent lancées par des regards d'enfants agrandis par la curiosité. Quant aux adultes, ils étaient pour la plupart aux champs, à la récolte du foin. Édouard qui n'avait pas vu cette portion de la paroisse fut étonné par l'ampleur du défrichement. Les terres n'étaient pas si loin que ça de celles des paroisses d'en bas par leur valeur, mais en plus, on savait celles-ci bien plus neuves et donc beaucoup moins épuisées.

On parvint au croisement en T entre la Grand-Ligne et ce que l'homme devina être le rang 10 où vivait cet être devenu pour lui mythique, et qui avait effleuré sa vie le temps d'un éclair comme l'auraient fait les ailes d'un ange. Pouvait-il s'agir de la première maison du rang, là, sur une petite côte, la seule visible, car le chemin disparaissait derrière des montées plus importantes là-bas ? Il chercha un prétexte pour s'y rendre prendre un renseignement quelle qu'en soit la futilité, mais n'en trouva point. Comment en effet descendre et marcher pendant quatre ou cinq minutes pour atteindre cette habitation tandis que, juchée sur la prochaine côte de la Grand-Ligne au pied de laquelle on se trouvait, il y en avait une toute collée au chemin et qui pourrait tout aussi bien devenir source de savoir ?

On ne s'arrêta même pas devant. Toutefois, Émélie lut dans la porte deux lettres qu'elle sut être des initiales : G G. Et se demanda ce que ce double G pouvait signifier et supputa tout haut :

– Georges... Grenier... non... Germain... Guenette...

– Pourquoi tu dis ça ? demanda sa sœur.

– Les initiales G G... J'essaie de deviner...

Puis, elle s'esclaffa et lança :

– Gros Gras...

Dans quelques jours à peine, elle saurait qu'il s'agissait de Grégoire Grégoire, mais pour l'heure s'en désintéressa car on commençait d'apercevoir là-bas la croix de la chapelle par-dessus les arbres du village et les maisons regroupées tout autour. Il y avait une descente devant, et l'empressement du conducteur de la voiture lui dicta de faire trotter les chevaux au moins sur une courte distance afin de montrer à tous l'excitation qu'il ressentait alors que commençait pour de vrai la réalisation de son rêve.

– Ça y est, les filles, on arrive. Regardez le village...

Paroles inutiles car Émélie et Marie balayaient déjà l'agglomération, elle-même enterrée d'arbres verts, de leurs yeux avides et profonds.

La chaussée était belle, unie, durcie, assez large pour permettre la rencontre croisée de près de deux voitures sans risque de se retrouver de part ou d'autre dans l'un des fossés longeant le chemin. Voici qu'il en venait une dont l'image se détachait de plus en plus nettement dans la perspective de la route, et il parut bientôt qu'il s'agissait d'un boghei dont le cheval noir lancé au trot arriverait vite à la hauteur des Allaire.

Le soleil qui plombait à son zénith, l'énervement de l'arrivée, la fatigue du voyage ordonnèrent à Émélie de déployer son parapluie pour y trouver soulagement et ombrage, ce qu'elle fit alors que son père faisait s'arrêter les chevaux quand l'autre voiture fut sur le point d'arriver. Pas un seul nuage dans le ciel bleu et pourtant un coup de tonnerre claqua dans le cœur d'Édouard : la personne qui conduisait le cheval était une jeune femme en rose dont il avait si clairement l'image en tête. C'était bien elle qui s'arrêterait sans doute pour sonder le harnais et flatter le chanfrein d'un de ses chevaux… L'homme secoua la tête. Il rêvait, c'est certain. Et pourtant, elle était là, en chair et en os, la si belle Marie-Rose Larochelle qui, par son chant de sirène, l'avait appelé, demandé pendant un quart de siècle à Shenley.

Pour la rencontre, elle dut mettre son cheval au petit pas et le retint par les rênes. La bête secoua la tête en la relevant. Allaire tremblait de toutes ses chairs. Il avait le cœur plein d'idées, et la tête, de folies. Sa logique ne fonctionnant guère, il ne se rendait pas compte que cette personne ne pouvait pas être quelqu'un du milieu de la quarantaine comme l'était maintenant Marie-Rose en raison du quart de siècle écoulé depuis leur première rencontre sur le chemin de Kennebec à Sainte-Marie.

Il parvint à sortir de sa torpeur et répondit à son sourire timide par des mots inquisitifs :

— Madame Larochelle ?

Elle mit sa tête en biais sur un fin sourire, ce qui exprimait un demi-acquiescement.

— Madame Clément Larochelle ? insista-t-il.

Cette fois, elle nia tout en stoppant son cheval :

— Madame Clément Larochelle, c'est ma mère, monsieur.

L'homme resta la bouche ouverte. Émélie cherchait à comprendre le véritable sens de cette scène étrange. Comment son père pouvait-il donc avoir deviné en partie l'identité de cette jeune personne? L'avait-il rencontrée, elle ou ses parents, quand il était venu régler l'achat de la maison? Elle se remit à l'attention tout autant que l'étaient Marie et Joseph.

– Ah, je pensais que c'était elle... je veux dire vous... ben toé...

– Moé, c'est Marie-Césarie, sa fille.

– Vous lui ressemblez comme deux gouttes d'eau.

– Vous la connaissez?

– Ben... oué... Ça fait longtemps, mais... je me rappelle d'elle pis de votre... de ton père itou.

– Vous voulez que je leur dise qui vous êtes?

– Moé, c'est Édouard Allaire. Je les ai connus à Sainte-Marie autrefois. Je viens m'établir par icitte avec mes enfants.

Le visage de la jeune femme s'éclaira. Ses paupières battirent sur la même éclatante beauté que dégageait jadis le visage de sa mère:

– Ça sera vous autres, le magasin? Tout le monde en parle dans la paroisse. On a ben hâte que ça soit ouvert.

– Ben... ça va ouvrir aujourd'hui même, dans une heure, même si on a encore rien à vendre. Faut pas que je dise ça, on a pas mal d'effets déjà en arrière, dans la voiture.

– Papa, lança Émélie sur le ton de la protestation, va falloir prendre le temps de s'installer comme il faut.

– C'est ma fille, sourit Édouard. C'est elle qui va mener les affaires du magasin.

Pour Émélie, cette phrase imprévue et spontanée sonna comme une nomination officielle. Et elle en tira une grande satisfaction. D'autant qu'elle ignorait encore le poids précis de la charge qui lui incomberait dès le matin suivant. Mais en Marie, les mots de son père dirent que sa sœur serait bien moins présente pour elle et Joseph qu'Émélie ne l'avait promis et redit tout au long du voyage. Elle s'assombrit et baissa les yeux pour ne plus voir ce village menaçant.

– Ah oui?

Édouard devint calculateur: il misa sur la coquetterie de la si jolie Marie-Césarie, si bellement vêtue:

– Elle connaît les tissus, elle connaît les eaux de senteur, elle connaît... ben... les parapluies... elle connaît tout dans un magasin... depuis le temps que je l'emmène au magasin de Sainte-Marie...

– Pis à Saint-Henri pis à Lévis, glissa Émélie.

– Pis même à Québec, enchérit Édouard.

– C'est quoi son nom?

– É mé lie, lança aussitôt la grande jeune fille en détachant chacune des syllabes de son prénom.

Il fallait que Saint-Honoré sache et dise É mé lie et non pas É mi lie... et encore moins cet affreux Mélie qu'elle ne tolérerait pas hormis de la part des trois Allaire présents avec elle dans cette voiture. Et encore...

– Alors, mademoiselle Émélie Allaire, fit Marie-Césarie sur un signe de tête exprimant à la fois la politesse et l'aménité, bienvenue à Saint-Honoré-de-Shenley.

Édouard s'étonna:

– Vous saviez qu'on est des Allaire? Parce qu'on vous l'a pas dit, nous autres, me semble...

Marie-Césarie se pencha un peu en avant et regarda intensément son interlocuteur comme pour le sonder jusqu'aux tréfonds lointains du cœur et, un demi-sourire d'un seul côté du visage, elle dit:

– Maman nous a souvent conté qu'un jeune homme appelé Édouard Allaire lui avait enseigné comment guérir vite une blessure... avec... de l'herbe à dinde...

L'homme devint confus et confondu. Toutes ces années de silence sur cet incident pour lui mémorable se transformèrent en une pinte de sang bien rouge qui lui monta jusqu'aux oreilles. Il ne put réprimer un demi-mensonge :

– J'me souviens pas trop… attendez que je fouille dans mes souvenirs… j'pense que je m'en rappelle, oui… c'était sur le chemin de Saint-Henri…

– À la fourche pour Sainte-Hénédine…

Mais quoi, songea-t-il, sa mère leur avait-elle donné tous les détails de cette rencontre ? Émélie et Marie croiraient-elles qu'il était venu s'établir à Shenley parce qu'il y avait au fond de lui, en plus de l'autre part de son rêve, la voix lointaine et profonde de cette femme du passé lointain ? Il se fit désinvolte :

– On aura des bons remèdes achetés… meilleurs que l'herbe à dinde… des remèdes à l'abbé Warré… hein Mélie ?

Édouard avait lâché le mot qu'elle ne voulait surtout pas entendre devant le monde ; en tant que responsable du magasin, elle posa son premier geste d'autorité en le rabrouant à l'aide de trois syllabes bien détachées :

– É mé lie…

Et les répéta avec soin pour que Marie-Césarie aussi comprenne bien :

– É mé lie… Oui, oui, vous allez voir qu'on aura les meilleurs remèdes.

– Bon, je vas continuer mon chemin. Suis venue au bureau de poste pour « maller » des lettres. De l'ouvrage en masse m'attend à la maison. Bonne journée ! On visitera votre magasin dimanche qui vient en venant à la messe.

Édouard leva un sourcil :

– Sais pas si monsieur le curé voudra qu'on ouvre le dimanche par exemple.

– C'est nécessaire pour les gens des rangs. Il va vouloir.

– Va falloir, ajouta Émélie.

Et on se salua une autre fois avant de se séparer.

– Est fine, cette madame-là ! commenta aussitôt Émélie.

– Paraît que j'aurais soigné sa mère dans le temps, fit hypocritement Édouard, qui donna ordre aux chevaux de repartir.

– C'était longtemps avant qu'on vienne au monde, hein, papa?

– Ouè… ben longtemps avant… ben ben longtemps…

∞∞∞∞∞∞∞∞

Chapitre 31

– Un vrai beau village, trouves-tu, Marie ?

Émélie avait remisé son parapluie, car le feuillage vert et dense de tous ces arbres bordant la rue ne laissait passer que les gouttes de soleil qui éparpillent de la joie dans le cœur et caressent le visage sans l'assaillir. L'abondance d'oxygène allumait son regard qui pétillait tandis qu'une douce fraîcheur l'enveloppait de plus en plus. Sa sœur lui répondit sans grande conviction :

– Ben… ouè…

– C'est ombragé, on bouille pas…

– Ouè…

Les jolies maisons grises ou pour d'aucunes chaulées voilaient ses appréhensions. Elle se demandait qui pouvait habiter derrière ces portes et fenêtres tandis que sa sœur se questionnait plus précisément sur leur occupation. Car quelques-uns seulement de ces occupants du village devaient cultiver la terre et les autres, faire autre chose qu'elle cherchait à déterminer. Il ne devait tout de même pas se trouver ici comme à Saint-Henri de rentiers venus vivre leurs dernières années près de l'église et des sacrements. Puis, elle songea qu'il devait y avoir un maître de poste parmi ces gens, un bedeau, un ouvrier-entrepreneur, un journalier, un cordonnier-sellier, un charretier peut-être, un postillon de la reine, un aubergiste. Peut-être aussi un notaire, un docteur ou même un semi-invalide gagnant sa vie comme quêteux des belles saisons. Pas une seule fois, elle ne songea au métier le plus important en raison de sa nécessité, celui de maréchal-ferrant combiné à celui de charron, et qu'on désignait plutôt sous le nom général de forgeron. Ferrer les chevaux de la bonne manière, bander les roues des voitures d'été, réparer les patins de celles d'hiver : il fallait à un homme les meilleurs bras, les meilleurs poumons et une ardeur au travail à toute épreuve.

Certes, il se trouvait un tel homme dans le village. C'est à sa boutique de forge qu'on le sut et qui fit dire à Édouard quand on fut devant :

– Icitte, c'est le forgeron. Je l'ai connu quand je suis venu l'autre fois : il s'appelle Pierre Racine.

Bien que la porte du noir atelier de forge fût grande ouverte, donnant sur un gouffre sombre, pas âme qui vive ne semblait y œuvrer pour le moment. Aucun son sur l'enclume ni aucun hennissement de cheval en attente de fers neufs. La boutique était sise en face même de l'embranchement du rang Grand-Shenley, à quelque distance du chemin. Puis, tout à coup, surgit comme une apparition, non point de la boutique mais d'à côté, une frêle jeune fille vêtue de pâle, chapeau plat avec ruban tombant sur sa nuque, et qui avait au bras un petit panier semblant contenir quelque chose de très précieux. Elle s'arrêta pour voir passer cette énorme voiture surchargée tout en gardant sa main droite qui bougeait dans le panier. Émélie lui lança un large et souriant bonjour. L'autre répondit par un signe de tête incertain et un sourire tout aussi indécis. Puis, elle tourna le dos et, penchée en avant, monta sur la galerie de ce qui était sûrement la maison de son père, le forgeron, et donc la sienne, tandis que les Allaire poursuivaient leur chemin pour quelques minutes encore...

– On arrive, les filles, on arrive. C'est la maison en face de la chapelle.

L'attention d'Émélie se porta entièrement à la maison grise qui serait désormais la sienne tandis que Marie ne s'intéressait qu'à la chapelle si imposante et si belle, et dont elle ressentait déjà dans son cœur triste les appels et les réconforts.

Joseph sauta en bas de la voiture. Il courut sans tarder à leur nouvelle maison dont la porte était cadenassée.

– J'ai la clef dans mes poches, mon Jos. Tiens…

Et son père la lui lança par-dessus la tête des chevaux. Joseph l'attrapa et vivement décadenassa la porte pour entrer sans attendre les autres qui descendaient tous trois. Mais en cet instant, Édouard et sa fille aînée avaient bien mieux à faire que d'explorer la maison; ils se retrouvèrent du côté droit de la voiture dont le haut chargement leur voilait la vue de la chapelle, de l'autre bord de la rue, chacun tenant entre ses mains un objet essentiel, et chaque objet complémentaire de l'autre en ce jour de grande entreprise.

Si Émélie avait vu par le souvenir ses chers disparus avant le grand départ, la veille au matin, voici que Marie allait elle aussi les voir, mais par une sorte d'étrange vision. Seule devant la chapelle à la porte grande ouverte, elle aperçut dans l'embrasure un lumignon dans le temple, au loin à l'intérieur, indiquant la présence à l'autel des saintes espèces. Et pourtant, ce n'est pas Dieu qui vint l'accueillir sur le pas de la porte, mais bien sa mère, Pétronille, et sa petite sœur, Georgina, qui, toutes deux, se tenaient la main en souriant. La jeune Marie n'avait pas encore 5 ans à la disparition de sa mère et un peu plus de 5 à celle de la pauvre Georgina qu'elle avait vu se faire ébouillanter puis mourir. Elle n'avait gardé en tête que fort peu d'images d'elles, et cette scène qu'elle pouvait voir en ce moment lui paraissait nouvelle, sans âge, sans passé et peut-être même empruntée à l'avenir.

Elle se signa, joignit les mains et pria sans baisser la tête, éblouie par cette radieuse sérénité qui émanait de ces êtres éthérés semblant avoir pour image celle de leur âme aux contours et aux traits se rapprochant de ceux de leur corps. Alors, la voix lointaine et profonde de Pétronille paraissant venir du fond de l'intérieur sombre déclara avec une douceur infinie:

Nous viendrons te chercher, Marie, nous viendrons pour t'emmener avec nous, et tu trouveras la paix et le bonheur. Il ne se passera pas sept ans avant notre retour. C'est pour très bientôt. Tu n'auras pas peur. Mais tu auras mal... comme moi, comme Georgina... et tu seras libre pour toujours, avec nous deux et aussi ton frère Joseph-Édouard et ta petite sœur Henriette. La forêt verte ne saurait te protéger, mais elle ne saurait te retenir non plus. Nous t'attendrons au paradis, Marie. Plus tard, bien plus tard, ton père viendra aussi puis, longtemps après, ce sera le tour d'Émélie et de Joseph. Et un jour, nous serons tous ensemble. Mais toi, tu seras la première à nous rejoindre, la première, la première...

Les âmes des disparues s'évanouirent, laissant une paix profonde dans le cœur de Marie. Le dernier mot se répéta en écho et fut remplacé par le bruit d'un marteau. Et un autre bruit attira son attention : celui d'une porte qui s'ouvre. Elle tourna un peu la tête et vit sortir de la maison presbytérale voisine un homme en noir qu'elle sut aussitôt être le curé. Il pressa le pas, franchit la rue et fut rapidement tout près de la jeune fille, devant la maison des Allaire, derrière Émélie et son père qui achevaient de poser une affiche sur laquelle étaient écrits en grandes lettres noires les mots magnifiques :

MAGASIN GÉNÉRAL

Émélie l'avait tenue à bout de bras. Son père avait cloué la planche longue et large qui annonçait au monde la naissance d'une réalité issue d'un grand rêve. Édouard savait ce qui était écrit même s'il ne pouvait le lire. Émélie était la main ayant tracé si soigneusement ces lettres d'avenir. Il y avait en chacun tant de fierté, un si fort enthousiasme et une foi en la vie si folle qu'ils mirent plusieurs secondes avant de se rendre compte que Marie et le prêtre les regardaient faire à fort petite distance.

Émélie songea soudain à sa sœur.

— Marie, viens, tu vas voir...

– Suis là !

Émélie se tourna pour lui redire sa joie, mais elle tomba face à face avec le curé Faucher, qui souriait de toutes ses dents, heureux de les surprendre, père et fille, dans une telle scène à l'enthousiasme. Il prit aussitôt l'initiative après avoir repoussé ses lunettes sur son gros nez :

– Bienvenue chez nous à la famille Allaire, la plus attendue, la plus espérée depuis que j'assure le ministère dans cette paroisse.

Édouard sursauta, pivota sur lui-même à son tour. Il s'en voulait d'avoir été trop accaparé par la pose de l'écriteau et sa contemplation. Le prêtre et lui ne se connaissaient pas directement faute de s'être rencontrés quand Édouard était venu pour l'achat de la maison. L'abbé, chaque fois, était absent, occupé ailleurs qu'à son presbytère ou dans les environs. Mais chacun en avait pas mal appris sur l'autre par personnes interposées dont, principalement, Prudent Mercier, cet homme-clef de la paroisse.

Le nouveau marchand serra la main tendue. Puis, le curé tendit la main vers Émélie, la traitant ainsi dès le départ comme une adulte :

– C'est votre grande fille qui va s'occuper du magasin ? On m'a dit qu'elle était instruite au maximum.

– Certain ! Elle vient de finir ses études à l'école Modèle à Saint-Henri. Je dois vous dire qu'elle en sait pas mal. Il faut parce que moé, je vous le cacherai pas, j'sais ni lire ni écrire.

– Édouard, vous ne serez pas l'exception dans cette paroisse du côté masculin. Bien sûr, côté féminin, je ne connais pas une seule femme ou jeune fille analphabète par ici. L'important pour un homme, c'est encore ce que son cœur sait écrire, n'est-ce pas ?

– Vous savez mon nom...

– Par monsieur Mercier. Mais pas celui de vos deux grandes filles.

– Elle, c'est...

Émélie jeta à son père un regard foudroyant. Il acheva :

– ... Émélie. Et la plus jeune, c'est Marie.

Le curé tendit la main sans que la jeune fille ne songe à lui répondre en levant la sienne. Alors, l'abbé s'empara de cette main à demi-morte et la serra en disant :

— Marie... comme la sainte Mère de Jésus. Que ce prénom est beau et noble !

— Je le porte aussi, glissa Émélie en souriant d'un coin de la bouche comme ça lui arrivait pour exprimer un brin d'ironie.

— Et toutes les jeunes filles, bien entendu, bien entendu, enchérit le prêtre.

Puis, il redevint sérieux. Son regard profond pénétrant celui d'Édouard, il dit doucement :

— Est-ce qu'on pourra s'attendre à ce qu'il y ait un rabais particulier sur la marchandise en faveur du presbytère et de la fabrique paroissiale ? Il n'est pas courant, dit-on, de réaliser de trop gros profits sur Dieu.

Édouard faillit bredouiller une phrase engagée signifiant que le magasin ne se garderait aucun profit quand on vendrait au prêtre ou à la paroisse, mais il se contint et eut la bonne idée de s'en remettre à sa fille :

— Là-dessus, c'est Émélie qui va décider. C'est elle qui va avoir les cordeaux du magasin entre les mains. Moé, les chiffres, vous savez...

Sans hésiter, la jeune fille établit sèchement :

— Pour vous, ce sera cinq pour cent de rabais sur tout.

L'abbé fronça les sourcils. Il trouvait bien radine cette grande jeune personne, mais il se demandait comment, devant autant d'aplomb et de détermination, obtenir davantage. Il concocta une phrase, mélange de résignation et d'humour :

— Et si je vais me mettre en pantalon et que je viens vous aider à vous installer, on pourrait penser à dix pour cent de rabais pour la sainte Église ? Ça va rester entre nous... non pour comploter, mais pour éviter un exemple nuisible au profit...

Émélie regarda son père qui faisait un signe d'acquiescement sans trop savoir, lui, ce que signifiaient ces chiffres de pourcentage. Elle trouva un point final à mettre à l'entente, quitte, se dit-elle, à gonfler un peu le prix des marchandises d'exception que seul le presbytère commanderait :

– C'est bon pour dix pour cent de rabais, mais pas un seul sou de plus ou bien si on fait pas de profit, c'est la banqueroute garantie. Mais vous allez nous aider toute la journée pour ça ?

– Assurément !

Et le prêtre tourna les talons pour se diriger vers la maison presbytérale, une habitation plus spacieuse et de meilleure apparence que celle appelée à héberger le magasin général et les Allaire.

– Je reviens vite.

Marie le regarda plus longuement que sa sœur et son père, qui ne tardèrent pas à s'attaquer au chargement dont ils dégagèrent de petits effets à emporter à l'intérieur. Elle s'étonnait de voir que sa sœur ne s'était pas soumise à la volonté du prêtre sans négocier, qu'elle avait dit son mot et tenu son bout tout en cédant un peu de terrain. Et elle eut un mouvement d'admiration vers Émélie, qui saurait mener la barque, protéger la famille et lutter pour la vie au nom des siens. Voici qu'un sentiment de sécurité l'envahit. D'un côté, il y avait le magasin, sa sœur, son frère et son père, et de l'autre, il y avait la chapelle, sa mère disparue et sa petite sœur qui l'attendaient.

Alors, seulement, elle trouva, par le rappel des moments tout récents, que le prêtre avait la main épaisse et rugueuse, comme celle d'un cultivateur. Il devait travailler fort autrement que pour assurer le rite. Et pour la toute première fois depuis leur arrivée, elle embrassa du regard sa nouvelle demeure et les dépendances.

C'est d'abord la cheminée qu'elle aperçut, émergeant du milieu du comble, puis le toit en pente assez prononcée, goudronné noir, sans larmier dépassant la façade où venait d'être clouée l'affiche «Magasin général», entre la porte située au centre et la fenêtre de droite aux volets encore fermés. Et devant la porte, guère plus large qu'elle-même se trouvait une plateforme que Joseph avait été le premier à emprunter. Il n'était pas réapparu depuis son entrée exploratoire à l'intérieur.

– La première chose à faire, c'est un hangar en arrière de la maison, déclara Édouard aux filles. Je vas m'y mettre dans quelques jours. Monsieur Mercier m'a promis son aide quand j'ai acheté. C'est un touche-à-tout, le bedeau…

Édouard s'étonnait de n'avoir pas vu le bedeau aux alentours. On avait passé devant sa maison, mais personne ne s'était montré dehors ou aux fenêtres. Il apparaîtrait sans doute bientôt.

– Les filles, venez voir ça en dedans. C'est assez grand pour tout ce qu'on veut faire, vous allez voir.

On se suivit, Émélie et Marie devant leur père qui fermait la marche. Quand on fut à l'intérieur, Édouard situa aussitôt les pièces :

– Icitte, ça sera le magasin, d'abord que la pièce est en avant pis que la porte d'entrée y donne. Au fond, de l'autre bord de la cloison basse, c'est la cuisine. Vous voyez le poêle pis la table. La porte au fond de la cuisine donne dehors, en arrière. Celle du mur gauche donne sur votre chambre, à vous deux, Émélie pis Marie. Pis celle icitte, à côté du magasin, ben je vas la prendre avec Joseph. Comme ça tout le monde est casé. Avec un hangar en arrière pour entreposer les marchandises, on sera bon pour dix ans au moins sans réagrandir. Si on manque de place dans le hangar, on se servira de la grange en arrière. On va garder rien que les chevaux. Pas de vaches, pas de moutons ou de cochons : il va rester de l'espace pour remiser des grains ou des gros morceaux comme des instruments aratoires, des harnais, des voitures à vendre.

Marie, qui était demeurée passive voire rétive jusque là devant ce projet dans lequel on n'avait jamais vraiment tenté de l'impliquer, reçut une première piqûre d'élan. Tiens, elle serait certainement plus heureuse à imiter Émélie et à prendre le taureau par les cornes. Si son futur devait être raccourci comme sa vision de l'arrivée l'en avait prévenue, autant le vivre en occupant ses mains par des travaux manuels et son cœur par la prière. Elle se rendit à la fenêtre de côté du magasin et aperçut le petit cimetière tout proche entre les arbres dans une éclaircie. Émélie posa les objets sur le plancher; elle courut presque pour visiter toutes les pièces tandis que son père lançait des cris à l'adresse de son fils invisible.

– Sus monté en haut, répondit Jos de loin.

Sur le mur extérieur de la cuisine du côté du cimetière, il y avait un escalier donnant sur un deuxième étage qui n'était en fait qu'une sorte de grenier plutôt étroit et de faible hauteur, et après avoir visité les pièces du bas, le jeune homme s'était rendu à la découverte de ce coin qu'il avait aussitôt adopté et dont il ferait sa chambre si son père donnait son accord. Ce serait exigu et peut-être chaud le jour en été, et froid la nuit en hiver, mais il y serait seul et bien.

– Ben descends pour venir nous aider. Ça prend tout le monde pour tout rentrer dans la maison. Même que monsieur le curé s'en vient nous aider.

On entendit ses pas puis le bruit de quelqu'un qui déboule dans l'escalier. Les trois se précipitèrent dans l'entrée de la cuisine pour apercevoir Joseph affalé sur le plancher et qui se relevait en grimaçant, mais pas de manière inquiétante.

– Tu t'es fait mal? s'enquit Émélie.

– Ben... non.

– L'escalier est à pic, constata Édouard.

– Tu feras attention à l'avenir, insista Émélie. Mais t'auras pas affaire là.

– Je voudrais coucher en haut, moé, dit le jeune homme boitillant mais qui n'en mourrait sûrement pas.

Édouard trouva l'idée intéressante, mais ne voulut pas acquiescer sur l'heure.

– Bon, ben viens nous aider, on va voir à ça plus tard.

Sous peu tous s'affairaient au déchargement. Les choses emportées, malles, meubles, caisses de bois remplies d'effets de magasin commencèrent de joncher le plancher. Émélie se demandait si le curé tiendrait parole quand enfin parut le prêtre vêtu d'une paire d'*overall* et d'une chemise mince aux carreaux rouges sur fond crème.

On s'arrêta par respect.

Édouard eut une idée agréable à tous :

– J'imagine que la maison a déjà été bénie, mais j'aimerais ça, vu qu'on est du monde nouveau, si vous pouviez la bénir exprès pour nous autres.

– Mieux, mon ami, je vais la bénir ainsi que vous, ses futurs occupants.

– Une pierre : deux coups.

L'abbé mit sa tête en biais, hésita par le ton :

– On pourrait dire ça comme ça.

Puis, il procéda :

– Je bénis cette demeure et ses futurs occupants. Que le bonheur, la santé, la prospérité fleurissent sous son toit et entre ses murs ! Et que la foi chrétienne y soit sauvegardée pour toujours. Que réussisse cette entreprise honorable de nos amis les Allaire ! Je vois dans l'avenir, avec l'aide de Dieu, de l'expansion à ce magasin encore et encore. À vrai dire, je vois en ces lieux une véritable *moisson d'or*. Mais j'y décèle aussi de la générosité, le sens de la charité chrétienne et l'amour de Dieu et du prochain. Au nom du Père, et du Fils, et du Saint-Esprit.

Marie était figée dans un esprit de prière. Émélie ne bougeait pas non plus, mais elle se sentait pétrie de joie à la pensée de toutes ces promesses énoncées dans la bénédiction du curé : comment espérer plus belle inauguration ? Comme s'il avait entendu sa pensée, le curé annonça :

– Mais quand vous allez être bien installés, un bon dimanche après la messe, peut-être même le tout prochain, on procédera à l'inauguration officielle devant tous les paroissiens… si tu le veux bien, mon cher ami Édouard ?

Le prêtre venait de passer au tutoiement. Puis, il poussa plus loin :

– Pour faire plus magasin, moi, je pense que je ferais lambrisser la maison avec du déclin flambant neuf que j'enduirais ensuite d'une peinture rouge. Rouge comme les carreaux de ma chemise…

– Une vraie bonne idée ! approuva Édouard, qui l'oublia pourtant aussi vite.

– Bon, fit le prêtre, dis-moi ce qu'il faut faire : mes deux bras sont disponibles…. pour un petit dix pour cent, n'est-ce pas, ma chère Émélie ?

La jeune fille sourit pour approuver et confirmer… Et se dit que ce ne serait pas une si mauvaise idée que de faire de cette maison ordinaire une jolie maison rouge… la maison rouge du village.

∞∞∞∞∞∞∞

Chapitre 32

Il fallut chauffer pendant quatre jours au moins le poêle à trois ponts malgré la canicule pour obtenir de l'eau chaude en quantité. Émélie voulait que tout ce qui avait voyagé depuis Saint-Henri, y compris les personnes, soit lavé et propre, dépoussiéré, presque aseptisé. Mais aussi murs, plafonds et planchers. Ainsi, elle répondait à un besoin que sa mère lui avait transmis et que la famille Leblond de même que les religieuses à l'école Modèle avaient encouragé : celui de l'hygiène. Et cela, pour elle, voulait dire bien plus que de laver son corps une fois de temps en temps comme le faisaient la plupart des gens. En cette matière aussi, la jeune fille avait plusieurs années d'avance sur son temps. Et sa sœur Marie possédait les mêmes habitudes.

Et l'eau à la pompe leur facilitait la tâche.

Il ne manque plus qu'une baignoire ici, répétait-elle à son père, qui décida d'aménager un petit local à cette fin dans le hangar attenant à la maison, rallonge qu'il était déjà en train de construire avec l'aide de Prudent Mercier. On utiliserait d'abord une grande cuve de bois en attendant l'installation d'une vraie baignoire, ce qui serait possible quand le chiffre d'affaires du magasin le permettrait, soit, songea sa fille, dans quelques années. Et dans les grands froids d'hiver, il faudrait, comme partout ailleurs, se contenter de petites ablutions à l'arrière d'un paravent dans la cuisine. La cuve du hangar serait dotée d'un tuyau d'égout et servirait aussi pour la lessive du linge, une tâche qui, par tirage au sort, incomba à Marie.

Et l'on frottait, frottait, frottait par ce 24 juin, comme pour nettoyer tout le pays avec du savon canadien. On était jeudi et on visait tout terminer pour dimanche le 27, jour de la bénédiction officielle en présence du public de la grand-messe.

Émélie possédait un sens inné de la promotion. Ces mesures d'hygiène, vues par plusieurs comme exagérées, contribueraient à faire un nom au magasin, mais il fallait que ça se sache ; elle songea que le meilleur « agent » de publicité à cet effet serait le curé Faucher, qu'il fallait informer quotidiennement. Et deux ou trois fois par jour, le prêtre se rendait lui-même se rendre compte de la progression des travaux, tant à l'intérieur par les jeunes filles qu'à l'extérieur par Édouard, son fils et le bedeau. Émélie portait un linge blanc sur la tête, noué sur le devant et s'épongeait souvent le front avec un linge sec accroché à son épaule.

– Ça avance ? demanda le prêtre une fois encore, ce vendredi.

– Tous les plafonds et tous les murs sont lavés, propres comme un sou neuf, monsieur le curé.

– Pourquoi en faire autant ? Cette maison ne fut jamais habitée.

– Mais on y a fait longtemps la classe et ça salit, des enfants. Comme ça, quand les clients vont venir, ça va sentir bon, le propre.

– C'est une très bonne idée, et j'en parlerai dimanche à la bénédiction.

Émélie jubilait : elle n'avait même pas eu à le lui demander.

∞∞∞∞

Quant à Édouard, en même temps qu'il s'affairait à construire le hangar annexé à la maison, il bâtissait en secret une pièce nouvelle à côté de son cœur. C'est là qu'il cacherait son sentiment pour Marie-Rose, un impérissable sentiment qu'il croyait devoir émerger en force des vieilles cendres toujours chaudes le recouvrant depuis un quart de siècle.

Prudent venait de lui annoncer qu'il ne serait pas disponible le mercredi suivant vu qu'il assisterait au mariage de son fils Anselme.

– Il marie une fille de la paroisse?

– *Yes* monsieur, une belle grande fille, la Marie-Rose.

Édouard songea aussitôt à la Marie-Rose de son vieux rêve et à sa hâte de la revoir, bouleversé qu'il était par l'idée qu'elle ne l'ait pas oublié au point de raconter à ses enfants leur rencontre de 1854 au carrefour du chemin de Kennebec.

– Marie-Rose?

– La fille à Ferdinand Gagné. C'est un cultivateur du Grand-Shenley.

Leur échange fut soudainement interrompu par l'arrivée d'un visiteur venu saluer ses nouveaux voisins et qui, ayant entendu les deux dernières phrases, déclara:

– La mère de la mariée, c'est la cousine propre de mon épouse.

C'était un jeune homme au début de la vingtaine, la bonté dans l'œil et le nez important qui lui conférait un air plus sérieux que sans lui quand il ne souriait pas, et un brin ironique dans le cas contraire. Il ne sortait pas de l'ordinaire pour le reste de sa personne: taille moyenne, cheveux bruns, allure calme.

Il enjamba des morceaux de bois, tendit la main vers Édouard, poursuivant ses mots:

– Monsieur Allaire, je suis votre voisin, Joseph Foley. Et je suis heureux de venir vous serrer la main.

Édouard se redressa, essuya son front mouillé avec sa manche de chemise, parla:

– Ben moé itou. La terre à côté, on m'a dit que c'était à un Irlandais: c'est toé comme ça?

– Je voulais venir vous saluer avant aujourd'hui, mais les travaux de la terre nous poussent dans le dos de ce temps-ci. Ramasser de la roche sur les labours en attendant les foins. Redresser les clôtures que l'hiver a crochies.

— Ah, je sais ce que c'est : j'ai cultivé la terre durant… pas loin de trente ans à mon compte pis avant ça, j'ai été élevé sur une terre à Saint-Henri.

— Moi, suis de Saint-François… établi ici depuis un an. On avait bien hâte que le magasin ouvre… comme tous les paroissiens d'ailleurs.

— Je te pensais irlandais, dit Édouard, qui s'étonnait un peu de cette langue française embellie parlée par ce jeune homme, à la manière des prêtres et des religieuses, avec les « moi » et les « ici » en guise de « moé » et « icitte » venus ceux-là du fond des âges.

— Suis venu au monde à Saint-François, mais mon père est venu d'Irlande, lui, avec son père.

— Ça me fait ben plaisir.

Joseph jeta un regard panoramique et fit un signe de tête affirmatif :

— Tout un chantier !

— Pour un magasin, ça prend un entrepôt : ça fait qu'on lève un hangar avant d'ouvrir pour de vrai.

— On sera les premiers à vous encourager dans votre entreprise. Un magasin général, c'est vital dans une paroisse de nos jours.

— Dans ce cas-là, je vas te présenter mes deux grandes filles… Émélie, Marie, venez icitte un peu…

Elles vinrent, et ce furent les présentations.

— Quand ça adonnera, mon épouse viendra à son tour. Mais… j'y pense, vous voudriez pas qu'elle vienne vous aider un peu, mesdemoiselles Allaire ? Ça irait plus vite pour vous installer. À vrai dire, c'est elle qui m'envoie pour vous offrir ses bras et ses mains pour une couple de jours. Les foins sont pas encore commencés, et on n'a pas d'enfants. Ça lui ferait grand plaisir.

– C'est pas de refus, lança Émélie avec un coup de tête en biais. Même peut-être qu'elle pourra nous montrer quelques mots d'anglais?

– Comptez pas trop là-dessus parce qu'elle est une Canadienne pure laine. Je vous le dis tout de suite. Son nom de fille, c'est Lucie Poulin, et elle vient de Saint-François tout comme moi.

Les filles rentrèrent. Le voisin échangea quelques mots encore avant de s'en aller. Quelques minutes plus tard, tandis qu'Émélie et Marie plaçaient leur chambre, la clochette installée par Édouard à la porte du magasin se fit entendre.

– Madame Foley, ça doit, dit Émélie à sa sœur. Vas-y voir. Tu m'appelleras.

Marie quitta la pièce. Émélie tendait l'oreille. Mais elle ne parvenait pas à entendre les voix peu audibles et décida de poser le torchon pour aller y voir de plus près. Ce n'était pas madame Foley en tout cas puisque la visiteuse aux airs familiers ne faisait pas plus de son âge à elle.

– Viens voir, Émélie…

La jeune fille tenait à son bras un panier dans lequel se trouvait quelque chose qui captait l'intérêt de Marie. Émélie arriva près d'elles et aperçut aussitôt un chaton noir et blanc qui dormait comme un juste au fond du panier. Comme un marchand par définition achetait un peu tout aux gens qui avaient quelque chose à vendre, œufs, viande, grains, peaux, bois, etc. Émélie crut que l'autre venait offrir le petit chat moyennant quelques sous.

– C'est pour vendre? demanda-t-elle.

– Non, s'étonna la jeune fille aux grands yeux bleus. C'est pour vous le donner… si vous le voulez. C'est un cadeau de bienvenue. On a su par monsieur le curé que nous aviez emporté ni chien ni chat, pis un chat, ça prend ça dans un magasin pour chasser les souris.

– On va le payer.

– Non! s'exclama l'autre. Notre chatte a eu une portée; on a pensé vous en donner un… si vous le voulez?

– On le veut certain ! Mais là, c'est un peu vite. Faut finir de
s'installer. On pourrait s'enfarger dedans pis lui faire mal. Ou il
pourrait s'en aller : les portes sont souvent ouvertes.

– Je peux revenir vous le porter plus tard.

– Ça ferait ben notre affaire. Pis on t'en remercie beaucoup. On
peut savoir ton nom ?

Marie intervint :

– Je peux le prendre dans mes bras ?

– Tu vas le réveiller.

– Ça fait rien, dit la visiteuse.

Et Marie prit le chaton qu'elle serra doucement contre son cœur
et le caressa. L'animal engourdi de sommeil ouvrit à peine les yeux
et les referma dans un bien-être absolu.

– C'est qu'on a de l'ouvrage, hein, Marie, tu le sais.

– Ben oui…

Et elle remit le chaton dans le panier et le recouvrit du chiffon
qui faisait son lit.

– Je vas revenir vous le porter quand vous voudrez.

– C'est quoi, ton nom ?

– Obéline.

– Nous autres, c'est Émélie et Marie… Allaire. Ton nom au
complet, c'est ?

– Obéline Racine… mon père est forgeron par là…

– On t'a vue en arrivant, s'exclama Émélie.

– Tu m'as dit bonjour. Ma mère a dit que tu avais l'air bien
sympathique. Elle vous a vus passer par le châssis quand vous
êtes arrivés avec votre grosse voiture…

Et c'est ainsi que fit son entrée dans la vie d'Émélie cette jeune
fille appelée à devenir sa meilleure amie, sur un même pied d'éga-
lité dans son cœur et ses pensées que Cédulie et Alice Leblond.

– Ce sera ton chat, déclara Émélie quand Obéline fut partie.

– Pis le tien.

– D'abord le tien.

Elles retournaient travailler dans leur chambre. Émélie poursuivit:

– On lui trouve un nom?

– Ben…

– Je suggère…

– Faudrait savoir avant de le baptiser si c'est une fille.

– Suis sûre que c'est une fille.

– Sinon, on changera le nom.

– Je suggère… Obéline… comme celle qui nous en fait cadeau.

– Peut-être qu'elle aimerait pas ça.

– As-tu une idée, Marie?

– Ben… oui…

Il était dans l'intention d'Émélie d'approuver le choix de sa sœur, quel qu'il soit, afin que lui donnant un nom, Marie se sente plus proche du petit animal. Marie, lui semblait-il, avait besoin de créer des liens en ces lieux neufs, et ce tout premier avec un chaton pourrait s'avérer des meilleurs.

– Dis.

– Y avait assez de mousse dans notre chambre, fit Marie en souriant, on pourrait l'appeler Mousseline.

– Ma gni fique, Marie! On pourrait pas trouver mieux.

– Tu crois?

– Certain que je le crois! C'est un nom doux, c'est beau pour une petite fille…

– Si c'est une petite fille…

C'était une petite fille…

∞∞∞∞∞∞∞∞

Chapitre 33

— Ça va être comme dans notre chambre d'avant, constata Marie qui, debout au pied du lit, regardait la pièce tout autour.

C'est précisément ce que recherchait Émélie en disposant les choses dans leur nouvelle chambre, bien loin de celle d'avant dont parlait sa sœur. Surtout elle avait pris soin de placer ses objets les plus chers, presque sacrés, à peu près là où ils se trouvaient dans leur chambre quand elles vivaient chez les Leblond. Le coffret, précieux don de sa mère, trônait au centre, recelant la croix de bois talisman et surtout la mèche de cheveux de la pauvre petite Georgina. Et au bout du meuble, à la hauteur de bras levés, en biais au mur, supporté par deux clous, son cher parapluie dont elle risquait de s'en servir moins en ce village au couvert végétal généreux au-dessus des têtes. Mais il y aurait la pluie...

Et elle tomba, la pluie, par averses suivies, ce samedi, ce qui interrompit les travaux du hangar et permit aux hommes de poser des tablettes dans la pièce du magasin ainsi qu'une construction d'étagères au centre, à la façon du magasin Couture de Sainte-Marie, dont Édouard gardait bien présents dans sa tête, dans son cœur et dans ses bras le souvenir et le modèle.

Lucie, la jeune épouse de Joseph Foley, personne pas très grande, à la chevelure brune et aux yeux de même couleur, était venue encore les aider pour une heure ou deux. Quand la clochette avertit de son arrivée, Émélie se rendit la recevoir :

— C'était pas nécessaire, madame Foley, vous nous avez déjà aidées pas mal.

— D'abord, appelle-moi Lucie. Et, je serai pas trop longtemps aujourd'hui…

— On a presque fini. Va rester à placer les effets dans le magasin quand les tablettes seront installées.

— Ce qui va être fait à midi, lança Édouard, qui n'avait pas requis les services de Prudent Mercier ce jour-là et, préférant œuvrer seul à ces travaux d'intérieur, avait donné congé à Joseph, qui en profitait pour explorer le village sous la pluie, un sac de jute sur la tête pour se protéger un peu.

— Suis venue pour vous inviter à venir faire un petit bout de veillée avec nous autres à soir. On aura de la visite de Saint-François. Mes beaux-parents. C'est à eux autres, la terre, j'sais pas si Joseph vous l'a dit. Elle va nous revenir un jour, mais…

Elle n'en dit pas plus et, sans attendre une réponse à son invitation, réclama un seau, une brosse à plancher, de l'eau chaude et du savon du pays pour se mettre au nettoyage du plancher de la chambre avant, celle occupée par Édouard.

— Ça nous gêne de vous laisser faire un ouvrage dur de même, fit Émélie quand elle remit le nécessaire à la femme.

— Voyons donc! J'ai 20 ans, pas 60.

Et Lucie s'empara vigoureusement des objets et s'en alla dans la seule pièce dont il restait une surface à nettoyer car murs et plafond là comme autre part dans la maison avaient déjà subi le traitement de la brosse à récurer.

— C'est ben correct pour à soir! lança Édouard quelques minutes plus tard entre deux coups d'égoïne. Les filles pis moé, on va aller vous visiter.

— On compte sur vous, Joseph pis moi.

— C'est le moins qu'on peut faire pour vous remercier de votre aide.

— L'entraide, c'est vital!

– Vital : ouè. C'est ben le mot qu'il faut…

Et la journée courut à grandes enjambées d'une heure chacune sur l'horloge de la cuisine au carillon fidèle. Son travail terminé, Lucie retourna chez elle. On loua sa générosité et sa beauté. Et la langue nerveuse d'Édouard ne put s'empêcher de dire au cours du repas du midi, mine de rien :

– Elle me fait un peu penser à Césarie Larochelle, vous trouvez pas, vous autres ?

Émélie et Marie, qui se comprenaient sans rien se dire et soupçonnaient de plus en plus l'existence d'un secret bien gardé dans le cœur de leur père, s'échangèrent un regard et un sourire prudent. Il leur paraissait que loin avant leur naissance, avant même son mariage avec leur mère, il avait vécu un jour un de ces moments d'éternité par sa rencontre avec l'épouse, jeune alors, de Clément Larochelle, le pionnier fondateur de Shenley, ce dont avait parlé Marie-Césarie à la sortie du village le jour de leur arrivée, sans donner les détails qu'on pouvait imaginer…

Au milieu de l'après-midi, un premier client fit son entrée en disant :

– J'ai su que le magasin serait ouvert rien que lundi mais je me suis dit que mon besoin est urgent…

Il se présenta comme Rémi Labrecque, cultivateur-ramancheur, et dit avoir besoin de coton propre et neuf pour confectionner des attelles. Un jeune homme s'était cassé le bras et il avait dû lui installer une attelle en bois garni de jute, faute de mieux.

– Malheureusement, lui dit Émélie, on n'a pas ça encore, mais on le marque sur la liste des achats, et mon père va en ramener dès le milieu de la semaine prochaine.

– C'est ben correct. Je voulais vous dire en même temps qu'on est ben content, tout le monde, de voir qu'un magasin ouvre par chez nous. Il était temps… Je vous dirais que votre réputation est arrivée avant vous autres. On sait que vous connaissez votre affaire. Ça fait que… ben je vas vous souhaiter bonne chance.

Il fut remercié par Édouard et par Émélie. Marie dont l'esprit vagabondait souvent hors du temps eut un autre pressentiment : il lui sembla que son avenir passerait par les mains de cet homme et que ce ne serait pas forcément heureux malgré sa gentillesse et son évidente générosité.

∞∞∞∞

Les rideaux n'étant pas encore installés dans les deux fenêtres du magasin, l'on put voir à l'heure du souper passer une voiture fine recouverte d'un toit noir en toile imperméable. Un couple dans la cinquantaine, sobrement endimanché et que, bien entendu, l'on ne connaissait pas. Et que l'on oublia aussitôt, mais qui alla dételer chez les Foley dont c'étaient les visiteurs attendus, venus de Saint-François.

De rigueur à l'année longue, l'heure solaire réduisait le temps d'ensoleillement et de lumière en soirée ; c'est donc à la brunante qu'une heure plus tard, l'on se rendit chez le voisin sympathique. Joseph vint ouvrir la porte de cette petite maison assez semblable à celle des Allaire et sise à moins de cent pas. Déjà des lampes éclairaient l'intérieur. On fit passer les visiteurs dans une pièce utilisée comme salon où se trouvait le couple de visiteurs, soit les parents de Joseph qui furent présentés.

Michael Foley exerçait le droit à Saint-François, où il avait d'abord enseigné après ses études. Mais l'homme de 53 ans était né en Irlande, où il avait vécu jusqu'à l'âge de 19 ans dans un pays où les heurts violents entre catholiques et protestants faisaient partie du lot quotidien et semblaient devoir durer toujours, en tout cas tant qu'une des deux communautés ne disparaîtrait pas de la surface de la terre.

Michael questionna Édouard qui parla de son vieux rêve enfin réalisé puis c'est lui qui fut amené à raconter sa vie, du moins, dans ses grandes lignes. Personnage à la voix forte et nasillarde, il se lança dans une narration familière à Joseph et Lucie, mais qui passionna les Allaire par la qualité du récit et les événements extrêmes auxquels il avait survécu pour enfin s'établir à Saint-François et y faire sa vie.

En 1846, William, son père, prenait la décision de quitter son pays pour le Canada avec ses deux fils : Luke, âgé de 21 ans, et Michael, qui avait alors 19 ans. Elizabeth Agers, épouse de William et mère des deux garçons, était morte à Dublin. William avait pour raisons d'émigrer les troubles incessants qui agitaient l'Irlande et la vie dure qu'il devait y mener. C'était la guerre perpétuelle avec l'Irlande du Nord, incluant les Anglais. On kidnappait des enfants sur le parvis des églises pour les élever dans la religion protestante. On coupait la tête de catholiques et on les paradait au bout de piques. Un jour que Michael n'avait encore que cinq ans, l'on vit des soldats descendre la rue et tout le monde s'enfuit pour se cacher. L'enfant terrifié se réfugia sous un lit et ne répondit pas aux appels des siens, si bien que les soldats le découvrirent dans son refuge, tremblant de tous ses membres. L'un des hommes pointa son fusil sur la tête du garçonnet et allait tirer quand l'autre lui dit de ne pas gaspiller de munitions sur quelqu'un d'aussi jeune et inoffensif.

William et ses fils quittèrent l'Irlande à bord d'un bateau, sachant très bien que si, durant le voyage, l'un d'eux était atteint de diarrhée trois journées d'affilée, il serait simplement jeté par-dessus bord. On arriva à Sainte-Anne-de-Beaupré après plusieurs semaines : Michael en était ce jour à sa deuxième journée de maladie. Il s'en était fallu de peu qu'il ne périsse en mer au nom de la protection des autres passagers et des habitants du pays d'accueil.

— Car on craignait le choléra comme la peste, blagua cet homme au regard pétillant et qui avait gardé sa joie de vivre malgré les pires aléas survenus dans sa jeunesse.

— Pis vous parlez français mieux que nous autres ! constata Édouard, le regard à l'étonnement.

– Fallait apprendre ! Faut dire que mon père n'a jamais pu de sa vie. Il est mort huit ans après notre arrivée à Saint-François. Il était âgé de 69 ans.

– 1854, c'est l'année où les fondateurs ont coupé le premier arbre sur le territoire de Shenley.

– Je croyais que c'était un peu plus tard.

– Non, non, c'est bien 1854. Un dénommé Clément Larochelle…

Joseph intervint :

– Je le connais bien : il vit dans le rang 10.

Une fois encore, Émélie et Marie s'échangèrent un regard quand leur père évoqua le nom du fondateur.

Puis, Édouard parla de son épouse décédée et de ses deux enfants, Joseph-Édouard et Georgina.

– Quasiment tous la même année, dit Émélie. Ma grand-mère Allaire, au jour de l'An ; ma mère, au milieu de l'été ; ma petite sœur Henriette, un mois plus tard ; ma petite sœur Georgina, le jour de l'An suivant.

Il fut précisé que Joseph-Édouard était décédé cinq ans avant les autres, soit en 1867, l'année de la naissance de Marie.

– Une année calamiteuse pour vous. Chaque famille a son lot de malheurs ! déclara Michael.

Puis, il fut question du magasin et des perspectives d'avenir. Le quinquagénaire se montra fort optimiste, autant sinon plus que ne l'avait exprimé le curé lui-même.

La soirée fut bonne pour tous quoique pas très longue, et c'est de grande noirceur qu'on retourna chez soi, la couverture nuageuse empêchant la lumière de la lune et des étoiles d'éclairer les environs.

L'on avait appris que Michael et son épouse viendraient vivre chez Joseph dans deux ou trois ans et qu'entre-temps, ils y passe- raient tout le temps qui ne serait pas requis par sa profession d'avocat. La terre voisine du magasin lui appartenait ainsi que l'avait révélé Joseph, et elle serait cédée au fils à la mort de son père Michael, peut-être même avant.

– On pouvait pas avoir de meilleurs voisins, déclara Édouard à la table de cuisine où l'on s'attabla pour boire une tasse de lait avant d'aller au lit. Des gens qui ont souffert, ça comprend mieux le bon sens que les autres.

– Comme ça, on doit le comprendre, le bon sens, nous autres, suggéra Émélie dans la pénombre.

– Y en a des mieux, mais y en a des moins chanceux.

Des rais de lumière produits par la flamme de la lampe brillaient dans l'œil de Marie. Lui revinrent en tête les mots prononcés par sa mère apparue dans la porte de la chapelle à leur arrivée : *Tu n'auras pas peur. Mais tu auras mal… comme moi, comme Georgina…*

∞∞∞

Le jour suivant, c'était dimanche. Comme il en passa des cous étirés devant la porte ! Des fidèles qui se rendaient à la grand-messe et que la curiosité poussait à regarder l'affiche sur la maison Mercier qu'on savait vendue à un certain Édouard Allaire de Saint-Henri. On s'attendait que le curé en parle puisque l'événement était de taille. Et l'abbé Faucher en parla au moment du sermon devant ses ouailles parmi lesquelles la famille Allaire au complet, arrivée la dernière afin de prendre un banc laissé libre, car Édouard n'avait pas eu le temps encore de réserver un banc au presbytère et d'en payer le loyer annuel.

– Mes bien chers frères, il nous est arrivé enfin voilà quelques jours notre marchand général, monsieur Édouard Allaire et sa famille. Le magasin sera ouvert au public dès demain matin. Vous savez tous qu'il occupera la maison d'en face qui appartenait à monsieur Prudent Mercier auparavant. Après la messe, on en fera l'inauguration par une bénédiction officielle. Si l'on songe à toutes les bénédictions dont a fait l'objet cette maison, c'est à croire qu'elle sera un jour centenaire et même davantage[12].

12. Prédiction réalisée puisque ladite maison est encore debout passé 2004.

Le prêtre se répétait, ce que du reste il croyait nécessaire devant des ouailles si simples d'esprit. Il avait seriné le même vœu pieux bien des années auparavant à l'oreille de Prudent Mercier, qui l'entendit depuis l'endroit où il assistait à la messe tout en veillant de près aux choses requises par le rituel. Ce lieu était situé derrière l'autel, devant l'embrasure de la porte donnant sur la sacristie. Le bedeau sourit dans l'ombre au souvenir de cette unique soirée de danse tenue par les jeunes dans sa maison et qui lui avait valu de si gros yeux de la part du prêtre.

Les Allaire, père et filles, occupaient un banc de la rangée de droite, à peu près au centre de la chapelle, ce qui leur valait d'incessants regards de curiosité de la part de tous ceux et celles qui pouvait les avoir dans leur champ de vision sans trop devoir tourner la tête. Ils étaient du monde neuf dans la place, et on les voyait déjà comme des gens d'importance. Même qu'on leur voulait déjà une certaine prospérité qui les mettrait en état de mieux servir la population et qu'on ne leur jalouserait pas. On les plébiscitait à première vue, et voici que le curé leur facilitait grandement l'intégration dans cette paroisse de cultivateurs pauvres quoique non misérables.

À quelques reprises, Édouard tâcha sans succès de repérer Clément Larochelle. Peut-être que le pionnier se trouvait quelque part derrière lui et ses filles, et qu'il ne l'avait pas vu en entrant dans la chapelle. Mais son attention revint forcément aux propos louangeurs du curé, qui lui faisaient monter le rouge aux oreilles alors que sa fille aînée, à son côté, demeurait imperturbable, bras croisés, en parfait contrôle d'elle-même.

— Mes bien chers frères, les émérites savants de la médecine nous disent de plus en plus souvent que l'hygiène – appelons ça la propreté – est requise pour tuer les microbes qui nous assaillent de toutes parts. Il faut, le plus possible, tenir propres et nets les objets d'usage courant ou bien ceux-ci, avec le temps, deviennent des foyers de culture pour les microbes qui apportent toutes les maladies. Pour plusieurs d'entre vous peut-être, le mot microbe est tout à fait nouveau. Il a été proposé il y a deux ans par le docteur Sédillot pour désigner tous les agents microscopiques porteurs de maladies. Les microbes sont partout, vous savez. Et nous devons lutter contre leur prolifération afin de prévenir les maux dont ils sont la cause. Bon… quel lien avec la venue d'un marchand chez nous, me direz-vous? Je voulais vous dire que dès leur arrivée dans la maison d'en face qui sera le magasin général, les Allaire se sont mis à la tâche de tout nettoyer, de tout désinfecter, de rendre toutes choses propres et nettes, débarrassées de tout microbe et que vous pourrez vous rendre en toute confiance à leur commerce qui ouvrira ses portes demain. Même qu'une visite du magasin sera possible tout à l'heure après la bénédiction officielle que nous en ferons sitôt la messe finie et à laquelle je vous convie d'assister tous. Donc tout, murs, planchers, plafonds, tout fut frotté, lavé, brossé, aseptisé, et je dois vous dire que monsieur Allaire et ses filles ont reçu l'aide généreuse de madame Foley et… en toute humilité, mon aide aussi pour leur permettre de s'installer plus vite afin de servir le public de Saint-Honoré au mieux de leurs capacités – qui ne sont pas minces – et de leurs intentions – qui sont tout aussi grandes.

Il y avait des cœurs dans la chapelle qui sautillaient dans les poitrines. De jeunes gens qui n'avaient ni fiancée ni amie considérée comme leur promise, et même ceux-là, eurent vite fait de voir les jolies têtes des sœurs Allaire. L'un voyait déjà Marie à son bras tandis que l'autre dans le secret de son âme et de sa chair choisissait Émélie. Et plusieurs songeaient déjà à la manière de s'y prendre pour arriver le premier au cœur de l'une ou de l'autre. Et pendant que le curé poursuivait son sermon en faisant d'une pierre deux coups, soit en assurant la promotion rapide du magasin Allaire d'une part et celle de l'hygiène d'autre part, parlant de Louis Pasteur, rappelant les travaux d'irrigation qu'il avait encouragés et presque dirigés sept ans plus tôt, ce qui avait considérablement réduit le nombre d'insectes et automatiquement, on le savait maintenant grâce aux recherches des savants, celui de ces petits monstres microscopiques transportés par ces bestioles et causes de maux de toutes sortes, voici que Joseph Dubé, 19 ans, que Félix Audet-Lapointe, 18 ans, que Georges Mercier, 20 ans, fils de Prudent, que Georges Lapierre, 17 ans, que Maxime Bégin et Honoré Bougie, tous deux aux alentours de 16 ans, zyeutaient tant qu'ils pouvaient du côté des Allaire, concoctant des stratégies pour se rapprocher au plus vite de Marie, ou Émélie, toutes deux si belles et si dignes dans leur tenue. Et si neuves surtout...

– Il y aura tout ce qui se vend au magasin Allaire, mes bien chers frères. Mais pas aujourd'hui encore car il faut donner une chance à l'approvisionnement. Et si on n'a pas ce qui vous manque, dites-le à mademoiselle Émélie, qui va le noter et le faire venir pour vous.

La jeune fille ne broncha pas. Toute la chapelle devina qu'il s'agissait de la plus grande, et le prénom fut d'ores et déjà enregistré dans toutes les mémoires. Le curé poussa encore plus loin, comme si le magasin lui appartenait, et se mêla d'affaires qui ne le regardaient pas mais pour le plus grand contentement d'Émélie qui n'aurait pas à le dire sans cesse et qui, au besoin de le faire, serait forte de la voix du prêtre.

– Faire marquer un besoin, certes, mais pas une facture... en tout cas le moins possible. Si un marchand, mes frères, est écrasé par le crédit, comment voulez-vous qu'il serve bien sa clientèle? Comment voulez-vous qu'il puisse tenir un inventaire sérieux et abondant? Ayez pour principe de ne pas acheter ce que vous ne pourriez payer dans les trois mois suivants, et tenez-vous en à cela. Car le marchand doit, quant à lui, sans rémission, payer comptant ce qu'il achète de ceux qu'on appelle les grossistes ou si vous voulez marchands de gros ou encore fournisseurs...

Puis, le propos bifurqua, et le prêtre annonça une nouvelle plus importante encore que l'ouverture du magasin général, et c'était la décision de la Fabrique de procéder à un agrandissement de la chapelle. Il dit que les travaux débuteraient dans quelques jours et déclara la tenue de corvées tous les dimanches à compter du suivant jusqu'à la fin des tâches nécessaires.

Voilà qui réjouit fort Émélie et son père car plusieurs fournitures seraient vendues à la Fabrique, et même avec rabais de dix pour cent, on réaliserait un profit intéressant sur les clous, la peinture, les armatures de fer pour les bancs nouveaux, l'enduit goudronné pour le toit, les serrures, les pentures et quoi encore à être requis par les bâtisseurs.

Le curé dit aussi que le maître d'œuvre des travaux d'agrandissement serait Rémi Labrecque, et l'on pourrait compter sur les conseils de Pierre Chabot, celui-là même qui avait dirigé les travaux d'érection de la chapelle en 1868.

Et le prêtre de conclure :

– Nous aurons un magasin général et une chapelle, tous deux bons pour les vingt années à venir. Et qui sait, à l'aube du siècle nouveau, aurons-nous une grande église comme dans les vieilles paroisses… et un magasin général qui répondra aux besoins futurs de cette paroisse qui est nôtre.

Si bien des jeunes gens rêvaient d'avoir la belle grande Émélie Allaire à leur bras, la jeune fille, elle, se mit à dessiner dans sa tête des plans d'agrandissement du magasin et même qu'elle entrevit la construction, dans vingt ans, comme le prédisait le curé pour l'église, d'un grand magasin comme à Lévis… Mais il y avait beaucoup à faire entre-temps, et malgré son jeune âge, elle en était bien consciente.

Quand la messe fut terminée, la curé, au moment de l'*Ite missa est*, demanda aux fidèles de rester à leur banc et d'attendre que lui-même et un servant sortent les premiers de la chapelle pour procéder à la bénédiction officielle du magasin, qui ne durerait, assura-t-il, que quelques minutes.

Il mit la touche finale à l'office religieux puis se tourna et marcha dans l'allée, s'arrêtant à peine à la hauteur des Allaire pour leur dire de le suivre de près afin qu'ils se trouvent au premier rang comme il se devait. Ce qu'ils firent. Et Joseph, qui avait trouvé une place autre part, s'amena vite pour accompagner les siens qu'il savait honorés par la paroisse. Il voulait qu'on sache que lui aussi était de cette famille.

— Vous pouvez vous lever et venir, lança le prêtre de sa voix la plus officielle et fabriquée quand il fut dans la porte.

Bientôt, une foule de deux cents personnes se trouva derrière le prêtre et les Allaire pour assister à la cérémonie d'inauguration et à la bénédiction, qui furent de la brièveté promise. L'abbé Faucher avait servi à ses ouailles toutes les considérations terre à terre lors de son sermon et réservé les prières officielles pour maintenant. Même qu'il les lut depuis un livre de rituel.

Et c'est ainsi que cette maison reçut sa troisième bénédiction depuis son érection. Dans le cœur de tous, voilà qui promettait un bel et long avenir.

Marie ne remarqua pas derrière elle un jeune homme blond d'autour de 18 ans, souriant, le regard petit mais insistant.

Pas mieux que sa sœur, Émélie ne vit pas tout près d'elle un jeune homme roux de pas plus de 20 ans et qui la dévorait de son regard bleu puissant.

Le premier s'appelait Georges Lapierre, et le second, Georges Mercier. Les jeunes filles s'empressèrent d'entrer au magasin pour y recevoir les visiteurs et futurs clients, et les deux Georges s'échangèrent un regard qui en disait long sur leurs intentions respectives, un regard aux allures de pacte et qui faisait part de son choix à l'autre. Il serait plus facile à deux de repousser les intrus s'il s'en trouvait, ce qui ne manquerait pas. Et ils formèrent la paire pour entrer voir la marchandise à vendre, mais d'autres les précédaient déjà…

Édouard finit de s'entretenir avec le curé, qui lui parla des fournitures nécessaires à la construction de la chapelle à part le bois qui viendrait du moulin à scie de Saint-Évariste, quand il sentit une présence derrière lui, assez près. Le prêtre tourna les talons pour regagner la chapelle puis la sacristie tandis que le nouveau marchand se tournait pour voir qui paraissait l'attendre. Et il se retrouva devant une femme de grande taille, de forte carrure, au visage lourd, mais au regard profond.

– Monsieur Allaire… je sais pas si vous vous souvenez de moi…

Ce vous si distant, ces années de femme écrites dans sa figure et ses formes physiques empêchèrent la mémoire de l'homme de bien s'aligner sur un personnage de son passé. Il bredouilla :

– Ben… n… pas tout à fait…

Les yeux comme des étoiles, elle reprit :

– La dernière fois qu'on s'est vus, vous et moi, c'était à la fourche de Sainte-Hénédine… ça fait vingt-six ans cette année…

Pauvre Édouard, qui se mit à fondre comme autrefois. Malgré les paroles de Marie-Césarie le jour de son arrivée, voici qu'il n'avait pas vraiment réalisé avant ce moment même que Marie-Rose tout autant que lui n'avait jamais oublié leur rencontre à la croisée des chemins. Il s'exclama, la voix tremblante :

– Marie-Rose Larochelle.

– Édouard Allaire.

– Vous vous rappelez de l'herbe à dinde ?

– Je m'en souviendrai jusqu'à ma mort.

– J'aurais jamais cru vous revoir un jour.

– Le destin.

– Le bon Dieu.

– Le destin, le bon Dieu : pour moi, c'est pareil.

– Votre mari ?

– Resté à la maison. Il file pas trop ben. Comme dirait monsieur le curé : un microbe d'été probablement. Il m'a chargé de vous saluer.

– Il savait que j'étais arrivé ?

– Toute la paroisse l'a su durant la semaine.

– Pourtant… y a personne qui a le téléphone. Pis c'est pas demain qu'on va l'avoir dans nos petites concessions.

– Ça se parle d'une clôture à l'autre.

Elle omit de dire que la nouvelle lui était parvenue par la bouche de Césarie. L'émotion grandiose flottait dans l'air, courait à fleur de peau. Chacun aurait voulu renouer avec ces moments bénis de 1854 alors que d'énormes vagues d'ivresse les avaient transportés dans un monde à part. Et pourtant on ne s'en parla pas un seul mot. Elle dit :

– Vous avez de belles grandes filles.

– Émélie, Marie... pis Joseph. J'en ai eu trois autres... sont morts. Ma femme itou, ça fait huit ans de ça déjà.

– Quelqu'un de Saint-Henri nous a donné de vos nouvelles assez souvent... Elzéar Beaudoin...

– Ben oui, ben oui, Elzéar... Pis peut-être le Jean Genest.

– Non, pas celui-là. C'est un solitaire qu'on voit jamais. Un loup... mais qui a jamais mordu personne... Mais que tout le monde évite.

– On se disait « tu » quand on avait 20 ans. On pourrait faire pareil.

– Ça me gênerait pas mal.

– Essayons !

– Essayons !

Marie-Rose était vêtue d'une robe aux chevilles, grise, qui la vieillissait, avec un col de dentelle blanche, et avait la chevelure nouée en une grosse toque sur la tête. Édouard ne parvenait pas à superposer son visage et celui de la Marie-Rose du carrefour et de l'herbe à dinde. Il prenait conscience que la vie enterre la jeunesse mais aussi que le cœur en émoi peut la déterrer d'un seul coup de pelle...

– Ça va me prendre quelques cuillères, mais je voulais qu'on se parle un peu avant d'aller au magasin.

Édouard hocha la tête :

– Des cuillères, on n'a pas ça encore, mais d'icitte à une semaine sûrement. Pis comme c'est là, le magasin est plein de monde : ça fait qu'on est mieux de continuer à se parler. J'ai parlé à ta fille Césarie l'autre jour…

– C'est elle qui nous a parlé de ton arrivée.

– … tes enfants sont vivants toujours ?

– Grands. Partis chacun de leur bord. J'en ai un à Saint-Éphrem-de-Tring. D'aucuns partis pour les États.

– Ta Césarie, elle est mariée ? Elle te ressemble…

– Imagine qu'elle a pas trop envie de s'en aller de la maison, pis d'un autre côté, elle se laisse fréquenter par un petit gars de Saint-Éphrem qui vit comme voisin de son frère. Il vient pas plus souvent que deux fois par mois : ça entretient la flamme et du même coup, ça étire le temps.

Sans que le propos ne suffise à justifier son geste, Marie-Rose avait posé sa main sur celle d'Édouard, bien visible et à portée puisque l'homme avait croisé ses bras sur sa poitrine, comme il le faisait toujours pour entreprendre une conversation qu'il souhaitait longue. Ce fut un bref contact mais fort troublant pour chacun, rêvé de part et d'autre depuis un quart de siècle, caché derrière une joie exprimée. Marie-Rose ne dilapidait pas ces touchers, et il ne s'en était produit aucun au carrefour de l'herbe à dinde ; la valeur de celui-ci s'en trouvait décuplée, et l'émotion qu'il causait, centuplée. Le rouge monta plus vite aux oreilles de cet homme que lors du sermon flatteur du curé à la messe.

– Ben content pour vous autres !

Elle retira sa main et pointa vaguement le magasin du doigt et de son regard en disant :

– T'as deux belles grandes filles : je les ai vues à la messe. J'étais à deux bancs en arrière de vous autres.

– T'as eu le temps de trouver que j'ai changé : au bord de la cinquantaine asteur…

– Le changement, c'est vrai pour tout un chacun, soupira la femme en regardant au ciel un moment. L'important… qui embellit le regard toute sa vie, c'est de garder de beaux rêves au fond de soi… de les poursuivre sans jamais s'en détourner… de les décorer pour les rendre encore plus agréables… T'as dû rêver longtemps d'ouvrir ton magasin ?

– Ouè, c'est certain. Ce rêve-là… pis d'autres itou.

Il le dit, leurs regards intimement fondus. Se sourirent tout aussi profondément, se comprirent. Elle lui toucha la main une seconde fois, plus prenante encore que la première.

– On va se revoir vite : je vas revenir pour les cuillères pis autre chose. Asteur, je ramène tes salutations à Clément. Il a ben hâte de te serrer la main. Lui itou, il se souvient ben de t'avoir connu à Sainte-Marie. C'était une journée marquante dans sa vie… inoubliable pour lui… comme pour moi…

– Pis moé donc !

∞∞∞∞∞∞∞∞

Chapitre 34

Les deux Georges durent retourner chez eux, Gros-Jean comme devant. Émélie et Marie avaient été bien trop occupées à serrer des mains, à répondre à des questions, à noter des commandes et même en certains cas à vendre de menus objets qu'elles ne s'arrêtèrent aux deux jeunes gens que pour les servir comme clients. Chacun bredouilla qu'il n'avait rien à acheter, et comment l'aurait-il pu sans argent?

À midi, Édouard poussa le loquet de la porte à la sortie du dernier visiteur au magasin. Le repas préparé par Émélie attendait déjà sur la table, et bientôt, les quatre Allaire y furent pour manger et se réjouir en chœur des événements du jour.

– On pouvait pas souhaiter meilleur accueil par icitte! déclara le père en se taillant un important quignon de pain blanc.

– C'est monsieur le curé qui nous a donné tout un coup d'épaule par son sermon. Ça va lui mériter son dix pour cent.

– D'autant que la Fabrique va nous acheter des fournitures pour la chapelle.

Joseph avait l'idée ailleurs. Déjà, il s'était fait des connaissances et parmi elles, un garçon de son âge au nom de Jean Jobin junior. Un point commun les rapprochait déjà: à l'automne, tous deux iraient continuer leurs études à Sainte-Marie-de-Beauce, au collège.

Marie, tout comme son jeune frère, se faisait absente elle aussi par l'esprit et par le cœur. C'est qu'à y penser après coup, elle se rendait compte que ce jeune gars blondinet lui avait rôdé autour à la sortie de la chapelle, à la bénédiction et ensuite dans le magasin. Il avait manœuvré pour se faire voir d'elle à au moins trois reprises. Ah, mais il en faudrait bien davantage pour qu'elle se laisse faire les yeux doux par un garçon de sa nouvelle paroisse. Sans pouvoir l'exprimer en des mots bien nets et alignés dans sa tête, elle sentait qu'il lui fallait d'abord apprivoiser beaucoup de choses avant d'autres…

Mousseline devait l'y aider pas mal. Obéline vint porter le chaton ce dimanche après-midi comme convenu, car elle savait comme tous les paroissiens maintenant que le magasin était prêt à servir le public. Et donc à recevoir le petit animal qui aiderait à tenir les rongeurs à distance. Et Marie, comme l'avait espéré et presque manigancé Émélie, ne tarda pas à se sentir en quelque sorte la maman de la petite bête. Elle la nourrit de lait et d'un peu de jaune d'œuf, la caressa, l'endormit. Il fallait du sable pour une litière; Édouard s'en chargea, qui se rendit en exploration au bout des terres du voisinage, celle des Foley et l'autre la jouxtant appartenant à Prudent Mercier. En leur travers coulait un ruisseau où pouvaient aisément se trouver de petites anses sablonneuses. Il trouva du sable pâle et sec, et à la main, en remplit un sac qu'il mit à son dos pour le ramener à la maison.

À son retour, il arrangea la litière tout en annonçant à Émélie qu'il se rendrait à Saint-Georges dès le jour suivant pour y établir une relation avec un ou des grossistes ou bien un ou des marchands qui accepteraient de lui vendre dans le gros.

– Mais pour payer, mon père, vous saurez pas trop…

– On verra ben ceuses-là qui sont honnêtes. Ceuses qui nous chargeront trop cher, on retournera pas les voir pis on fera pas d'affaires avec eux autres.

Elle insista:

– Pourquoi c'est faire que vous m'emmenez pas? Je pourrais noter les prix pis empêcher qu'on se mette à ambitionner sur vous.

– Ça prend quelqu'un au magasin.

– Marie est capable, hein, Marie? Tous les prix sont marqués dans le grand cahier. Elle sait compter autant que moi, même mieux.

Marie, qui se berçait dans la cuisine et gardait sur elle Mousseline endormie, acquiesça:

– Ben oui, je vas être capable.

– Ben dans ce cas-là, tu viendras, Mélie.

– É-mé-lie, papa. É-mé-lie…

– Émélie.

∞∞∞∞

Ils partirent à la barre du jour suivant, presque certains que le soleil serait leur compagnon de route aller et retour car tout dans la nature le garantissait, y compris le sens du vent indiqué par la girouette fixée au bout de la flèche de la chapelle.

Prudent Mercier vit seul à la suite des travaux du hangar. La veille au soir, il avait donné avis à Édouard qu'il ne saurait y travailler encore que deux jours. Le mercredi, ce serait la noce de son fils, et dès le jeudi, il devrait, en tant que bedeau payé par la Fabrique, faire partie de l'équipe dirigée par Rémi Labrecque et affectée à l'agrandissement de la chapelle.

Mais la solide structure de l'entrepôt était déjà en place, et il ne resterait plus, dès le mercredi à venir, que le lambrissage et la pose des bardeaux sur le toit en pente. Ce qu'en un jour ou deux, Édouard terminerait tout seul avec un peu d'aide de la part de Jos.

Marie prit le déjeuner avec sa sœur et son père puis, après leur départ, resta dans la cuisine à se bercer et à rêver. Mousseline ne tarda pas à venir quémander un peu de chaleur, et la jeune fille la mit au creux de sa robe. Elle l'endormit en quelques minutes. Elle-même ferma les yeux, appuya sa tête à un coussin attaché au dossier haut et entra dans une somnolence qui l'entraîna dans un rêve à la fois léger et profond…

Léger grâce à cette paire d'ailes attachées à sa personne et qui lui permettaient de s'envoler pour Rome, y faire bénir par le saint Père, le pape Léon XIII, le chaton d'Obéline maintenant le sien. Profond en ce qu'il lui remettait en souvenir l'un des derniers sermons entendus à Saint-Henri, livré par le curé Grenier et qui parlait du pape qui enseignait la valeur de la famille et sa condamnation du divorce… mais le mot divorce, que voulait-il dire ? Elle s'en était souvenue sans jamais en savoir la définition tout en devinant vaguement son sens. Puis, son rêve la ramena aux pieds du saint Père, qui touchait Mousseline pour la caresser et surtout la bénir afin que par elle vienne à Marie de la joie et du bonheur tous les jours à venir…

La clochette se fit entendre. La jeune fille émergea de son état second. Une ombre passa entre la porte et l'étagère centrale et s'arrêta. Marie quitta sa chaise, déposa le chaton par terre et se dirigea vers le magasin en ne voyant par-dessus la cloison séparant les pièces qu'une forme humaine aux vêtements masculins qui se dessinait par morceaux entre les tablettes. Ce n'est que rendue derrière le comptoir qu'elle fut à même de voir et surtout de reconnaître ce premier client. Son sang figea. Un sentiment de crainte l'envahit, et son visage pâlit.

Jean Genest apparut au bout de l'étagère, l'air inquiet, l'œil bizarre :

– Ton père Édouard est pas icitte ?

– Parti… avec ma sœur…

– T'es donc tu seule icitte ?

– Ben… non…

Elle songeait à la présence de Prudent Mercier de l'autre côté de la porte de la cuisine, et ça la rassurait un peu.

– Ah, je vois ! jeta le douteux visiteur qui regardait vers le plancher.

Il se pencha et ramassa Mousseline.

– Y a pas rien que le chat, y a du monde en arrière…

– J'ai vu en venant : le bedeau travaille dehors, là…

Mais Genest parlait distraitement et son attention allait surtout au petit animal qu'il leva à la hauteur de son visage puis embrassa à deux reprises. Un geste qui étonna voire renversa Marie. Aucun homme depuis qu'elle se souvienne n'avait jamais témoigné de l'affection pour un animal sinon le moindrement pour les chevaux. Les chats, ce sont les enfants qui les aimaient et pas même les mères de famille qui ne voyaient en eux que des jouets pour les petits, des quémandeurs de lait et des bêtes utiles pour chasser les rats et les souris. Quoi, cet homme avait-il donc du cœur? Mais pourquoi alors faisait-il si peur? Puis, elle se dit que s'il lui avait fait peur à elle, cela ne signifiait pas qu'il effrayait tout le monde autant. Elle se promit d'en parler à sa sœur et à leur père. À lui surtout qui avait connu ce personnage étrange dans sa jeunesse, vingt ans et plus auparavant.

– C'est-il tout ce que vous avez à vendre icitte?

– Demain, on va en avoir deux fois plus, vu que ma sœur pis mon père sont partis aux approvisionnements à Saint-Georges.

Genest passa sa main libre dans ses cheveux longs et broussailleux, et fronça des sourcils aux allures d'araignées:

– Quoi, on va payer plus cher?

– Ben non... on va acheter la marchandise dans le gros... au prix du gros pis les revendre au prix normal... comme à Saint-Georges, pas plus.

Sans crier gare, l'homme, qui tenait toujours le petit chat entre ses mains, toussa à deux reprises, et de façon si imprévue qu'il postillonna sur Mousseline. Ennuyé par la chose car n'aimant guère par sa nature se faire éclabousser de gouttelettes de n'importe quelle pluie, le chaton en profita pour se dégager en s'agrippant à la manche de l'homme. Il se retrouva vite au plancher, où il se réfugia sous l'étagère centrale.

– J'vois pas ça, moé, des pièges de trappage. C'est important d'en vendre des meilleurs... surtout pour les ours. Ces grosses bêtes-là, ça peut tuer du monde... c'est dangereux quand c'est affamé... ça peut venir rôder en plein dans le village...

Marie frissonna jusqu'au cœur. Elle songeait à la souffrance d'une bête piégée par la patte, mais dans la bouche des hommes, jamais ce dommage cruel n'était évoqué, pris en compte. Elle se contenta de dire :

– On va en avoir.

– J'étais venu pour ça pis pas d'autre chose. Les ours, c'est pas l'hiver qu'il faut les poigner au piège, c'est quand ils se promènent dans le bois... parce que l'hiver, ils dorment... Pis c'est pareil pour les siffleux... c'est à ce temps-citte qu'il faut s'en débarrasser.

Marie grimaça. Le vétéran le remarqua. En regardant le cimetière par la fenêtre qui donnait vers l'est, il ajouta sur le ton de la réflexion :

– Un siffleux, c'est pas trop utile. Ça me surprendrait pas que y en aurait deux ou trois dans le cimetière, là. T'aimerais-tu ça être enterrée pis qu'un siffleux entre dans ta tombe pis commence à te ronger les os ?

La jeune fille crut défaillir. Genest vit qu'elle verdissait. Il en remit :

– Pire, ça va gruger après les morts pis la même nuitte, ça va gruger tes carottes dans ton jardin.

Mousseline réapparut derrière le comptoir aux pieds de la Marie bouleversée, qui se pencha, la prit et s'en frotta la joue pour réduire son anxiété provoquée par le discours de cet homme qui tout en voulant la rassurer faisait grandir l'angoisse en elle à chaque déclaration qu'il lançait, fausse ou vraie.

Genest ne portait plus son uniforme militaire depuis belle lurette car trop usé et troué, le vêtement avait cessé de le protéger des intempéries. Mais pour venir au village, il avait mis sur sa tête la casquette de l'armée de l'Union en partie mangée par les mites et aux formes encore plus écrasées qu'à l'état neuf. L'ermite dans la quarantaine avait cessé de se donner le prétexte de la chasse et de la pêche pour emprunter le rang 10 et s'attarder devant la terre des Larochelle dans l'espoir de voir Marie-Rose, cette femme qui l'avait tant impressionné à son arrivée à Shenley au temps des colons.

Mais les affreux souvenirs de guerre continuaient de le hanter : aucune autre pensée ne parvenait à les déloger de son esprit. Un sentiment d'horreur le tenaillait toujours quant à cette tuerie parfaitement inutile et particulièrement cruelle dont, contre sa volonté, il avait été le complice un jour. Il fuyait le monde pour oublier, et pourtant, c'est en se noyant dans le monde qu'il aurait pu le mieux faire.

La guerre de Sécession avait tué un nombre record de soldats dans son ensemble, donc sur le champ de bataille et sur celui encore plus effroyable de la maladie. Il était tombé plus d'hommes en raison des épidémies de toutes sortes que par la bouche des fusils du camp adverse. Et sans jamais le savoir, Jean Genest avait lui-même été contaminé par le bacille de la consomption que les savants n'avaient pas encore identifié. Il en était donc porteur sans que jamais depuis lors, la maladie ne se soit développée... jusqu'à récemment...

C'est par millions qu'à peine quelques instants plus tôt, il avait soufflé sur Mousseline les dangereux microbes. Et le chaton malgré lui les avait transportés au visage de Marie, d'où ils émigraient par les voies buccales et nasales vers les voies respiratoires.

Aurait-elle les énergies vitales pour les combattre ? Se cacheraient-ils dans l'ombre de son corps pendant quelques années, attendant une opportunité de se révéler, soit un rhume, soit une grippe, soit une pneumonie ou même un affaiblissement général provoqué par un accident, la perte de sang, de forces ?

Il parut que le destin, ce jour du 28 juin 1880, un lundi, se servit d'un prétexte futile pour amener Genest au village alors même que la plus vulnérable des Allaire serait à son contact : la recherche de pièges qu'un magasin venant tout juste d'ouvrir ses portes risquait fort de ne pas exposer encore ni donc proposer.

Il fit noter sa commande par la jeune fille, qu'il salua ensuite et quitta. Il fit à peine sonner la clochette à sa sortie lente du magasin et reprit le chemin vers l'ouest, donc sur la Grand-Ligne en direction du Petit-Shenley, et de chez lui, où il s'enterrait vivant depuis plus de quinze ans.

Marie alla se mettre devant la fenêtre de l'autre côté et regarda toutes ces croix blanches ou grises dans le cimetière mais, sans penser qu'elle y dormirait un jour, peut-être pas si lointain, et songeant plutôt aux marmottes qui se servaient de la profondeur des fosses et de l'espace-tunnel à leur être offert par les cercueils enfouis pour y établir résidence. Détruire celles s'y creusant des galeries, ce serait les remplacer en fait par d'autres, et le carnage n'en finirait pas...

Quant aux ours, elle se disait qu'il y avait peut-être moyen de les éloigner, de les empêcher de nuire sans pour autant devoir les blesser et les tuer...

∞∞∞∞

D'autres vinrent durant la journée. Elle réalisa quelques ventes, en récolta de la fierté. Et de l'étonnement à voir que l'argent, une chose si rare, entrait si aisément dans un magasin. Au milieu de l'après-midi vint un jeune homme parmi ceux qui l'avaient admirée à la chapelle le dimanche. Un petit costaud qui déclara venir acheter de la mélasse.

– On va en avoir à soir: c'était sur la liste des approvisionnements. Je peux marquer ton nom?

Venu près du comptoir, il dit:

– Moé, c'est Honoré...

Elle écrivit en belles lettres en demandant:

– Honoré... qui?

– Ah... ouè... Bougie...

– Ton père, c'est?

– Julien Bougie.

– On va garder de la mélasse pour vous autres : un demiard ? une chopine ? une pinte ?

– Ben… ça dépend comment ça coûte…

Elle ouvrit le cahier des prix :

– Un demiard, c'est cinq cennes ; une chopine, le double ; une pinte, c'est quinze cennes.

C'est à ce moment que Georges Lapierre, qui s'était mis en embuscade derrière un grand érable au voisinage de la chapelle pour surveiller les allées et venues au magasin, n'y tenant plus, s'y rendit. Il hésita sur la plate-forme, devant la porte entrouverte, écoutant l'échange entre Marie et Honoré. Ils étaient loin de la mélasse… Et près de la fenêtre donnant sur le champ des morts…

– C'est ma petite sœur qui a été la première sépulture dans le cimetière. C'est l'abbé Desruisseaux qui a béni le corps parce que monsieur le curé Faucher était pas encore installé par icitte.

– Ça fait combien de temps ?

– Sept ans.

– Comment elle s'appelait ?

– Alvina. Sa croix, c'est la première sur le coin.

– Elle avait quel âge ?

– 7 ans.

– Elle aurait le même âge que ma sœur Émélie.

– Si tu le dis.

– Pourquoi elle est morte ?

– Mal au ventre… ils ont dit le choléra. Je l'ai eu, moé itou, mais suis pas mort pour autant.

La clochette fut entendue. Georges Lapierre fit son entrée dans le magasin. Bien qu'il sût déjà que le marchand et sa fille aînée étaient absents, il lança :

– Monsieur Allaire, monsieur Allaire ?

– Mon père est parti à Saint-Georges, lui répondit vivement Marie.

– Ah, c'est mademoiselle Marie, fit hypocritement le jeune homme, qui s'approcha.

Le jeune Bougie se sentit de trop, vu qu'il avait déjà placé sa commande au nom de ses parents ; à regret, il céda le terrain à celui qu'il vit aussitôt comme un rival. En partant, il entendit Georges demander si on pouvait lui vendre de la chaux.

– On a emporté rien qu'un sac en venant ; mon père veut pas le vendre vu qu'il faut absolument chauler notre grange en arrière cette semaine. Mais peut-être qu'ils vont en ramener de Saint-Georges à soir. En tout cas, la semaine prochaine, ils vont retourner aux approvisionnements pis en ramener, d'abord que y a de la demande. Faut-il que j'en mette en commande spécialement pour ta famille ?

– Ben… je reviendrai pour le dire…

– Ben correct ! Ton nom, c'est comment ?

– Georges Lapierre. On reste sur la Grand-Ligne, pas loin du village.

– Par en bas ?

– Par en haut.

Mousseline avait disparu. Cachée sous le poêle mort, elle lavait soigneusement sa fourrure, ce qui l'en débarrassa de ces bacilles dangereux que le souffle de Genest y avait crachés profusément. Sur elle, la consomption humaine n'aurait aucune prise.

– Y a-t-il beaucoup de cultivateurs qui font du blanchiment à la chaux à Shenley, tu penses ?

– Tout le monde doit faire ça. Autrement, les bêtes vont attraper la mort. Monsieur le curé a parlé de propreté dimanche ; c'est bon pour les animaux d'étable itou.

– Je demandais ça pour donner à mon père une idée de la quantité de chaux à acheter pour servir la clientèle. Avec ma sœur Émélie, on va compter ça.

Tremblant, le jeune homme dit à la jeune fille sans la regarder et en ravalant sa salive :

– Si vous voulez, je pourrais vous aider pour blanchir votre grange. Nos foins sont pas commencés encore... pis j'ai fait ça souvent, je sais quoi faire.

– Ben... c'est pas moè qui prend des hommes engagés, c'est mon père ou ben ma sœur...

Georges rougit jusqu'aux yeux:

– J'disais pas ça pour avoir des gages... non, ça serait comme pour une corvée... pour vous aider... comme monsieur le curé a fait l'autre jour. Pis je pourrais te montrer comment on fait si tu le sais pas...

– J'dis pas non. Je te le ferai à savoir dimanche après la messe. Je vas en parler avec mon père.

Le jeune homme salua et repartit le cœur léger. Il ne se savait pas le courage de franchir un si grand pas en une seule visite. Il en tira fierté et excitation. Sur le chemin du retour à la maison, déjà, il prenait Marie dans ses bras et la serrait fort contre lui... dans la fébrilité de son imagination... et dans le plus secret des recoins de son cœur sensible...

∞∞∞∞∞∞∞∞

Chapitre 35

Grâce à une permission du curé, on fit usage de la sacristie pour célébrer la noce, après le mariage du fils de Prudent Mercier, Anselme, qui épousait ce mercredi, le dernier jour de juin, une jeune femme exquise et naïve du nom de Marie-Rose Gagné, fille de Ferdinand.

Tout d'abord, Édouard et ses filles furent invités mais au mariage seulement vu que Prudent répugnait à leur demander un temps si précieux à consacrer à leur installation. Mais parce qu'on avait reçu de l'aide, on était prêt dès le dimanche précédent. Ils furent donc la veille invités aussi à la noce elle-même qui serait limitée à un repas, à des histoires contées, à des chansons à répondre, mais sans la danse, le lieu ne s'y prêtant guère, et surtout Prudent, échaudé par ce vieil incident qui lui avait valu les remontrances du curé Desruisseaux après cette soirée des jeunes dans sa maison, n'aurait surtout pas voulu réveiller un autre chat qui dort et subir les ergots du curé Faucher, gardien aussi des bonnes mœurs.

Et l'on se retrouva dans les premiers bancs de la chapelle vers les dix heures du matin. Les Allaire avaient planifié une journée à plusieurs relais, chacun son tour assurant la garde du magasin dont l'inventaire avait considérablement augmenté après le voyage d'approvisionnement à Saint-Georges le lundi précédent, un périple des plus fructueux pour Édouard et instructif au plus haut point pour Émélie.

Parmi les invités, outre la parenté du côté des Mercier et des Lacroix, il y avait Onésime Lacasse, Pierre Chabot, Rémi Labrecque, Ferdinand Labrecque, Joseph Foley et leurs épouses respectives. Et bien sûr, le curé serait à la table d'honneur à la noce de même que le maire Alfred Bilodeau et son épouse et le secrétaire-trésorier de la municipalité et maître de poste, Barnabé Tanguay, sa femme et leur fille de 16 ans Clorince. L'on pouvait aussi dénombrer quelques amis des jeunes mariés comme Zoade Ferland et son mari, François-Xavier Blais. Aussi, le volubile Théophile Dubé, lui-même marié un an auparavant à la pimpante Démerise Leblanc, un jeune couple remarquable et tous deux vêtus comme à leur noce.

La cérémonie venait tout juste de commencer. Édouard, qui en était à son tour de garde du magasin restait, en fait, debout dehors dans l'embrasure de la porte de la chapelle ; ainsi, pouvait-il assister au mariage tout en surveillant le magasin et s'il advenait qu'un client se présentât, il irait le servir, ce qu'il ferait exceptionnellement et en se fiant à l'acheteur pour le payer justement vu qu'il ne savait pas lire les prix même s'il pouvait se débrouiller, quoique malaisément, avec l'argent.

Émélie et Marie s'étaient toutes deux endimanchées et, quand la noce serait passée, elles écriraient une lettre à Cédulie et Alice Leblond pour leur faire part de leurs impressions après une semaine «au fond des concessions»… Elles occupaient le dernier banc du côté des Mercier, vis-à-vis celui de Théophile Dubé et son épouse, qui les avaient salués et leur avaient donné la main en pleine chapelle juste avant la cérémonie. Et qui avaient tous deux parlé tout haut, ce qui avait étonné les jeunes filles Allaire, elles qui n'avaient jamais entendu quiconque laisser porter sa voix dans une église.

Une voix, permise celle-là, fut celle d'Onésime Lacasse, qui ne tarda pas à éclater sous les poutres de la bâtisse. Le son, grâce aux bois durs présents tout autour et un léger écho qu'ils provoquaient, paraissait plus grandiose que celui pourtant exceptionnel entendu dans la vaste et somptueuse église de Saint-Henri.

Que le Dieu d'Israël vous unisse à jamais
dans la joie et dans la peine.
Il est votre chemin.

À 39 ans, Onésime Lacasse était devenu l'un des plus éminents citoyens de la paroisse. Sa voix riche et puissante enchantait tout le monde. Mais bien plus encore ce qu'il disait. Et il faisait mentir le vieux dicton voulant que l'ami de tous ne soit l'ami de personne. Il était devenu le médiateur par excellence quand le curé ne suffisait pas à cette tâche ou même quand le prêtre faisait partie lui-même des belligérants dans un de ces inévitables conflits paroissiaux. Conflits désolants à vue de nez, mais stimulants à longue vue.
Ce fut le psaume :

Ceux qui craignent le Seigneur
Seront heureux.
Heureux ceux qui suivent sa route.

Du travail de tes mains
Tu mangeras,
Pour toi, c'est la joie, l'allégresse !

Ton épouse sera
Dans ta maison
Pareille à la vigne féconde !

À des plants d'olivier
Ressembleront
Tes fils, alentour de la table !

C'est ainsi qu'il sera
Béni par Dieu,
Celui qui lui reste fidèle!

Ainsi se poursuivit la cérémonie : aussi simple que belle tandis que le soleil brillait intensément au-dessus du village. Émélie songea souvent à sa mère, et il arriva que son cœur soit étreint par le souvenir de sa petite sœur Georgina. Chaque fois qu'elle allait à l'église, la jeune fille priait pour elle et pour Pétronille. Et pour que l'étau sur sa gorge se desserre, elle prenait de longues respirations tout en se rappelant son voyage à Saint-Georges l'avant-veille par le chemin de Saint-Benoît, le plus court et le meilleur. On l'avait écoutée autant que son père et on lui avait dit partout « mademoiselle » Allaire gros comme le bras. Et elle continuait de ne pas faire attention le moins du monde au frère de la mariée, Georges, qui lui jetait souvent des œillades en biais tout en faisant mine de regarder autre part et par-dessus les invités derrière lui.

Ce fut bientôt l'homélie par l'abbé Faucher. Il aborda un sujet familier à Marie, toujours plus attentive que sa sœur aînée aux propos des prêtres s'adressant aux fidèles. Comme l'encyclique *Arcanum* du pape Léon XIII venait juste d'être publié et qu'il traitait de l'importance de la famille, c'est là que le curé puisa son inspiration ; il livra en ses mots à forte résonance ce que le saint Père avait livré en les siens et en latin.

La jeune fille pria pour que soient heureux les mariés et les enfants qu'ils auraient.

Et c'est ainsi que les deux jeunes filles oublièrent tout à fait leur père qu'on devait relever au milieu de la cérémonie. Édouard ne s'en fit pas pour autant et songea que tout se passait bien ainsi. Sa seule crainte : que son aînée rencontre trop tôt un garçon qui la fréquenterait et la demanderait en mariage. Il y avait trop à faire au magasin durant les cinq années à venir pour qu'elle aille autre part fonder une famille. À moins, pensait-il aussi, que l'heureux

élu ne s'installe avec eux et devienne partenaire dans l'entreprise…
Cette pensée en son for intérieur ressemblait drôlement à une
vision prémonitoire.

Ce fut ensuite l'échange des consentements, des alliances et la
prière des époux attribuée à saint François d'Assise. Elle fut lue en
duo, chose rare puisque bien peu nombreux encore étaient les
jeunes hommes sachant lire en ces lieux. Anselme, parce qu'il était
fils de bedeau et qu'un bedeau subissait une forte influence du curé,
aussi parce qu'il vivait au village tout près de l'école, avait eu la
chance d'apprendre grâce à l'excellente maîtresse qu'avait été
Marie-Rose Larochelle.

Seigneur, fais de moi un instrument de ta paix.
Là où est la haine, que je mette l'amour.
Là où est l'offense, que je mette le pardon.
Là où est la discorde, que je mette l'union.
Là où est l'erreur, que je mette la vérité.
Là où est le doute, que je mette la foi.
Là où est le désespoir, que je mette l'espérance.
Là où sont les ténèbres, que je mette la lumière.
Là où est la tristesse, que je mette la joie.

Ô Seigneur, que je ne m'efforce pas tant
D'être consolé que de consoler,
D'être compris que de comprendre,
D'être aimé que d'aimer.
Car c'est en donnant que l'on reçoit,
C'est en s'oubliant soi-même que l'on se retrouve soi-même,
C'est en pardonnant que l'on obtient le pardon.

Émélie fut fort impressionnée par cette prière qui résumait tous
les principes qu'elle avait appris, qu'elle chérissait et voulait mettre
en pratique tout au long de sa vie. Elle demanderait aux mariés de

lui transcrire la prière de saint François ou bien de lui prêter leur cahier qui la contenait, et elle-même en ferait la copie intégrale qu'elle garderait précieusement dans son coffret avec sa croix de bois et la mèche de cheveux de Georgina.

L'abbé Faucher procéda à la bénédiction nuptiale puis il adressa les vœux de l'Église aux époux, qu'il invita ensuite à signer les registres avant de quitter la chapelle pour la sacristie, suivi de tous les invités.

À ce moment, Émélie songea à son père et demanda à Marie de l'attendre. Et elle se rendit à l'extérieur. Édouard fumait tranquillement la pipe, assis dans les marches du large escalier.

— Y a-t-il eu de la clientèle au magasin ?

— Un en toute pis il m'a demandé quelque chose qu'on n'a pas encore. J'ai même pas eu besoin de rentrer. On s'est parlé dehors.

— Je m'en vas aller tenir le magasin.

— Moé, j'aimerais autant qu'on mette le cadenas sur la porte. Comme ça, tu pourrais être aux noces avec nous autres. Les acheteurs sauront ben attendre une couple de p'tites heures.

— Au moins, faudrait que je mette un mot dans la porte pour leur faire à savoir. Si c'est urgent, ils pourraient venir en chercher un de nous autres à la sacristie…

— Quoi c'est que ça va donner si le client sait pas lire comme moé ?

— Je vais faire un dessin de nouveaux mariés.

Et la cloche annonçant le mariage sonna à ce moment. Un son peu accentué et qui n'empêchait pas les gens, même près de la chapelle, de se parler et de se comprendre.

— Va rien que mettre le cadenas sur la porte.

— C'est bon d'abord !

— Si quelqu'un veut absolument quelque chose, il nous trouvera ben.

Édouard regarda avec fierté sa grande fille traverser la rue. Elle échappa à l'ombre des jeunes érables que les constructeurs de la chapelle avaient préservés voilà douze ans et entra en plein soleil. Puis, il sentit une présence derrière lui et se retourna. Il savait que c'était un fils de Prudent puisque le jeune homme était venu voir de près le chantier du hangar quelques jours auparavant, mais il ne se rappelait pas de son prénom, qu'il redemanda.

– Georges, répondit le jeune homme au front assombri par la timidité.

– Ton père m'a dit que tu vas travailler, toé itou, au régrandissement de la chapelle.

– Ben... ouè...

Édouard suivit du regard le regard du jeune homme. Il lui fut aisé de constater que Georges n'en avait que pour sa fille. Et son inquiétude lui revint : il ne fallait pas qu'elle se laissât fréquenter, en tout cas, qu'Émélie se laissât épouser avant d'être majeure. D'un autre côté, Georges serait peut-être le prétendant idéal vu que son père en avait d'autres à établir avant lui. Peut-être, tiens, pourrait-il agir en tant que commis au magasin ? Et même si Émélie partait pour la famille, ça ne l'empêcherait pas de continuer à diriger les affaires de l'entreprise.

Émélie cadenassa la porte et fit demi-tour. Georges se tourna à demi comme pour faire croire qu'il n'était pas là à cause d'elle. Mais il se délecta du regard furtif qu'il avait eu le temps de jeter sur elle quand elle s'était retournée. Comme il lui plaisait, ce visage si beau, si rempli de mystère et d'enchantement ! Et cet air d'autorité sur ses pommettes et ses lèvres... Il la craignait et pourtant, elle le sécurisait en même temps. S'il avait pu analyser ses réactions, il aurait compris que s'y trouvaient tous les ingrédients d'un puissant et magnifique sentiment.

– Tiens, Georges, mais tu vas pas à la noce ? dit-elle contre toute attente du jeune homme.

Et comment savait-elle son nom ? Il se mit à trembler de tous ses membres. Parvint non sans peine à balbutier, en fait bredouiller :

– Mais… je… j'y… vas… là.

Marie parut dans l'embrasure de la porte :

– Vous venez ? J'veux pas être tu seule de la famille avec les invités…

– Ben oui, Marie, on vient de fermer le magasin.

Et la famille Allaire rentra dans la chapelle en direction de la sacristie et de la noce. Georges attendit quelques secondes puis entra à son tour, incapable à cause de ses pupilles encore éclaboussées de la lumière du soleil de retracer parmi les trois ombres le précédant celle de la jeune femme qui troublait tant son cœur.

∞∞∞∞

Onésime Lacasse serait maître de cérémonie. Il avait en tête quelques chansons qui feraient le bonheur des époux et des noceurs. Avant de prendre place aux tables, il fallait attendre le curé qui, après s'être départi de ses vêtements sacerdotaux, s'était rendu à la maison presbytérale afin sans doute d'y voir à certains besoins naturels qu'il lui aurait fallu soulager aux bécosses publiques derrière la chapelle et qui lui répugnaient.

On entoura les Allaire quand ils se présentèrent au sein du groupe au milieu de la sacristie, dont on avait rangé les bancs mobiles pour y installer des tables improvisées toutes recouvertes de draps impeccablement blancs. Ils étaient de nouveaux visages et appelés à consentir des faveurs. Mais aussi les grandes jeunes filles séduisaient sans même chercher à le faire et seulement par leur grâce naturelle. Quant à Édouard, on avait déjà fait circuler des rumeurs à son propos. voulant qu'il soit plutôt bien pourvu financièrement. Et la valeur de son pécule s'était accrue de bouche à oreille ces derniers temps. Et comme depuis toujours, le respect voué à un homme est directement proportionnel à la richesse qu'on lui prête, à raison ou à tort ; plusieurs voulaient l'entourer de leur considération bienveillante.

Il fut donc vite accaparé par Théophile Dubé, Alfred Bilodeau, le maire, et Barnabé Tanguay, le maître de poste. Et ses filles furent entourées par Zoade Ferland, Clorince Tanguay et Domithilde Labrecque.

Dans les deux cas, il fut question du beau temps et de l'ouverture du magasin tant attendu et si essentiel à une paroisse. Une phrase résuma toutes les autres, et c'est Théophile Dubé qui la lança de sa voix autoritaire et puissante :

– Il va nous manquer plus rien qu'un docteur pis quand on va en avoir un, on aura la plus belle des paroisses nouvelles… pis on en sera fier.

Avec une mère d'origine française par attachement filial, il parlait souvent ; Théophile non seulement avait été tenu aux études jusqu'à l'âge de 14 ans, mais avait-il aussi appris à s'exprimer avec vigueur, confiance en soi et chaleur. Ainsi qu'avec un vocabulaire plus élaboré dans un sens quoique moins coloré que celui des natifs de vieilles souches. Il travaillait comme menuisier depuis l'âge de 15 ans et ne se sentait ni les aptitudes ni l'intérêt pour cultiver la terre. Son rêve était de devenir entrepreneur tout comme Pierre Chabot et Rémi Labrecque, mais à plein temps et si possible sur des chantiers de plus grande envergure comme on pouvait en voir venir dans l'horizon paroissial. Il participait cet été-là à la construction de deux maisons et avait dû décliner la proposition d'œuvrer au chantier de l'agrandissement de la chapelle.

– Mais, mon ami, il nous manque aussi une église et un couvent, émit une voix dans son dos.

C'était l'abbé Faucher revenu de chez lui et qui ne ratait jamais une occasion de faire la promotion de ces deux constructions qu'il voyait comme les deux poumons d'une paroisse, des poumons adultes tandis que la chapelle et l'école n'étaient encore, clamait-il, que des poumons d'enfant. Il savait bien que des opposants crieraient fort contre des projets de pareille envergure, surtout le couvent que l'on décrierait doublement faute de pouvoir trop dénigrer le projet d'une vaste église. Car l'instruction continuait d'être méprisée par plusieurs de ceux qui n'en avaient pas.

– Sûrement! Mais je parlais des hommes… j'aurais dû ajouter un notaire… pas des bâtisses.

– Les deux vont de pair.

– Faudra itou un presbytère en équipollent de l'église qu'on se donnera, intervint le maire, un personnage sec et petit de taille qui semblait venu au monde la pipe fumante à la bouche.

Pendant la discussion des hommes à laquelle Édouard, trop nouveau dans la paroisse, assistait en demeurant muet, les jeunes filles, quant à elles, posaient maintes questions bourrées d'intérêt aux sœurs Allaire.

Domithilde, pas grande et l'air sérieux mais dont le visage s'éclairait quand elle parlait, fut la première :

– Vous devez vous ennuyer dans le fond des bois?

– Pas eu le temps encore, répondit Émélie.

– Y en a qui disent que c'est trop jeune, votre âge, pour tenir un magasin, mais moi, je tiens le bureau de poste quand mon père est pas à la maison, commenta Clorince sur un ton complice.

Zoade répondit pour Émélie :

– Ceux-là qui disent ça, ils parlent pour rien dire.

– On a su, reprit Domithilde, que vous êtes orphelines.

– Maman est morte ça fait huit ans, dit Marie.

Émélie énuméra les malheurs qui avaient frappé sa famille en 1872, mais elle le fit posément et sans sourciller, comme quelqu'un qui est en contrôle de ses émotions. Ce récit, elle le savait, les rendrait plus sympathiques tout en éloignant un peu plus chaque fois qu'elle le faisait la tristesse qui ne manquait jamais de suinter à travers ces pénibles souvenirs.

C'est ainsi que le premier vrai contact entre les Allaire et la population de Saint-Honoré fut excellent. Édouard s'était mis à l'écoute d'hommes qui désiraient en dire et avaient besoin de le faire. Et ses filles témoignèrent de leur profonde humanité.

L'on se mit à table. Ce fut une noce joyeuse.

On mangea bien ; on but du vin, une boisson permise par le curé. Il se raconta des histoires que la présence de l'abbé permit de nettoyer de leurs jurons ou grivoiseries. Onésime chanta et entraîna l'assistance dans ses claquements des mains et des réponses faciles.

Tout fut léger. La mariée fut un moment entourée de ses amies de jeunesse qui osèrent lui parler d'enfants à naître et provoquèrent ses rires candides à demi camouflés par sa petite main de fillette attardée.

– Comment tu vas l'appeler, ton plus vieux ? lui demanda Zoade.

– Ou ta plus vieille ? ajouta Domithilde.

Embarrassée d'y avoir songé, Marie-Rose répondit avec un sourire timoré :

– Si c'est un garçon, ça sera Arthur.

– Mais c'est beau, ça fait jeune, dirent les deux autres du même souffle.

– Pis si c'est une fille ?

– Là, on verra. C'est sûr que le nom d'une fille, c'est moins important, mais… j'aimerais ça Délia ou Angèle…

De tout le temps de l'événement qui devait se terminer pour les sœurs Allaire vers trois heures de l'après-midi, Georges Mercier ne cessa de regarder Émélie à la dérobée. Durant le repas, il avait pu la voir de côté, et la jeune fille s'était sentie épiée, mais pas une seule fois, quand elle tournait les yeux vers lui, il ne fut surpris dans son manège. Bien des idylles commençaient ainsi en ce temps-là et en bien d'autres temps…

∞∞∞∞

On rouvrit le magasin, mais il ne vint aucun client. Et les jeunes filles s'attablèrent dans la cuisine pour rédiger la lettre qu'elles voulaient envoyer aux cousines et amies Alice et Cédulie Leblond.

C'est Marie qui prit la plume d'oie. Chacune proposa un paragraphe. Il y en avait beaucoup à dire ; elles remplirent trois pages entières. Comment avait été le voyage ; l'installation ; l'accueil des paroissiens ; les êtres marquants. Mais qui donc reçut la meilleure part des mots ? Nulle autre que la jolie Mousseline à la robe de velours. Et tout le temps de la rédaction, Émélie garda la petite chatte inspiratrice entre ses bras.

— Faudrait ben que t'écrives un paragraphe de ta main, Émélie. Penses-tu ?

— Je vais les saluer et leur dire qu'on a écrit la lettre à deux même si c'est ta main qui a servi à le faire.

Une fois l'enveloppe cachetée, elles prévinrent Édouard qui délaissa son chantier pour entrer surveiller le magasin et allèrent au bureau de poste au bout d'une marche de pas cinq minutes, leur première en ce village ombragé et si beau de verdure.

Elles reçurent quelques salutations au passage, mais d'aucuns, empesés, leur tournèrent le dos comme s'ils n'avaient pas vu les jeunes filles. Et Georges Mercier, embusqué à une fenêtre, les observa sans être repéré quoique, cette fois encore, Émélie eut le sentiment d'être regardée. Et ne s'en formalisa point.

— Ça va partir demain matin pour Saint-Évariste, leur dit Clorince, et arriver à Saint-Henri lundi ou ben mardi.

— Et comment le sais-tu ? demanda Émélie, que ces mots de la fille du maître de poste rendaient curieuse.

— Tout ce qui va à Québec ou bien aux alentours pas trop loin, c'est le temps qu'il faut.

La pièce était divisée en deux parties, l'une pour les clients et l'autre pour les casiers de bois fermés par des vitres. Clorince se tenait derrière une tablette amovible qui servait à déposer le courrier des clients visiteurs et à leur signaler de ne pas aller plus avant.

— Ça doit être agréable à plein, faire ce que tu fais, glosa Émélie.

— J'aide mes parents.

— Et un jour, tu prendras la place de ton père.

La jeune fille s'esclaffa :

– On sait pas ce que l'avenir nous réserve.

Puis, on se rappela quelques bons souvenirs de la noce du jour.

Sans se le dire, les deux jeunes filles s'enviaient l'une l'autre quoique sans la moindre méchanceté. Émélie la trouvait jolie et digne bien qu'elle se désolât de son prénom qui, quant à elle, laissait à désirer. Et Clorince avait remarqué les regards insistants de Georges Mercier sur Émélie cet après-midi-là ; de plus, elle aurait préféré vendre du tissu aux dames de la paroisse plutôt que de trier encore et encore du courrier, et de n'avoir pas beaucoup la possibilité de parler aux gens.

Chacune, sans le dire davantage, pensa qu'elle pourrait devenir l'amie de l'autre. C'est par la gentillesse et le respect qu'elles le seraient peut-être...

∞∞∞∞∞∞∞∞

Chapitre 36

Joseph Foley avait beau être natif du Canada, il se considérait en partie irlandais à cause de ses parents qui étaient de purs produits de la verte Eirc. Et à Saint-Honoré, il se sentait doublement immigrant puisqu'il avait vécu à Saint-François (Beauceville) et ne s'établissait à Saint-Honoré que peu d'années auparavant. Voilà qui, s'ajoutant à sa nature altruiste et pacifique, le poussa à rendre visite à Pierre Racine afin de lui demander une permission, ce qui ne manquerait pas d'étonner le forgeron en plein travail.

– Bonjour, monsieur Racine!

Le son de la voix fut perdu dans le hennissement du cheval, dont le forgeron tenait une patte entre les siennes, ce qui gardait l'homme penché vers l'avant aux fins de râper la corne du sabot pour enlever les substances ramollies et préparer le terrain à recevoir un fer neuf. L'ombre du visiteur alerta toutefois le maréchal-ferrant, qui leva la tête sans lâcher la patte.

– Quen, l'ami Jos Foley, salut ben!

– Quand vous aurez fini, je voudrais vous parler une minute.

– Pour moé, c'est le même temps tu suite que plus tard, ça fait que je t'écoute.

Et il se libéra puis se redressa devant le visiteur.

Racine était un homme plutôt court de taille, sec de son parler, mais serviable et amical.

– Vous avez de l'ouvrage en masse?

– J'arrive pas pantoute. Vient un temps qu'on sait plus quoi faire : me prendre un homme engagé, faudrait réagrandir la boutique. C'est des « coûtements », tout ça…

Joseph avait de la chance : tout ce qu'il voulait faire dire au forgeron, Racine l'avait déclaré gratis et vite fait. Le visiteur n'en demeura pas moins quelqu'un qui marche sur le bout des pieds dans les tulipes.

– Pensez-vous que ça vous ferait du tort si quelqu'un d'autre dans le village ouvrait une boutique de forge ?

Racine eut l'air de réfléchir profondément. Son front se rembrunit derrière la houille qui s'y trouvait déjà. Au bout d'un moment, son visage sérieux vira au rire :

– Du tort ? Pantoute ! Ça me ferait même du bien. Je pourrais respirer un peu. Pis le public me pousserait moins dans le dos. Y en a qui veulent tout le temps passer avant les autres qui sont déjà là. Eux autres, ça presse toujours plus que le reste du monde. Ils pensent pas aux autres, ils pensent à eux autres, point final. Un autre forgeron, j'pourrais pas souhaiter mieux, surtout que la paroisse se développe à coups de quatre ou cinq terres par année pis que le village se peuple en équipollent…. Mais… curiosité… qui c'est qui se sent d'équerre pour forger pis ferrer ?

– Moi.

Racine détailla Foley d'un œil incrédule :

– Toé, Jos ?

– Ouais.

– Le soleil reluit pour tout le monde, mon gars. Tu vas donc bâtir une boutique ?

– Je vas me servir de l'appentis de ma grange et le recouvrir comme il faut pour protéger du méchant temps.

Racine fit deux pas vers l'autre, mit une main paternelle sur son épaule :

– Ben mon gars, je vais te dire : t'as une bonne idée. Pis si j'peux t'aider si y a quelque chose que tu sais pas faire… tu viendras icitte pis je vas te le montrer comme il faut. Pis si tu devais avoir besoin de fournitures d'urgence, ben ça me fera plaisir de te déprendre… pourvu ben sûr que t'ambitionnes pas. Je te ferai ça au prix du gros.

– Je vous rendrai la pareille.

– Quoi c'est que tu veux dire, là?

– Si vous avez besoin de quelque chose que j'ai en stock, je vous le repasserai avec plaisir.

Racine tendit la main que l'autre serra:

– J'ai les mains noires, mais… ben c'est ça, un forgeron!

Et les deux hommes éclatèrent de rire.

Apparut l'épouse de Racine dans l'embrasure de la porte. Elle tenait dans ses bras un bébé minuscule enveloppé dans une couverture grise. Son père déclara:

– Un jour, c'est lui qui va prendre ma place icitte comme forgeron, mais va falloir qu'il mange des croûtes; il vient d'arriver dans le monde du bon Dieu.

Foley lui jeta un coup d'œil sans retenir son impression:

– Seigneur, il est pas plus gros qu'une p'tite bottine.

– S'appelle Elzéar, dit la mère, une femme à la voix prenante et aux yeux entourés de bistre.

– Pas plus gros qu'une bottine, dit Pierre. On va lui donner un surnom: bottine. Hein, Geneviève!

Elle protesta:

– Faut pas! Ça va lui rester toute sa vie.

Le père s'approcha et sourit à l'enfant en disant:

– Hein, mon titine!

– Dis donc pas ça!

Mais Pierre n'écouta pas et voulut faire rire Foley:

– Tine Racine, maréchal-ferrant…

Geneviève, dépitée, tourna les talons et repartit à la maison.

∞∞∞

Il n'y avait pas que pour le forgeron du village que la tâche était trop lourde, elle l'était aussi pour le marchand. Car les travaux qui incombaient à ce pauvre Édouard eurent tôt fait de l'éreinter, et cela, même si c'est Émélie, aidée de sa sœur, qui voyait à tout à l'intérieur du magasin. Juillet fut un mois dur à cuire. Il fallut blanchir la grange. Aller trois fois à Québec acheter de l'inventaire de voitures d'hiver : toadsleds, waguines-sleigh, borlots et carrioles. Mais pas de harnais pour ne pas faire de tort à Onésime Lacasse dans son commerce. Aller une fois par semaine à Saint-Georges, ce qui signifiait une journée courant d'une étoile à l'autre et un dur travail là-bas d'un endroit à un autre et sans répit aucun. Mais aussi courir les rangs pour des livraisons spéciales en même temps que pour acheter des œufs, du sucre d'érable, de l'avoine, du beurre et même des pièces au métier pour une revente au magasin.

– J'arrive pas dans mon temps, déclara-t-il devant les enfants un soir à table, tandis que pourtant il se trouvait deux clientes dans la partie magasin et qui pouvaient tout entendre ce qui se disait dans la cuisine.

– Émélie itou en a trop sur le dos, dit aussitôt Marie.

– Je me plains pas. J'ai dit que je tiendrais le magasin, je vas le tenir.

– Pis tu prépares les repas en plus…

– Marie m'aide, papa.

Puis, elle cria pour la deuxième fois aux clientes :

– Si vous avez besoin d'aide, faites-moi-le savoir, madame Grégoire.

– T'inquiète pas, lui répondit la voix pointue d'une femme peu visible, cachée par l'étagère du centre tout comme la personne qui l'accompagnait.

On ne craignait pas le vol. Ce travers répugnait à tous. Et le curé le clamait en chaire. Il se disait fier de savoir qu'il ne se trouvait aucun voleur, aucune voleuse dans sa chère paroisse. Mais Émélie s'inquiétait toujours de la qualité du service à la clientèle; voilà qui était sa plus grande priorité.

Pas plus Séraphie Mercier, épouse de Grégoire Grégoire, que sa fille Séraphie n'auraient même pensé dérober quelque chose au magasin; cependant, il n'était pas considéré comme indésirable de dérober des propos entendus. Et elle le fit à satiété. Et continua de prêter oreille.

– Pour nous aider tous les deux, va nous falloir un commis, déclara Édouard, qui ne se résignait pas à manger tant que ce problème ne serait pas réglé au moins dans sa tête.

– On pourrait prendre... Georges Mercier... ou Georges Lapierre? suggéra Marie.

– Ben c'est pas une mauvaise idée, ça. Je vas laisser mûrir ça encore quelques jours dans ma tête, pis prendre une décision. De ton côté, Émélie, tu vas y penser toé itou si tu veux.

– Georges Mercier a l'air assez fort pour porter des sacs de farine ou d'avoine. Et il sait compter... lire, c'est certain...

Émélie toutefois hésita dans le cas de Georges Lapierre:

– Lui, j'sais pas trop. Travaillant... je pense, hein Marie?

– Je croirais.

– Il m'a aidé au blanchiment de la grange: c'est un bon travail-lant, argua Édouard.

Émélie prit un ton joyeux:

– En tout cas, le commis qu'on prendra, il va falloir qu'il s'ôte les doigts du nez parce que de l'ouvrage, je vas lui en donner de l'ouverture de bonne heure le matin à la fermeture à neuf heures du soir.

Les deux Séraphie, mère et fille, apparurent entre l'étagère du centre et la cloison basse séparant les deux pièces:

– On n'a pas trouvé tout à fait le tissu qu'on voulait... c'est pour faire une robe à ma fille. On va attendre une semaine ou deux pis revenir si vous avez d'autres pièces.

– Il en rentre toutes les semaines, madame Grégoire.

— Tu peux m'appeler Séraphie si tu veux, ça me rajeunit.

— Séraphie, je pensais que c'était votre fille.

— On s'appelle toutes les deux Séraphie. C'est mon mari qui a pensé à ça… vu je pense que lui s'appelle Grégoire Grégoire… Un Grégoire Grégoire dans la maison pis deux Séraphie… C'est mêlant pour ceuses-là qui nous connaissent pas. Mais on se débrouille…

Édouard n'eut pas de mal à retracer dans sa mémoire ce nom qu'il avait entendu au cours du voyage de venue à Shenley le mois précédent :

— Votre mari, il viendrait pas de Saint-Isidore toujours ?

— En plein ça !

— Y aurait pas de sa parenté proche qui tient un magasin dans les bas ?

— Son oncle Magloire à Saint-Isidore… pis son demi-frère qui en a ouvert un à Scott-Jonction.

— Pis vous autres, ça fait longtemps que vous êtes par icitte ?

— Grégoire est arrivé en 1863. Moé, je viens d'icitte.

— Vous avez dû vous marier à Saint-Évariste ?

— En plein ça. La même année qu'il est arrivé. Ça fait dix-sept ans déjà. Séraphie, ben c'est une de mes filles : 13 ans qu'elle a asteur.

Yeux verts, cheveux noirs enroulés autour de sa nuque, joues rondes, la jeune Séraphie devait souvent mouiller ses lèvres et pour cela, elle faisait lentement glisser sa langue sur elles dans un mouvement qui passait pour un tic inutile propre à faire rire sous cape les garçons de son âge qui en parlaient dans son dos.

— Vous connaissez déjà mes deux grandes filles, Émélie pis Marie. J'ai un gars itou. S'appelle Jos. Toujours parti sur la trotte. C'est son tempérament qui est de même.

— Comme le dit Grégoire : dans chaque famille, y a un coureux de chemin.

— Mais souvent itou un prêtre ou une bonne sœur.

– Quand c'est pas quelqu'un avec de la consomption.

Édouard soupira tandis que Marie frissonnait:

– La pire calamité. Mais… paraît que le bon Dieu éprouve ceuses qu'il aime le plus.

– C'est ça, oui… Bon, ben on vous salue pis on va revenir souvent; vous avez des beaux produits à vendre.

– On fait de notre mieux.

Elles se dirigèrent vers la sortie. Émélie leur lança:

– Bien le bonjour, madame Séraphie pis aussi mademoiselle Séraphie! On apprécie votre clientèle… et oubliez pas que nos clients sont aussi nos amis.

Elles quittèrent le cœur léger. Séraphie mère en avait long à dire à son mari et le lui rapporta sitôt entrée. Immédiatement, la jeune Séraphie eut à rédiger une lettre que dicta son père et adressée à son demi-frère Godefroy à l'attention de son autre demi-frère Honoré.

Il transmit au jeune homme ce que sa femme avait entendu chez les Allaire. Il lui dit de se dépêcher de venir offrir ses services au marchand nouvellement établi à Shenley. Il lui dit qu'il pourrait le loger sans frais autres que ceux de sa nourriture. Et en post-scriptum lui fit savoir qu'il y avait deux belles grandes filles chez le marchand en question…

– Toé, mon snoreau! dit Séraphie mère à son mari.

∞∞∞

Ce même soir, Émélie sortit de la maison et prit la fraîche sous un érable entre chez elle et la demeure Foley. Déjà l'infatigable voisin travaillait sous son appentis qui recevrait l'atelier de maréchal-ferrant. Elle pouvait entendre les coups de marteau se répercutant comme en écho. Il lui paraissait que le son allait frapper un bocage qui croissait sur un tertre rocheux à quelques centaines de pieds de la grange des Allaire, plein nord, pour revenir vers elle et la grand-rue.

Georges Mercier, qui depuis chez lui pouvait fort bien voir le magasin, aperçut la jeune fille. Il enfila les souliers de son courage et sortit de chez lui en marchant la tête basse pour faire croire qu'il n'avait pas vu la jeune fille. Quand il fut assez près, Émélie lui cria :

– Bonsoir, Georges !

Elle lui adressa un sourire et un signe de la main quand il releva la tête. Les souliers du courage parurent s'enfoncer dans le ciment de la torpeur. Le jeune homme tourna la tête en cherchant qui Émélie saluait ainsi, sans songer qu'elle avait prononcé son pré-nom. Il croyait qu'elle s'adressait à des filles de son âge, soit Obéline Racine ou Clorince Tanguay, peut-être même l'excitée de Mathilde Bégin. Car comment imaginer qu'une jeune fille soit assez délurée pour saluer ainsi un jeune homme tel que lui ? Et pourtant, elle l'avait bel et bien fait sur le perron de la chapelle le jour du mariage de son frère Anselme.

Des ressorts surgirent sous les souliers du pauvre Georges, qui l'éjectèrent hors du ciment et le ramenèrent à la maison, muet d'émotion, se détestant lui-même au plus haut point.

∞∞∞∞∞∞∞∞

Chapitre 37

Commença dans les jours suivants une canicule d'exception que les vêtements féminins, trop lourds, trop longs, trop sombres, aggravaient. Et le feuillage si vert et touffu au-dessus du village, pourvoyeur de nuits fraîches et de jours tolérables, fit un pacte tripartite avec le soleil et le vent pour accabler hommes et bêtes et leur rappeler qu'ils devaient compter sur eux pour survivre, et surtout ne devraient jamais l'oublier. Le vent s'encabana quelque part on ne savait où. Les arbres chargèrent d'humidité l'air de partout, aidés par les marécages que les travaux d'irrigation du curé Faucher n'avaient pas atteints. Et le soleil se chargea du gros œuvre en plombant dur, en rivetant de boulons la chape de métal lourd entourant l'agglomération, martelant plus fort le pays qu'un bras de forgeron son enclume.

Tous en pâtissaient sans trop gémir. On savait que le vent finirait par souffrir d'apnée, que le soleil en fermant l'œil une bonne nuit oublierait son rendez-vous matinal, que les marécages en train de s'assécher se replieraient sur eux-mêmes pour se conserver quelque chose à boire. Et le mois d'août ne traînait jamais dans les parages quand il avait septembre à ses trousses.

Émélie et Marie prirent au moins deux bains chaque jour dans la grande cuve du hangar, se relayant au magasin où il venait des gens qui croyaient bêtement échapper à la chaleur en cherchant quelque chose à acheter. Rarement voire jamais dans leur vie sur la plaine de Saint-Henri, le vent n'avait boudé les lieux et au contraire, s'y faisait-il omniprésent à l'année longue, surtout l'hiver. Et là-bas, aucun poumon forestier ou marécageux ne dispensait pareille vapeur d'eau mouillant toutes choses. Il y avait bien le fleuve pas si loin, mais par quelque phénomène inexpliqué, il fouettait si bien le vent que celui-ci emportait chaque jour à diable vauvert l'humidité que le soleil brûlant aspirait de ses entrailles.

Les jeunes filles omirent de s'inquiéter, et n'y songèrent même pas, à propos des interstices entre les planches des murs non encore lambrissés au complet. Même qu'elles comptaient sur la lumière ainsi prodiguée pour se baigner au moins dans la pénombre.

Le cœur battant, Georges Mercier amena ses pas indécis et son œil curieux près du hangar tandis qu'Émélie se trouvait dans la cuve. Mais il ignorait que cet accessoire voué à la propreté et à la fraîcheur existait. Même son père l'ignorait puisque l'installation avait été faite voilà peu de jours par Édouard et lui seul. En tant que fils de Prudent qui avait travaillé à l'érection du hangar et parce qu'il savait que la bâtisse devait contenir de la marchandise entreposée, il voulait – et s'y croyait autorisé, du moins, un peu – reluquer à l'intérieur.

Émélie avait la tête sortie hors de la cuve. Le haut de ses épaules se dessinait dans le clair-obscur alors que ses cheveux détachés flottaient librement sur l'eau. Comme une fleur de jeunesse, son corps entier se gorgeait de bien-être et de beauté.

L'œil de Georges se colla sur un trou de nœud. Mais il n'attendit pas que sa pupille s'adapte et ne sut voir que l'obscurité la plus totale. Trente secondes seulement et il aurait aperçu non seulement le beau visage de la jeune fille mais son entière splendeur charnelle. Il valait mieux ainsi car le jeune homme, fort des enseignements de l'Église, se serait lui-même précipité au fond des enfers pour avoir ainsi violé, même sans le vouloir, l'intimité d'une jeune fille déjà devenue femme.

Il fit demi-tour et se dirigea vers le bosquet de la terre à Joseph Foley, où souvent, seul ou avec d'autres, il avait trouvé refuge en quête de fraîcheur et d'amitié. Mais le cap s'avéra brûlant. Mais les sapins et les épinettes ajoutaient à la sensation d'étouffement. Pire, pressé de fuir l'enfer qui l'aspirait, il mit les deux pieds en plein dans les pistes du diable, ces ovales mystérieux tracés dans le roc dur, ressemblant à des empreintes de pas d'une quelconque bête préhistorique que la superstition attribuait plus ou moins joyeusement à Satan en personne. Car si d'aucuns s'en moquaient, d'autres en avaient crainte.

La porte de la maison s'ouvrit, et Maric mit la tête dans l'entrebâillement :

– C'est Obéline[13] avec Clorince… et une autre fille, tu veux-tu venir ? As-tu fini de te baigner, Émélie ?

– Dis-leur de venir, je me cale dans l'eau jusqu'au cou.

Ce qui fut fait.

– Bonjour, Émélie ! dit Obéline la première. On sait pas trop où tu te caches.

– Ici !

Les trois jeunes filles se tournèrent et virent la vague silhouette de la cuve puis parut doucement la tête de la baigneuse.

– Bonjour, Obéline, bonjour, Clorince et…

– Ben moé, c'est Mathilde.

– Bonjour, Mathilde.

– Fait chaud épouvantable ! gémit Obéline.

– Pas dans l'eau. Je me sens bien, vous pouvez pas savoir comment.

Mathilde eut un rire aussi vif que bref et suggéra :

– Savez-vous, les filles, ce qu'on devrait faire, d'abord qu'on peut pas embarquer plus qu'une dans la cuve ; on devrait aller se baigner sur la terre à Foley.

---

13. Une entrée de registre paroissial mentionne Ambelline et une autre Ombéline, mais la tradition veut qu'on écrive Obéline Racine.

– Sais pas si ma mère voudrait ? se demanda Obéline, qui venait de s'asseoir dans l'escalier tandis que les deux autres se partageaient un banc vite repéré.

– T'es comme pas obligée de lui dire. Hey, on dira qu'on s'en va aux fraises… y en a beaucoup dans le haut de la terre à Foley.

Émélie voulut en savoir plus :

– On se baignerait dans l'eau, mais c'est quoi ? Un étang, un lac, une rivière.

– Une belle chute d'eau pis un bassin en dessous avec du bois tout le tour, décrivit Mathilde à la voix sensuelle.

– Moi, ça m'intéresse, signifia Émélie. Je vas demander à Marie de tenir le magasin le reste de l'après-midi. On pourrait s'apporter à manger et pique-niquer là-bas. Qu'est-ce que vous en dites, les filles ?

– Bravo ! s'écria Mathilde.

– Je vas avec vous autres, fit Clorince, émerveillée.

– Toé, Obéline ? demanda Mathilde.

– Ben… heu… Tu le demandes pas à ton père, Émélie ? C'est qu'il va dire ?

– Est parti à Saint-Georges. Et puis quand je décide de faire quelque chose, il est d'accord. Si c'est raisonnable, ben sûr. Pis aller se baigner entre filles, je trouve que c'est raisonnable. Surtout quand il fait chaud comme aujourd'hui pis depuis quelques jours.

Elles se dotèrent d'un panier pour ramasser quelques fraises qui seraient toutes données à Obéline pour lui servir d'alibi. Marie accepta à regret de tenir le magasin ; elle aurait voulu être du groupe. Émélie lui dit qu'elle viendrait la prochaine fois. Quant à la tenue pour le bain, il suffirait d'enlever les robes et de garder ses dessous pour aller à l'eau. Ensuite, on se laisserait sécher au grand soleil avant de se rhabiller.

Quel joyeux complot il venait de se tramer dans ce hangar sombre et animé ! Toute âme bien née l'aurait béni. Mais le curé fronça les sourcils quand, depuis sa fenêtre, il aperçut le quatuor quitter la maison Allaire et se diriger vers le haut des terres en suivant la clôture de ligne entre les propriétés de Joseph Foley et de Prudent Mercier.

Il eut tôt fait de traverser la rue et d'entrer au magasin pour faire enquête :

– Où c'est qu'elles vont, les filles, sur pareille ripompée par une telle chaleur ?

– Aux petites fraises dans le haut de la terre, monsieur le curé.

Le prêtre garda un doute certain entre deux rides au-dessus de ses yeux sur son front si blanc qu'on le croyait chaulé. Peut-être en saurait-il davantage par d'autres sources. Et sa curiosité l'empêcha de voir peu de temps plus tard les deux Georges suivre à distance les jeunes filles puis disparaître de l'autre côté du cap à Foley.

Aucune d'entre elles, pas même Obéline, n'avait envie de chercher des fraises maintenant, tant la chaleur obsédait ; guidées par Mathilde, elles entrèrent vivement dans le boisé, d'où sortait le ruisseau d'eau claire que la canicule, si longue fut-elle, ne parvenait pas à assécher tant les sources donnant naissance au cours d'eau étaient profondes et généreuses.

On y fut en cinq minutes au plus.

Émélie trouva le lieu bucolique, plus pittoresque encore que ce qu'on lui avait dit en venant. Le ruisseau surgissait d'entre les rochers et ses eaux limpides, parfois blanchies par leurs propres tourbillons, descendaient en cascade murmurante et glissaient dans le bassin noir entouré à moitié d'une rive sablonneuse partiellement ensoleillée. Comme si le créateur de toutes choses avait aménagé l'endroit pour les baigneurs, l'on pouvait se disperser derrière deux rochers ou des bouquets d'arbres pour se mettre en tenue de bain, mais cela n'était pas requis puisque les quatre amies entreraient dans l'eau avec leurs dessous comme entendu.

Toutes quatre portaient des culottes en tissu léger – coton couleur coquille d'œuf – aux genoux et une blouse ample pour cacher la partie supérieure du corps. Aucune ne portait de corset parce que toutes trop jeunes encore et n'ayant pas enfanté. Les quatre robes avaient trouvé place sur une seule branche d'un des rares bouleaux du bocage. Et voici qu'elles se regroupèrent sur le sable, pieds nus, mollets dénudés et pointes des épaules visibles.

— L'eau a l'air froide, dit Obéline, qui se pencha pour voir et plongea la main.

— Pis? demanda Mathilde.

— Ben plus endurable que la chaleur.

— Dans ce cas-là, on y va.

Émélie crut bon d'affirmer un peu sa personnalité et fut la première à entrer à pas assurés dans le grand bassin tout en parlant:

— C'est de valeur qu'on aurait pas ça plus proche du village.

— Y a le lac du père Adolphe, dit Obéline, mais c'est plein de sangsues pis de grenouilles.

— Pis de couleuvres autour, enchérit Mathilde.

Clorince échappa un cri:

— J'en vois une là...

— Quoi?

— Une couleuvre...

Obéline échappa un petit cri.

— Ben non, fit Mathilde qui courut à la chose ressemblante, la prit par la queue et montra que ce n'était qu'un bout de branche sans doute laissé là par un pêcheur du dimanche.

Elles s'esclaffèrent. Émélie se cala dans l'eau jusqu'au cou. Les autres suivirent. Mathilde se mit à barboter, à éclabousser ses consœurs, à rire et à lancer à la vie des bribes de chansons connues. L'on s'amusait ferme et candidement sans se rendre compte que des espions venus du village s'approchaient puis s'embusquaient derrière un trio de sapins afin de les épier.

Les deux Georges aperçurent les robes suspendues. Et leur imagination, surtout en position allongée sur le ventre tout comme leurs personnes, vagabonda sous l'eau pour n'y trouver que ce que le mariage seul donne le droit de voir, et encore, pas à tous.

— Tu penses qu'elles ont tout ôté? demanda l'un à l'autre en lui soufflant la phrase.

— Certain!

— On ferait mieux de pas regarder.

— Pourquoi?

— Ben… c'est péché mortel.

— Oui… mais c'est plus fort que moé.

— Moé itou.

— Au moins si on va en enfer, on va y aller attelé double.

— Juste regarder, c'est pas un péché mortel.

— Seul monsieur le curé pourrait le dire.

— C'est énervant en maudit pareil, hein?

— En maudit, oui, en beau maudit…

Les deux adolescents étaient cloués au sol par leur curiosité, leurs sens, leur étonnement. Ils s'étaient dit en venant que les filles allaient faire un pique-nique, mais ils n'auraient pas imaginé qu'elles s'y baignent, surtout qu'une rumeur voulait que le curé ait interdit cet endroit aux jeunes désireux de s'en servir pour un bain public.

— Bouge pas, la Mathilde regarde par icitte, murmura Georges à Georges.

— Pis elle, elle a des yeux d'oiseau de proie qui voient tout partout.

Elle ne les avait pas repérés et plutôt sentis, devinés là, et pour rire encore plus, elle émergea soudain de l'eau en criant des mots inintelligibles, les bras en l'air, dégoulinants.

Le tissu de son vêtement lui collait à la peau et les aréoles de ses seins volumineux pointaient au maximum. Les deux pauvres Georges en furent estomaqués, demeurant bouche bée et paupières figées dans leurs ouvertures. Ils se sentaient traqués par l'interdit qu'ils avaient défié par trop d'étourderie.

– Sacrons notre camp d'icitte ; elles nous ont vus, souffla l'un à l'autre sans bouger la tête mais en tordant sa bouche pour que le propos prenne la bonne direction.

– Si on grouille d'icitte, c'est certain qu'elles vont nous voir pis peut-être nous poigner...

Mathilde se mit à se pavaner dans le sable brûlant, marchant sur le bout des orteils, présentant son profil aux jeunes gens que cette image sidérait tout en occultant pour le moment la moindre perspective de damnation éternelle que pouvaient leur valoir tous ces péchés en rafale en train de jeter de la boue sur leur âme...

Les trois jeunes filles restées dans l'eau jusqu'au cou s'amusaient ferme à voir Mathilde faire et ainsi leur montrer d'une certaine façon à oser se baigner autrement qu'en toute pudeur comme elles le faisaient elles-mêmes.

– Mathilde, tu reviens pas avec nous autres ? s'inquiéta Obéline, qui, du même souffle, interrogeait Émélie du regard et du sourire.

– Pas tu suite !

Et elle continuait son va-et-vient sous le soleil, mains sur les hanches, poitrine dehors, promenant son corps provocant avec ce sentiment durable d'être observée.

– Mathilde Bégin, lui lança Clorince, imagine que monsieur le curé nous regarde...

La jeune fille s'arrêta un court instant, éclata de rire et reprit sa marche lascive en se disant que son imagination avait dû lui jouer un tour en lui faisant croire qu'on les épiait en ce moment. Mais si d'aventure ce devait être le cas, alors le péché se retrouverait tout entier dans la cour de l'espion. Et elle en remit au cas où... Se dandina. Se pencha en avant pour présenter son postérieur au soleil afin qu'il s'assèche aussi, tout ça dans des éclats de rire capables d'ameuter tous les diables de l'enfer.

– T'es folle raide, Mathilde, cria Obéline.

– Folle, peut-être, mais raide, pas du tout pantoute...

Pour le montrer, elle marcha en faisant onduler son jeune corps.

Les deux paires d'yeux posés sur elle depuis le bosquet étaient emportés par le mouvement. Alors, un remords vint visiter l'esprit de Georges Mercier, mais qui n'avait aucun lien de parenté avec la crainte du péché mortel et tout à voir avec ce nouveau sentiment qui le bouleversait depuis l'arrivée à Shenley de la belle Émélie Allaire. Et voici qu'il percevait en son cœur le goût cendreux de l'infidélité amoureuse. Il mit sa main devant ses yeux. L'autre Georges, quant à lui, ne songea pas à Marie malgré son inclination pour elle et plutôt aux bonnes mœurs et aux commandements de Dieu régulant les choses de la chair. Il tourna la tête de côté pour ne plus voir lui non plus...

Mathilde finit par retourner à l'eau. Le bain des filles se poursuivit dans une joie saine et rafraîchissante.

Les deux garçons se retirèrent en rampant comme des couleuvres en fuite. Pendant ce temps, les baigneuses se calmèrent et jouirent plus posément des bienfaits de l'eau. L'on questionna Émélie sur les nouveautés à venir au magasin, et les trois autres furent particulièrement intriguées et intéressées par le vélocipède Lawson, dont on avait commandé un exemplaire qui arriverait bientôt. La jeune marchande dut décrire par le détail l'engin inventé l'année précédente aux États. En fait, il s'agissait d'une modernisation du vélocipède traditionnel que tous connaissaient.

– Au lieu que deux roues, une grande et une petite, c'est deux roues de la même grandeur. Sur le cadre, sous la selle, il y a un pédalier qui fait tourner une roue à dents. Sur la roue se trouve une chaîne qui transmet le mouvement à une roue à dents plus petite posée sur le moyeu de la roue d'en arrière.

– Ben moè, jeta Mathilde, j'comprends rien là-dedans.

– Tu vas voir, fit Émélie.

Obéline, qui avait l'habitude d'entendre de semblables descriptions dans la bouche de son père à table, comprit ce qu'était un vélo Lawson.

– Je vas en parler à ma mère qui va en parler à mon père, pis on pourrait en acheter un, nous autres. On peut aller loin avec ça...

– Asteur que le chemin va jusqu'à Saint-Évariste, on pourrait aller à Québec.

– Es-tu folle, Émélie Allaire? s'exclama Mathilde. Aller à Québec en vélocipède?

– C'est comme je dis: c'est pas un vélocipède, c'est un vélo Lawson. Ils disent aussi les vélos *safety*.

– Où c'est que t'as vu ça?

– À Saint-Georges. Y en avait même deux. J'en ai même essayé un... J'ai pas réussi à tenir mon ballant, mais le monsieur m'a dit que ça serait pas long avant que j'y arrive. Je veux en avoir un l'année prochaine.

– On en aura chacune un, lança Mathilde. Pis on ira se baigner dans un beau grand lac.

– Quel lac? Y en a pas aux alentours, commenta Obéline.

– Ben... sais pas... on ira à Saint-Évariste ou ben... à Saint-Benoît... hey, paraît qu'à Mégantic, y en a un beau grand.

Après Mathilde, c'est Clorince qui s'émerveilla:

– Non, mais nous voyez-vous, les quatre filles en vélo sur le grand chemin vers ailleurs?

– Quel prix que c'est, un vélo de même?

La question s'adressait bien entendu à Émélie, qui répondit:

– Ça va se vendre dix piastres.

– Es-tu folle? s'exclama Mathilde de sa voix la plus pointue. C'est le prix d'une vache pis ça donne pas une goutte de lait, un vélo, ça.

Aucune en fait, pas même Émélie, n'était en mesure maintenant de payer un tel prix pour un *Safety*. On fit contre mauvaise fortune bon cœur, et le barbotage reprit de plus belle parmi les éclats de voix et de rire.

∞∞∞∞

Pendant ce temps, les deux Georges fuyaient, penauds, les lieux de leur péché presque mortel. Pourchassés par le remords cruel, ils furent accueillis au village par le curé.

– J'ai tout vu, leur dit le prêtre, qui se tenait sur l'étroite galerie du presbytère.

– Quoi ? dit l'un.

– Qu…, ajouta l'autre.

– Venez icitte, vous autres.

Ils n'eurent d'autre choix que celui d'obéir.

– Vous arrivez d'où de même ? Pas besoin de me le dire, je le sais trop bien.

Et l'abbé Faucher sondait l'âme de chacun en enfonçant son regard dans les yeux de chacun des deux adolescents tour à tour. Sa stratégie inquisitive porta vite des fruits. Georges Mercier, tête basse, demanda :

– Monsieur le curé, je voudrais me confesser.

– C'est en effet le meilleur moyen de BAIGNER son âme pour la nettoyer de toute souillure. Viens, mon garçon, on va aller à la sacristie.

Le prêtre avait insisté sur le mot « baigner » pour montrer encore plus qu'il savait ce qui s'était passé. Toutefois, il soupçonnait bien pire que ce qui était survenu et croyait que les deux gars avaient pris un bain en même temps que les jeunes filles dans ce bassin de malheur qu'il connaissait.

Georges avoua tout. Le prêtre fut déçu de constater qu'il ne s'était pas passé grand-chose. Mais il clama le contraire :

– C'est grave, et il faut demander pardon à Dieu.

– C'est-il un péché mortel ?

Le jeune homme avait même révélé avoir détaillé les formes de la belle Mathilde.

– Ce n'est pas ton premier regard sur les baigneuses qui est grave, c'est celui qui a suivi ton remords et qui s'est prolongé… De véniel qu'il était jusque là, il est devenu mortel. Mais Jésus a souffert sur la croix pour nos péchés, et si tu as le repentir, il te sera beaucoup pardonné. Tu as bien fait de venir te confesser au plus vite pour éviter les flammes de l'enfer en cas de mort soudaine.

L'abbé Faucher avait le souffle court, mais il parvint à prononcer presque d'un seul coup le verdict, la sentence et la joie du pardon. Georges était satisfait : son aveu lui sauvait la vie… éternelle.

Mais le curé fut mécontent de voir que Georges Lapierre n'imitait pas son ami et avait levé les voiles sans se confesser à son tour. Peut-être n'était-ce que partie remise ? Peut-être que celui-là considérait ne pas avoir fauté ? Quoi qu'il en soit, il fallait maintenant faire en sorte que des événements semblables ou bien plus graves encore ne se reproduisent. Ce jour même, le curé prépara un écriteau. Il prit une masse de bois et marcha jusqu'en haut des terres, où il atteignit le bassin du péché. Et il planta dans le sable en prenant soin de bien d'enfoncer son avertissement et son ordre. Puis, il recula pour voir si c'était lisible et lut :

Baignade interdite sans un gardien adulte.
J. Octave Faucher, ptre

Satisfait, il pencha la tête, et son regard tomba sur les empreintes des pieds des jeunes filles. Un pas imprimé capta vite son attention. Par son parcours, il sut que c'était celui de la belle Mathilde Bégin. Alors, son imagination le transporta dans la tête de Georges Mercier pour lui faire voir la jeune fille, le tissu de son vêtement collé sur elle, la poitrine forte et fière, déambuler d'un bout à l'autre de la courte plage, se dandiner, se déhancher… Ce ne fut pas long que la vie se réveilla en lui, mais tant que cette pensée spontanée et cette scène pleine de sensualité ne s'effaçaient pas, son âme restait dans un territoire véniel ; ce n'est qu'après un moment de lucidité sur l'impureté qui rôdait autour de son âme qu'il serait entré à pieds joints dans les fangeux marécages du péché mortel, ainsi qu'il l'avait enseigné au jeune Mercier quelques heures plus tôt. Mais il se garda bien d'y entrer ; il frappa du manche de sa masse sa verge prisonnière des tissus et plus érigée maintenant que l'écriteau qu'il venait de planter dans le sable.

Il tira la leçon qu'il devait tirer. Si lui, prêtre sanctifié par le sacrement de l'ordre et homme de prière, de sacrifice et de contrôle de soi, avait eu pareille réaction devant des empreintes de pieds nus dans le sable, quelle abominable tentation avaient dû subir ces jeunes gens peu aguerris devant le démon de la chair alors qu'ils avaient été témoins dans la réalité des attitudes provocantes de cette Mathilde...

Sa dernière pensée fut de se dire qu'il l'aurait à l'œil, cette Mathilde Bégin. Son audace et ses attitudes fantasques risquaient d'avoir des conséquences fâcheuses sur les bonnes mœurs de cette paroisse.

De retour à la maison presbytérale, il s'attabla à la rédaction de son prochain sermon qui porterait sur ce sujet. La canicule ne devait pas servir de prétexte pour porter atteinte à la morale. Elle permettait de souffrir dans sa chair et ce qu'il y avait de mieux à faire avec cette souffrance, c'était de l'offrir à Dieu pour la rédemption des péchés des hommes. À l'exemple de Jésus qui avait dû avoir très chaud, lui aussi, sur la croix...

∞∞∞∞∞∞∞∞

Chapitre 38

Enfin se dissipa la chaleur insupportable, et le mois d'août, pris en gouverne par maintes prières et neuvaines, commença à perdre de son autorité trop lourde. Il laisserait des traces importantes pourtant. Beaucoup de personnes furent malades, certaines frôlèrent la mort. On ne pouvait accuser la chaleur qu'indirectement, et c'est l'eau et les moustiques qui furent pointés du doigt. Des malades durent être transportés à Saint-Georges, où un médecin prescrivit de l'eau de riz ou de l'extrait de fraise pour soigner les gastro-entérites. Une pauvre petite fille du Petit-Shenley mourut quand même par trop de déshydratation. Elle avait 4 ans. On l'enterra le jour suivant sa mort. Et sa mère éclata en violents sanglots au cimetière.

Ce jour de grisaille, Marie Allaire suivit cet enterrement depuis la fenêtre de la cuisine près de laquelle tous les jours elle s'asseyait, ayant gravi la moitié des marches de l'escalier pour prendre place et embrasser du regard l'entier cimetière voisin. Elle savait les noms des parents endeuillés et celui de la petite disparue. Et priait fervemment pour chacun, pour le repos de l'âme d'Octavie et pour le consolation des parents, Joseph Beaudoin, et son épouse, Marie Jobin, qui venaient de perdre leur fille aînée.

Quand le petit cercueil blanchi à la chaux eut disparu de la surface de la terre, le prêtre et les assistants quittèrent les lieux. Le couple en noir laissa derrière lui un autre couple en noir, soit les grands-parents de l'enfant, Henri Jobin et son épouse, Restitue

Lafontaine. Cette grand-maman de 48 ans avait le cœur en lambeaux. Plus encore que sa fille. Elle, qui avait si souvent gardé la petite disparue dont la maladie fatale s'était déclarée tandis qu'elle terminait un séjour chez ses grands-parents, ajoutait à son immense chagrin un sentiment de culpabilité qui lui rongeait l'âme.

– Pauvre madame Jobin, elle va ben en mourir ! murmura la jeune fille à Mousseline, qu'elle gardait au creux de sa robe en lui caressant la tête et le cou pour l'entendre mieux ronronner.

Mais la mort d'un enfant, elle le savait comme tous, était enterrée assez vite par les écrasantes préoccupations du quotidien et ces travaux incessants que l'existence imposait à tout un chacun. Il ne restait pour rappeler le petit défunt aux vivants qu'une croix noire (ou blanche) qui portait son nom en lettres gauchement gravées à la main, et son souvenir autrement s'évanouissait parmi la bougeotte des autres petites têtes de la maison. Octavie avait un frère cadet, et sa mère enceinte aurait tôt fait de combler le vide par un prochain enfantement puis d'autres subséquents.

Marie avait pris l'habitude de s'installer ainsi dans l'escalier de la cuisine d'où elle pouvait surveiller le magasin sans y être physiquement. Car elle s'y sentait à l'étroit, prisonnière des choses parmi toutes ces marchandises exposées, écrasantes ; à moins d'y servir la clientèle présente, c'est une sensation d'étouffement qu'elle y vivait, contrairement à Émélie, qui y évoluait toujours comme un poisson dans l'eau.

Son regard surpassait l'étagère centrale, et il lui était possible de savoir qui arrivait quand la porte s'ouvrait. Mais un client ouvrit bien silencieusement ; et sans le bruit inévitable de la clochette suspendue, il aurait échappé à l'attention de l'adolescente dont le cœur autant que l'esprit étaient là, dehors, dans ce cimetière, à prier pour ceux qui y pleuraient et pleurer pour ceux qui y priaient. Et tant cet enterrement lui rappelait celui de la pauvre Georgina sept ans plus tôt, qu'un sort cruel avait ravie à sa famille.

C'était le curé Faucher.

Il s'arrêta un moment devant la porte, explora du regard, poussa ses lunettes rondes sur les orbites de ses yeux, laissa glisser son index sur son nez aquilin, se dérhuma pour signaler sa présence…

Marie sentit son cœur battre plus fort. Ce visiteur n'était pas ordinaire même si elle voyait l'abbé tous les jours, par sa fenêtre ou autrement. Sa soutane, son pouvoir de guérir l'âme et, disaient d'aucuns, le corps parfois, son autorité : tout en ce serviteur de Dieu contribuait à le rendre différent, plus troublant que la moyenne des gens en tout cas.

Elle prit Mousseline dans ses mains et se leva brusquement, faillit perdre l'équilibre et descendit pour recevoir ce visiteur qui, pensa-t-elle, ne venait pas forcément pour se procurer ou commander quelque chose.

– Y a quelqu'un ? demanda le prêtre.

– J'arrive, monsieur le curé.

Elle déposa Mousseline par terre et se hâta vers l'autre pièce où elle arriva face à face avec le prêtre qui, malgré l'absence de soleil dehors, habituait ses pupilles à l'insuffisance de lumière en dedans.

– Ah, c'est toi qui gardes le magasin aujourd'hui, Marie ?

– Mon père et ma sœur sont partis acheter des produits et livrer des effets dans le Grand-Shenley.

– J'ai cru les voir partir en effet. Ils sont vaillants, ces deux-là, comme c'est pas possible. Oh, je sais que toi aussi…

– Je fais ce qu'on me demande de faire.

– Comme ça adonne bien, je viens te demander de faire quelque chose. Ou plutôt de ne pas faire quelque chose et te féliciter pour ne pas l'avoir fait…

Marie avait l'inquiétude et la crainte dans l'œil. L'abbé poursuivit :

– C'est au sujet de la baignade au grand bassin à Prudent. T'es pas allée l'autre fois avec Émélie et les autres jeunes filles…

– Je gardais le magasin.

– Mais je sais que tu n'y serais pas allée… ou bien que là-bas, tu ne te serais pas baignée avec les autres. Tu es la plus pieuse des enfants de cette paroisse, et cela t'honore, Marie.

Le curé qui avait retrouvé sa vue complète détaillait la jeune fille des pieds à la tête maintenant. Lui qui sortait d'un environnement funèbre à la cérémonie de mise en terre de l'enfant Beaudoin ressentait le désir de se baigner dans une scène de vie ; voici que la personne de Marie lui en donnait une superbe occasion. Elle portait une robe longue en coton beige avec dentelle autour du cou et frisons à la hauteur des genoux. La forme de ses seins apparaissait modestement.

– Je viens de voir l'enterrement par le châssis de la cuisine.

– Les enfants meurent comme des mouches : quelle désolation ! J'ai su par ton père que trois sont morts dans ta famille…

– Oui. Mais ça fait longtemps.

– À ton âge, le temps est long, pas au mien.

– Ça fait sept ans.

– Sept ans, c'est court, Marie.

La jeune fille songea à sa vision du jour de son arrivée. Il lui vint l'idée d'en parler au prêtre. Ce n'est pas quelque chose dont on faisait l'aveu en confession puisqu'il n'y avait pas matière à péché, mais lui qui en savait tant jetterait sûrement de l'éclairage sur ce qu'elle avait cru voir et entendre.

– Monsieur le curé, j'ai comme vu ma mère pis ma sœur dans la porte de la chapelle le jour qu'on est arrivés. Elle m'a dit que je les rejoindrais dans sept ans.

– Tu sais, les morts n'apparaissent pas aux vivants, sauf la Vierge Marie, prodige rarissime. Mais toi, tu es aussi pieuse, aussi dévotieuse que Bernadette Soubirous, et on me dirait un jour que la Vierge t'est apparue que je n'aurais pas de mal à le croire.

– C'était maman… avec Georgina, ma petite sœur…

– Impossible ! Elles sont mortes et ne ressusciteront qu'à la toute fin des temps.

– Leur esprit…

– C'est comme je te le dis… Tu crois avoir eu une vision, mais c'est ton imagination qui devait travailler. Invite-moi dans la cuisine, on va s'asseoir et je t'explique, veux-tu?

Il la suivit vers cette pièce plus claire et la détailla de nouveau, puis ils prirent place. Le prêtre s'extasia devant Mousseline, qui lapait dans le contenu d'une soucoupe de lait. Puis, il appuya ses coudes sur la table et croisa les mains en gardant ses deux index l'un contre l'autre à se tapoter:

– Dis-moi, est-ce que tu es venue de gaieté de cœur à Saint-Honoré?

– Ben…

– Ça te plaisait de venir par ici?

– Ben… n… non, pas trop.

– Tu vois: tout est là, ma fille. Une force en toi se refusait de venir vivre par ici. Elle t'a fait voir une scène de ton invention, de ton imagination, portant en elle une sorte de… libération. Sept ans et tu ne serais plus à Saint-Honoré… Tu sais, avant d'aller plus loin, je te comprends. Garde ça pour toi, Marie, et pour toujours… tu le promets?

– Oui…

– Tu sais, je m'ennuie presque mortellement parfois ici. Pas de magasin jusqu'à il y a un mois. Pas de docteur. Des arbres et encore des arbres. Des moustiques. Des grenouilles. Mais moi aussi, j'aurais pu avoir une vision en arrivant. Et j'aurais pu voir que dans sept ans, je serais libéré. (Il eut un rire bref.) Et je le serai parce que j'ai demandé une cure ailleurs, près de Québec, et que monseigneur a accueilli ma demande favorablement. Dès qu'une place sera vacante, je pars. Cela pourrait prendre encore un an ou deux, mais je vis d'espoir. Et toi aussi, dans quelques années, quand tu auras autour de vingt ans, tu partiras pour autre part. Peut-être pour Québec. Tu rencontreras quelqu'un et en même temps peut-être que tu enfermeras ta liberté entre les murs de ton… amour, tu pourrais être libérée de cette… forêt. On ne peut jamais être tout à fait libre. Nous sommes faits de chair et de sang, et par définition, nous subissons les chaînes de la vie, de la maladie, du travail, de l'attente… L'important, c'est d'avoir au cœur l'espérance. La foi bien sûr et la charité, de si belles et hautes vertus théologales, mais la plus grande de toutes peut-être : l'espérance.

Marie regardait l'abbé, les yeux éclatants comme des ostensoirs, agrandis par ses paroles, pour elle sacrées. Le prêtre avait le sentiment de se vider le cœur en profondeur en lui parlant ainsi. Comme si ces mots prisonniers de sa fonction de curé et qu'il ne pouvait adresser à l'ensemble de la population ni à personne en particulier avaient soudain jailli de ses tréfonds les plus vrais vers cette jeune fille qu'il jugeait plus pure que les autres, immaculée comme la Vierge Marie.

– Tu seras libre un jour, Marie, tu verras. Et c'est cela que ta soi-disant vision t'a révélé. Espérer, c'est le bonheur ; attendre, c'est la vie… L'esclavage de Dieu est la plus grande liberté de l'homme. Si tu le veux, nous allons réciter ensemble trois Avé.

Elle ferma les yeux, croisa les mains. Le prêtre admira dans ses gestes sa dévotion si évidente et si proche du mysticisme. Il récita la première partie de sa voix la plus paternelle et rassurante. Elle répondit lentement, en détachant chaque syllabe, confiante, abandonnée à la Vierge Marie qu'elle avait peut-être vue, après tout, dans l'embrasure de la porte de la chapelle ce midi de grand soleil…

Ils avaient terminé quand s'ouvrit la porte de la cuisine. Joseph, essoufflé, entra en trombe et s'arrêta net quand il aperçut le curé, se demandant s'il était là pour lui reprocher quelque chose.

– Bonjour, monsieur Joseph.

– Bon… jour…

– Tu as l'air pressé pas pour rire.

– Je viens chercher quelque chose dans ma chambre.

L'abbé ouvrit les bras et dit avec un brin d'ironie :

– Fais comme chez toi, mon ami. De toute façon, j'allais partir. J'ai rendu visite à ta sœur, et nous avons prié un peu. Il t'arrive de prier aussi, Joseph?

– Ben... ouais...

– Je veux dire... en dehors de la chapelle... le matin en te levant... le soir en te couchant...

– Ben... ouais...

– À la bonne heure!

Figé sans trop savoir comment agir, l'enfant maigrelet interrogea sa sœur du regard. Le prêtre vint à son aide:

– Fais ce que dois! disent certaines armoiries. Quant à moi, je retourne au presbytère. J'y pense, tu ne voudrais pas agir comme servant de messe, mon cher Joseph? Étant donné que tu vis juste en face de la chapelle paroissiale, ce serait facile de t'y rendre été comme hiver.

– Ben... ouais...

– Dans ce cas-là, tu viendras que je te montre comment faire. Je vais te trouver une soutane et un surplis à ta taille. Tu n'as jamais servi la messe à Saint-Henri?

– Non, monsieur le curé.

– C'est une belle occasion de te rapprocher du bon Dieu, tu sais. Je vais t'attendre le plus tôt possible.

Et le prêtre s'esquiva en douce, satisfaction dans un œil et ironie dans l'autre.

Joseph adressa une grimace à sa sœur:

– Ça me le dit pas, moé, de servir la messe, bon!

– Dis pas ça, Jos! Si tu le fais pas, ça pourrait nous porter malchance.

Le garçon courut à l'escalier et en franchit quelques marches, où il s'arrêta net:

– Pourquoi qu'il demande pas à un autre qu'à moé? Pis à part de ça quand je serai au collège, hein?

– Il te l'a dit: c'est parce que t'es proche de la chapelle.

– Pourquoi que ça porterait malchance de pas servir la messe ?
C'est pas un péché…

Marie soupira. Elle s'en alla au magasin sans dire un mot. Le
gringalet poursuivit son escalade en grommelant…

∞∞∞∞∞∞∞∞

Chapitre 39

Marie une autre fois regardait du côté du cimetière depuis la fenêtre de cuisine derrière l'escalier abrupt. Elle ne ressentait aucune émotion particulière par cet avant-midi ensoleillé de la fin août. Quelques feuilles avaient jauni, et d'autres rougissaient précocement. Son esprit errait çà et là parmi les souvenirs heureux de son passé, ceux surtout de sa vie chez les Leblond aux côtés de sa sœur Émélie. La nostalgie s'annonçait sur l'horizon des plaines de Saint-Henri quand à travers les arbres de Saint-Honoré la devança une apparition qui sortait vraiment de l'ordinaire et qui vint quérir toute son attention.

Un cavalier et sa monture se dessinaient petit à petit sur le chemin de la Grand-Ligne par-delà les croix marquant les tombes. Leur venue se faisait très lentement comme si le voyageur arrivait enfin à destination après un fastidieux périple. La jeune fille ne pouvait en distinguer le visage ; l'homme portait chapeau d'étranger, un de ceux-là qu'elle n'avait vus à Saint-Henri que sur des têtes revenant des lointains États. Et ce visiteur dont la minceur révélait la jeunesse avait calé cette coiffure à larges rebords sur son front tandis que son regard semblait rivé au sol, sans doute pour cause de fatigue.

Plusieurs images issues de souvenirs épars se superposèrent soudain en Marie. Un mot lui vint qu'elle prononça tout haut à l'intention d'Émélie, occupée tout entière au magasin :

– Un cow-boy…

– Hein ? questionna l'autre sans grand intérêt.

– Y a un cow-boy qui arrive au village, Émélie.

– Eh ben !

– Il approche du cimetière…

– Ah !

– On dirait un beau gars : tu devrais le regarder passer.

– J'ai donc pas le temps, Marie, de m'occuper des beaux gars qui passent sur le chemin.

Marie prit une voix pincée :

– On sait ben, toi, tu penses rien qu'à ton beau Georges Mercier…

– Et toi, Marie Allaire, à ton beau Georges Lapierre.

La jeune fille de la fenêtre perdit de vue le cow-boy qui arrivait devant le magasin à la hauteur du presbytère ; elle fut sur le point de se lever pour aller mettre son nez dans la fenêtre de la chambre de son père qui donnait sur la chapelle, mais la petite Mousseline présenta le sien à sa maîtresse, et Marie prit le chat dans ses bras et sortit de la maison par la voie du hangar en criant à sa sœur :

– Émélie, je vais promener Mousseline…

– Est capable de se promener toute seule… viens me donner un coup de main un peu…

– Tout à l'heure ! Ça sera pas long, je reviens.

Un intérêt plutôt aiguisé emportait Marie. Le travail accaparait Émélie. Mais alors même que l'une s'éloignait du travail pour satisfaire sa curiosité, quelqu'un entra dans le magasin mais qui ne fit même pas lever la tête de la vendeuse, trop prise par les livres dans lesquels elle faisait des entrées. Son ombre furtive passa derrière l'étagère, puis apparut devant elle et une grande main se posa sur le comptoir. Il fallut bien qu'Émélie lève la tête à la fin…

– Bonjour, mademoiselle ! fit-il à voix polie en soulevant son chapeau.

Émélie eut un léger sursaut. C'était donc lui, le cow-boy dont venait de lui parler Marie avant de sortir.

– Bonjour, monsieur ! C'est qu'on peut faire pour vous ?

L'image de la jeune femme se précisa davantage aux yeux du visiteur. Son calme et sa détermination de même que l'éclairage peu violent de l'intérieur du magasin camouflèrent le rouge que son cœur en accéléré projetait à son visage. Il voyait de l'autre côté du comptoir une magnifique jeune personne de son âge, grande et belle, aux cheveux bruns et proprement vêtue. Une bouche pleine, des pommettes saillantes et un regard triste...

Mais... quelle impression de déjà vu! Pourquoi ce doux visage lui paraissait-il aussi familier? Où donc avait-il pu voir cette jeune fille de si rare qualité?

– Suis venu rencontrer monsieur Allaire, dit-il posément et le ton à la requête.

– Il n'est pas là, mais je peux vous servir.

Souvent, des clients préféraient être servis par un homme d'âge mûr que par une toute jeune fille comme Émélie, malgré sa compétence et son assurance.

– J'ai affaire à lui personnellement.

Ce fut au tour d'Émélie de questionner ce visage qu'elle trouvait beau malgré ce bizarre chapeau qui ne lui allait pas plus qu'il fallait. Elle remarqua d'abord qu'il avait des paupières dissemblables, ce qui donnait à croire que son œil droit était légèrement plus haut que l'autre. Mais la profondeur de ce regard brun posé franchement dans le sien avait de quoi surprendre pour un si jeune homme! Comme s'il avait bien en ses mains toutes les ficelles de son destin. Rien de fuyant comme dans les yeux de Georges Mercier. Et cette lèvre inférieure à peine projetée en avant qui lui donnait la moue permanente de celui qui ne s'en laisse pas imposer. Quand il ne parlait pas, tout son visage disait: «Je veux cela et je l'aurai!» Et enfin ce nez retroussé capable d'ouvrir n'importe quel chemin devant lui...

L'esprit de la jeune femme travaillait sur deux tableaux. Celui de l'expression corporelle de ce visiteur et celui de son motif à vouloir rencontrer son père. Elle raisonna et déduisit qu'il devait se présenter pour la place de commis dont Édouard avait parlé un peu partout y compris à Saint-Georges dans les voyages de réap-provisionnement. Tout de même, un commis habillé en cow-boy de l'Ouest américain... Elle en avait vu, de ces accoutrements dans les magasins de gros et chez des émigrés revenus en visite chez leurs parents à Saint-Henri... Ce n'était guère de mise pour un Canadien qui se respecte et respecte l'identité collective...

Pourtant, le visiteur avait calculé sa première impression, mais pas pour en mettre à la vue d'une jeune fille. Tout d'abord, le seul bien à part l'instruction dont il ait hérité de son père était ce cheval blanc qu'il avait voulu emmener avec lui à Saint-Honoré. Secondement, il n'avait du cow-boy que le chapeau et par là, il voulait signifier à son futur patron qu'il était capable de mettre la main à la pâte dans le transport des marchandises, dans les travaux de réfection si nécessaire, à la «grosse ouvrage» en fait. Il avait bien essayé de laisser pousser sa moustache, mais en vain, et ce chapeau lui conférait un âge plus élevé que ses minces 15 ans. Enfin, il savait que le marchand de Saint-Honoré avait été culti-vateur toute sa vie et que ce n'est pas en lui montrant des mains blanches d'étudiant du collège de Sainte-Marie qu'il l'impressionnerait quoique le poste de commis exigeât bien sûr de savoir bien lire, écrire et compter. À ce chapitre, il se sentait fort à son aise, pourvu de son diplôme d'études commerciales bilin-gues. Tout comme à celui de l'entregent, cette qualité essentielle pour servir efficacement et agréablement le public. Et pour mettre la cerise sur le gâteau de ses précautions un peu tatillonnes, il s'était dit que cet accessoire vestimentaire lui donnerait une teinte américaine, car il supposait que Shenley étant si près des États-Unis, son marchand aurait à brasser des affaires outre-frontière.

— Et... on peut savoir votre nom?

— Honoré Grégoire. De Saint-Isidore.

À son tour, Émélie eut une impression de déjà vu. Mais l'associa aussitôt aux gens du même nom dans la paroisse:

– Un parent de monsieur Grégoire Grégoire?

– Son demi-frère.

– Mon père est parti dans un rang acheter des produits. Voulez-vous l'attendre?

– Merci, mais je reviendrai en fin d'après-midi. Je vais chez mon frère maintenant. Ou si vous préférez mon demi-frère. Il m'attend d'un jour à l'autre.

– Je vais dire à mon père que vous allez revenir le voir aujourd'hui…

– Merci, merci. Et bonne journée, mademoiselle…

– Émélie…

Le jeune homme tourna les talons sans fracas. Il sortit alors même que Marie rentrait par l'arrière pour dire à sa sœur que le cow-boy s'était volatilisé.

«Je vais lui dire que vous êtes venu, songea Émélie en son for intérieur, et… que vous allez faire un excellent commis…»

– Il est venu au magasin, ton cow-boy, dit-elle à Marie sur un air faussement calme et distrait.

– C'est qu'il veut?

– Voir papa… il voudra la place de commis… C'est un dénommé Grégoire… de Saint-Isidore.

– Il va revenir?

– En fin d'après-midi, qu'il a dit.

– Mais papa ne sera ici que tard, il l'a dit en partant.

– Et quoi, Marie? Le cow-boy a un cheval pour le transporter. Il repartira et reviendra durant la soirée. Pis même à pied, avec les longues jambes qu'il a…

– Tu lui as dit que papa reviendrait en fin d'après-midi? Mais c'est un mensonge, Émélie.

– Je lui ai pas dit ça. C'est lui qui a décidé de revenir en fin d'après-midi. Ah, et qu'il chante sur son cheval, celui-là! Viens donc m'aider un peu, veux-tu?

∞∞∞

Honoré fut accueilli à bras ouverts chez son demi-frère, tant par Grégoire que par son épouse, Séraphie. Son cheval trouva place dans l'étable et rejoindrait les deux autres de Grégoire dans le grand pacage quand le jeune homme en aurait moins besoin. Il lui fut donné une chambre sous le comble qu'il occuperait tant qu'il voudrait.

On s'attabla dans la cuisine pour jaser.

On avait préparé Séraphie (fille) à sa venue, mais la jeune fille n'en fut pas moins fort troublée par un être si instruit, si sûr de lui, si beau surtout… Mais comme ils étaient parents, elle se força, sitôt la première impression ressentie et connue, à le considérer comme son frère plutôt que son oncle. Honoré voulut rassurer tout le monde et lui-même, allant jusqu'à dire :

– Mes sœurs Delvina et Joséphine ont 36 et 33 ans… Séraphie va me faire une sœur de mon âge… ou presque…

En fort peu de mots, des règles de conduite avaient été édictées. Les parents qui avaient leur chambre au premier ne s'inquiéteraient pas de savoir que le jeune homme dormait au deuxième tout comme Séraphie et les autres enfants encore à la maison. Surtout, il ne fallait pas que le curé trouve à redire de cette cohabitation.

Honoré dit qu'il n'avait pas pu voir Édouard Allaire vu son absence au magasin et fit un sourire qui en disait long en parlant de sa fille Émélie :

– J'pense qu'elle se prend un peu pour le *boss*, la grande qui sert le public.

Grégoire n'entra pas dans le jeu :

– Ah, mon petit frère, j'peux te dire qu'elle est pas mal bonne, la Émélie, hein, Séraphie (mère)? C'est travaillant rare, cette petite fille-là… je devrais dire grande parce qu'elle est aussi grande que moé.

– Pis elle est tellement fine avec le monde.

Honoré fit le détaché :

– J'veux rien dire de contre elle, c'est juste qu'elle a l'air d'avoir du toupet.

Séraphie (fille), assise un peu en retrait du trio que formaient ses parents et son oncle Honoré, interpréta comme de l'intérêt pour Émélie ce propos du jeune homme, un sentiment qu'il s'efforçait gauchement de cacher derrière des jugements hâtifs teintés de sévérité.

– Ben moé, affirma Grégoire en flattant sa barbe fournie, suis sûr que Douard Allaire, il va te prendre pour commis.

– Peut-être que sa fille… ben elle voudra pas, sourit Honoré. Elle pourrait me trouver trop jeune, trop freluquet.

– T'es jeune, mais t'es pas feluette pas une miette. Ça prend autant de bras que de tête pour être commis de magasin, pis toé, t'es ben pourvu des deux bords. Allaire va t'engager, c'est sûr.

Il fut ensuite question du développement de Saint-Honoré, un progrès qui se situait bien au-delà du simple défrichement et aussi de ce que le jeune homme anticipait. Il s'avoua étonné de tant d'animation :

– Des enfants tout partout. La lessive qui bat au vent d'un arbre à l'autre. De la terre faite pas mal plus que de la terre en bois deboutte comme on dit.

– Faut dire que le chemin de la Grand-Ligne est pas terrible, dit Séraphie (mère).

Grégoire commenta :

– Le chemin, va falloir deux bons fossettes de chaque bord pour l'égoutter ben comme il faut. Là, c'est rien de plus qu'une piste en terre nue. Le printemps, y a des ventres-de-bœuf en ben des places. A fallu jeter des tas de roches dans le chemin là où c'était le pire, pis ça cale encore… des fois, les chevaux ont de la vase au-dessus du canon jusqu'au jarret…

– Tout peut pas être fait en même temps.

– Va falloir faire des gros efforts pour les chemins asteur que ça voyage tous les jours à Saint-Martin, à Saint-Évariste, à Saint-Benoît en regagnant Saint-Georges. Tu vas être appelé à faire tous ces chemins-là plusieurs fois par mois, Noré, si Allaire t'engage à soir. Je pense qu'il avait personne en vue encore, hein, Séraphie ?

– Peut-être le petit Georges Mercier, mais…

– Qui c'est qui t'a dit ça ?

– Ça s'est dit à travers les branches… La Émélie pis le petit Georges, ça va ben ensemble, à ce qu'il paraît…

Honoré fronça les sourcils. Séraphie (fille) le nota.

On dut s'éloigner de la table pour que les deux Séraphie puissent la dresser en vue du repas du midi.

∞∞∞∞

Vers les quatre heures de l'après-midi, Honoré revint au magasin à dos de cheval. Il entra pour se faire annoncer par Émélie que son père ne serait de retour qu'à la brunante.

– Je le savais aujourd'hui, mais, malheureusement, j'ai oublié de vous le dire.

– Vous m'avez demandé si je voulais l'attendre ; j'ai pensé qu'il reviendrait pas si tard. Mais c'est pas grave. J'ai un bon cheval, et il aura vite fait de me ramener chez mon frère.

Elle grimaça d'un seul côté du visage :

– Je vous dois ben des excuses.

– Pas du tout !

L'échange aurait dû se terminer là, mais il prit un tout autre tour quand Honoré aperçut au mur deux parapluies à vendre. Il tendit la main vers le noir, s'arrêta :

– Est-ce que je peux l'ouvrir ?

– Ben certain !

Il le fit puis le tint non pas au-dessus de sa tête mais devant lui avec Émélie dans son champ de vision. Elle s'assombrit en se demandant la raison de son étrange manège. Cette fois, le jeune homme sut qu'il avait rencontré cette jeune fille quelque part, mais il n'arrivait pas à situer l'endroit précis dans sa mémoire.

Émélie le regarda dans un moment de silence puis elle lui demanda spontanément :

– Savez-vous chanter, vous ?

– Un peu… j'ai appris au collège…

– Quel collège ?

– De Sainte-Marie…

– Ah ! Mon frère va aller là bientôt…

Ils regardèrent tous deux le parapluie, s'échangèrent un regard entendu, et la scène prit fin ainsi sans qu'ils n'ajoutent un mot, ni l'un ni l'autre. Honoré remit l'objet à sa place, salua et repartit…

∞∞∞

Enfin vint l'heure où Honoré put rencontrer Édouard, qui le reçut à la table de cuisine. Les deux filles étaient là aussi. À son arrivée, le jeune homme se défit de son chapeau qui le grandissait et le posa sur une chaise du magasin avant d'être conduit à la cuisine par Émélie. On put remarquer que sa taille dépassait même celle de la grande jeune femme et qu'il avait des épaules plutôt costaudes.

L'entrevue eut lieu à la lueur de la lampe à l'huile, et même Mousseline y assista dans les bras de Marie. Au courant des deux visites précédentes de son probable futur commis, Édouard voulut quand même faire les présentations. Des sourires embarrassés furent échangés, mais la pénombre en cacha la teneur en bonne partie. Puis, le marchand posa quelques questions sur les origines du jeune homme : famille, paroisse. Les réponses suffirent à évaluer l'honnêteté d'Honoré : un fils de cultivateur de Saint-Isidore ne saurait dérober le moindre cent à quiconque. Quant à l'examen sur ses compétences et intérêts, il revenait à Émélie de le lui faire subir.

– Pour être ben certain que vous trois, vous allez ben vous entendre, c'est ma fille qui a préparé des questions sur tes capacités en rapport avec l'ouvrage à faire…

«J'espère qu'elle fera pas trop sa grande pimbêche!» subodora Honoré.

Mais il choisit de sourire pour s'attirer bon ton puisque le questionnaire redoutable était déjà prêt, posé sur la table devant elle.

– Vos études, c'est quoi? Vous me l'avez dit un peu, mais pour que mon père entende.

Il parla de ses divers diplômes en commençant par celui ayant couronné ses études en passant par d'autres: en langue anglaise, en calligraphie, en chant. Et mentionna même une médaille spéciale qu'on lui avait décernée en lever de poids, ce qui intéressa Édouard au plus haut point et valut à Honoré quelques questions intermédiaires par le marchand avant qu'Émélie ne continue son «enquête» aux allures d'évaluation.

Marie écoutait religieusement sans dire un mot. Et priait pour qu'on engage cet Honoré Grégoire à qui elle faisait confiance depuis le début, depuis peut-être le moment même où elle avait aperçu sa silhouette sur le cheval blanc par-delà les croix du cimetière. Pourquoi toutes ces précautions? se disait-elle en caressant Mousseline endormie.

Mais sa sœur avait besoin de montrer qu'après son père, c'est elle qui mènerait la barque du magasin; pour bien établir ses positions, elle faisait subir à Honoré une sorte de supplice de la question.

«Avez-vous déjà servi le public?»

«Quelles doivent être les qualités premières d'un bon commis de magasin?»

«Êtes-vous capable d'une grande patience?»

«S'il vous arrive de surprendre quelqu'un à voler quelque chose, que ferez-vous?»

«Qui faut-il vouvoyer, tutoyer?»

«Quelles gages attendez-vous?»

Et pour couronner cette inquisition, elle osa parler de tenue vestimentaire:

– Et avez-vous l'intention de travailler au magasin avec ce... chapeau de cow-boy?

– Faites-vous en pas avec ça... je le mets pour aller à cheval à cause du soleil... C'est tout comme... quelqu'un se sert d'un parapluie en plein soleil d'été...

Inspiré, Honoré venait de marquer le point gagnant. Et il le sut par le petit éclat de rire que la jeune femme ne put retenir, suivi d'un autre par Marie.

– C'est tout, dit Émélie. On va en parler entre nous autres et vous donner notre réponse demain matin.

Honoré se leva aussitôt. Il salua avec déférence et s'en alla sans remettre son chapeau avant d'être rendu à l'extérieur. Il regarda le quartier de lune et sourit. La partie était gagnée. Puis, il posa ses yeux sur la silhouette noire de la chapelle qui s'éclaira dans son imagination et lui livra une scène qu'il aurait bien des années pour la juger prématurée: Émélie et lui en sortaient après s'être... épousés...

– Mais il est mieux que parfait, ce petit gars-là! s'exclama Édouard quand les Allaire furent laissés seuls.

– Attention, faut se méfier des premières impressions!

– Allons donc, Émélie, il a tout pour faire un commis de première classe.

– C'est un être humain: il est pas parfait. Et c'est sûr qu'il a caché ses défauts. Donc gare!

Marie s'exclama candidement:

– On dirait qu'il en a pas, des défauts, ce garçon-là!

L'atmosphère était à l'enchantement, et la discussion, superflue. Dans le cœur de chacun, Honoré était embauché.

∞∞∞

Il vint chercher sa réponse à la première heure d'ouverture. Édouard la lui donna et lui demanda de se présenter le jour suivant. Ensemble, ils se rendraient au réapprovisionnement à Saint-Georges.

Et pourtant, il restait une approbation tacite à obtenir: celle du curé. La veille au soir, après le départ d'Honoré, Édouard s'était rendu au presbytère pour informer le prêtre de leur décision et lui parler de ce jeune homme bien. L'abbé demanda à le rencontrer. Le marchand dit que le commis viendrait autour de huit heures le lendemain matin. Dès qu'il le vit entrer au magasin, l'abbé Faucher se pointa. Les présentations furent faites. Le prêtre tourna autour du pot puis plongea dedans à pieds joints:

– Il y aura dans ces lieux, au magasin et autour, et dans la tâche de commis, une promiscuité inévitable entre toi, Honoré, et les filles de monsieur Allaire; je compte que tu sauras leur témoigner tout le respect qui convient.

De l'autre côté, à la table de cuisine, sirotant une tasse de thé, Émélie et Marie entendaient. Elles se regardèrent avec étonnement et en rougissant. Édouard intervint:

– Y aura quoi, vous avez dit?

– Promiscuité, dit l'abbé.

Honoré expliqua ce mot dont le prêtre semblait ne pas vouloir vulgariser le contenu:

– Ça veut dire... travailler en contact avec elles... forcément... Écoutez, monsieur le curé, je vais travailler ici le jour seulement et le reste du temps, je vais vivre chez mon frère Grégoire, que vous connaissez. Pis souvent, je pense, je vas être sur le chemin pour livrer des effets, pour acheter des produits. Peut-être que je ne verrai pas plus les deux sœurs Allaire que vous-même qui vivez en face du magasin.

Édouard regardait Honoré avec admiration. Comment un si jeune homme pouvait-il s'exprimer avec autant d'aplomb et de justesse, et sortir le curé aussi vivement du brouillard ? Dès lors, il n'hésita pas à le considérer comme un fils.

— Pis je vas vous dire, monsieur le curé, souffla le marchand pour que les filles n'entendent pas, Émélie, elle est ben intéressée par le petit Georges Mercier... pis Marie, elle, par le petit Georges Lapierre.

— Ils se fréquentent ? demanda le curé, l'œil petit, arrondi et sceptique.

— Pas encore, mais ça va venir.

Honoré devint songeur. Il lui tardait de les connaître, ces deux Georges-là...

Il sortit pour sûr de cette rencontre avec le curé qu'une barrière très haute était érigée entre le commis et les sœurs Allaire. Et paradoxalement, la venue d'Honoré dans la vie des jeunes filles les poussait vers les jeunes gens du village qui s'intéressaient le plus à elles. Malgré cela, les deux Georges eurent tôt fait de considérer ce fend-le-vent au nez pointu qui marchait la tête trop haute comme un rival dangereux contre qui il leur faudrait lutter mais surtout pas au grand jour et toujours en sourdine...

∞∞∞∞∞∞∞∞

Chapitre 40

Il y avait ce soir d'automne une sorte de conciliabule autour du feu de forge dans la partie de la grange de Joseph Foley convertie en boutique de maréchal-ferrant. En fait, quatre hommes adultes se parlaient du sport national des Canadiens français : la politique. Et un peu en retrait, Honoré Grégoire les écoutait dire sans lui-même oser dire encore.

– John A. Macdonald, ça sera jamais le grand ami des Canadiens français, avança Édouard qui, malgré un clergé unanimement anti-rouge dans la province de Québec, avait voté pour le parti libéral depuis l'année de la Confédération.

– On est pris avec son gouvernement pour au moins deux ans encore, commenta Clément Larochelle, qui étoffa son propos d'un signe de pipe.

Le seul éclairage de la boutique consistait en un fanal accroché à une poutre et le feu de forge, où il ne restait que des braises jaunes que des braises bleues étouffaient doucement. Les yeux paraissaient rouges dans cette pénombre dansante. Et les voix se faisaient plus lentes, plus profondes, plus sérieuses, comme pour s'harmoniser avec la noirceur environnante.

– Faut dire qu'on a souffert Alexander Mackenzie de 1873 à 1878, pis que c'était pas beaucoup mieux! argua Joseph Foley.

– C'est drôle d'entendre ça d'un bon «rouge» comme toé, s'étonna Prudent Mercier.

Édouard reprit la parole :

– Ça nous prendra un Canayen comme nous autres à la tête de ce pays-là.

– Joseph pis moi, intervint Clément, on est pas des vrais Canayens de souche, comme on dit.

– J'ai dit ça sans vouloir vous offenser un ou l'autre.

Édouard et Clément s'étaient vus à quelques reprises depuis l'inauguration du magasin. S'étaient rappelé leur rencontre de Sainte-Marie ce jour du grand départ de Larochelle et ses deux compagnons colons vers le canton de Shenley en 1854. Marie-Rose, ces fois-là, avait magasiné à l'écart, et il n'avait plus été donné à Édouard de lui parler autrement que par des regards de braise bleue.

Voici qu'en ce soir d'un septembre à l'agonie, elle veillait chez son amie Agathe, épouse de Prudent Mercier, en attendant que son époux se décidât à retourner à la maison. Elle le savait à la forge Foley, et leur cheval, en attente dans la grange du forgeron, mais ignorait la présence là-bas de tous ces autres grands parleurs radoteux. Et fanal à la main, elle se dirigea vers la boutique de forge après des salutations à son amie.

– C'est pas d'offense, assura Larochelle. J'ai quitté la France, ma terre natale, à l'âge de 5 ans.

– Ce qui fait de toé un vrai Canayen, insista Édouard.

– Quant à Joseph, souligna Prudent, il est venu au monde à Beauceville.

– Ce qui fait de lui un Canayen de souche, reprit le marchand qui tâchait de rattraper son imprudente et indélicate suggestion sur la différence ethnique.

Une voix pas encore bien mûre ni grave devait toutefois venir mener le bateau de l'échange hors des écueils où il s'était engagé :

– C'est monsieur Wilfrid Laurier qui sera l'avenir du Canada.

Toutes les têtes se tournèrent vers Honoré Grégoire, dont on ne voyait que le blanc des yeux sur une silhouette aussi droite que grande.

Personne n'ignorait que ce Wilfrid Laurier, dans sa trentaine encore, avait été ministre du Revenu sous Mackenzie, mais qu'il était rentré dans l'ombre – peut-être pour y rester à demeure –, depuis le retour au pouvoir des bleus de John A. Macdonald en 1878.

– C'est quoi qui te fait dire ça? demanda Mercier.

– Ben... son talent pour parler au monde.

– Tu l'as déjà entendu? s'étonna Larochelle.

– Non.

– Pourquoi dire ça? insista Allaire, qui voulait voir comment s'en sortirait son commis.

– J'ai pas mal entendu parler de lui par un professeur au collège. Il était tout seul à pas dire comme les autres que le ciel est bleu pis que l'enfer est rouge.

– Son talent pour parler au monde... t'as lu ça dans les journaux? fit Édouard, qui revenait à la charge.

– Ben... j'ai appris des bouts de son discours au club Canadien en 1877.

– Toé, ça? s'étonna Mercier.

– Tu nous en récites un bout, demanda Larochelle.

Coincé, Honoré hésitait:

– Ben...

Toutes les voix se mélangèrent pour exiger du jeune homme qu'il prouve ses dires. Honoré dut se soumettre. Il se lança dans quelques lignes de cet important discours de Laurier sur le libéralisme politique, tel que rapporté par le journal *L'Événement* trois ans auparavant.

Je m'adresse à tous mes compatriotes, et je leur dis:

«Nous sommes un peuple heureux et libre; nous sommes heureux et libres, grâce aux institutions libérales qui nous régissent, institutions que nous devons aux efforts de nos pères et à la sagesse de la mère-patrie...»

Le ton oratoire surprit les hommes, dont les yeux polis comme des perles s'attachaient à l'image d'Honoré comme si ç'avait été celle de Laurier en personne. Machinalement, Joseph Foley s'étira et prit une pelle à main qu'il plongea dans une trémie pour en retirer de la sciure de bois qu'il jeta sur le feu de forge afin de mieux éclairer la boutique. Une flamme s'éleva, qui ne durerait que le temps d'un discours, tout comme le temps des discours n'est jamais rien de mieux que celui d'une flamme éphémère.

« *Il y a maintenant quarante ans, le pays se trouvait sous le coup d'une émotion fiévreuse, en proie à une agitation qui, quelques mois plus tard, éclatait en insurrection. La couronne britannique ne fut maintenue dans le pays que par la force de la poudre et du canon. Et cependant, que demandaient nos devanciers? Ils ne demandaient rien autre chose que les institutions que nous avons maintenant; ces institutions nous ont été octroyées, on les a appliquées loyalement, et voyez la conséquence: le drapeau britannique flotte sur la vieille citadelle de Québec, il flotte ce soir au-dessus de nos têtes, et il ne se trouve pas dans le pays un seul soldat anglais pour le défendre; sa seule défense, c'est la reconnaissance que nous lui devons pour la liberté et la sécurité que nous avons trouvées sous son ombre…* »

La porte de la forge s'ouvrit en discrétion. Parut un fanal qui entra. Personne ne s'en rendit compte tant Laurier prenait tout l'espace et toute la couleur du lieu à travers la personne du jeune commis.

« *Quel est le Canadien qui, parcourant les rues de cette vieille cité et arrivant au monument élevé, à deux pas d'ici, à la mémoire de deux braves morts sur le même champ de bataille en se disputant l'empire du Canada, ne se sentirait fier de son pays?* »

Marie-Rose fit quelques pas feutrés. Elle s'arrêta pour entendre avec les autres le jeune tribun qui était à parler de Wolfe et de Montcalm ainsi que des mourants sur le champ de bataille, en disant qu'ils avaient peut-être échappé un cri de désespoir en rendant l'âme:

« *Mais si, d'un autre côté, le ciel permit que le voile de l'avenir se déchirât à leurs yeux mourants; si le ciel permit que leur regard, avant de se fermer pour jamais, pénétrât dans l'inconnu ; s'ils purent voir leurs enfants libres et heureux, marchant le front haut dans toutes les sphères de la société ; s'ils purent voir, dans la vieille cathédrale, le banc d'honneur des gouverneurs français occupé par un gouverneur français ; s'ils purent voir les flèches des églises s'élançant de toutes les vallées, depuis les eaux de Gaspé jusqu'aux plaines de la Rivière Rouge ; s'ils purent voir ce vieux drapeau, qui nous rappelle la plus belle de leurs victoires, promené triomphalement dans toutes nos cérémonies publiques ; s'ils purent, enfin, voir nos libres institutions, n'est-il pas permis de croire que leur dernier soupir s'éteignit dans un murmure de reconnaissance pour le ciel, et qu'ils moururent consolés ? »*

Les bouches béaient. On se demandait comment un si jeune homme pouvait savoir par cœur un aussi grand discours et le prononcer avec autant d'énergie et d'effet. Parfois, dans les brefs silences entre les parties de la phrase, le feu ajoutait son artifice à la scène par ses éclats siffleurs, bruits d'étincelles qui craquent et qui volent.

« Si les ombres de ces héros planent encore sur cette vieille cité pour laquelle ils sont morts, si leurs ombres planent ce soir sur la salle où nous sommes réunis, il nous est permis de croire, à nous, libérau, – du moins, nous avons cette chère illusion – que leurs sympathies sont toutes avec nous. »

S'il s'était trouvé un seul bleu dans la forge, il aurait quitté les lieux sur le pas du désaccord et de l'embarras. Si seulement le curé avait été là, il aurait éclaboussé de lumière cette atmosphère trop rouge sombre en fustigeant le libéralisme comme la plupart de ses collègues. Mais il n'y avait là que des convertis à la pensée de Laurier. Il ne restait plus à ce politicien à la langue d'argent que de réapparaître à l'avant-scène pour balayer le pays et ramasser du coup tous les cœurs qui, comme le bran de scie dans le feu de forge, brûleraient du feu de ses idées, même celles de conciliation entre les deux peuples fondateurs.

– Heu… Clément, suis arrivée, osa dire Marie-Rose d'une voix peu appuyée.

– Suis pas tout à fait prêt à m'en aller, déclara son mari sur le ton d'une légère impatience. T'aurais pas le goût d'aller au magasin un peu ? Tes filles sont là, Édouard ?

– Oui, mais… fais ben attention de pas t'enfarger dans le chemin, Marie-Rose, y a des animaux qui l'ont pigrassé pas mal.

Il se produisit alors un moment de vérité induit à la fois par la scène hors de l'ordinaire qui s'achevait par la voix personnifiant Laurier et ce sentiment particulier pour Édouard que Larochelle avait perçu longtemps avant chez son épouse. Il lança comme dans une sorte de défi :

– Édouard, tu connais le chemin, va donc la reconduire au magasin. Marie-Rose, je vas te prendre en avant de la porte tout à l'heure.

Il y a en bien des hommes ce désir, occulté par sa profondeur même, de voir leur épouse sonder son cœur par ses contacts avec d'autres hommes. Un jeu dangereux pour certains. Un jeu profitable pour d'autres. Voilà qui avait poussé Larochelle à se faire absent à la première rencontre de Marie-Rose avec Édouard ; voilà qui le poussait à les envoyer seuls dans la nuit. Et la raison qui le justifiait et permettait de sauver les apparences, Allaire lui-même l'avait fournie : les dangereuses ornières du chemin que pas même un fanal ne saurait assez éclairer.

– Ben allons-y, fit Édouard. Je vas revenir, ça sera pas ben long.

Clément fit vite en sorte qu'on les oublie :

– Honoré Grégoire, t'es un futur député, ma foi du saint bon Dieu.

– Non, non… j'ai pas la langue assez bien pendue pour ça, voyons.

Prudent s'esclaffa :

– T'as juste à te pratiquer comme il faut pis te la pendre à tous les jours, la langue.

Et pendant que la politique enflammée continuait de s'emparer des passions des hommes, Marie-Rose suivait Édouard sur l'étroit sentier des vaches où il n'était guère possible de se fouler une cheville ou de se tordre le pied tant la terre noire asséchée par la saison était friable.

– J'aurais pu me rendre par moi-même.

– À l'heure qu'il est là, le magasin est fermé pis Mélie l'aurait pas ouvert.

Cette raison plut à Marie-Rose, qui tenait le fanal dont la flamme dessinait la personne de son guide.

– Pis nous autres, ajouta-t-il au bout d'un moment, on va passer par le hangar. Comme ça, personne va pouvoir dire qu'on ouvre le soir à d'aucuns pis pas à d'autres.

– C'est frisquet, hein?

– C'est normal: octobre cogne à nos portes.

Puis, ils se turent jusqu'au hangar. Mais il y avait des bruits importants dans la poitrine de chacun. Ils se demandaient comment et pourquoi le ciel avait-il pu leur permettre une pareille rencontre dans la nuit. Et chacun avait l'âge de se dire qu'une telle chance ne se reproduirait sans doute jamais de toute leur vie. Peut-être devraient-ils en profiter pour tout se dire en quelques minutes, voire en quelques mots, le temps d'un arrêt, le temps d'un souffle, le temps d'une folle émotion.

Il souleva le loquet, ouvrit la porte, la précéda à l'intérieur. Elle lui tendit le fanal et tira sur sa robe pour entrer à son tour.

– Attends! dit-il.

Et il remit le fanal à l'extérieur, par terre, afin que l'on demeure dans l'obscurité la plus profonde qui soit pour que jaillisse plus sûrement de leur cœur une lumière éblouissante.

– Tu fais quoi, Édouard?

– Je veux qu'on se parle.

– De quoi?

– De ce que j'ai ressenti pour toé le jour qu'on sait... pis qui est toujours resté dans le creux de moé depuis ce temps-là...

– On a-t-il besoin de se le dire ? fit-elle de sa voix la plus tendre. On le sait sans rien dire…

– C'est assez fort pour que je soye venu m'établir par icitte au bord de la cinquantaine avec mes enfants…

– Tu crois que c'est moi qui t'appelais par ici ?

– Oui, c'est comme ça qu'il faut le dire.

– Mais tu te trompes, Édouard.

– Je ne me trompe pas.

– Laisse-moi te dire… j'y ai beaucoup songé ces derniers temps et j'ai trouvé… Ce n'est pas moi qui t'appelais par ici, Édouard, c'est la terre. Tu as eu cet appel de la terre en premier puis tu m'as connue, et au fond de toi, le terre est devenue moi. Tu appartiens à la terre. Tu es un laboureur, un semeur, un moissonneur…

– T'en as, des idées ? Ça voudrait dire que je devrais retourner cultivateur…

– Peut-être bien…

– Mais quoi ? Vendre le magasin qu'on vient d'ouvrir.

– Pourquoi le vendre ? Émélie peut s'en occuper. Elle a ça dans le sang. Est appelée par le commerce autant que tu l'es par la terre.

– Mais elle a pas encore ses 15 ans : est ben trop jeune pour voler de ses propres ailes.

– Elle te donne ses années à elle, donne-lui des tiennes à toi. Et quand elle sera mûre pour avancer toute seule, tu te retireras… et tu répondras à l'appel de la terre.

– Fiououou… va falloir que je jongle à tout ça… J'me serais pas attendu que tu me fouilles jusque dans le fond de l'âme comme ça, là. Mais…

Il se fit une pause. De l'autre côté du mur, une oreille était collée contre la cloison. Émélie, qui avait entendu des voix, voulait, à raison, savoir qui entrait dans le hangar et pourquoi. Et sans le faire exprès, elle avait surpris les phrases les plus sonores de l'échange entre son père et une femme qu'elle finit par identifier grâce aux propos tenus…

– Mais?

– Mais... Marie-Rose, toé, t'as jamais rien senti de... particulier envers moé, hein?

– J'disais pas ça, Édouard, j'disais pas ça du tout.

Édouard sentit son cœur battre comme un énervé :

– En tout cas, si je t'ai appelée le moindrement, c'est toujours pas parce que moé, je représente la terre, comme tu dis de toé-même.

– Y a des appels qui s'expliquent, d'autres qui ne s'expliquent pas... Tu m'as appelée ce jour-là et pour toujours...

L'émotion atteignit un comble en le cœur de l'homme et fit fondre un glacier au faîte de ses espérances, qui s'écoula jusqu'à ses yeux.

– On peut-il avoir deux créatures au fond du cœur pour une vie durant? Une femme peut-il aimer son mari pis un autre en même temps?

– D'abord que ça nous est arrivé, Édouard, ça doit arriver à d'autres itou.

– J'pensais pas que t'avais subi le même choc que moé. Pis même en l'imaginant, j'avais pas pensé que l'effet durerait des années... comme dans moé...

– Un coup de foudre, ça peut faire du dommage pour long-temps. Ça abat les plus grands arbres, ça fait brûler les forêts vertes comme la nôtre...

– Asteur qu'on s'est tout dit, tout avoué, c'est quoi qui va nous arriver?

– Rien de plus qu'avant, sauf qu'on va se voir plus souvent vu que t'es marchand pis nous autres des clients du magasin.

– Ça sera pas vivable...

Ils ne se distinguaient que le blanc des yeux, mais cela suffisait pour orienter les mains. Édouard tendit la sienne, trouva le bras chéri, glissa sa main jusqu'à celle de Marie-Rose qu'il souleva puis enveloppa de son autre.

– Ça sera pas vivable, Marie-Rose, répéta-t-il.

Elle avança sa main libre, et à son tour, enveloppa celles de l'homme. Il se fit une pause profonde. Deux cœurs allaient éclater à moins de s'étreindre.

La femme murmura :

– On va se voir, et ça sera beau chaque fois.

– Mais si je délaisse le magasin pour la terre ?

– Là, on se verra pareil tous les dimanches à la messe... Y a que la mort qui pourrait nous séparer... ou ben nous réunir... On sait pas ce que l'avenir nous réserve...

Et comme d'autres fois avant, sautant par-dessus le fossé qui les séparait encore, Marie-Rose se réfugia dans les bras de cet homme qui n'osait pas l'y prendre, retenu par le tabou, par les commandements de Dieu, par sa loyauté envers Clément et même par une sorte de fidélité outre-tombe vouée à Pétronille.

Il serra fort, très fort. Un immense bonheur se déversa dans son cœur pour le remplir et l'empêcher de se déchirer. En Marie-Rose, il coula un sentiment de liberté et d'éternité. Deux rêves impossibles faits d'aurores boréales, de moirures ravissantes, de lumière tamisée et d'or éclatant, et caressés depuis un quart de siècle pour chacun, se fondaient en un seul, l'espace fugitif d'un instant immortel.

– Je t'aime, Édouard Allaire.

– Je t'aime, Marie-Rose... Marie-Rose...

Les substances spirituelles se mélangèrent. Fondues, les entités devinrent une dans le noir d'encre. Il ne manquait plus que la réunion charnelle, et voici que par l'imagination, elle se produisait aussi. Quant à l'autre, celle qui faisait l'objet d'un tabou religieux et social, elle ne leur était aucunement nécessaire pour que le couple soit plein et entier. Ni l'un ni l'autre n'en ressentaient d'ailleurs l'appel.

Les bouches se rapprochèrent. Avant qu'elles ne se touchent, la femme murmura :

– Tu laboureras ma terre, Édouard.

La phrase était purement métaphorique, et l'homme le comprit. Et c'est à ce moment qu'il lui vint au cœur le désir de renouer avec de la vraie terre pour qu'alors, quand il labourerait, c'est dans le ventre de Marie-Rose qu'il pénétrerait et ce territoire qu'il féconderait en l'ensemençant.

– Et tu me sentiras frémir dans ta chair…

– Parce que ma chair frémira.

Il vint à l'esprit de Marie-Rose que cette étreinte appelée à ne durer encore qu'un fragment de vie serait la seule de toute leur existence. Un énorme regret lui monta aux lèvres, et elle mordit au sang l'inférieure avant que leur baiser ne les entraîne enfin dans une félicité suprême. Édouard perçut le goût du sang; il savait que c'était celui de Marie-Rose. Et se souvint avoir fait infuser l'herbe à dinde pour être en mesure de boire les traces roses laissées sur les fleurs blanches par la blessure de la jeune femme si loin dans le passé et pourtant si près d'eux.

Le goût âcre mais léger du sang fut remplacé par celui du foin d'odeur quand les lèvres se furent rencontrées enfin. Le baiser dura le temps qu'il fallut, et aucune pensée ne vint l'interrompre, aucune inquiétude à propos des personnes qui pouvaient attendre et s'interroger sur leur «disparition» momentanée. Ni ange gardien qui fronce les ailes par réprobation ni ange noir qui, par toute la chair, tourmente la libido à grands coups de dards. Secondes pures comme le diamant le plus pur, grandes comme le ciel, scintillantes comme les étoiles.

La vie dans ce qu'elle a de plus fragile et de plus prometteur à la fois se manifesta soudain, qui par un miaulement d'une infinie douceur mit fin à une étreinte d'une douceur infinie.

Et Marie-Rose sentit un frôlement duveteux contre sa cheville.

– C'est la Mousseline à Marie, dit Édouard, qui se pencha et reprit le fanal.

Marie-Rose releva sa robe jusqu'au mollet pour voir le petit chat qui recherchait de la chaleur. La mémoire de l'homme fit un bon d'un quart de siècle en arrière. Il revit cette jambe exquise exposée à sa vue pour être examinée et soignée par le frottement de l'herbe à dinde. Une scène inoubliable, éternelle.

Le mollet avait grossi, mais l'esprit d'Édouard s'y ajustait grâce au temps enfui et aux années que leur sentiment commun avait perdues.

La porte de la maison s'ouvrit brusquement. La lueur d'un fanal fut jetée dans tout le hangar en se balançant. La voix de Marie se fit chercheuse :

– Mousseline, Mousseline, viens manger…

Et les yeux chercheurs de Marie trouvèrent le couple qu'elle n'avait pas espionné, pas même sans le vouloir, comme l'avait fait Émélie.

– On arrive de la boutique à Foley. Madame Larochelle voulait voir les nouveaux tissus. Pis se réchauffer un peu.

– Le petit chat s'est retrouvé sous ma robe, dit Marie-Rose. Je vais le rentrer pour toi.

C'est sur cette note poilue, joyeuse et soyeuse que prit fin la scène la plus romantique de la vie de Marie-Rose et de son cher Édouard. Chacun savait en son for intérieur que plus jamais pareille occasion ne se présenterait à moins d'en faire une occasion de péché, ce qui n'entrait ni dans leur mentalité ni dans leur culture aux bonnes mœurs incontournables et inattaquables.

La voix d'Émélie parvint au couple par-dessus la personne de Marie :

– Rentrez, madame Larochelle. On a reçu du nouveau tissu. Ça va vous aller comme un gant…

– C'est-il déjà cousu ?

– Les couleurs, je veux dire… vous êtes si belle…

∞∞∞∞∞∞∞∞∞

Chapitre 41

Plus le sentiment, à coups de rencontres quotidiennes dans le magasin, le hangar ou aux alentours, bâtissait sa demeure en les cœurs d'Émélie et d'Honoré, inclinant chacun vers l'autre plus sûrement chaque jour, plus il leur fallait l'enterrer impitoyablement, le camoufler sous une épaisse couche de déférence et d'indifférence apparente. À cause de son nez retroussé et de sa stature bien droite, les salutations d'Honoré prirent allure de formules de politesse truffées de hauteur sèche. À cause de son application au travail, celles d'Émélie semblaient les phrases obligées de patron à employé. Car elle lui donnait plus d'ordres que son père et quand le jeune commis fronçait les sourcils, elle aimait lui répéter, toujours en des mots différents, que si Édouard était le seul propriétaire légitime du magasin, elle en était la seule gérante.

La jeune fille établit aussi des balises de fréquentation sur le chemin qui conduisait Georges Mercier vers elle. Jamais il ne devrait la relancer à son travail et s'il devait venir acheter quelque chose au magasin, il serait servi comme tout autre client, ni mieux ni pire. Ce n'est qu'après la fermeture, certains soirs, qu'elle consentirait à prendre une marche sous les arbres en compagnie du jeune homme. Ainsi, le curé serait rassuré et ne craindrait plus la présence d'Honoré chez les Allaire alors que souvent, Édouard était absent des lieux pour plusieurs heures.

La raison d'Émélie lui disait que ce modus vivendi protégeait en fait l'emploi d'Honoré et lui garantissait sa place près d'elle tant qu'il travaillerait aussi efficacement qu'il le faisait depuis le premier jour.

Passèrent les semaines. Tombèrent une à une les feuilles des arbres. Émélie et Georges marchèrent souvent le soir dans le tapis multicolore puis sur une couverture ouatinée toute blanche et fraîche. Ils se parlaient peu. Et souvent des filles amies d'Émélie, mais toujours en bien : d'Obéline, de Mathilde, de Clorince. Jamais du commis dans les premiers temps.

Honoré venait à l'ouvrage à pied, mais s'il devait faire tempête, il utiliserait son cheval blanc qui portait le nom de Freddy, nom emprunté au folklore américain. Édouard lui permit de le laisser tant qu'il aurait besoin dans le deuxième hangar, en fait l'étable qui servait d'entrepôt pour les objets encombrants comme les voitures. Et sa journée finie, s'il n'avait pas dû aller au loin, il retournait comme il était venu, de son pas long et digne, marchant presque sur le bout des pieds, tête altière.

Le jeune commis sollicita d'Édouard quelques jours de répit à l'occasion du jour de l'An qui s'amenait en portant sur son dos l'année 1881 et du temps glacial, et les obtint au grand dam d'Émélie, qui n'en laissa toutefois rien paraître. Par contre, elle était contente pour lui et ça la contrariait. Tout au plus refusa-t-elle un traditionnel bec à pincettes quand il vint la saluer dans la cuisine ce 29 décembre, veille de son départ, et lui souhaiter bonne année. Il poussa le détachement apparent jusqu'à oublier volontairement qu'elle fêterait son quinzième anniversaire de naissance le 31 décembre et n'en souffla mot.

« Quand ç'a été la fête à sa chère nièce Séraphie, on l'a su, je te dis, hein ! » devait confier Émélie à Obéline le jour d'après.

Elle enroba ses contrariétés du moment dans une phrase largement souriante voire mielleuse, mais à odeur de défi :

« C'est de l'audace, ça, monsieur Noré, de partir en sleigh pour Saint-Isidore en plein cœur d'hiver. Et tout seul par-dessus le marché. »

« Je vous prends au mot, Émélie, vous pourriez venir avec moè. Je vous reconduirais à Saint-Henri chez monsieur et madame Leblond. »

Il savait qu'elle ne pouvait que refuser ; elle savait qu'il la défiait à son tour.

« Faut quelqu'un pour tenir le magasin. Pas de commis, on va se partager l'ouvrage à trois. Mais Marie est pas mal jeune encore... »

Ils ne se tutoyaient pas, ce qui ajoutait à la hauteur de la barrière les séparant officiellement. Plus significatif encore, Honoré et Marie ne se vouvoyaient plus depuis le jour d'anniversaire de naissance de la jeune fille en septembre alors qu'elle avait eu ses 13 ans.

Honoré fit bon voyage avec l'assurance que lui avait donnée Édouard de sa tolérance voire de sa compréhension s'il advenait une tempête forçant le commis à un retour tardif après le jour de l'An. Et quand il fut là le 2 janvier, il s'attela à la tâche avec le même courage que son cheval avait manifesté lors de ce voyage d'un bout à l'autre de la Beauce.

Il parut que cet hiver-là, Émélie grandit d'un autre pouce et sa santé demeurait de fer tandis que Marie paraissait s'amaigrir à mesure que tombèrent les feuilles d'abord puis la neige ensuite. On la considérait encore trop jeune pour qu'il lui soit permis de faire des randonnées pédestres en la compagnie d'un garçon comme Georges Lapierre, mais elle songeait souvent à lui, et son cœur battait plus fort quand elle le voyait à la messe du dimanche ou s'il venait au magasin.

Imperceptiblement et sans l'avoir voulu, les deux sœurs s'éloignèrent l'une de l'autre. Émélie s'ouvrait à l'avenir, et Marie, au présent. L'aînée se laissait propulser dans le futur par certains propos d'Honoré qui disait voir un magasin deux fois plus grand dans peu d'années et dix fois plus grand avant la fin du siècle. Et Marie continua de ressentir une profonde nostalgie à mesure que l'hiver isolait Saint-Honoré du reste du monde. Par bonheur pour elle, Clorince Tanguay et Mathilde Bégin se rapprochèrent et l'entraînèrent dans leurs jeux, surtout la glisse sur le cap à Foley, qui valut bien des éclats de rire au village glacial.

Parce que le temps de l'amitié solide et durable entre adolescentes n'avait pas fini de vivre pour elle, Émélie se rapprocha d'Obéline, et les deux jeunes filles partageaient leurs secrets les plus intimes. Souventes fois, elles assistaient à la messe ensemble et se consacraient leur dimanche après-midi.

Et le magasin prospérait.

Et vint un premier printemps à Shenley pour les Allaire.

Les chemins se transformèrent en bourbiers impraticables. Le curé appela les fidèles à une collaboration bien plus appuyée aux fins d'améliorer le réseau des rangs. Il se trouva des empêcheurs de tourner en rond pour noyer ses idées en les qualifiant d'irréalistes, surtout qu'elles venaient d'un prêtre donc d'un être vivant dans les nuages…

« Qui osera dire que je ne vis pas les deux pieds sur terre quand je les ai calés dans la boue jusqu'aux genoux ? » disait-il à chaque sermon.

Mais il fallait du temps et surtout de l'argent, un outil qui ne courait pas les rues à Saint-Honoré malgré les bontés de la terre et du Créateur envers les cultivateurs et les colons.

« Faudrait ouvrir les rangs 6 et 4, et pour ça, faut une Grand-Ligne qui a de l'allure, » claironnait aussi l'abbé Faucher en toute occasion.

Mais on objectait qu'il restait encore des lots au fond du Grand-Shenley, du Petit-Shenley, du rang neuf et même un au fond du dix. Et même sur la Grand-Ligne vers l'est.

Quant aux édiles municipaux, mal coincés entre l'arbre et l'écorce, entre le clan des progressistes animé par le prêtre et celui des conservateurs inspiré par quelques cultivateurs du rang neuf, ils se cantonnaient le plus souvent dans l'attentisme. Et certains progressistes comme Ferdinand Labrecque et Jean Jobin ne tardèrent pas à qualifier le conseil dirigé par Alfred Bilodeau et son secrétaire, Barnabé Tanguay, d'éteignoir. De la sorte pourtant, le progrès avait un rythme qui n'était ni violent ni lent, et la paroisse enfonçait de plus en plus profondément ses racines dans la terre des concessions même si le printemps, elle calait dans les chemins où foisonnaient les ventres-de-bœuf, rayages profonds et ornières boueuses.

∞∞∞

Et le dimanche de Pâques, il y eut une fête à la tire mémorable à la cabane à sucre de Thaddée St-Pierre dans le bas de la Grand-Ligne. Pas moins de cinquante personnes se barbouillèrent la fraise avec de la tire et du noir de fumée. La plus belle jeunesse des rangs et du village s'y retrouva à l'abri des gros yeux du curé Faucher, qui, du reste, se désintéressait de plus en plus de ses ouailles maintenant qu'il savait son départ imminent, car il avait été nommé à la cure de L'Ancienne-Lorette et n'attendait plus que la nomination de son remplaçant pour plier bagage et aller travailler en un lieu où les chemins étaient plus « catholiques »…

Thaddée et ses fils avaient installé une plate-forme entre la cabane et une toute petite habitation en bardeaux gris, où ils passaient la nuit parfois quand il fallait faire bouillir tard parce que les érables « coulaient comme des folles ». C'est là-dessus que les jeunes pourraient danser au son du violon d'Onésime Lacasse et de la ruine-babines de Rémi Labrecque. On danserait le petit-bonhomme, la gigue simple et les sets canadiens callés par Onésime. Une ceinture de bancs autour de la construction permettrait aux danseurs de se reposer la jambe.

Mais c'est là tout d'abord qu'on mangerait en utilisant comme table basse des seaux à eau d'érable renversés. Et on attendait midi pour que tous les invités soient arrivés pour la plupart. En fait, personne ne savait trop qui manquait encore, aussi quand un cheval blanc attelé sur une traîne apparut en haut de la côte surplombant la cabane, le petit camp et l'écurie, on crut que c'étaient les derniers et que le moment de la tire arrivait avec eux.

Émélie reconnut le cheval, mais son cœur se serra bien un peu quand elle vit que son conducteur était Grégoire Grégoire et non pas Honoré. Le commis avait pourtant dit qu'il y serait. Mais une surprise encore moins agréable l'attendait. Assis dans la traîne, il y avait Séraphie, l'épouse de Grégoire de même que leur fille Séraphie aux côtés d'Honoré. Il avait beau être son oncle, il n'avait que son âge ou à peu près. Pire, Honoré avait remis sur sa tête son abominable chapeau de cow-boy.

— Il veut me narguer, lui, on dirait, murmura-t-elle quand elle l'aperçut alors que lui semblait l'ignorer tout à fait.

Ou faisait semblant de ne pas l'avoir vue…

Émélie se tenait avec Obéline près d'une panne à sirop à ciel ouvert. Elles y sauçaient la palette tout en se faisant des confidences de manière que les autres autour n'entendent pas.

— Mais non, il est venu avec sa parenté, c'est tout.

— Défends-le pas, Obéline.

Obéline commençait à connaître Émélie et savait qu'en de telles circonstances, il fallait la prendre avec des gants blancs.

— Salut, Émélie ! dit une voix masculine derrière elles.

C'était Georges Mercier qui avait les mains pleines de suie et s'apprêtait à salir le visage d'Émélie comme ça se faisait si souvent, surtout entre personnes très amies. La jeune fille se retourna et lui bloqua le bras avant qu'il ne l'atteigne :

— J'veux pas que personne me mette de la suie dans la face, tu comprends-tu ça, Georges Mercier ?

Il ricana. Elle insista, le visage sérieux et autoritaire :

– Personne… Personne…

L'éloquence de son regard aurait pu figer dans la glace la plus agressive des bêtes sauvages a fortiori un prétendant indécis. Georges souleva une épaule et toisa Obéline, qui répéta l'interdit d'Émélie :

– Va donc «beurrer» Mathilde, là-bas, qui s'en va dans l'écurie.

Tous savaient qu'une personne entrant dans cette petite étable y allait pour soulager son corps d'un besoin naturel, et nul n'aurait songé y suivre quelqu'un d'autre, surtout une personne de l'autre sexe. Pourtant, il parut à Georges, tout autant d'ailleurs qu'à Émélie, que la jeune fille n'avait pas bien refermé la porte demeurée entrouverte. Et voilà qui fit penser à Émélie qu'elle aussi avait envie…

– Viens, Obéline, on va aller aux toilettes.

Les jeunes filles coururent l'une derrière l'autre, laissant en plan le jeune homme aux mains sales, tandis qu'Honoré sautait hors de la traîne et s'éloignait de Séraphie et des autres Grégoire pour rejoindre un peloton d'hommes semblables à ceux qu'il fréquentait parfois le soir à la boutique de forge Foley. Étant donné qu'il ne saurait être vu en la compagnie d'Émélie, Honoré ne voulait pas l'être non plus en la compagnie d'une autre. Si le monde féminin était fermé à son cœur, le monde masculin s'ouvrait à sa raison.

Émélie poussa la porte doucement et lui parvint une forte odeur de crottin chaud et humide. Elle se tourna vers Obéline et, de son index sur la bouche, lui demanda silence. Puis, souffla :

– On dirait qu'il y a personne… rien que deux chevaux.

C'est qu'il y avait aussi une stalle dont se servaient les personnes en quête de soulagement et une pelle pour ramasser les fèces et les jeter par une petite porte à l'arrière du second cheval. Mais là pas âme qui vive non plus. Par contre, au fond, une échelle menait par une trappe au fenil où Thaddée remisait du foin pour ses bêtes. Émélie crut que leur amie Mathilde y était montée et elle dit à voix basse :

– Je te gage qu'elle est allée faire son pipi en haut. Allons-y voir !

Ce n'était aucunement dans la mentalité d'Émélie de se montrer fantasque ou même osée au point de surprendre une fille, fut-ce la très délurée Mathilde, dans une situation qui commande la solitude et la discrétion. Mais l'arrivée d'Honoré aux côtés de Séraphie et, de surcroît, avec ce chapeau à la Jesse James, ce bagarreur de l'Ouest dont les journaux remplissaient leurs pages noires, faisait du brouhaha dans son cœur en y tirant des coups de pistolet hasardeux.

Vêtue comme les autres jeunes filles en pantalon masculin, ce qui n'était tolérable pour elles que pour vaquer aux travaux de la ferme ou en des occasions aussi particulières qu'une randonnée à la cabane à sucre, elle n'eut aucun mal à gravir les barreaux de l'échelle et passa sa tête par le trou béant de la trappe laissée ouverte. Ce qu'elle vit l'horrifia en lui faisant aussitôt penser à Satan, à ses œuvres et à ses pompes : Mathilde était allongée sur le foin, dans les bras d'un garçon qu'Émélie connaissait bien aussi, et ils s'embrassaient avec la fougue de gens déchaînés. Il avait fait beau faire sombre dans ce fenil, des rais de lumière passaient par des interstices et silhouettaient ce couple en situation de péché plus que mortel. Car les mains de Maxime tripotaient à qui mieux mieux les seins que Mathilde se plaisait à lui offrir. Et les deux amoureux étaient si préoccupés par leurs jeux qu'ils ne virent jamais cette observatrice scandalisée et qui, sidérée un moment, demanda à la Vierge Marie de venir au secours de ces deux-là que le démon de la chair tenait entre ses griffes.

– Y a personne en haut, dit-elle à voix basse en redescendant l'échelle.

– Pourquoi que tu me parles tout bas s'il y a personne en haut ?

– Ben… viens, je vas t'expliquer…

Mais une fois les deux amies sorties du petit étable, Émélie n'expliqua rien du tout à Obéline et trouva pour prétexte à taire ce qu'elle avait vu une course vers Clorince et Marie qu'elle venait de repérer parmi les fêtards et qui dégustaient avec d'autres de la tire sur la neige. Elle ne remarqua pas Georges Mercier qui les observait tristement à la dérobée... Ni ne vit Georges Lapierre qui reluquait souvent du côté de Marie...

L'indifférence prolongée d'Honoré l'incitera plus tard à manœuvrer de manière à introduire dans le giron du groupe les deux Georges. Pour leur plus grand bonheur.

Et vlan! mon cher Honoré Grégoire!

∞∞∞∞∞∞

Chapitre 42

– Mes bien chers frères, ce jour est unique dans ma vie de prêtre. Huit années m'ont si profondément enraciné dans la terre de Saint-Honoré que je me demande bien comment l'on pourra me transplanter sans grand dommage dans celle de L'Ancienne-Lorette. Vous le savez tous, il s'agit de mon dernier dimanche parmi vous, et j'en suis grandement peiné, comme vous le sentez sûrement. Mon prédécesseur, dont je vous parlerai plus tard est déjà là, au chœur, et vous dira quelques mots tout de suite après les miens que je n'ose appeler un sermon.

J'étais chez moi ici. Nous avons fait tant de choses ensemble. Nous avons ri, pleuré, travaillé ensemble. Il nous a fallu hélas nous rendre souventes fois au cimetière depuis la première alors que nous mettions en terre la petite Alvina Bougie en 1873. Mais… nous nous sommes aussi souvent réunis dans la chapelle pour y célébrer l'union de jeunes couples, et ce, depuis le tout premier mariage en 1874, et qui fondait en un seul cœur les époux Rémi Labrecque et Philomène Morin. Et, plus heureux événement encore, nous avons baptisé plusieurs dizaines de nouveaux-nés dans la sacristie depuis le premier baptême à avoir été donné à Jean-Onésime Audet dit Lapointe le 22 septembre 1873.

Le curé Faucher parlait lentement et parfois glissait son auriculaire sous un verre ovale de ses lunettes pour essuyer une larme imaginaire. Si l'attention auditive lui était acquise, toute l'attention visuelle allait à l'abbé Quézel, le nouveau curé, un être insondable qui aurait pu se définir comme une prière ambulante tant le mysticisme transportait en de hautes sphères le contemplatif qui animait sa personne. Il n'avait pas trente ans. Et suintait de tous les pores de sa peau une réserve naturelle à couleur de timidité excessive. Ce qui par-dessus tout parlait aux gens dans son visage, c'était la fragilité exprimée par ce repli sur soi que révélaient ses yeux absents momentanément. Fort bel homme par la régularité de ses traits, jamais dans son miroir, il ne voyait ses lèvres aux courbes adoucies par un léger pli sous le nez, son regard d'un bleu profond et lointain et ses cheveux se raréfiant pour ne former plus qu'un léger monticule sur le dessus du front; il ne découvrait chaque matin au moment de raser son visage adolescent presque efféminé qu'une âme tourmentée par la crainte du péché, de Dieu et de la mort.

Maintenant que tous les fidèles l'avaient bien toisé, on se demandait quelle voix sortirait de ce visage retenu, quelle voix serait articulée par cette fine mâchoire inférieure que terminait un menton légèrement creusé par le milieu.

Et le curé partant poursuivait, ajoutant le geste à la parole comme il se devait:

– Qui parmi vous ayant quinze ans ou plus ne se souvient pas du chant des grenouilles et des grillons, de celui bien moins agréable des moustiques piqueurs qui par milliards fondaient sur ce beau village chaque année? Ces travaux d'irrigation que nous avons réalisés ensemble et que j'ai eu l'honneur d'inspirer à nos débuts ont permis de tenir à distance maringouins et cousins qui répandaient la maladie parmi nous. Aide-toi, et le ciel t'aidera. Et comme le ciel nous a aidés, vous depuis un quart de siècle, et moi, depuis que je suis en charge du ministère paroissial, comme il nous a aidés tous! Saint-Honoré fut et demeure une paroisse bénie par le bon Dieu à qui nous rendons grâce...

Pas une seule fois, Émélie ne tourna la tête du côté gauche par crainte qu'Honoré dans le banc des Grégoire ne la voie et pense qu'elle voulait le regarder. Elle se priva ainsi de sourire à Obéline, à Clorince, à Mathilde et aux autres jeunes filles de son âge qu'elle connaissait bien maintenant après plusieurs mois, presque un an, à vivre dans ce village, et recevoir et servir tous ces clients.

– Parmi les fameux souvenirs à citer en cette veille de mon départ, il y a bien sûr l'inauguration de notre chemin de croix il y a sept ans. Un chemin de croix qui nous fut donné par monsieur Damase Beaudoin de Sainte-Hénédine, père de monsieur Cléophas Beaudoin, cultivateur de cette paroisse et qui se trouve parmi nous aujourd'hui, chemin de croix qui fut béni et solennellement érigé en présence des prêtres de tous les environs...

Il arriva à Édouard de tourner la tête pour voir deux bancs derrière le sien les Larochelle accompagnés de leur fille si belle, la Marie-Césarie. Clément lui fit un signe de tête en guise de salutation, et Marie-Rose mouilla ses lèvres comme si elle se rappelait l'étreinte brève qu'ils avaient eue dans le hangar, et peut-être même ce pur désir de rapprochement ressenti un quart de siècle plus tôt sur le chemin de Kennebec.

– Ce qui importe, mes chères ouailles de Saint-Honoré, ce ne sont pas les événements mais bien plutôt les personnes qui forment notre communauté paroissiale, et je voudrais les nommer toutes que je ne le pourrais pas. J'ai donc dressé la liste de ceux qui vous représentent au niveau de vos institutions, et par eux, mon cœur vous atteindra toujours, même quand je serai au loin, même quand je serai mort, même quand on parlera de nous, qui sait, peut-être, dans cent ou cent vingt-cinq ans... Il y a tous ceux qui se sont succédés à la mairie de notre paroisse, les Magloire Gagné, Félix Beaudoin, Pierre Bégin, Médard Brochu, Jean Carrier et notre maire actuel, monsieur Alfred Bilodeau. Il y a les secrétaires-trésoriers depuis monsieur Anselme Buteau jusqu'à monsieur Barnabé Tanguay en passant par monsieur Honoré Rouleau et par monsieur Xavier Poulin. Et nommons les présidents de la commission scolaire, des hommes de progrès, messieurs Pierre Boucher naguère et Thaddée St-Pierre maintenant...

Voilà une énumération qui ne touchait guère Marie Allaire, dont le cœur avait un coup de mémoire. Elle se revoyait quelques années auparavant dans la chambre partagée avec Émélie et recevant Cédulie et Alice Leblond qui s'y enfermaient souvent avec elles le soir après souper pour échapper aux taquineries embêtantes de leurs frères. Quel bonheur insouciant elle avait connu dans cette maison accueillante malgré la nostalgie qui l'y assaillait souvent à la pensée de sa mère décédée et de sa qualité d'orpheline ! Ses yeux devinrent luisants, presque embués de larmes, mais elle ravala sa douleur et fit une prière à la Vierge Marie.

– Mes frères, j'aime à rappeler notre belle devise paroissiale qui décore notre blason avec tant d'honneur : labeur et foi. Que ces deux mots sont énormes et fragiles ! Le travail qui permet de nourrir et vêtir le corps ; la foi qui nourrit le cœur et l'habille somptueusement en le préparant pour la récompense suprême. La conjugaison de labeur et foi qui fait les hommes et les femmes complets et agréables aux yeux du Créateur.

Oh, il ne faut pas oublier le péché non plus ! Le terrible péché que provoque le démon rôdeur et sa cohorte d'acolytes qui, tels des rats nauséabonds, sont partout là où vont les hommes. Le démon qui veut perdre l'humain en le soustrayant à l'amour de Dieu... il faudrait plutôt dire en le coupant de l'amour de Dieu... L'ivrognerie... ah, heureusement qu'elle est absente de cette paroisse... mais elle guette ceux qui font abus occasionnel des boissons alcooliques... Ces étourdis qui boivent de la bagosse et ne se contentent pas d'être étourdis de nature, mais cherchent à s'étourdir encore davantage... pour oublier sans doute à quel point ils sont étourdis...

Il y eut des sourires amusés et de joyeux murmures par toute l'assistance. L'abbé voulait faire passer ses messages ultimes par la voie de l'humour et non plus les imposer par cet outil-maître qu'était la crainte du péché mortel et de sa funeste conséquence : l'enfer. Il savait que ses paroles porteraient moins, mais il voulait qu'on gardât de lui une image plutôt sympathique à tous points de vue. C'est ainsi qu'il parla aussi des jurons blasphématoires que par les confessions, il savait exister bien plus qu'il n'y paraissait, surtout chez les gros « travaillants » qui cherchaient un exutoire à leur colère quand quelque chose allait mal ou qu'ils se blessaient légèrement. Car si l'accident était grave, alors on priait au lieu de jurer… Et c'est ainsi surtout qu'il parla des bonnes mœurs. Et en cela, l'étourderie changea de camp et passa de celui des hommes faits à celui des très jeunes gens et jeunes filles à qui il arrivait, oh pas souvent heureusement, de s'adonner à la danse ou à la baignade publique sans surveillance.

Plusieurs jeunes se demandèrent si l'abbé Quézel ferait montre d'autant de sévérité à leur égard, mais il leur semblait que ne sauraient poindre d'un tel visage que bonté, tolérance et pardon. Peut-être comprendrait-il qu'on peut s'amuser sans tomber dans le péché et les griffes du diable ?

Il fut enfin présenté à la foule par son collègue, ce jeune prêtre aux cheveux châtain pâle se raréfiant. Et se rendit à la chaire où l'on accédait par quatre marches seulement. Son pas fit silence absolu chez les fidèles. Personne n'osa même se racler la gorge. Les souffles étaient retenus. Chacun savait que ses premiers mots donneraient le ton à son entier ministère à Saint-Honoré.

– Mes bien chères sœurs et mes bien chers frères…

Presque tout avait déjà été dit. Jamais l'abbé Faucher ne s'était adressé aux fidèles autrement que par le traditionnel « mes bien chers frères », des mots qui embrassaient en fait tout le monde : hommes, femmes, enfants. Bien des cœurs féminins se mirent à battre plus fort, surtout que l'abbé Quézel possédait une voix douce, enjôleuse, contrairement à celle si souvent pointue et rauque de son prédécesseur. Un sentiment de profonde sécurité se répandit profusément sur l'assistance comme un bon vent tranquille sur une moisson d'or.

– ... Je n'ai pour aujourd'hui que bien peu de mots à vous adresser à part mon bonheur de me trouver parmi vous. Je vous dirai que ce n'est pas monseigneur l'évêque qui m'a imposé cette cure mais qu'il a plutôt mis devant moi la liste des paroisses du diocèse où il fallait ou faudrait sous peu un curé. J'ai choisi Saint-Honoré. Personne ne m'a vanté vos mérites, je les ai devinés. La seule chose que je savais de vous, c'est que vous êtes en quelque sorte des pionniers, et je me suis dit que plus on est près de la nature, plus on est près de Celui qui l'a créée, c'est-à-dire le bon Dieu. Ce que j'ai trouvé ici ces quelques premiers jours depuis mon arrivée m'édifie, m'élève vers mon Créateur. Et comme le disait mon prédécesseur il y a un instant, labeur et foi se voient partout ici : dans les labours, dans les habitations, dans les visages, dans les regards. Je n'en dirai pas plus mais j'aimerais pour clore ce bref sermon qu'ensemble, tous nous chantions en chœur... le *Panis Angelicus*. Mais avant que vous ne vous leviez debout pour ce chant d'amour, je tiens à vous inviter tous à la sacristie cet après-midi afin d'y saluer personnellement monsieur le curé Faucher qui, dès demain, nous quittera pour de nouveaux horizons. Le fruit entier de la quête d'aujourd'hui servira à garnir une petite bourse, que nous lui offrirons en reconnaissance tangible de son dévouement ces huit dernières années à Saint-Honoré-de-Shenley. Debout, s'il vous plaît !

Émélie se demanda, puisqu'il était question d'argent, si le nouveau curé solliciterait comme l'abbé Faucher un rabais spécial au magasin. Mieux, elle se mit à s'interroger sur l'opportunité de lui accorder cette faveur advenant qu'il n'en ait pas été mis au courant par son prédécesseur. Puis, elle se dit que d'une façon ou de l'autre, ça revenait au même. Si le presbytère payait moins cher, il faudrait se reprendre ailleurs et le public paierait la différence. Si le presbytère payait plein prix comme le reste de la paroisse, on n'aurait pas à se reprendre ailleurs. Tout cela n'était en fin de compte qu'un inconvénient de facturation qui grugeait du temps aux gens du magasin et ne profitait en fin de compte à personne.

Elle soupira et rajusta la voilette sur son visage. Puis, entendit parmi les autres de la foule cette voix puissante aussi riche que celles d'Onésime Lacasse et de Pierre Chabot pas plus que celles de Thomas Champagne ou Pierre Bégin, et c'était la voix si familière par son timbre et si rare par son éclat de celui qui prenait trop de place dans son cœur: Honoré. Mais elle se retint, comme de se gratter pour soulager une démangeaison, de se retourner pour lui jeter un coup d'œil. Assez de lui consacrer ses deux oreilles...

Panis angelicus
Fit panis hominum;
Dat panis caelicus
Figuris terminum;
Ores mirabilis!
Manducat Dominum...
Pauper, pauper
Servus, et humilis,
Pauper, pauper,
Servis, et humilis

L'abbé Quézel, quant à lui, qui avait lancé le chant, semblait ne pas maîtriser beaucoup cet art vocal. Sa voix, si belle quand il parlait, semblait divaguer, s'égarer hors les notes établies pour exprimer le cantique et les sentiments qu'il portait sur ses mots.

À la sortie de la chapelle plus tard, Mathilde Bégin regroupa autour d'elle Émélie, Obéline et Clorince et leur proposa de refaire leur pique-nique au bassin à Prudent au fond des terres comme l'année précédente, un événement qui avait laissé en chacune un souvenir drôle-amer.

– Le curé Faucher parti, on va pouvoir ôter sa pancarte de là-bas.

– Mais le curé Quézel ? s'inquiéta Obéline.

– On verra ben c'est qu'il va dire. Si lui parle pas, on ira tous les dimanches qu'il fera beau et chaud. C'est que t'en dis, Émélie ?

– On se fait pas de mal à se baigner, on se fait juste du bien. Le curé Faucher était pas mal scrupuleux… pas mal trop, j'pense.

Émélie étant d'accord, Obéline et Clorince le furent.

– Mais faut d'abord aller saluer l'abbé Faucher à la sacristie après dîner, avertit Émélie, le doigt levé.

– Parfait, fit Mathilde, pis on se retrouve ensemble à la sortie de la sacristie.

Ce qui fut fait.

Et le quatuor se rendit au bassin au pied de la cascade en échangeant en chemin des commentaires favorables sur le nouveau curé. Personne ne les vit aller, et on ne les suivit pas.

Mais là-bas le charme de la nouveauté n'y était plus.

Mais le charme de l'interdit non plus.

Mais l'eau était bonne et belle, et on s'y plongea jusqu'au cou en des vêtements plus modestes encore que ceux de l'été précédent.

Il y eut une autre différence dans de la conversation. Chacune avait vieilli d'un an. Et il fut plus naturellement question des garçons. Pourtant, pas une ne se livra aux autres, et chacune manifesta de l'indifférence envers l'élu de son cœur : le vrai.

« Honoré Grégoire n'est d'aucun intérêt pour moi, » clama froidement Émélie.

Clorince cacha le sentiment qu'elle éprouvait depuis le printemps pour Georges Mercier :

« La première de nous autres à se marier, ça va être Émélie avec le petit Mercier. »

« Moi, commenta l'intéressée, je dis que ça sera plutôt Mathilde avec Maxime Bégin. »

«Je sors même pas avec lui, Émélie Allaire. Lui ai parlé une fois ou deux… à la cabane si je me rappelle comme il faut…»

Émélie et Obéline s'échangèrent un regard entendu.

L'année précédente, elles avaient parlé aussi du vélo nouveau dit le *Safety* qu'avait pu voir Émélie au magasin de gros; voici que la jeune fille annonça que son père avait consenti à en acheter un pour la famille. Elle, Marie et Joseph se le partageraient sitôt la bicyclette arrivée…

«CHANCEUSE!» s'exclamèrent les autres en chœur.

«Vas-tu nous le prêter?»

«Vas-tu nous montrer à mener ça, un vélo de même?»

Par amitié et générosité, Émélie répondit favorablement à toutes les questions, à toutes les demandes. D'autant qu'elle y voyait également l'intérêt du magasin. Plus nombreux seraient les gens sachant monter sur une bicyclette, plus on voudrait s'en procurer une, et plus d'autres clients suivraient la vague. Ce serait profitable pour les affaires, le progrès et la prospérité s'entraînant l'un l'autre par la main, une idée intensément partagée avec Honoré, le commis.

∞∞∞∞

Bien qu'il ait été de sexe masculin, Jos ne s'intéressa pas le moins du monde à cet objet encombrant que rapporta son père de Saint-Georges par un soir pluvieux de juillet. Les deux sœurs par contre s'empressèrent d'aller essayer le vélo après le repas, et malgré cette pluie lente qui abreuvait les plantes assoiffées du cimetière voisin.

Émélie voulait à tout prix apprendre à l'abri des regards d'Honoré. Car, songeait-elle, s'il devait la voir enfourcher la bicyclette, il accourrait aussitôt, le chapeau rempli de conseils et de mises en garde. Surtout pas ça! Quand après avoir appris par les soirs sombres sur le chemin de Prudent qui passait entre le magasin et le cimetière, elle serait devenue reine et maîtresse de cet engin tout noir, elle ferait une randonnée victorieuse dans le bas de la Grand-Ligne et lui passerait au nez et à celui de sa chère nièce Séraphie. Elle alla jusqu'à demander à Marie et à son père de taire cette acquisition à Honoré, qui serait peut-être tenté de vouloir l'emprunter pour retourner chez lui quand il venait à pied. Un bien piètre prétexte, mais elle n'avait pas trouvé mieux.

Et voici qu'elle et Marie se retrouvèrent sur le chemin tapé qu'un été sec et le passage de voitures à chevaux avaient nivelé et rendu facile, surtout pour un vélo tout neuf avec pédalier, chaîne et roues égales… La terre avait absorbé toute la pluie peu abondante, et le sol n'était pas recouvert d'une boue visqueuse et glissante, ce qui aurait été le cas s'il avait beaucoup plu.

— Tu vas te casser une jambe, Émélie, dit Marie à sa sœur qui enfourchait la bécane.

— Ben non, voyons! Aide-moi un peu, là.

— Quoi faire?

— Tiens le siège ben comme il faut.

Émélie tenait les poignées bien droites de même que le vélo et alors, elle posa son pied sur la pédale haute et se laissa aller. Marie lâcha le siège, et sa sœur perdit l'équilibre. Elle tomba dans les herbages bordant le cimetière, une jambe prisonnière du bicycle.

— Pourquoi que tu m'as lâchée? gémit-elle en se relevant.

— Ben… savais pas…

— Viens, on recommence.

— Je te dis que tu vas te casser une jambe, Mélie.

— Appelle-moi Émélie pis viens m'aider. Si Noré Grégoire est capable de monter sur un cheval, je dois ben être capable de monter sur un bicycle, moi.

Nouvel essai: nouvel échec. Et grafignures.

— Peut-être qu'on ferait mieux d'essayer dans le descendant. On va monter vers le cap à Foley… viens, Marie.

Mais alors, un immense rire fut entendu, qui venait du côté de la forge à Foley. Émélie n'aurait jamais pu imaginer pire: le grand

Grégoire qui regardait en leur direction puis qui marcha vers elles à longues enjambées en gesticulant.

– Mademoiselle Émélie, vous pourrez jamais pédaler avec une robe aux chevilles. Ils vous l'ont pas dit?

– De quoi on se mêle donc, monsieur le commis, de quoi on se mêle donc? demanda la jeune fille en rougissant comme une cerise.

– Je dis ça pour aider, pas pour nuire.

– Viens, Marie, dans ce cas-là, on reviendra un autre soir quand on aura la paix pour apprendre.

– Attachez votre robe aux genoux ou ben mettez une paire de culottes pour homme.

– Merci, merci, fit-elle sèchement en retournant au hangar avec le vélo.

– Je peux vous montrer si vous voulez...

Elle ne répondit pas. Il reprit:

– On en reparlera demain...

Une fois à l'intérieur, Marie dit pour la troisième fois à sa sœur:

– Tu vas te casser une jambe avec ça.

Et elle pria pour que ça ne lui arrive pas...

Les soirs suivants, Émélie apprit à maîtriser la bicyclette, mais elle ne fit pas la randonnée vengeresse prévue dans le bas de la Grand-Ligne vers chez Grégoire Grégoire...

∞∞∞∞∞∞∞∞

Chapitre 43

Le vélo priva ce pauvre Georges de bien des randonnées pédestres avec la belle Émélie, surtout quand l'automne vint durcir tous les chemins et les embellir de tapis colorés que le vent se plaisait à sans cesse réarranger en de nouvelles images plus flamboyantes encore que les précédentes. Lui qui ne cessait de se proclamer devant ses amis le fiancé de la jeune fille se mit à craindre encore davantage la présence autour d'elle plusieurs jours par semaine de celui qu'il appelait maintenant par dérision le *kid* de Saint-Isidore en lui accolant ainsi une double image, celle d'un cow-boy jeunot. Ce qui était encore moins flatteur pour le commis des Allaire, c'était ce rapprochement que d'aucuns comme Georges faisaient de son image avec celle de Billy le Kid, ce jeune aventurier américain abattu quelques semaines plus tôt, plus précisément dans la nuit du 13 juillet, par le shérif Pat Garrett, une nouvelle ayant fait le tour de l'Amérique, propulsée par la notoriété du jeune hors-la-loi. Décidément le chapeau d'Honoré avait travaillé contre lui-même une fois de plus. Ce qui ne l'empêchait pas de le mettre à l'occasion quand il n'était pas de service au magasin même.

Si Émélie apprit seule à monter la bicyclette, Marie eut l'aide d'Honoré, et en trois fois, elle maîtrisait parfaitement les pédales, les poignées ainsi que son équilibre. Il y avait une grosse pierre au coin du cimetière, et c'est toujours de là qu'elle partait pour ainsi réduire le problème d'enfarge que lui causaient ses robes trop longues – au dire d'Honoré – pour faire du vélo. Elle le fit de nouveau ce soir-là et se dirigea vers le haut de la Grand-Ligne, un chemin plat sur plusieurs milles, contrairement à tous les autres où les pentes, parfois raides et malaisées, se faisaient nombreuses. Georges surveillait discrètement depuis chez lui, et quand Émélie sortit du magasin pour aller marcher, il eut vite fait de la rattraper comme du reste elle s'y attendait.

– Bonsoir… fait beau…

Il disait presque tout le temps ces mots, sauf certaines fois où il était obligé de dire : bonsoir… fait pas beau… Ce qui arrivait car Émélie les soirs de pluie ou même de simple apparence de pluie s'armait toujours de son parapluie qu'elle appelait son « en-tout-cas »… Quand cela se produisait, Georges s'en réjouissait car alors, il pouvait se tenir bien plus près d'elle sans que personne n'y trouve à redire. Mais ce soir du 8 octobre, le soleil se couchait dans un grand lit tout bleu, s'emmitouflant peu à peu dans une couverture toute rose. Une feuille parfois se détachait de sa branche de naissance et flottait doucement dans l'air frais du soir pour se déposer en silence parmi celles qui lui avaient fait lit au sol. Des regards accoutumés les virent par les fenêtres luisantes. Mais personne de la maison presbytérale ne reluqua par les vitres. L'abbé Quézel n'était pas l'abbé Faucher. Toutes les bouches le disaient bien moins sévère. Et bien plus discret. Émélie plus que tous le savait car le prêtre n'avait jamais osé réclamer le rabais naguère consenti sur les effets achetés par le presbytère.

– Marie est partie devant avec le vélo.

– Oué, je l'ai vue partir.

– Comment ça, tu reluques par les châssis ?

– Heu… non, je m'adonnais à r'garder dehors.

– Ça arrive à tout le monde.

– Marie, elle s'en va du côté de chez Georges (*Lapierre*) ?

– Elle aime pas les côtes : c'est trop dur pour ses jambes.

– C'est Georges qui va être content.

– C'est pas pour le voir qu'elle s'en va par là, c'est pour faire du vélo.

– Ça, c'est certain...

Émélie devinait pourtant que sa sœur ne détestait pas voir Georges Lapierre lui rôder autour. À quatorze ans maintenant, Marie approchait l'âge de se marier et tant mieux si déjà elle avait trouvé le bon garçon pour la protéger et assurer sa subsistance! Par les mots qu'elle utilisait à propos de sa sœur, Émélie parlait en fait pour elle-même : si elle devait aller faire un tour dans le bas de la Grand-Ligne, ce ne serait pas pour voir quiconque... Et le quiconque incluait bien sûr en tête de liste le commis Honoré.

Le soir aux beautés incomparables inclinait à la confidence et à la romance. Mais il ne faisait que renforcer le fils de Prudent dans cette grande décision dont il ferait part à Émélie avant de la quitter au retour de leur longue marche. Entre-temps, il s'efforcerait de transformer toute chose en élément favorable. Une feuille aux contours parfaits qu'il lui offrirait par la tige en la faisant tournoyer devant son regard. Une petite pierre rouge qu'il nettoierait de ses doigts et à l'aide de feuilles et de foin sec, jusqu'à la rendre presque brillante, et qu'il déclarerait symbole de leur sentiment. Un cône de pin à la résine séchée mais ayant gardé son odeur. Et il pourrait aller jusqu'à lui demander de chanter quelque chose ensemble comme peut-être ce *Panis angelicus* dont il avait appris par cœur tous les mots latins après avoir entendu tous ces éloges sur la voix d'Honoré, qui en avait surpassé bien d'autres à cette messe où on avait changé de curé.

– La neige s'en vient, soupira-t-elle après une pause marquée.

– C'est mon dernier hiver que je vas passer au village.

– Ton père, il va manquer de temps pour tout faire : bedeau, cultivateur, menuisier à ses heures...

– Mon frère Prudent est bon pour en faire pas mal sur la terre. Pis comme c'est lui qui va en hériter... Il est temps que je me case ailleurs. Je vas m'ouvrir un lot, moé itou. Je vas faire la demande au printemps au gouvernement.

– C'est la première fois que tu m'en parles. Je pensais que tu achèterais une terre déjà à moitié faite au moins. Une terre en bois debout, tu vas trouver ça dur.

– Avec de l'aide… j'serai pas le premier à ouvrir un lot…

En sa tête, Émélie serait à ses côtés. En la tête d'Émélie, il n'y avait pas même la fugitive pensée qu'elle aurait pu se retrouver sur un lot à cultiver la terre dans les sueurs, les larmes et le sang. Elle aimait bien trop le monde pour ça et tous les jours, elle côtoyait le monde au magasin. Son avenir, elle le savait hors du moindre doute, c'était le magasin général. Quant à savoir quel homme le partagerait avec elle, seul le bon Dieu aurait pu le dire, songeait-elle tout en se laissant aller parfois à penser que cet homme-là pourrait être leur commis… malgré tous ses défauts, réels ou pas…

Georges parla de son rêve sans aller trop creux dans ses composantes. Comme planifié, il multiplia les gestes de chevalier servant, mais si gauchement et à un point tel qu'il mit la puce à l'oreille d'Émélie. Elle le voyait venir avec ses gros sabots, lui qui parlait de son lot à ouvrir et faisait montre d'un empressement voire d'une servilité du discours comme jamais auparavant.

Et il se déclara enfin sur le chemin du retour quand la flèche de la chapelle fut en vue, au lieu qu'il avait prévu s'ouvrir enfin. Il remplit ses poumons d'air pour lancer tout d'un trait ce qu'il ne parvint à exprimer que par hésitations, reprises et arrêts sur une voix monocorde :

– Je… j'ai décidé… ben… vu que faut que je m'établisse l'année prochaine… j'ai décidé… de… de me marier… ça fait que… j'te demande en mariage… On pourrait se marier au printemps disons au mois de mai…

Émélie eut un éclat de rire nerveux. En même temps, elle se dit qu'il serait humilié en apprenant son refus. Il penserait qu'elle se moquait de lui. Alors, elle répondit de manière à gagner du temps :

– Suis ben trop jeune, Georges. Je viens d'avoir 15 ans.

– Mais tu vas avoir 16 ans le 31 décembre… Plusieurs filles se marient à 15 ou à 16 ans… à vrai dire la plupart…

– Oui, mais moi, j'ai le magasin à faire grandir… C'est comme un enfant… il vient juste de venir au monde, ce magasin-là… j'peux pas l'abandonner.

– Y a ton père pour s'en occuper… pis Marie… pis l'autre là… le *kid* de Saint-Isidore…

Comprenant qu'il désignait ainsi le commis, elle ne résista pas à l'envie de rire encore :

– C'est Noré Grégoire que t'appelles le *kid* de Saint-Isidore ?

– Qui d'autre ?

– Il est pas dangereux pour toi, tu sauras. Il va se marier avec Séraphie un jour ou l'autre… sont toujours ensemble. Tu dois le savoir.

– Il peut pas marier sa nièce.

– Avec une dispense de l'Église catholique, il peut ben certain.

– J'ai pas peur de lui… J'te demande en mariage parce que j'veux me marier avec toé.

– C'est trop vite.

– 1882 s'en vient…

– C'est encore trop vite.

– D'abord en 1883…

– C'est loin… je veux dire que la vie peut changer entre-temps…

– L'idée, c'est de pouvoir se dire qu'on va se marier un jour ou l'autre… en 82, en 84 ou en 85…

Devant l'urgence de trouver une idée, elle en émit une, la première à lui venir pour faire parade :

– En ouvrant le magasin, j'ai promis à mon père de pas marier avant d'être majeure. Je vas être majeure le 31 décembre 1885 : c'est pas demain, ça.

– J'attendrai…

Émélie fit un coq-à-l'âne et pour les quelques minutes de marche qui restaient, elle esquiva toute nouvelle approche de la part de Georges.

Quand Marie fut de retour et qu'elles se couchèrent, elle lui en fit part. Et lui dit qu'elle ne désirait pas épouser Georges Mercier, ni au printemps suivant, ni en 1885, ni jamais. Qu'ils n'étaient pas faits pour aller ensemble.

– Faudra que tu lui dises carrément. T'as pas le choix, Émélie.

∞∞∞∞

Le surlendemain, lundi, Marie trouva moyen de s'isoler avec Honoré. Elle lui fit jurer de ne pas révéler un secret qu'elle voulait bien lui confier, ce qu'il accepta de faire ou bien qu'il soit damné. Ce fut un choc pour lui de l'entendre lui dire :

– Y a Georges Mercier qui a demandé ma sœur en mariage.

Le jeune homme ne broncha pas :

– Elle a accepté ?

– Peut-être pour dans deux ou trois ans…

∞∞∞∞

Ce soir-là, Émélie en vélo s'arrêta devant la demeure des Mercier. Georges la rejoignit. Elle lui dit qu'elle avait pris le temps de penser à sa proposition et que sa réponse était non. Elle ne l'épouserait ni en 82, ni en 85, ni en 1900…

Et elle reprit sa course pour se rendre faire une randonnée dans le bas de la Grand-Ligne. Mais devant la demeure des Grégoire, elle garda la tête haute et droite…

Georges aurait voulu se jeter en bas de quelque chose, mais rien à Saint-Honoré n'était assez élevé pour lui garantir la mort au bas d'une chute… Une fois le pire de la souffrance terminé, il se dit qu'il devrait demander à Clorince Tanguay de marcher avec lui le soir. Au lieu de se promener sur la Grand-Ligne, on emprunterait le Grand-Shenley, ce rang qui menait aux terres de la Couronne où il restait quelques lots à ouvrir…

∞∞∞

Ce même soir, Édouard entra à la maison, l'air préoccupé. Quand on fut tous les quatre à table, il s'exclama sur le ton de la désolation :

– J'ai passé par le chemin de Tring aujourd'hui pis j'ai arrêté voir le Jean Genest. J'vous dis qu'il saute pas haut, le crapaud. C'est pour ça qu'il vient pus pantoute au village.

– Il est malade ? s'enquit Émélie.

– Ben malade.

– La consomption, ça doit.

– Quand c'est que quelqu'un pas âgé comme lui est ben malade, c'est souvent ça. Pis lui, ben c'est ça itou. Il tousse, il crache, on dirait que chaque fois qu'il se creuse dans les bronches, il va nous sortir un plein « demiard de posthume varte[14] ».

– Pour tout vous dire, grimaça Émélie avec écœurement en se vidant du bouilli dans une assiette de fer-blanc, j'en ai entendu parler.

– Qui c'est qui t'a parlé de ça ?

– J'ai entendu monsieur Beaudoin qui en parlait avec monsieur Larochelle l'autre jour dans le magasin.

– En tout cas, j'me suis tenu loin de lui. Pis si jamais il revient icitte-dans, vous ferez pareil. Il doit être contagieux comme un pestiféré, malade de même…

Marie regardait tour à tour son père et sa sœur et restait songeuse…

∞∞∞∞∞∞

---

14. Pus vert

Chapitre 44

Honoré fut secoué jusqu'au fond de l'âme, fouetté jusqu'aux os, assommé net par la confidence de Marie Allaire à propos de la demande en mariage de Georges Mercier faite à Émélie, surtout cette demande ouverte dans le temps et qui donnait à la jeune femme des années pour prendre sa décision. Quelle habileté de la part de Georges! Il évinçait son rival pour longtemps à venir.

Et un secret sacré que Marie avait pris soin de verrouiller de surcroît!

Elle comprit vite son désarroi et se félicita d'avoir parlé. Sa sœur ne le lui avait pas interdit et surtout, il ne fallait pas qu'elle et Honoré soient séparés pour la vie. Suivant son appréciation et son désir, ces deux-là allaient parfaitement ensemble: leur destin serait tout bâti d'amour, d'amitié, d'ambition, de réussite et sûrement aussi de larmes. Et maintenant qu'ils allaient vieillir d'un an, Honoré en aurait 17 en janvier prochain, et Émélie 16 en décembre, et maintenant que, circonstance favorable à un rapprochement, on avait un nouveau curé plus tolérant et qui ne prononçait jamais le mot «enfer» dans ses sermons, ils pourraient se fréquenter à l'air libre, partir ensemble en randonnée, elle en vélo, lui à cheval; ils marcheraient dans les feuilles d'automne ou la ouate que le jeune hiver étendait par flocons lourds sur le sol dur pour le rendre douillet.

Oui, mais il restait la force de l'habitude et l'œil social. Ce gros œil portant monocle et qui se donnait des allures de microscope pour scruter les mœurs de chacun. Cet œil hautement efficace et si lourd auquel n'échappaient aucune déviance, aucune frasque, aucune peccadille en matière de relations de jeunes gens, de jeunes filles. Ah! on avait beau savoir que l'abbé Faucher était parti au loin, ses petites lunettes rondes luisaient partout entre les arbres et les maisons, dans l'eau des ruisseaux, dans les éclats de soleil sur les premières neiges et jusque dans les miroirs de ces jeunes hommes qui commençaient à se raser.

En coupant sa barbe ce matin-là avec un rasoir maintes fois frotté sur une lanière de cuir, Honoré se disait qu'ils ne devaient plus vivre à couteaux tirés, Émélie et lui. Il n'y avait pas de raison. L'amitié ne lui apparaissait tout de même pas un crime condamnable et punissable de remords et de neuvaines comme l'était trop souvent l'amour. Mais quoi dire à Émélie qu'elle ne le prenne avec indifférence? Mais quoi lui proposer, quel souci se faire d'elle, qu'elle ne le repousse comme si souvent depuis plus d'un an déjà? Il eut beau chercher quelque chose de significatif, il ne trouva rien et au dernier coup de lame, il demanda l'aide du ciel…

Il ignorait, tout comme Émélie d'ailleurs, que Georges Mercier avait fait son deuil de son rêve de mariage avec elle. Et qu'il s'était tourné vers la fille du maître de poste, Clorince, qui vivait au bord du Grand-Shenley. Georges se rendait au bureau de poste tous les jours y parler avec la jeune fille; une bonne fois, il l'invita à une marche dans le rang pour après souper. Elle s'inquiéta pour Émélie. Il déclara:

– Émélie, le vendredi, c'est fini… pis tous les autres jours aussi… Elle va se marier avec le *kid* de Saint-Isidore… font semblant de pas s'aimer… pour sauver les apparences…

– J'veux pas jouer dans le dos d'Émélie…

– J'sors pas avec Émélie Allaire. Elle m'a fait manger de l'avoine en cachette.

Cette assurance nouvelle de Georges vint chercher un premier morceau du cœur de Clorince. Elle accepta de veiller avec lui en marchant dans la neige du rang…

∞∞∞∞

Quelques soirs plus tard, Mathilde et Maxime Bégin retrouvèrent Clorince et Georges pour ainsi apaiser le gros œil social. Mais il y avait, au fond de la vallée séparant les deux grandes côtes du Grand-Shenley, une cabane à sucre où l'on pouvait se réfugier pour se lutiner. Mais il y avait dans le quatuor la curiosité érotique de Mathilde capable d'entraîner chacun dans une ronde exploratoire à la recherche de plaisirs exquis parce que défendus.

«On va glisser!»

«On va courir!»

«On va aux lièvres!»

Tous ces verbes-prétextes auraient pu être remplacés par un seul: *on va pêcher*. Jamais Clorince, par peur du lapsus facile, ne dit même à ses parents: *on va pêcher*… D'autant que la truite de ruisseaux ne mordait pas fort en cette saison froide lancée sur le pays par francs nordets et bises tournoyantes…

∞∞∞∞

Honoré eut beau faire de son mieux, il ne parvint pas à amadouer Émélie. Elle restait plongée dans les affaires de l'entreprise et y mettait tout son cœur et ses énergies. Et quand il était de service au magasin, le plus souvent pour la remplacer, c'est elle qui accompagnait Édouard aux réapprovisionnements à Saint-Georges ou dans les rangs de la paroisse, ou bien qui passait du temps avec Obéline et Marie.

Tout comme un an plus tôt, le commis demanda quelques jours pour aller à Saint-Isidore au temps du jour de l'An. Mais il y aurait deux différences fin 1881 avec l'année précédente. Tout d'abord, en son absence, Émélie, Marie et Jos trouveraient un petit cadeau de sa part quand Édouard, son complice à la préparation de cette surprise, donnerait à tous la bénédiction paternelle. Et Honoré partait moins inquiet car il avait appris à travers les branches que son rival Georges Mercier s'intéressait maintenant à Clorince Tanguay et ne voyait plus Émélie que très rarement et par simple nécessité. C'est Jos qui avait tout colporté ça à Noré, Jos, qui à courir les chemins entre ses séjours au collège, savait tout ce qui survenait dans le village et prenait plaisir à le répandre : c'était là un de ses rares désennuis.

Et Honoré passa devant le magasin avec son attelage, le 30 décembre au matin, un vendredi ensoleillé, direction Saint-Benoît puis Saint-Georges, où il suivrait le chemin de la Chaudière jusqu'à destination. Marie le signala à Émélie, qui se retint de lever la tête de ses livres et se contenta de dire d'un ton détaché :

— Lui ai dit bon voyage hier quand il est parti du magasin.

— Ben moi, je vas lui dire bonjour...

— Tu sors pas en robe, Marie. Tu veux attraper la mort ?

— Rentrer pis sortir : j'ai pas le temps de rafraîchir...

— Non, Marie, dit Émélie en la pointant de son index qui parlait autant que sa bouche. C'est maman Pétronille qui te parle à travers moi : compris ?

Il était arrivé parfois, pas trop souvent, que la sœur aînée parlât ainsi à sa cadette en utilisant l'autorité de sa mère disparue, et alors Marie obéissait sans redire.

Honoré passa la tête bien droite mais les yeux tout croches qui tiraient en vain son visage vers la gauche. Et le cœur à l'écoute... Le silence de l'indifférence accompagna le pas lent de son cheval. Il le mit au trot pour entendre les clochettes de la carriole tintinnabuler... Qu'il y ait au moins apparence de cœur léger !

∞∞∞∞

Au jour de l'An, Jos reçut d'Honoré un tape-cul pour glisser sur le cap à Foley. À Marie, le commis avait offert un mouchoir de fantaisie, fini dentelle, blanc et rose. Et pour Émélie, il avait choisi un livre relié en plein chagrin au titre de Notre-Dame de Paris par Victor Hugo, un auteur français dont les prêtres parlaient parfois, mais rarement, dans leurs sermons. Il ajouta un mot écrit pour lui souhaiter une belle journée d'anniversaire de naissance le 31 ainsi qu'une seizième année heureuse et fructueuse.

À son retour le 2 janvier, il reçut les remerciements de Marie et Jos, qui les lui firent en personne. Mais d'Émélie, un mot écrit sans plus qu'elle ajouta à sa paye de la semaine. Un mot froid et sec comme janvier. Elle ne comprenait pas son choix. Pourquoi n'avait-il pas plutôt offert le livre à Marie, qui aimait lire bien plus qu'elle, et le mouchoir à elle-même ? Non qu'elle comparât les deux cadeaux en eux-mêmes, sachant bien l'immense valeur d'un tel livre, mais dans leur signification. Il y avait de l'affection dans le mouchoir de Marie. Émélie ne trouvait que froideur et distance dans le choix de ce livre quel qu'en soit le contenu. Il y avait du cœur dans celui de Marie et que de l'esprit dans le sien… Elle osa lui remettre la monnaie de sa pièce par un cadeau en argent le 29 janvier, jour de l'anniversaire de naissance d'Honoré… Il l'en remercia personnellement, une main tendue qu'elle ignora. Et elle commenta en deux mots fades :

– De rien !

∞∞∞∞

Quand l'occasion se présenta, Émélie rassura Clorince en lui manifestant beaucoup d'attention voire d'affection. Leur amitié tout comme celle qui l'unissait à Obéline restait inébranlable. Elle se montra heureuse du choix de Georges.

Et quand le printemps réchauffa les chairs et les champs, la fille du maître de poste confia à ses amies qu'elle épouserait Georges le 22 mai et les invita à son mariage.

— Je vas y aller avec Maxime, dit aussitôt Mathilde.

— Moè, fit Obéline, si on me demande...

— Quant à moi, trancha Émélie, je vas y aller seule... seule comme un cierge pascal. Pis je vas avoir des petites flammes au cœur et dans les yeux, vous allez voir...

— À notre âge, me semble qu'on n'a pas l'air fine, tu seule aux noces, argua Obéline. Fais-toé inviter par Noré...

Le rouge entraîna la colère au front d'Émélie :

— Obéline Racine... il a pas d'affaire là, lui, le *kid* de Saint-Isidore... Qu'il aille à d'autres noces avec sa chère Séraphie Grégoire !

Mai vint. Bleu. Et clair au ciel. Doux et frais.

Georges ne baissait plus la tête quand il lui arrivait de croiser Émélie, qui le saluait joyeusement et parfois lui parlait de son mariage avec Clorince, union qu'elle prévoyait heureuse et prospère. Et elle le pensait sincèrement car Clorince lui apparaissait une bonne fille, tendre et généreuse, semblable à Obéline ou à sa sœur Marie. Et tout aussi pieuse que Marie.

Le 22 arriva : un si beau lundi !

Le mariage aurait lieu dans la chapelle, et la noce, dans la sacristie, comme en bien des cas, comme en celui d'Anselme, autre fils de Prudent marié deux ans plus tôt à quelques jours de l'arrivée des Allaire au village.

Édouard avait suggéré à Émélie de se faire accompagner par Honoré, ce qu'elle avait refusé catégoriquement :

« Assez qu'à la noce à Anselme, a fallu se relayer au magasin, asteur qu'on a un commis... C'est pour ça qu'on paye monsieur Noré, vous le savez... »

« C'est ton choix, Mél... Émélie ! »

Très contrarié voire excédé, Honoré marcha de long en large dans le magasin et parfois devant durant la cérémonie qu'il put suivre par les chants qui émergeaient depuis la porte de la chapelle laissée entrouverte, l'été faisant une incursion printanière ce jour-là dans la région. Il servit poliment les rares clients du lundi. Il réarrangea le rayon des chaussures. Et pour passer le temps, il dessina sur un bout de papier au crayon de graphite le plan d'un nouveau magasin, car celui-ci était bien trop exigu pour servir adéquatement une clientèle si nombreuse.

Mais ce qui le travailla toute cette journée, comme depuis des mois et des mois, fut de trouver moyen de percer la grande muraille qui entourait la grande Émélie. Tout ce qu'il avait tenté pour se rapprocher d'elle, sans trop en faire pour ne pas l'exaspérer et risquer à la limite le renvoi, avait échoué lamentablement. Son cœur de roc se comparait au cap à Foley pour lui.

Il y eut le repas dans la sacristie. Le curé le partagea avec la famille à la table d'honneur. Prudent Mercier osa solliciter de l'abbé Quézel la permission de laisser les invités danser des sets canadiens durant l'après-midi. La seule condition que le prêtre y mit fut celle de fermer la porte entre la sacristie et la chapelle afin de ne pas « déranger » les saintes espèces se trouvant dans le tabernacle de la chapelle.

Onésime Lacasse fut maître de cérémonie et musicien principal ainsi que chanteur officiel. Rémi Labrecque joua de la ruine-babines, et son épouse, Philomène, qui avait appris l'accordéon ces dernières années, enrichit l'orchestre amateur pour la plus grande joie de ses élèves présents. Car avec la permission spéciale de Thaddée St-Pierre, président de la commission scolaire, elle avait mis la clef dans la porte de son école à midi pour rejoindre son époux à la noce.

Et il y eut des sets callés comme prévu et annoncé: un événement important en ce que la danse avait été honnie par le presbytère depuis la venue de l'abbé Faucher en 1873. À être inscrit dans l'historique paroissial...

On s'en donna à cœur joie. Émélie forma un couple avec son père et s'amusa ferme comme tous. Obéline, qu'accompagnait Esdras Jobin, l'imita. Mais la Mathilde et son cher Maxime n'imitèrent personne quant à eux et ils furent le premier couple à sauter sur la place centrale réservée aux danseurs. Ils ne manquèrent pas un set.

Des hommes allaient prendre un petit coup caché à l'extérieur, à même des cruches de petit blanc dissimulées dans les cordes de bois sous un appentis derrière la sacristie. Annonçant qu'ils allaient se rafraîchir, en fait, ils allaient se réchauffer, et l'abbé Quézel, qui soupçonnait leur joyeux méfait, s'en amusait intérieurement. Tout cela lui paraissait bien bénin et même enrichissant pour leur santé morale. L'isolement de sa paroisse le mettait à l'abri des doigts pointés par les curés des environs.

Parmi les invités se trouvait aussi le couple formé de Henri Jobin et de son épouse, Restitue. Ils étaient de même catégorie d'âge qu'Édouard et se tinrent avec lui et Émélie. Ce devait être un pas de plus dans une amitié familiale appelée à durer longtemps.

Clorince, qui avait reçu d'Émélie pour cadeau une jolie nappe en lin, vint la remercier entre deux danses. Son nouvel époux la rejoignit et, une velléité de reproche dans un œil et d'embarras dans l'autre, il eut tôt fait de s'excuser pour aller fumer une pipée dehors. Car le curé avait aussi demandé que personne ne fasse usage de tabac à l'intérieur de la sacristie.

– Suis contente pour toi, Clorince, bien contente.

– Pis moé donc !

Ce n'était pas Émélie qui avait dit cela, mais Mathilde survenue à l'improviste.

– Je te dis que tu te fais aller les pattes, Mathilde, lui dit Émélie. Maxime arrive pas tout le temps à te suivre…

– C'est rien, les filles, vous savez quoi, je vas aller chercher monsieur le curé pour danser avec nous autres.

– T'es folle à mort, fit Émélie. Il voudra jamais... il se ferait excommunier par le pape Léon XIII...

– Y a pas de mal là-dedans.

– Je le sais, mais... un prêtre danser... je te dis...

Onésime Lacasse fit en sorte qu'Émélie soit prise au mot en annonçant un autre quadrille. L'audace de Mathilde souleva ses jambes. Elle courut à la table d'honneur :

– Monsieur le curé, venez-vous danser avec nous autres ?

– Qui, moi ? questionna le prêtre avec des yeux plus grands que les fenêtres.

– Oui, vous ! fit-elle avec des yeux plus grands encore.

L'abbé regarda les assistants sans rire un brin et même que son front parut exprimer la naissance d'un sentiment de colère. Il rougit jusqu'au-delà des oreilles, fit un signe de tête négatif et lança :

– Et pourquoi pas ?

Et dans l'allégresse générale, il suivit la jeune fille pour une danse endiablée. La plupart des assistants se sentirent plus légers d'avoir parmi eux un prêtre aussi d'adon, ainsi capable de participer à leurs joies simples. Quelques-uns toutefois murmurèrent... Un curé ne devrait pas aller si loin, ne pouvait pas se mélanger au peuple jusque dans ses fredaines. Mais leur heure devrait attendre car c'était celle des petits bonheurs d'un jour de noce.

C'est à Clorince qu'avait surtout pensé l'abbé Quézel en acceptant la proposition de Mathilde. Tant de souffrances, tant de misère l'attendaient que la moindre chose à lui offrir en ce jour de sa noce, c'était le plus de joie possible. Pour que, dans les moments les plus noirs de son futur, elle puisse rêver aux moments les plus roses de son passé afin peut-être d'en espérer d'autres...

∞∞∞

Une telle permissivité de la part du curé fut vite connue par toute la paroisse. La jeunesse surtout sentit un souffle de liberté souffler dans les arbres en même temps que commençaient d'éclater leurs bourgeons dans un printemps si favorable et brillant.

Quelques jours après le mariage de Clorince, un soir, Honoré Grégoire fit monter sa nièce Séraphie avec lui sur son cheval et se dirigea vers le village. Marie les aperçut, qui le rapporta aussitôt à sa sœur aînée:

– C'est Noré à cheval avec Séraphie.

Émélie ne résista pas à la tentation et s'approcha de la fenêtre avant, mais pas trop, et s'embusqua derrière une empilade de boîtes pour voir cette scène détestable. La jeune femme le prit pour une insulte. Et à cette injure, il ajoutait l'affront de se promener avec son abominable chapeau à la Jesse James…

– J'te dis qu'il a bel air, le *kid* de Saint-Isidore! marmonna-t-elle.

– Tu passes ton temps à le critiquer, Émélie; ça veut dire qu'il est important pour toi.

– Peufffff! Pauvre Marie, tu connais pas grand-chose à la vie… Je m'énerve à cause de sa conduite répréhensible… À cheval avec sa nièce et avec ça sur la tête… Par chance pour lui que monsieur le curé voit pas ça, hein!

Pauvre Émélie, elle dut assister à une scène bien plus détestable encore quand l'abbé Quézel sortit du presbytère et vint parler au couple. De toute évidence, le prêtre ne trouvait rien à redire et il s'intéressait au plus haut point au cheval d'Honoré.

– En tout cas, il passera pas sa vie commis ici, celui-là!

Émélie tourna les talons. Elle alla se bercer dans le hangar comme ça lui arrivait quand elle était de mauvaise humeur ou attristée… En ce moment, ces deux sentiments l'accablaient à la fois. Elle se berça doublement…

∞∞∞∞∞∞∞∞

Chapitre 45

Marie pria fort pour que les choses aillent mieux entre sa sœur et Honoré. Si au moins ils pouvaient cesser de se dire ces grands «vous»! Vous, mademoiselle Émélie, vous, monsieur Honoré. Et elle n'aimait guère que sa sœur rapprochât l'image du commis de celles de Billy le Kid et de Jesse James, tous deux aussi morts l'un que l'autre, le premier l'année précédente et le second voilà tout juste quelques semaines soit, le 3 avril.

C'est à cela qu'elle songeait, ce clair matin d'été, tandis que le commis s'affairait dans le hangar et qu'Émélie servait la clientèle dans son empressement coutumier. Assise à sa place habituelle dans l'escalier, à regarder sans les voir, les croix du cimetière, Marie pensait aussi à Georges Lapierre qu'elle aimait bien et qui le lui rendait. Et qui disait prier pour elle chaque matin en se levant et chaque soir en se couchant.

Le bruit de la clochette du magasin se fit entendre pour la troisième ou quatrième fois. Marie pensa que sa sœur aurait peut-être besoin d'elle vu qu'Honoré avait beaucoup à faire dans le hangar qu'il remettait à l'ordre après quelques semaines de circulation de marchandise.

Elle se leva et mit le pied dans la marche suivante, mais s'y trouvait Mousseline, qu'elle n'avait pas vue venir s'installer là et qui, toujours, se rendait jusqu'à elle pour se faire flatter et réchauffer. Sans doute que l'air chaud de la pièce avait incliné la chatte à rester quelque part à mi-chemin entre les deux étages. Marie perdit pied pour éviter d'écraser l'animal, puis sa cheville se tordit dans la marche suivante, et voici que tout l'équilibre de son corps en pâtit. Ce fut alors la chute hors de l'escalier qui n'avait pas de rampe. Et tout son poids fut porté par sa jambe qui, à l'horizontale, était à moitié sur la marche et à moitié dans le vide. Le membre se brisa. Et pas rien que le tibia mais aussi le péroné. Malgré leur jeunesse, les os de Marie manquaient des substances qui les font forts et souples. Elle n'avait jamais subi la malnutrition, pas plus qu'Émélie, mais son métabolisme utilisait mal certains éléments. Peut-être aussi qu'une grave maladie encore insoupçonnée la minait de l'intérieur?

Elle échappa un cri de bête blessée, pointu, douloureux, désespéré. Et resta sur le plancher de bois à se plaindre, les yeux fermés et le visage grimaçant horriblement. Alertés, Émélie aussi bien qu'Honoré accoururent et parvinrent à la blessée au même moment.

– Marie, Marie, Marie? dit Émélie en s'agenouillant auprès d'elle.

– S'est enfargée dans l'escalier, constata Honoré.

Des clients vinrent voir ce qui arrivait dans la cuisine.

– J'ai mal, ne cessait de redire la jeune fille, qui se tordait le haut du corps sans toutefois que sa jambe droite ne bouge.

Et elle montrait sa jambe fracturée.

– Elle a pu se casser la jambe, dit Honoré.

– Mais non, mais non, dit Émélie, qui refusait d'envisager l'évidence.

– C'est ta jambe, Marie? demanda Honoré.

– Oui...

– La droite?

– Oui.

– On peut pas la laisser là? fit Émélie, qui interrogeait Honoré du regard.

– Je vais la porter dans son lit.

Édouard était absent pour la journée. Parti dans le rang 10 livrer des effets et acheter des produits. Honoré comprit qu'il devait prendre les choses en main. Émélie semblait douter d'elle-même et manquer de sang-froid.

– Ça va te faire un peu mal, Marie, mais faut que je t'emmène dans ta chambre.

La jeune fille acquiesça en gémissant.

Il glissa son bras droit sous ceux de la blessée en entourant son dos puis, doucement, glissa l'autre sous son genou gauche et ensuite sous le droit. Et se leva aisément comme s'il avait soulevé une plume. Marie eut un cri de douleur. Puis, la douleur parut s'évanouir. Mais elle revint en force quand il la posa sur le lit.

– C'est normal, dit Honoré, les os cassés doivent frotter ensemble pis c'est ça qui lui fait mal.

Lui et Émélie se tenaient de chaque côté du lit dans le clair-obscur.

– On va faire venir Rémi Labrecque.

– J'allais justement vous le proposer, Émélie. J'ai mon cheval aujourd'hui : j'y cours. Pour Marie, faut toucher à rien… seulement lui éponger le front avec de l'eau fraîche pour qu'elle perde pas connaissance.

Et le jeune homme partit à la hâte, laissant Émélie prendre un soin au moins moral de sa sœur. Ce que fit la jeune femme par sa présence tandis que son cœur se surprenait devant autant de délicatesse et de force mélangées chez Honoré. Les clients se mirent en attente dans le magasin, plus désireux encore de savoir ce qui arriverait à cette pauvre Marie que d'obtenir leurs effets. Et bientôt revint Honoré, dont la course avait été rapide. Il avait ramené Rémi sur son cheval, et le « ramancheur » officiel de la paroisse s'amena, attelles de bois et rouleau de guenille à la main, auprès de la blessée, qui avait moins mal mais gémissait parfois. Il fit du mieux qu'il put…

Émélie et Honoré discutèrent dans la cuisine. Il fallait laisser à Marie la chambre entière et le lit. Aussi, tant qu'elle serait incapable de marcher, du moins, en béquilles, Émélie coucherait en haut dans la chambre de Jos qui, pour le restant de l'été, partagerait celle de son père.

Puis, Émélie remercia poliment Honoré d'avoir agi vite et bien dans les circonstances :

– C'est mon père qui vous en saura gré, monsieur Honoré.

– Tout ce que je souhaite, c'est que Marie se rétablisse ben comme il faut, dit-il avec force.

Émélie vit les yeux du jeune homme devenir luisants d'eau. À telle enseigne qu'elle passa le reste de la journée à se demander s'il ne nourrissait pas au fond de lui-même envers sa sœur cadette qu'il tutoyait depuis longtemps un sentiment inavouable...

∞∞∞∞

Le jour suivant, Émélie se rendit dans le hangar par la porte de cuisine qu'elle laissa entrouverte. Il lui fallait sonder plus profondément le cœur de ce jeune homme que son père tenait en plus haute estime que jamais en raison du soin qu'il avait pris de Marie la veille.

– Bonjour !

– Bonjour, mademoiselle Émélie.

– Vous savez que Marie va mieux.

– Les os, quand ils sont retenus en place par des attelles, ne font plus mal. Il y a des béquilles chez mon frère ; je vais les ajuster à la grandeur de Marie pour quand elle pourra se lever du lit.

– On pourrait en acheter... c'est un produit qu'un magasin devrait tenir en inventaire.

– Suis d'accord avec ça.

– Marie est une personne si bonne... sans malice... ben meilleure que moi...

Émélie le pensait, mais les mots étaient choisis également dans un autre but: savoir ce que ressentait Honoré envers sa sœur.

– Je dirai… bonne… et combien bonne! Sans malice, ça, c'est vrai. Et… différente de vous. Il n'y en a pas une qui est meilleure. Chacune est elle-même avec ses grandes qualités pis… ses petits défauts…

Honoré continuait de travailler, le dos tourné à sa visiteuse. Elle le poussa plus loin dans le coin avec sa phrase suivante:

– Ça vous a touché fort au cœur, hein, ce qui est arrivé hier à la pauvre Marie?

Le jeune homme comprit qu'Émélie cherchait à fouiner dans son cœur. Il comprit aussi que sa chance était enfin venue. Et il ne la rata pas. Il se redressa, se retourna. Elle avait osé s'approcher très près. À croire que le ciel s'en mêlait pour les réunir enfin. Avec la même délicatesse et la même force qu'il avait utilisées pour emporter Marie dans son lit la veille, il s'empara de la personne d'Émélie qu'il retint par la taille sans l'étreindre:

– J'aime beaucoup Marie, tu sais, Émélie.

– Je le savais, dit-elle, le regard rapetissé.

Elle pouvait voir ses yeux briller, sentir son odeur de propreté, d'autant que la journée était encore jeune et que la chaleur attendrait une heure ou deux pour se montrer.

– Je l'aime… comme ma petite sœur… pis toè, Émélie, je t'aime comme une femme…

– J… je… mais…

Il ne lui laissa pas le temps du dernier mot et l'embrassa droit sur la bouche. Un baiser qui dépassait de loin les limites d'un souhait du jour de l'An… Un baiser qui ne laissait aucun doute sur son cœur. Émélie avait voulu savoir, pensa-t-il, maintenant elle savait. Et s'il devait perdre sa place, tant pis! Il irait travailler chez son frère à Scott, tiens…

Aussi résolument qu'il s'était emparé d'elle, aussi résolument la laissa-t-il pantoise, quittant le hangar sans rien ajouter…

Marie, qui avait tout entendu par les portes ouvertes, sourit dans son lit. Et remercia le ciel. Et se dit qu'il valait la peine de se casser une jambe pour souder deux cœurs.

(Les os de la jambe de Marie ne devaient pas se souder correctement, et jamais plus elle ne marcherait comme avant. Même que sa claudication serait prononcée et gênante... Elle offrirait à Dieu ses souffrances en lui demandant de les ajouter à celles de Jésus en croix pour la rédemption des péchés du monde. À commencer par les siens...)

∞∞∞∞

Ce soir-là, dans son lit à l'étage, les yeux qui brillaient sous les rayons de lune, Émélie songeait...

Au bout d'un long temps, elle eut le dernier mot contre elle-même à déclarer tout haut en tutoyant:

– Je pense que je t'aime, Honoré Grégoire...

∞∞∞∞∞∞∞

À suivre dans
La maison rouge